Het recht om te zwijgen

Michael Connelly bij Boekerij:

Tunnelrat
Betonblond
Nachtgoud
Hartzuur
De dichter
Kofferdood
Bloedbeeld
Spoordood
Maanstand
Donkerder dan de nacht
Stad van beenderen
De jacht
Verloren licht
Stroomversnelling
Slotakkoord
De Lincoln-advocaat
Echo Park
Blind vertrouwen
Het laatste oordeel
Ongrijpbaar
Tweede leven
De herziening
Het recht om te zwijgen

www.boekerij.nl

Michael Connelly

Het recht om te zwijgen

ISBN 978-90-225-6135-5
ISBN 978-94-602-3244-2 (e-boek)
NUR 330

Oorspronkelijke titel: *The Fifth Witness*
Oorspronkelijke uitgever: Little, Brown and Company
Vertaling: Martin Jansen in de Wal
Omslagontwerp en fotobewerking: Wil Immink Design
Omslagbeeld: straatbeeld: Glowimages / Getty Images; auto: UpperCut Images /
Getty Images
Zetwerk: Mat-Zet bv, Soest

*Voor Dennis Wojciechowski,
met al mijn dank.*

Deel een

De toverwoorden

I

Mevrouw Pena keek me aan vanaf de andere kant van de achterbank en hield in een smekend gebaar haar handen op. Ze praatte met een zwaar accent en koos voor het Engels in haar laatste poging me over de streep te trekken.

'Alsjeblieft, wil je me helpen, meneer Mickey?'

Ik keek naar Rojas, die achter het stuur zat en zich omdraaide, hoewel hij dit niet hoefde te vertalen. Daarna keek ik langs mevrouw Pena door het achterraampje van de auto naar het huis dat ze zo wanhopig graag wilde behouden. Het had lichtroze buitenmuren, twee slaapkamers en een te verwaarlozen achterplaatsje met een hek van draadgaas eromheen. De betonnen stoeptrede bij de voordeur zat vol graffiti: onverklaarbare tekens, afgezien van het getal 13. Dat was niet het huisnummer. Het was een symbool van haar loyaliteit aan de buurt.

Uiteindelijk keek ik haar weer aan. Ze was vierenveertig jaar en aantrekkelijk op een wat verlopen manier. Ze was een alleenstaande moeder met drie tienerzonen en ze had al negen maanden haar hypotheek niet betaald. Nu had de bank haar onteigend en wilden ze het huis verkopen.

De veiling zou over drie dagen plaatsvinden. Het maakte niets uit dat het huis weinig waard was, of dat het in een door straatbendes geterroriseerde buurt in Zuid-L.A. stond. Iemand zou het kopen en mevrouw Pena zou in plaats van eigenaar huurder worden, tenminste, als de nieuwe eigenaar haar er niet uit zette. Jarenlang had ze vertrouwd op de bescherming van de Florencia 13. Maar de tijden waren veranderd. Geen straatbende kon haar nu nog helpen. Ze had een advocaat nodig. Ze had míj nodig.

'Zeg tegen haar dat ik mijn best zal doen,' zei ik. 'Zeg tegen haar dat ik er redelijk zeker van ben dat ik de veiling kan tegenhouden en de rechtsgeldigheid van de onteigening kan aanvechten. Dat zal het proces in ieder geval vertragen. En het geeft ons de tijd om een langetermijnplanning te maken. Misschien kunnen we haar helpen haar financiën weer op orde te krijgen.'

Ik knikte en wachtte terwijl Rojas het vertaalde. Ik had Rojas als mijn chauffeur annex tolk aangenomen toen ik reclamezendtijd op de Spaanstalige radiozenders had gekocht.

Ik voelde de mobiele telefoon in mijn broekzak trillen. Mijn bovenbeen interpreteerde het signaal als een sms en niet als een gesprek, want dat trilde langer. Ik negeerde het hoe dan ook. Toen Rojas uitgepraat was, ging ik door voordat mevrouw Pena kon reageren.

'Zeg tegen haar dat ze moet begrijpen dat dit geen oplossing voor haar problemen is. Ik kan de zaken vertragen en we kunnen gaan onderhandelen met haar bank. Maar ik kan niet beloven dat ze het huis niet zal kwijtraken. In feite is ze het al kwijt. Ik ga het terugvorderen, maar ze zal hoe dan ook met de bank tot een regeling moeten komen.'

Rojas vertaalde het en maakte er handgebaren bij die ik achterwege had gelaten. De waarheid was dat mevrouw Pena uiteindelijk toch zou moeten vertrekken. De vraag was hoe ver zij wilde dat ik zou gaan. Een persoonlijk bankroet zou de verdediging hooguit een jaar speelruimte opleveren. Maar dat hoefde ze nu niet te beslissen.

'En zeg tegen haar dat ik betaald moet worden voor mijn werk. Vertel haar wat het tarief is. Duizend vooruit en een maandelijkse betalingsregeling.'

'Hoeveel per maand en voor hoe lang?'

Ik keek nog eens naar het huis. Mevrouw Pena had me uitgenodigd binnen te komen, maar ik had er de voorkeur aan gegeven in de auto met haar te praten. Dit was een straat waar auto's langsreden en ik zat in mijn Lincoln Town Car BPS. Die laatste letters staan voor *Ballistic Protection Series*. Ik had hem gekocht van de weduwe van een vermoorde drugsbaas van het Sinaloa-kartel. Er zaten pantserplaten in de portieren en de ruiten bestonden uit drie lagen gewapend glas. Ze waren kogelvrij. De ramen van mevrouw Pena's roze huisje waren dat niet. De les die van de Sinaloaman geleerd kon worden, was dat je niet uit je auto kwam tenzij het echt niet anders kon.

Mevrouw Pena had al eerder uitgelegd dat de hypotheek van haar huis, die ze al negen maanden niet had betaald, zevenhonderd dollar per maand bedroeg. Terwijl ik met de zaak bezig was, zou ze de bank ook niet betalen. Zolang ik de bank op afstand hield, zou ze gratis wonen, dus er kon hier geld worden verdiend.

'Maak er tweehonderdvijftig per maand van. Ik bied haar het speciale tarief aan. Breng haar aan het verstand dat dit een koopje is en dat ze op tijd moet betalen. We accepteren een creditcard, als ze er een heeft met geld erop. Kijk wel of het ding tot ten minste eind 2012 geldig is.'

Rojas vertaalde het, met meer gebaren en veel meer woorden dan ik had gebruikt, terwijl ik mijn telefoon uit mijn zak haalde. De sms kwam van Lorna Taylor.

BEL ME ZSM

Ik zou haar meteen na dit gesprek bellen. Een normale advocatenpraktijk beschikt op zijn minst over een kantoormanager en een receptioniste. Maar ik had geen kantoor, afgezien van de achterbank van mijn Lincoln, en daarom nam Lorna het zakelijke gedeelte en de telefoon voor haar rekening vanuit een flat in West-Hollywood, waar ze woonde met mijn onderzoeksmedewerker.

Mijn moeder was Mexicaanse van geboorte en ik begreep haar moedertaal beter dan ik ooit had laten merken. Dus toen mevrouw Pena antwoordde, wist ik wat ze zei, of begreep in ieder geval de strekking van wat ze zei. Maar ik liet Rojas toch alles voor me vertalen. Ze zei dat ze naar binnen zou gaan om de duizend dollar voorschot in contanten te halen en beloofde dat ze zich trouw aan de maandelijkse betalingen zou houden. Aan mij, niet aan de bank. Ik rekende uit dat ik, als ik haar een jaar in haar huis kon houden, daar precies vierduizend dollar aan zou verdienen. Niet slecht voor wat ik ervoor moest doen. Waarschijnlijk zouden mevrouw Pena en ik elkaar nooit meer zien. Ik zou de onteigening aanvechten en alles zo lang mogelijk rekken. Er was een goede kans dat ik niet eens voor het hof hoefde te verschijnen. Dat kon mijn jonge medewerker voor me doen. Mevrouw Pena zou gelukkig zijn met de regeling en ik ook. Uiteindelijk, echter, zou de bijl vallen. Die valt namelijk altijd.

Ik meende dat ik hier een eenvoudige zaak aan had, hoewel mevrouw Pena geen cliënt was die veel sympathie zou wekken. Het merendeel van mijn cliënten stopt met hun betalingen aan de bank nadat ze zijn ontslagen, of omdat ze een of andere medische ramp te verduren hebben gekregen. Mevrouw Pena was ermee gestopt toen haar drie zoons de gevangenis in gingen voor het dealen van drugs en hun wekelijkse financiële bijdrage abrupt werd stopgezet. Een dergelijk verhaal zou weinig goodwill opleveren. Maar de bank had een vuil spelletje gespeeld. Haar dossier zat in mijn laptop en ik had het bestudeerd. Het stond er allemaal in: het rapport over de aanmaningen die ze uitgereikt had gekregen en ten slotte de eis tot onteigening. Alleen had mevrouw Pena me verteld dat ze die aanmaningen nooit had ontvangen. En ik geloofde haar. Dit was niet het soort buurt waar deurwaarders vrijelijk over straat konden lopen. Ik vermoedde dat die aanmaningen in de prullenbak waren beland en dat de deurwaarder er ijskoud over had gelogen. Als ik dat hard kon maken, kon ik mevrouw Pena's bank een tijdje uit haar buurt houden.

Dat zou mijn verdediging zijn. Dat de arme vrouw nooit officieel op de hoogte was gesteld van de kritieke situatie waarin ze zich bevond. De bank had misbruik gemaakt van haar positie en haar onteigend zonder haar in de gelegenheid te stellen de schuld te voldoen, en het hof zou de bank moeten berispen voor die handelwijze.

'Oké, we hebben een deal,' zei ik. 'Zeg dat ze naar binnen gaat en het geld haalt terwijl ik het contract en het ontvangstbewijs print. We gaan er vandaag nog mee aan de slag.'

Ik glimlachte en knikte naar mevrouw Pena. Rojas vertaalde het, stapte snel uit de auto en liep eromheen om het portier voor haar te openen.

Zodra mevrouw Pena was uitgestapt, klikte ik het Spaanstalige contract op mijn laptop aan en vulde de vereiste namen en getallen in. Ik stuurde het document naar de printer die op zijn vaste plek op de passagiersstoel stond. Vervolgens typte ik het ontvangstbewijs voor het voorschot van mijn cliënt. Alles keurig boventafels. Altijd. Dat was de beste manier om de Orde van Advocaten van Californië te vriend te houden. Want ik mocht dan een kogelvrije auto hebben, het was de Orde waar ik meestal meer van te vrezen had.

Het was een slecht jaar geweest voor Michael Haller & Partners, Advocaten. Strafzaken waren er bijna niet meer door de slechte economie. Dat wilde natuurlijk niet zeggen dat de misdaad daardoor was afgenomen. In Los Angeles bloeit de misdaad altijd, hoe de economie er ook voor staat. Maar in betalende cliënten zat wel degelijk de klad. Het leek wel alsof niemand meer geld had om een advocaat te betalen. Met als rechtstreeks gevolg dat de pro-Deoadvocaten tot aan hun kruin in de zaken en de cliënten zaten en jongens als ik omkwamen van de honger.

Ik had ook mijn vaste lasten, en een dochter van veertien op een particuliere school, die over de universiteit van Zuid-Californië begon zodra het onderwerp 'studeren' ter sprake kwam. Ik moest iets doen, dus deed ik iets wat ik vroeger altijd voor ondenkbaar had gehouden. Ik ging civiele zaken doen. De enige tak van rechtsbijstand waar groei in zat, was die van de onteigening. Ik volgde een paar colleges, deed vervroegd examen en liet nieuwe advertenties plaatsen, in twee talen. Ik ontwierp een paar websites en begon lijsten van voorgenomen onteigeningen bij de gemeente op te kopen. Zo was ik aan mevrouw Pena als cliënt gekomen. Direct mail.

Haar naam stond op de lijst en ik had haar een brief gestuurd – in het Spaans – waarin ik mijn diensten aanbood. Ze vertelde me dat ze tot dat moment niet had geweten dat ze onteigend zou worden.

Ze zeggen dat als je je best doet, je klanten je vanzelf weten te vinden. Dat was waar. Ik had algauw meer zaken dan ik aankon – alleen al vandaag, na mevrouw Pena, had ik nog zes afspraken – en het ging zelfs zo ver dat Michael Haller & Partners voor het eerst sinds zijn bestaan ook een echte partner in dienst nam. De landelijke epidemie van vastgoedonteigening begon inmiddels wat af te nemen, maar was nog lang niet voorbij. In Los Angeles en omgeving waren er genoeg zaken om nog jaren brood op de plank te hebben.

De zaken leverden slechts vier- tot vijfduizend dollar per stuk op, maar ik zat professioneel in een periode van mijn leven waarin kwantiteit belangrijker was dan kwaliteit. Ik had op dit moment meer dan negentig onteigeningszaken in portefeuille. Mijn dochter kon zich gaan verheugen op haar studie aan de USC. Shit, misschien zou ze er zelfs kunnen blijven tot ze haar doctoraal had gedaan.

Er waren mensen die meenden dat ik een deel van het probleem vormde, dat ik, door wanbetalers te helpen misbruik te maken van het systeem, het economisch herstel vertraagde. Bij sommigen van mijn cliënten ging die opvatting wel op. Maar ik zag de meesten van hen als meervoudige slachtoffers. Eerst waren ze gek gemaakt door de Amerikaanse droom ooit een eigen huis te bezitten en hadden ze een hypotheek in de maag gesplitst gekregen waarvoor ze in de verste verte niet in aanmerking kwamen. Vervolgens, toen de zeepbel barstte, werden ze opnieuw op de nek gesprongen door gewetenloze hypotheekverstrekkers die alle schuld bij hen legden en onmiddellijk dreigden met onteigening. Het merendeel van deze ooit zo trotse huizenbezitters had geen schijn van kans tegen de gestroomlijnde Californische wetgeving op het gebied van onteigening. Een bank had geen eens toestemming van de rechter nodig om iemand zijn huis af te nemen. De grote financiële geesten van deze tijd waren het hiermee eens. De zaak moest in beweging blijven. Hoe eerder de crisis het nulpunt bereikte, hoe sneller men met het herstel kon beginnen. Ik dacht dan: maak dat mevrouw Pena maar wijs.

Er bestond een theorie die stelde dat het hier ging om één groot complot van de belangrijkste Amerikaanse banken. Zij zouden de eigendomsrechten ondermijnen, het rechtssysteem saboteren en daarmee een systeem van doorlopende onteigeningen creëren waarvan ze, hoe de uitkomst ook was, financieel profijt hadden. Ik geloofde daar niet echt in. Maar gedurende mijn korte carrière in deze sector van de wetgeving was ik al zo veel roofdierengedrag en onethische praktijken van zogenaamde legitieme zakenlieden tegengekomen dat ik mijn ouwe, trouwe strafzaken begon te missen.

Rojas stond naast de auto te wachten totdat mevrouw Pena terugkwam met het geld. Ik keek op mijn horloge en zag dat we al bijna te laat waren voor mijn volgende afspraak: de onteigening van een bedrijfspand in Compton. Ik probeerde mijn bezoeken aan nieuwe cliënten zo veel mogelijk geografisch te bundelen, om tijd, benzine en kilometers te besparen. Vandaag deed ik het zuidelijke deel van de stad. Morgen zou ik Oost-L.A. doen. Twee dagen per week zat ik in de auto om nieuwe cliënten binnen te halen. De rest van de week werkte ik aan de zaken.

'Schiet een beetje op, mevrouw Pena,' mompelde ik. 'We hebben meer te doen.'

Ik besloot de wachttijd te gebruiken om Lorna te bellen. Drie maanden eerder had ik de nummerweergave van mijn telefoon geblokkeerd. Ik had dat nooit gedaan toen ik nog strafzaken deed, maar in mijn nieuwe functie van onteigeningsadvocaat vond ik het niet nodig dat iedereen mijn nummer kon zien. En dat gold zowel voor mijn cliënten als voor de advocaten van de tegenpartij.

'Advocatenkantoor Michael Haller en Partners,' zei Lorna toen ze opnam. 'Waarmee kan ik u...?'

'Ik ben het. Wat was er?'

'Mickey, je moet meteen naar Bureau Van Nuys.'

Haar stem klonk bezorgd en dwingend. Bureau Van Nuys was het centrale commando voor operaties in de uitgestrekte regio van de San Fernando Valley aan de noordkant van de stad.

'Ik zit vandaag in Zuid-L.A. Wat is er aan de hand?'

'Ze houden Lisa Trammel daar vast. Ze heeft gebeld.'

Lisa Trammel was een cliënt. Sterker nog, ze was mijn allereerste onteigeningscliënt. Ik had haar tot nu toe acht maanden in haar huis kunnen houden en had er alle vertrouwen in dat ik dit nog minstens een jaar kon rekken voordat we de troef van het persoonlijk bankroet zouden uitspelen. Maar ze werd verteerd door frustratie en privéproblemen en het was onmogelijk haar te kalmeren of op andere gedachten te brengen. Ze had voor de bank gepost met een sandwichbord waarop ze de frauduleuze praktijken en harteloze acties van de bank aan de kaak stelde. Tenminste, totdat de bank haar door de rechter een plaatselijk straatverbod had laten opleggen.

'Heeft ze het straatverbod overtreden? Hebben ze haar opgepakt?'

'Mickey, ze houden haar vast op verdenking van moord.'

Dat had ik niet verwacht.

'Moord? Wie is het slachtoffer?'

'Ze zegt dat ze wordt verdacht van de moord op Mitchell Bondurant.'

Dat bracht me een tweede keer tot zwijgen. Ik keek uit het raampje en zag mevrouw Pena naar buiten komen. Met een stapeltje bankbiljetten in haar hand.

'Oké, bel de rest van mijn afspraken van vandaag af. En zeg tegen Cisco dat hij alvast naar Van Nuys gaat. Ik zie hem daar.'

'Begrepen. Wil je dat Bullocks je afspraken van vanmiddag overneemt?'

'Bullocks' was onze bijnaam voor Jennifer Aronson, de juriste die ik had ingehuurd van Southwestern, de rechtenfaculteit die was gehuisvest in het oude Bullocks-winkelcentrum in Wilshire.

'Nee, ik wil niet dat zij de intakes doet. Verzet ze maar. En hoor eens, ik denk dat ik het Trammel-dossier wel bij me heb, maar jij hebt de contactenlijst. Kijk of je haar zus kunt bereiken. Lisa heeft een zoontje. Die zit waarschijnlijk op school en iemand zal hem moeten ophalen als Lisa dat niet kan doen.'

We lieten elke cliënt een zo uitvoerig mogelijke contactenlijst invullen, omdat ze soms moeilijk te vinden waren wanneer ze voor de rechter moesten verschijnen, of wanneer ze mij moesten betalen voor mijn werk.

'Oké, ik ga ermee aan de slag,' zei Lorna. 'Succes, Mickey.'

'Jij ook.'

Ik klapte mijn telefoon dicht en dacht aan Lisa Trammel. Om de een of andere reden verbaasde het me niet dat ze was gearresteerd voor de moord op de man die probeerde haar haar huis af te nemen. Niet dat ik had verwacht dat het zover zou komen. Bij lange na niet. Maar diep in mijn hart had ik geweten dat we íéts konden verwachten.

2

Snel pakte ik het geld van mevrouw Pena aan en gaf haar het ontvangstbewijs. We tekenden beiden het contract en zij kreeg een exemplaar voor haar eigen administratie. Ik schreef het nummer van haar creditcard op en zij beloofde dat het saldo toereikend zou zijn om maandelijks tweehonderdvijftig dollar af te schrijven zolang ik voor haar werkte. Tot slot bedankte ik haar, gaf haar een hand en liet haar door Rojas naar de voordeur van haar huis begeleiden.

Terwijl hij dat deed, opende ik de kofferbak met mijn *remote key* en stapte uit. De kofferbak van de Lincoln was ruim genoeg voor de drie kartonnen dozen met dossiers die er rechtop in stonden, plus de rest van mijn kantoorbenodigdheden. Ik vond Lisa Trammels dossier in de derde doos en haalde het eruit. Het chique attachékoffertje dat ik altijd gebruikte voor bezoeken aan politiebureaus haalde ik er ook uit. Toen ik de klep van de kofferbak dichtdeed, zag ik dat iemand met zilveren spray een gestileerde '13' op de zwarte lak had gespoten.

'Wel verdomme.'

Ik keek om me heen. Drie huizen verderop, in het voortuintje, zaten een paar kinderen te spelen, maar die waren veel te jong om graffitikunstenaars te zijn. Verder was er niemand te zien op straat. Ik was verbijsterd. Ik had niets gezien of gehoord, hoewel de actie moest hebben plaatsgevonden terwijl ik achter in de auto met mijn cliënt in gesprek was. Bovendien was het net één uur geweest en wist ik dat de meeste bendeleden zich zelden voor het eind van de middag lieten zien. Het waren nachtdieren.

Met het dossier en het koffertje liep ik terug naar het geopende achterportier. Ik zag dat Rojas op het stoepje met mevrouw Pena stond te praten. Ik floot en wenkte hem naar de auto. We moesten weg.

Ik stapte in. Rojas, die de boodschap had begrepen, kwam teruglopen en stapte voorin.

'Compton?' vroeg hij.

'Nee, de plannen zijn gewijzigd. We moeten naar Van Nuys. En snel.'

'Oké, baas.'

We reden weg en Rojas zette koers naar de 110 Freeway. Er bestaat geen directe route over de snelweg naar Van Nuys. We moesten over de 110 dwars door de stad en daarna via de 101 naar het noorden. Een beroerder vertrekpunt vanuit de stad was nauwelijks denkbaar.

'Wat zei ze bij de deur tegen je?' vroeg ik aan Rojas.

'Ze informeerde naar je.'

'Hoe bedoel je?'

'Ze zei dat je er niet uitzag alsof je een tolk nodig had.'

Ik knikte. Dat hoorde ik wel vaker. Door de genen van mijn moeder zie ik er eerder uit alsof ik ten zuiden van de grens ben geboren dan ten noorden ervan.

'Ze wilde ook weten of je getrouwd was, baas. Ik heb ja gezegd. Maar als je terug wilt om dat recht te zetten, hoor ik het wel. Maar dan zal ze je waarschijnlijk korting vragen.'

'Bedankt, Rojas,' zei ik droog. 'Ze krijgt al korting, maar ik zal het in gedachten houden.'

Voordat ik het dossier opensloeg checkte ik de contactenlijst van mijn mobiele telefoon. Ik zocht naar een naam van iemand bij de recherche van Van Nuys die misschien informatie voor me had. Maar zo iemand kende ik daar niet. Ik moest me blindelings op een moordzaak werpen. Ook geen al te best vertrekpunt.

Ik klapte de telefoon dicht, zette hem in de oplader en sloeg het dossier open. Lisa Trammel was mijn cliënt geworden nadat ze had gereageerd op de standaardbrief die ik had gestuurd naar alle huiseigenaren die met onteigening werden bedreigd. Ik ging ervan uit dat ik niet de enige advocaat in Los Angeles was die dit had gedaan. Maar om de een of andere reden had Lisa wel op mijn brief en niet die van hen gereageerd.

Als advocaat met een eigen praktijk ben je meestal in de gelegenheid je eigen cliënten uit te kiezen. Soms kies je de verkeerde. Zo iemand bleek Lisa voor mij te zijn. Maar ik was gretig en wilde graag aan de slag op mijn nieuwe werkgebied. Ik was op zoek naar cliënten die in de problemen zaten of van wie misbruik werd gemaakt. Mensen die te naïef waren om te weten welke rechten en mogelijkheden ze hadden. Ik was op zoek naar de underdog en dacht er in Lisa een gevonden te hebben. Ze voldeed zonder meer aan de kwalificaties. Ze zou haar huis kwijtraken door een reeks omstandigheden die als omvallende dominostenen aan haar controle waren ontsnapt. En haar hypotheekverstrekker had haar geval overgedragen aan een deurwaarderskantoor dat een paar bochten had afgesneden en enkele regels had overtreden. Ik sloot een contract met Lisa, maakte een betalingsplan en begon voor haar te knokken. Het was een goede zaak en ik was een en al gedrevenheid. Het was pas daarna dat Lisa een 'lastige klant' werd.

Lisa Trammel was vijfendertig jaar oud. Ze was getrouwd en moeder van een zoontje van negen, Tyler, en hun huis stond aan Melba Avenue in Woodland Hills. Toen zij en haar man Jeffrey het huis in 2005 kochten, gaf Lisa maatschappijleer op Grant High en verkocht Jeffrey BMW's bij een dealer in Calabasas.

Op het huis, dat drie slaapkamers had, rustte een hypotheek van zevenhonderdvijftigduizend dollar en de waarde werd geschat op negenhonderdduizend dollar. De huizenmarkt was op dat moment sterk en hypotheken waren er in alle soorten en maten, en gemakkelijk te krijgen. Ze kozen voor een onafhankelijke makelaar die met hun dossier ging shoppen en het uiteindelijk wegzette voor een lening met een lage rente en de eindaflossing na vijf jaar. De lening werd opgenomen in een investeringspakket dat twee keer werd doorverkocht totdat het uiteindelijk terechtkwam bij WestLand Financial, een dochter van WestLand National, een bank die zijn hoofdkantoor in Sherman Oaks in Los Angeles had.

Alles ging goed voor het gezin van drie, totdat Jeff Trammel besloot dat hij geen echtgenoot en vader meer wilde zijn. Een paar maanden voordat de eindaflossing moest worden betaald ging Jeff ervandoor, liet zijn BMW M3-demonstratiemodel achter op het parkeerterrein van Union Station en liet Lisa met de aflossing zitten.

Lisa zag zich plotseling geconfronteerd met een nieuwe situatie van een enkel inkomen en een kind om voor te zorgen, en ze maakte enkele keuzes. De economie was inmiddels aan het zwalken geraakt, als een vliegtuig dat zelf niet meer genoeg snelheid kon maken en langzaam maar zeker daalde. Gezien haar inkomen van lerares voelde geen enkel instituut er iets voor om haar eindaflossing te financieren. Ze stopte met de betaling van de maandelijkse aflossingen en negeerde alle post en telefoontjes van de bank. Toen de datum van de eindaflossing was verstreken, legden de deurwaarders beslag op het huis en werd de onteigeningsprocedure in werking gezet. Dat was het moment waarop ik in beeld verscheen. Ik stuurde Jeff en Lisa een brief, zonder te weten dat Jeff allang weg was.

Lisa was degene die de brief beantwoordde.

Ik beschouw iemand als een lastige klant wanneer hij of zij de regels van onze relatie niet begrijpt, ook niet als die duidelijk en soms meer dan één keer zijn uitgelegd. Lisa kwam naar me toe met het eerste schrijven over de voorgenomen onteigening. Ik nam de zaak aan en zei tegen haar dat ze niets moest doen en moest afwachten terwijl ik aan het werk ging. Maar Lisa kon dat niet: nietsdoen en afwachten. Ze belde me elke dag. Nadat ik de zaak aanhangig had gemaakt, kwam ze naar het gerechtshof wanneer ik daar was voor routinezaken als verslag uitbrengen aan de rechter en verzoeken om aanhouding van de zaak. Ze moest er per se bij zijn en wilde op de hoogte worden gehouden van alles wat ik deed, de inhoud van elke brief die ik verstuurde en de strekking van elk telefoontje dat ik ontving. Ze belde me herhaaldelijk op om te zeggen dat ze de indruk had dat haar zaak niet mijn volledige aandacht kreeg. Ik begon te begrijpen waarom haar man zijn koffers had gepakt. Hij had het gewoon niet langer volgehouden.

Ik begon vraagtekens te zetten bij Lisa's psychische gezondheid en kreeg het vermoeden dat ze aan een manisch-depressieve stoornis leed. Haar aanhoudende telefoontjes en activiteiten verliepen namelijk in cycli. Er gingen weken voorbij waarin ik niets van haar hoorde, totdat die werden afgewisseld met weken dat ze me dagelijks belde en blééf bellen totdat ze me aan de lijn kreeg.

De zaak liep drie maanden toen ze me vertelde dat ze was ontslagen door het L.A. County School District wegens ongeoorloofde afwezigheid. Het was in die tijd dat ze de schuld begon te projecteren op de bank die haar wilde onteigenen. Ze begon de redelijkheid uit het oog te verliezen. De bank was verantwoordelijk voor alles wat haar was overkomen: dat haar man haar had verlaten, dat ze haar baan was kwijtgeraakt en dat ze haar huis zou kwijtraken.

Ik maakte de vergissing dat ik haar in vertrouwen nam over enkele juridische feiten van de zaak en hoe ik van plan was die aan te pakken. In ons onderzoek van de gegevens van de lening waren we gestuit op inconsequenties en hadden we ontdekt dat de hypotheek herhaaldelijk was doorgespeeld naar diverse holdingmaatschappijen. Er waren aanwijzingen dat er fraude was gepleegd en ik was van plan die in de strijd te werpen in de hoop dat de wijzer zou doorslaan naar Lisa's kant wanneer het op onderhandelen aankwam.

Maar de informatie sterkte Lisa alleen maar in het geloof dat zij het weerloze slachtoffer van de bank was. Ze was blijkbaar vergeten dat zij haar handtekening onder de hypotheekovereenkomst had gezet en dat ze zich daarmee had verplicht zich aan de maandelijkse aflossingen te houden. Maar nee, de bank was de bron van al haar ellende.

Het eerste wat ze deed was een website bouwen. Ze koos www.californiaforeclosurefighters.com voor de presentatie van een stichting die ze *Foreclosure Litigants Against Greed* noemde. Als afkorting – FLAG – werkte het beter, en ze maakte veelvuldig gebruik van de Amerikaanse vlag om haar protesten kracht bij te zetten. Met als achterliggende boodschap dat verzet tegen onteigening net zo Amerikaans was als appeltaart.

Vervolgens ging ze posten voor het hoofdkantoor van WestLand's op Ventura Boulevard. Soms alleen, soms met haar zoontje en soms met een paar mensen die ze voor de zaak had weten te interesseren. Ze liep met borden waarop de bank ervan werd beschuldigd mee te werken aan illegale onteigeningen en het uit hun huis zetten van hele gezinnen.

Lisa haalde er al snel de plaatselijke pers bij om haar protesten onder de aandacht te krijgen. Ze kwam diverse keren op tv en was dan altijd goed voor een oneliner over de erbarmelijke situatie van mensen zoals zij, de slachtoffers van een epidemie van onteigeningen, en niet een stelletje nietsnutten. Het was me opgevallen dat Channel 5 de opnamen van haar zelfs gebruikte als archiefbeeld wanneer het onderwerp op landelijk niveau ter sprake kwam. Californië was de op twee na bekendste staat als het op onteigening aankwam, en Los Angeles was het epicentrum. Als er verslag werd gedaan van deze feiten, zag je op de achtergrond Lisa en haar groep met hun borden: LAAT MIJN HUIS MET RUST! STOP ILLEGALE ONTEIGENING! NU!

Met als argument dat het met Lisa en haar protesten om verboden samenscholingen ging, die het verkeer hinderden en voorbijgangers in gevaar brachten, stapte WestLand naar de rechter voor een straatverbod. De rechtbank bepaalde dat ze minimaal honderd meter uit de buurt van het bankgebouw en het personeel moest blijven. Onaangedaan verhuisde ze met haar borden en mededemonstranten naar het stadhuis, waar de onteigeningen dagelijks werden uitgevochten.

Mitchell Bondurant was een van de adjunct-directeuren van WestLand. Hij stond aan het hoofd van de afdeling Hypotheken. Zijn naam stond op alle documenten die over Lisa Trammels huis handelden. Zodoende was het zijn naam die talloze keren in mijn dossier voorkwam. Ik had hem een keer een brief geschreven waarin ik stelde dat er aanwijzingen waren voor – zoals ik het omschreef – frauduleus handelen door het onteigeningsbureau dat door WestLand in de arm was genomen om het vuile werk van de onteigening en uitzetting van hun klanten op te knappen.

Lisa had het recht alle documenten over haar zaak in te zien. Ze had een kopie van deze brief, en van alle andere papieren. Maar in plaats van dat die een menselijk gezicht opleverden van degene die Lisa haar huis wilde afnemen, bleef Bondurant volstrekt anoniem en had hij zich verscholen achter de juristen van de bank. Hij had mijn brief nooit beantwoord en ik had hem nooit ontmoet. Voor zover ik wist had Lisa hem ook nooit ontmoet of gesproken. Maar nu was hij dood en had de politie Lisa in hechtenis genomen.

We verlieten de 101 bij Van Nuys Boulevard en reden door in noordelijke richting. Het plaatselijke bestuurscentrum bestond uit een plein dat werd omringd door twee gerechtshoven, een bibliotheek, City Hall North en het Valley Bureau-politiecomplex, waarin Bureau Van Nuys was gevestigd. Aangezien er nog diverse andere overheidsdiensten in de gebouwen rondom het plein waren gehuisvest, was parkeren er altijd een probleem, maar dat was mijn zorg niet. Ik haalde mijn telefoon tevoorschijn en belde mijn onderzoeksmedewerker, Dennis Wojciechowski.

'Cisco, met mij. Ben je al in de buurt?'

In zijn jonge jaren was Wojciechowski lid van de Road Saints-motorclub, maar die hadden al een lid dat Dennis heette. En aangezien niemand 'Wojciechowski' kon uitspreken, hadden ze hem vanwege zijn donkere uiterlijk en zijn snor de 'Cisco Kid' genoemd. De snor had hij niet meer, maar de naam had hij gehouden.

'Ik ben er al. Ik zit op een bankje bij de hoofdingang van het politiebureau.'

'Ik ben er binnen vijf minuten. Heb je al iemand gesproken? Ik weet nog niks.'

'Ja, je oude vriend Kurlen heeft de leiding van het onderzoek. Het slachtoffer, Mitchell Bondurant, is vanochtend om een uur of negen gevonden in de parkeergarage van WestLands hoofdkantoor op Ventura. Hij lag op de grond, tussen twee auto's in. Het is niet duidelijk hoe lang hij daar al lag, maar hij was dood toen ze hem vonden.'

'En de doodsoorzaak?'

'Op dat punt wordt het wat schimmig. Eerst dachten ze dat hij was doodgeschoten, omdat een personeelslid op een andere verdieping van de garage twee korte, doffe knallen had gehoord, wat schoten geweest konden zijn. Maar toen ze het lijk op de plaats delict onderzochten, leek het er meer op dat hij was doodgeslagen. Geslagen met iets.'

'Hebben ze Lisa Trammel ter plekke gearresteerd?'

'Nee, voor zover ik weet hebben ze haar thuis, in Woodland Hills, opgepikt. Er zijn nog een paar mensen die me zouden bellen, maar dit is ongeveer de strekking van wat we tot nu toe weten. Sorry, Mick.'

'Geeft niks. We zullen de rest snel genoeg te horen krijgen. Is Kurlen op de plaats delict of bij de verdachte?'

'Er is me verteld dat hij en zijn partner naar Trammels huis zijn gereden en haar in hechtenis hebben genomen. Zijn partner is een vrouw, Cynthia Longstreth, een R-1. Ik heb nog nooit van haar gehoord.'

Ik had ook nog nooit van haar gehoord, maar aangezien ze de rang van rechercheur één had, nam ik aan dat ze nieuw was bij Moordzaken en dat ze aan veteraan Kurlen, een R-3, was gekoppeld om wat ervaring op te doen. Ik keek uit het zijraampje. We reden langs een BMW-dealer, wat me deed denken aan de verdwenen echtgenoot, die BMW's had verkocht voordat hij de stop uit zijn huwelijk had getrokken en de benen had genomen. Ik vroeg me af of Jeff Trammel zich zou laten zien nu zijn vrouw was gearresteerd op verdenking van moord. Zou hij de zorg op zich nemen van het kind dat hij in de steek had gelaten?

'Wil je dat ik Valenzuela laat komen?' vroeg Cisco. 'Hij woont hier vlakbij.'

Fernando Valenzuela was een borgsteller van wie ik vaker gebruikmaakte voor mijn zaken in de Valley. Maar ik wist dat ik hem deze keer niet nodig zou hebben.

'Wacht daar maar even mee. Als ze haar van moord verdenken, laten ze haar heus niet op borgtocht gaan.'

'Nee, dat is waar.'

'Weet je of er al een openbaar aanklager is benoemd?'

Ik dacht aan mijn ex-vrouw, die bij het OM district Van Nuys werkte. Ze kon een nuttige informatiebron zijn, tenzij ze op de zaak werd gezet. Dan zou er sprake zijn van belangenverstrengeling. Het was al eens gebeurd. Dat zou Maggie McPherson niet leuk vinden.

'Daar heb ik nog niks over gehoord.'

Ik bedacht hoe weinig we wisten en overwoog wat de beste werkwijze zou zijn. Ik had het sterke vermoeden dat zodra de politie begreep waar het in deze zaak om ging – een moord die in het hele land de aandacht zou vestigen op een van de grootste financiële catastrofes van deze tijd – ze onmiddellijk de mond zou houden en het deksel op alle andere informatiebronnen zou zetten. Dus als ik iets te weten wilde komen, moest ik nu aan de slag.

'Cisco, ik ben van gedachten veranderd. Wacht maar niet op me. Ga naar de plaats delict en kijk wat je te weten kunt komen. Hoor de mensen uit voordat ze straks niks meer mogen zeggen.'

'Weet je het zeker?'

'Ja. Ik neem de politie voor mijn rekening en ik bel je als ik iets nodig heb.'

'Oké. Succes.'

'Jij ook.'

Ik klapte mijn telefoon dicht en keek naar het achterhoofd van mijn chauffeur.

'Rojas, sla rechts af bij Delano en breng me naar Sylmar.'

'Geen probleem.'

'Ik weet niet hoe lang ik daar bezig zal zijn. Zet me daar af, rij terug naar Van Nuys Boulevard en kijk of je een garage kunt vinden. Vraag daar of ze de verf van de achterklep kunnen halen.'

Rojas keek me aan via de achteruitkijkspiegel.

'Wat voor verf?'

3

Het Van Nuys politiedepartement is een gebouw van vier verdiepingen dat diverse functies heeft. Bureau Van Nuys is er gehuisvest, net als het commandocentrum van de Valley Bureau, en het heeft het grootste cellencomplex van het noordelijk deel van de stad. Ik was hier eerder geweest voor zaken en wist dat er, zoals op de meeste bureaus – klein of groot – van de politie van Los Angeles, diverse obstakels tussen mij en mijn cliënt zouden staan.

Ik heb ze er altijd van verdacht dat ze slimme supervisors de agenten achter de balie laten selecteren op grond van hun vermogen om mensen het leven zuur te maken en foute informatie te verstrekken. Als je dat niet gelooft, stap dan maar eens een willekeurig politiebureau binnen en zeg tegen de agent achter de balie dat je een klacht tegen een politiefunctionaris wilt indienen. Moet je zien hoe lang het duurt voordat ze het juiste formulier hebben gevonden. De agenten achter de balie zijn bijna altijd jong, naïef en onwetend, of oud, obstinaat en onmogelijk van de wijs te brengen.

Bij de balie van Bureau Van Nuys werd ik ontvangen door een agent die volgens het naamplaatje op zijn smetteloze uniformhemd Crimmins heette. Een veteraan met zilvergrijs haar, dus buitengewoon bedreven in het uitdrukkingsloos aanstaren van mensen. Hij demonstreerde dit toen ik me aan hem bekendmaakte als advocaat met een cliënt die bij de recherche op me wachtte. Hij reageerde hierop door zijn lippen iets samen te knijpen en te wijzen naar een rij plastic stoeltjes waar ik gedwee mocht gaan zitten wachten totdat hij het tijd vond om naar boven te bellen.

Mensen als Crimmins worden gebruikt om het publiek af te schrikken, mensen die precies zullen doen wat hij zegt omdat ze zich te geïntimideerd voelen om iets anders te durven. Ik behoorde niet tot die groep.

'Nee, zo gaan we het niet doen,' zei ik.

Crimmins kneep zijn ogen een fractie dicht. Hij was vandaag nog niet eerder uitgedaagd, en zeker niet door een strafpleiter van een of andere crimineel... met de nadruk op het laatste woord. Zijn eerste reactie was dan ook dat hij nog wat kolen op het vuur van zijn sarcasme schepte.

'O nee?'

'Nee. Dus pak de telefoon, bel naar boven en zeg tegen inspecteur Kurlen dat Mickey Haller naar hem onderweg is, en dat ik, als ik niet binnen tien minuten mijn cliënt te zien krijg, naar het gerechtshof aan de overkant van het plein loop en met rechter Mills ga praten.'

Ik wachtte even om de naam te laten bezinken.

'Ik weet niet of je rechter Roger Mills kent, maar, gelukkig voor mij, was hij ook strafpleiter voordat hij tot rechter werd benoemd. Hij hield er helemaal niet van om door de politie aan het lijntje te worden gehouden, toen niet, en nu nog steeds niet. Hij sleept zowel jou als Kurlen voor het gerecht en dan mag je aan hem uitleggen waarom je nog steeds dit oeroude spelletje speelt, waarbij je een burger haar grondwettelijke recht op een advocaat probeert te ontnemen. De laatste keer dat dit gebeurde, was rechter Mills niet tevreden met de antwoorden die hij kreeg en gaf hij de agent, die zat waar jij nu zit, een boete van vijfhonderd dollar.'

Crimmins zag eruit alsof hij met moeite kon volgen wat ik allemaal zei. Hij was waarschijnlijk iemand van weinig woorden. Hij knipperde een paar keer met zijn ogen en pakte de telefoon. Ik hoorde hem rechtstreeks met Kurlen praten. Daarna hing hij op.

'Weet je waar je moet zijn, wijsneus?'

'Ik weet de weg. Bedankt voor je hulp, agent Crimmins.'

'Ik spreek je nog wel.'

Hij richtte zijn wijsvinger op me alsof het een pistool was, ongetwijfeld als laatste redmiddel om zichzelf te kunnen wijsmaken dat hij zich niet in de luren had laten leggen door een of andere kloteadvocaat. Ik liep weg bij de balie en ging op zoek naar de nis waar de lift was.

Op de tweede verdieping werd ik opgewacht door inspecteur Howard Kurlen, die een glimlach om zijn mond had. Het was geen vriendelijke glimlach. Hij zag eruit als de kat die net de kanarie had verslonden.

'En, heb je je een beetje vermaakt beneden, raadsman?'

'Ja hoor.'

'Nou, toch ben je te laat.'

'Hoezo? Is ze al ingeboekt?'

Hij hield zijn handen op in een onoprecht gebaar van spijt.

'Grappig. Mijn partner ging net met haar naar boven toen ik door de balie werd gebeld.'

'Tjonge, dat is ook toevallig. Toch wil ik haar spreken.'

'Dan zul je naar het cellencomplex moeten.'

Wat me waarschijnlijk nog een uur wachten zou kosten. En daarom liep Kurlen te glimlachen.

'Je kunt je partner zeker niet zover krijgen dat hij omkeert en haar weer naar beneden brengt, hè? Ik heb niet zo veel tijd nodig.'

Ik probeerde het toch, ook al wist ik dat het zinloos was. Maar Kurlen verraste me door zijn telefoon van zijn riem te trekken. Hij drukte op een voorkeuzeknop. Of hij speelde het spelletje nog wat geraffineerder, of hij deed werkelijk wat ik hem vroeg. Kurlen en ik kenden elkaar al langer. In eerdere zaken hadden we recht tegenover elkaar gestaan. Ik had meer dan eens geprobeerd zijn geloofwaardigheid de grond in te boren wanneer hij in de getuigenbank stond. Ik was daar nooit echt in geslaagd, maar desondanks was het een ervaring die het moeilijk maakte om naderhand vrienden te blijven. Maar hij deed me nu een plezier en ik vroeg me af waarom.

'Met mij,' zei Kurlen in de telefoon. 'Breng haar terug.'

Hij luisterde enige tijd.

'Omdat ik het zeg. Breng haar terug, nu meteen.'

Zonder verder nog iets tegen zijn partner te zeggen klapte hij zijn toestel dicht en keek me aan.

'Ik heb iets van je te goed, Haller. Ik had je minstens een paar uur kunnen laten wachten. Vroeger zou ik dat ook hebben gedaan.'

'Dat weet ik. Bedankt.'

Hij liep terug naar de teamkamer en gebaarde dat ik hem moest volgen. Onderweg begon hij bijna achteloos tegen me te praten.

'Toen ze tegen ons zei dat we jou moesten bellen, zei ze dat jij haar bijstond bij haar onteigening.'

'Dat klopt.'

'Mijn zus is gescheiden en zit nu in diezelfde puinhoop.'

Daar had je het. Voor wat hoort wat.

'Wil je dat ik met haar ga praten?'

'Nee, ik wil alleen weten wat het beste is: de strijd aangaan of meteen de handdoek in de ring werpen.'

De teamkamer zag eruit alsof de tijd was blijven stilstaan. Puur jaren zeventig, met linoleum op de vloer, de muren in twee tinten geel en grijze, stalen overheidsbureaus met zwarte rubberen strips om de afgeronde hoeken. Kurlen bleef staan en we wachtten tot zijn partner zou terugkeren met mijn cliënt.

Ik haalde een visitekaartje uit mijn zak en gaf het aan hem.

'Je hebt het tegen een knokker, dus je weet wat mijn antwoord is. Ik kan haar zaak niet zelf aannemen, want dan is er sprake van belangenverstrengeling. Maar als ze mijn kantoor belt, kunnen we haar doorverwijzen naar iemand die goed is. Zeg tegen haar dat ze jouw naam noemt.'

Kurlen knikte, pakte een dvd-doos van zijn bureau en gaf die aan mij. 'Ik kan deze net zo goed meteen aan je geven.'

Ik opende de doos en keek naar het schijfje.

'Wat is dit?'

'Ons verhoor van je cliënt. Je zult zien dat we meteen zijn gestopt toen ze de toverwoorden zei: ik wil mijn advocaat.'

'Dat zal ik zeker controleren, inspecteur. Wil je me vertellen waarom zij jullie verdachte is?'

'Ja hoor. Ze is onze verdachte en we gaan haar in staat van beschuldiging laten stellen omdat ze het heeft gedaan en omdat ze dingen heeft gezegd die daarop wezen voordat ze ons vroeg haar advocaat te bellen. Sorry, raadsman, maar we hebben alles volgens de regels gedaan.'

Ik hield het schijfje op alsof het mijn cliënt was.

'Wou je zeggen dat ze heeft toegegeven dat ze Bondurant heeft vermoord?'

'Niet met zo veel woorden. Maar ze heeft bepaalde dingen gezegd en ze heeft zichzelf tegengesproken. Daar moet ik het bij laten.'

'Heeft ze toevallig ook, letterlijk of niet, gezegd waaróm ze het heeft gedaan?'

'Dat was niet nodig. Het slachtoffer was bezig haar huis in te pikken. Als motief is dat ruim voldoende. Wat dat betreft zitten we goed.'

Ik had hem kunnen vertellen dat hij het mis had, dat ik bezig was de onteigening te voorkomen. Maar ik hield mijn mond. Ik was hier om informatie in te winnen, niet om die cadeau te geven.

'Wat heb je nog meer, inspecteur?'

'Op dit moment niks wat ik met jou wens te delen. Je zult op de rest moeten wachten tot tijdens de inzage van stukken.'

'Dat zal ik zeker doen. Is er al een aanklager benoemd?'

'Niet dat ik weet.'

Kurlen knikte naar de andere kant van de teamkamer en toen ik me omdraaide zag ik dat Lisa Trammel naar een van de verhoorkamers werd gebracht. Ze had de klassieke 'hert in de koplampen van een auto'-blik in haar ogen.

'Je krijgt een kwartier van me,' zei Kurlen. 'En alleen omdat ik in een goeie bui ben. Het lijkt me niet nodig om een oorlog met elkaar te beginnen.'

Nog niet, in ieder geval, dacht ik toen ik naar de verhoorkamer liep.

'Hé, wacht eens even,' riep Kurlen me na. 'Ik moet je koffertje controleren. Dat zijn de regels, zoals je weet.'

Hij had het over het aluminium, met leer beklede attachékoffertje dat ik bij me had. Ik had kunnen zeggen dat hij daarmee het advocaat-cliëntprivilege schond, maar ik wilde zo snel mogelijk met Lisa praten. Dus deed ik een stap naar hem toe, zwaaide met een boog het koffertje op een bureau en opende de sloten. Veel zat er niet in: Lisa Trammels dossier, een nieuwe blocnote en de nieuwe contracten en het overdrachtsformulier die ik onderweg hiernaartoe had geprint. Want ik ging ervan uit dat ik Lisa opnieuw moest laten tekenen nu ik haar niet civiel maar strafrechtelijk vertegenwoordigde.

Kurlen wierp er een vluchtige blik in en gebaarde dat ik het kon dichtdoen.

'Handgelooid Italiaans leer,' zei hij. 'Het ziet eruit als een koffertje van een of andere chique drugsdealer. Je gaat toch niet met de verkeerde mensen om, hè, Haller?'

De kanarieglimlach verscheen weer om zijn mond. Politiehumor is overal ter wereld hetzelfde.

'Nu je het zegt, het was ooit van een drugskoerier,' zei ik. 'Een cliënt van me. Waar hij naartoe ging had hij het niet meer nodig, dus heb ik het van hem overgenomen. Wil je de dubbele bodem zien? Die gaat alleen nogal moeilijk open.'

'Laat maar zitten. Ik geloof het wel.'

Ik sloot het koffertje en liep door naar de verhoorkamer.

'Het is trouwens Colombiaans leer,' zei ik.

Kurlens partner stond te wachten bij de deur van de verhoorkamer. Ik kende haar niet, maar ik vond het niet nodig me aan haar voor te stellen. Vrienden zouden we hoogstwaarschijnlijk niet worden, en ze leek me zo iemand die heel hard in mijn hand zou knijpen om indruk te maken op Kurlen.

Ze hield de deur voor me open en ik bleef op de drempel staan.

'Alle meeluister- en videoapparatuur in de kamer staan uit, mag ik aannemen?'

'Dat is juist.'

'Zo niet, dan is dat een schending van de privacy...'

'We kennen de regels.'

'Ja, maar soms komt het goed uit die even te vergeten, nietwaar?'

'U hebt nog veertien minuten, meneer. Wilt u met haar praten of liever met mij?'

'Goed dan.'

Ik ging naar binnen en de deur werd achter me dichtgedaan. Het was een klein kamertje, niet veel groter dan twee bij drie meter. Ik keek Lisa aan en bracht mijn wijsvinger naar mijn lippen.

'Wat is er?' vroeg ze.

'Dat betekent dat je stil moet zijn, Lisa, totdat ik zeg dat je mag praten.'

Ze reageerde hierop door in tranen uit te barsten en een hard, jankend geluid uit te stoten dat eindigde in een zin die volstrekt onverstaanbaar was. Ze zat aan een vierkant tafeltje met een lege stoel ertegenover. Snel nam ik op de stoel plaats en legde mijn koffertje op de tafel. Ik wist dat ze met haar gezicht naar de verborgen camera zou zijn neergezet, dus ik nam niet de moeite ernaar te zoeken. Ik klikte de sloten van het koffertje open en trok het tegen mijn lichaam aan in de hoop dat mijn rug het zicht van de camera zou blokkeren. Ik moest ervan uitgaan dat Kurlen en zijn partner meeluisterden en -keken. Nog een reden om 'aardig' voor me te zijn.

Ik pakte met mijn rechterhand de blocnote en de papieren eruit, opende met de linker het verborgen compartiment en drukte op de knop van mijn Paquin 2000 ruisgenerator. Die zond een radiosignaal met een lage frequentie uit waardoor alle afluisterapparatuur binnen een straal van acht meter elektronisch werd gestoord. Als Kurlen en zijn partner illegaal meeluisterden, hoorden ze nu alleen ruis.

Het koffertje en het verborgen apparaat waren bijna tien jaar oud en voor zover ik wist zat de oorspronkelijke eigenaar nog steeds in de federale gevangenis. Ik had het ruim zeven jaar geleden van hem overgenomen, toen drugszaken mijn dagelijkse brood vormden. Ik wist ook dat de overheid voortdurend bezig was nóg slimmere muizenvallen te bedenken en dat er in de afgelopen tien jaar op het gebied van elektronische surveillanceapparatuur minstens twee revoluties hadden plaatsgevonden. Helemaal gerust was ik er dan ook niet op. Ik zou nog steeds heel goed moeten letten op wat ik zei en ik hoopte dat mijn cliënt dat ook zou doen.

'Lisa, we gaan nu niet uitgebreid praten, want we weten niet wie er misschien meeluistert. Begrijp je dat?'

'Ja, ik denk het wel. Maar wat is er aan de hand? Ik begrijp niet wat me overkomt!'

Terwijl ze dit zei klonk haar stem steeds luider, totdat ze het laatste woord letterlijk uitschreeuwde. Dit was een emotionele manier van praten die ze over de telefoon al diverse keren had aangewend, en toen ging het alleen nog maar over de onteigening. De lat lag nu een stuk hoger en ik moest een grens trekken.

'Dat gaan we niet doen, Lisa,' zei ik streng. 'Je gaat niet tegen me schreeuwen. Spreken we dat af? Als ik je in deze zaak verdedig, wil ik niet dat je tegen me schreeuwt.'

'Oké, sorry, maar ze beschuldigen me van iets wat ik niet heb gedaan.'

'Dat weet ik, en dat gaan we aanvechten. Maar geen geschreeuw.'

Omdat ze haar hadden teruggehaald voordat het inboeken in het cellencomplex was begonnen, had Lisa haar eigen kleren nog aan. Ze droeg een wit T-shirt met een bloemenprint op de voorkant. Ik zag geen bloedspatten op het shirt, of elders op haar kleding of lichaam. Haar gezicht glom van de tranen en haar bruine krulhaar was ongekamd. Ze was klein van stuk en in het felle licht van de plafondlamp leek ze nog kleiner dan anders.

'Ik moet je een paar vragen stellen,' zei ik. 'Waar was je toen de politie je kwam halen?'

'Thuis. Waarom doen ze me dit aan?'

'Lisa, luister naar me. Je moet kalmeren en mijn vragen beantwoorden. Dat is heel belangrijk.'

'Maar wat is er gaande? Niemand vertelt me iets. Ze zeiden dat ik onder arrest stond voor de moord op Mitchell Bondurant. Maar wanneer dan? En hoe? Ik ben niet bij die man in de buurt geweest. Ik heb het straatverbod niet overtreden.'

Ik besefte dat het beter was geweest als ik eerst Kurlens dvd had bekeken voordat ik met haar ging praten. Maar het was eerder regel dan uitzondering om in het nadeel te zijn wanneer je aan een zaak begon.

'Lisa, je wordt inderdaad verdacht van de moord op Mitchell Bondurant. Inspecteur Kurlen – dat is die oudere politieman – vertelde me dat je bepaalde dingen hebt toegegeven...'

Ze slaakte een kreet en sloeg haar handen voor haar gezicht. Ik zag dat haar polsen aan elkaar waren geboeid. Ze begon weer te huilen.

'Ik heb niks toegegeven! Ik heb niks gedaan!'

'Rustig aan, Lisa. Daarom ben ik hier. Om je te verdedigen. Maar we hebben nu niet veel tijd. Ze hebben me tien minuten gegeven en daarna word je in hechtenis genomen. Ik wil...'

'Moet ik de cel in?'

Ik knikte, met tegenzin.

'Maar hoe zit het met vrijlating op borg?'

'Dat wordt heel moeilijk als je van moord wordt beschuldigd. En zelfs als ik iets zou kunnen regelen, heb je niet het geld om...'

Opnieuw klonk het doordringende gejank door het kamertje. Ik verloor mijn geduld.

'Lisa! Hou daarmee op! Luister naar me. Je leven staat op het spel, ja? Je moet kalmeren en naar me luisteren. Ik ben je advocaat en ik zal mijn uiterste best doen om je hieruit te krijgen, maar dat kost tijd. Dus geef antwoord op mijn vragen, zonder steeds dat...'

'En mijn zoontje? Hoe moet het nu met Tyler?'

'Iemand van mijn kantoor zoekt contact met je zus en regelt dat hij bij haar kan blijven totdat we je hier weg hebben.'

Ik paste er wel voor op om beloften te doen over het tijdstip van haar vrijlating. Voor zover ik wist kon dat dagen, weken of zelfs jaren duren. Of misschien gebeurde het wel nooit. Maar het leek me geen goed idee dat tegen haar te zeggen.

Lisa knikte, alsof het haar opluchtte dat haar zoontje bij haar zus kon blijven.

'En hoe zit het met je man? Heb je een telefoonnummer van hem?'

'Nee. Ik weet niet waar hij uithangt en ik wil trouwens niet dat jullie contact met hem opnemen.'

'Ook niet over je kind?'

'Juist niet over mijn kind. Mijn zus zorgt wel voor hem.'

Ik knikte en liet het verder rusten. Het was nu niet het moment om over haar gestrande huwelijk te beginnen.

'Goed dan, laten we vooral kalm blijven en het over vanochtend hebben. Ik heb de dvd met het verhoor dat de rechercheurs je hebben afgenomen, maar ik wil het zelf met je doornemen. Je zei dat je thuis was toen inspecteur Kurlen en zijn partner voor de deur stonden. Wat was je aan het doen?'

'Ik was... ik zat achter de computer. Ik was e-mails aan het versturen.'

'Oké. Aan wie?'

'Aan vrienden. De mensen van FLAG. Om af te spreken dat we morgen om tien uur bij het stadhuis zouden staan en dat ze hun borden moesten meebrengen.'

'Oké, en toen je opendeed, wat zeiden de rechercheurs toen precies tegen je?'

'Het was de man die het woord deed. Hij...'

'Kurlen.'

'Ja. Ze kwamen binnen en hij stelde me een paar vragen. Toen vroeg hij of ik het erg zou vinden om mee te komen naar het bureau, om daar nog een paar vragen te beantwoorden. Ik vroeg waarover, en toen zei hij: over Mitch Bondurant. Hij zei er niks over dat hij dood was, of vermoord, geen woord. Dus stemde ik toe. Ik dacht dat ze eindelijk onderzoek naar hem gingen doen. Ik wist niet dat ze onderzoek naar mij deden.'

'Maar heeft hij je verteld dat je bepaalde rechten had, dat je niet met hem hoefde te praten en dat je een advocaat mocht bellen?'

'Ja, zoals op tv. Hij heeft me mijn rechten voorgelezen.'

'Wanneer was dat precies?'

'Toen we al hier waren, toen hij zei dat ik onder arrest stond.'

'Was je met hem hiernaartoe gereden?'

'Ja.'

'En heeft hij in de auto tegen je gepraat?'

'Nee, hij zat bijna de hele tijd te bellen met zijn mobiele telefoon. Ik hoorde hem zeggen: "We hebben haar bij ons" en dat soort dingen.'

'Was je geboeid?'

'In de auto? Nee.'

Slim van Kurlen. Hij had het risico genomen om met een ongeboeide verdachte van een moord in de auto te zitten om geen argwaan bij haar te wekken en haar zover te krijgen dat ze bereid was met hem te praten. Een betere muizenval is bijna niet denkbaar. Het bood het OM ook de mogelijkheid om te stellen dat ze nog niet onder arrest stond en dat al haar verklaringen vrijwillig waren afgelegd.

'Dus je werd hiernaartoe gebracht en was bereid met hem te praten?'

'Ja. Ik had geen idee dat ze me zouden arresteren. Ik dacht dat ik ze met een zaak moest helpen.'

'Maar Kurlen zei niet wat die zaak was?'

'Nee, geen woord daarover. Dat was pas toen hij zei dat ik onder arrest stond en dat ik iemand mocht bellen. Dat was ook het moment dat ze me boeiden.'

Kurlen had een van de oudste trucs uit het boekje gebruikt, een truc die er nog steeds in stond, want hij werkte altijd. Ik moest de dvd bekijken om te zien wat Lisa precies had toegegeven, áls ze dat al had gedaan. Haar ernaar vragen nu ze nog zo van streek was, leek me vanwege de beperkte tijd geen goed idee. Als om dit te onderstrepen werd er opeens kort op de deur geklopt en hoorde ik een gedempte stem zeggen dat ik nog twee minuten had.

'Oké, ik ga hiermee aan de slag, Lisa. Maar je moet eerst nog een paar papieren voor me tekenen. Het eerste is een nieuw contract voor de verdediging van deze strafzaak.'

Het contract telde één pagina, die ik naar haar toe schoof en waar ik een pen op legde. Ze begon de tekst te lezen.

'Al die bedragen,' zei ze. 'Honderdvijftigduizend dollar voor een proces? Dat kan ik niet betalen. Zo veel geld heb ik niet.'

'Dat is het standaardhonorarium, en alleen als het tot een proces komt. En wat je al dan niet kunt betalen, daar zijn deze andere formulieren voor. Dit eerste is een overdrachtscontract dat me de rechten geeft op boek- en filmdeals die eventueel voortkomen uit de zaak. Ik heb een agent die zich speciaal met dit soort dingen bezighoudt. Als er een deal in zit, weet hij die eruit te halen. Dit laatste formulier stelt dat de verdediging het eerst wordt betaald van het geld dat dit oplevert.'

Ik wist dat de zaak veel aandacht zou trekken. De onteigeningsepidemie was de grootste financiële ramp die het land de afgelopen jaren had getroffen. Er kon een boek in zitten, of misschien zelfs een film, en dan zou ik toch nog betaald worden voor mijn werk.

Ze pakte de pen en tekende de drie formulieren zonder ze verder te lezen. Ik nam ze terug en stopte ze in mijn koffertje.

'Oké, Lisa, wat ik je nu ga zeggen is het belangrijkste advies dat ik je op dit moment kan geven. Dus ik wil dat je goed luistert en me zegt dat je het begrijpt.'

'Oké.'

'Praat met niemand anders over deze zaak dan met mij. Je praat er met niemand over, niet met rechercheurs, niet met cipiers, niet met andere gedetineerden en zelfs niet met je zus of je zoontje. Als iemand je ernaar vraagt – en geloof me, dat gaat zeker gebeuren – dan antwoord je dat je niks over de zaak mag zeggen.'

'Maar ik heb niks verkeerds gedaan. Ik ben onschuldig! Het zijn altijd de schuldige mensen die niks willen zeggen.'

Ik stak mijn vinger op om haar het zwijgen op te leggen.

'Nee, dat is niet waar, en volgens mij neem je me niet serieus, Lisa.'

'Jawel, dat doe ik wel.'

'Doe dan wat ik je zeg. Praat er met niemand over. Ook niet over de telefoon in de gevangenis. Alle gesprekken worden opgenomen, Lisa. Dus geen woord over de telefoon over de zaak, zelfs niet tegen mij.'

'Oké, oké, ik heb het begrepen.'

'En als het je een iets beter gevoel geeft, kun je alle vragen beantwoorden met "ik ben onschuldig aan de aanklacht maar mijn advocaat heeft me verboden ook maar iets over de zaak te zeggen". Nou, hoe klinkt dat?'

'Goed, denk ik.'

De deur ging open en Kurlen stond in de deuropening. Hij wierp een argwanende blik in mijn richting, wat me vertelde dat ik er goed aan had gedaan de Paquin ruisgenerator aan te zetten. Ik keek weer naar Lisa.

'Goed dan, Lisa, we moeten even door de zure appel heen bijten. Hou vol en denk aan wat ik heb gezegd. Geen woord, tegen niemand.'

Ik stond op.

'De eerstvolgende keer dat je me ziet zal tijdens de voorgeleiding zijn, en dan kunnen we verder praten. Ga nu maar met inspecteur Kurlen mee.'

4

De volgende ochtend maakte Lisa Trammel voor het eerst haar opwachting bij het gerechtshof van Los Angeles op beschuldiging van moord met voorbedachten rade. Als gevolg van de bijzondere omstandigheden en het feit dat ze had gewacht alvorens toe te slaan, kon het OM levenslang zonder strafvermindering of zelfs de doodstraf eisen. Voor het OM betekende dit een extra troefkaart tijdens de onderhandelingen. Ik ging ervan uit dat de openbaar aanklager de zaak graag snel wilde afdoen met een schuldbekentenis in ruil voor een lichtere straf voordat de sympathie van het publiek naar de beklaagde zou gaan. En hoe konden ze dat beter bereiken dan door ervoor te zorgen dat de beklaagde de zwaarst mogelijke straf boven het hoofd hing?

De rechtszaal was afgeladen en alle staanplaatsen waren bezet door mensen van de pers, leden van FLAG en sympathisanten. De publieke aandacht voor het verhaal was sinds de vorige dag fors toegenomen nadat de politie en het OM hadden verklaard dat het in theorie ging om een onteigening die tot de moord op een bankier had geleid. Het gaf een 'zie je nou wel'-draai aan de landelijke financiële plaag die op zijn beurt honderden mensen naar de rechtszaal had gelokt.

Lisa was aanzienlijk gekalmeerd nadat ze bijna vierentwintig uur in de cel had gezeten. Als een zombie stond ze in de beklaagdenkamer te wachten op haar twee minuten durende voorgeleiding. Ik stelde haar eerst gerust dat haar zoontje liefdevol was opgevangen door haar zus en zei daarna dat Haller & Partners al het mogelijke zouden doen om haar de beste en meest onverschrokken verdediging te geven. Daarna zei ik dat zij er alles aan moest doen om uit de gevangenis te komen om voor haar zoontje te zorgen en mee te helpen aan haar eigen verdediging.

De voorgeleiding was in principe een formaliteit waarin de aanklacht werd uitgesproken en die als startpunt voor de juridische procedure diende. Maar er zou ook gelegenheid zijn om de rechter om invrijheidstelling op borgtocht te verzoeken en over het bedrag te onderhandelen. Ik was van

plan dat te doen, al was het alleen maar op grond van mijn algemene filoso-
fie om geen steen onomgekeerd te laten en alle argumenten aan te vechten.
Maar ik was pessimistisch over de uitkomst. Wettelijk was invrijheidstelling
op borgtocht mogelijk. In de praktijk echter liep de borg in geval van moord
meestal op tot in de miljoenen, waardoor die voor een gewoon mens onbe-
taalbaar was. Mijn cliënt was een werkloze, alleenstaande moeder met een
huis dat mogelijk zou worden onteigend. Voor Lisa betekende een bedrag
met zes nullen dat ze in de gevangenis zou moeten blijven.

Rechter Stephen Fluharty had de Trammel-zaak boven aan de rol gezet
om de pers tegemoet te komen. Andrea Freeman, de openbaar aanklager
die was aangewezen, las de aanklacht voor, waarna de rechter bepaalde
dat de beklaagde over een week in staat van beschuldiging zou worden
gesteld. Het was een standaardprocedure die snel werd afgehandeld.
Fluharty wilde net een korte schorsing aankondigen, zodat de mensen van
de pers hun apparatuur konden inpakken en konden vertrekken, toen ik
interrumpeerde en mijn verzoek deed tot invrijheidstelling op borgtocht.
Ik deed dit ook om te zien hoe het OM zou reageren. Heel soms had je geluk en gaf de openbaar aanklager iets van zijn bewijs of zijn strategie prijs
tijdens de onderhandelingen over de hoogte van de borgsom.

Maar Freeman was veel te geslepen om zo'n fout te maken. Ze stelde
dat Lisa Trammel een gevaar voor de gemeenschap vormde en dat ze zonder borg in hechtenis moest blijven gedurende het verdere verloop van
het proces. Daarbij merkte ze op dat het slachtoffer van de misdaad niet
de enige persoon was die zich had beziggehouden met de onteigening van
Lisa's huis, maar slechts een van de velen in de keten was. Andere mensen
en instanties in die keten konden in gevaar worden gebracht wanneer Lisa
werd vrijgelaten.

Ik werd er niet veel wijzer van. Het leek me vanaf het eerste begin duidelijk dat het OM de onteigening als motief voor de moord op Mitchell Bondurant wilde gebruiken. Freeman had net genoeg gezegd om een overtuigend argument tegen borgstelling te maken, maar ze had niets prijsgegeven
over de manier waarop ze de moordzaak wilde opbouwen. Ze was goed en
we hadden in het verleden meer dan eens tegenover elkaar gestaan. Voor
zover ik me kon herinneren had ik niet één keer van haar gewonnen.

Toen het mijn beurt was stelde ik dat er geen enkele aanwijzing was,
laat staan bewijs, dat Trammel een gevaar voor de gemeenschap of vlucht-
gevaarlijk was. Zonder bewijs mocht de rechter de beklaagde de invrijheidstelling op borgtocht niet weigeren.

Fluharty kapte zijn beslissing in tweeën door de verdediging een punt te gunnen door de invrijheidstelling op borgtocht toe te kennen, en het OM eveneens een punt te geven door de hoogte van de borg op twee miljoen dollar vast te stellen. De uiteindelijke uitkomst was dat Lisa bleef waar ze was. Ze zou een lening van twee miljoen of een borgsteller nodig hebben. De tien procent aanbetaling zou haar tweehonderdduizend dollar contant kosten, en die had ze niet. Ze bleef in de gevangenis.

Uiteindelijk schorste de rechter de zitting, wat me de mogelijkheid gaf om nog even met Lisa te praten voordat ze door de hulpsheriffs werd weggeleid. Toen de mensen van de pers zich door de rechtszaal verspreidden, drukte ik haar snel nog een keer op het hart haar mond te houden.

'Nu, met alle media-aandacht die de zaak krijgt, is dat nóg belangrijker. Ze zullen waarschijnlijk proberen je in de gevangenis te benaderen... rechtstreeks, via andere gedetineerden, of via bezoekers die je denkt te kunnen vertrouwen. Dus onthoud goed...'

'Geen woord, tegen niemand. Ik heb het begrepen.'

'Goed zo. Hoor eens, ik wil graag dat je weet dat we vanmiddag een stafvergadering hebben om je zaak te bespreken en een paar strategieën naast elkaar te leggen. Kun je iets bedenken wat we moeten weten? Iets waarmee we verder kunnen?'

'Ik heb alleen een vraag, voor jou.'

'En die is?'

'Hoe komt het dat je me niet hebt gevraagd of ik het heb gedaan?'

Ik zag een van de hulpsheriffs de beklaagdenkamer binnenkomen, naar Lisa kijken en haar kant op komen.

'Dat hoef ik je niet te vragen, Lisa,' zei ik. 'Ik hoef het niet te weten om mijn werk te kunnen doen.'

'Dan vind ik dat rechtssysteem van ons maar niks. Ik vraag me af of ik me wel kan laten verdedigen door een advocaat die niet in me gelooft.'

'Nou, dat is jouw beslissing, en ik weet zeker dat er voor de deur van het gerechtshof minstens tien advocaten staan die jouw zaak dolgraag willen doen. Maar niemand is beter op de hoogte van de details van deze zaak én van de onteigening dan ik, en wanneer iemand tegen je zegt dat hij je gelooft, is het nog maar de vraag of hij het werkelijk meent. Van mij hoor je dat soort bullshit niet, Lisa. Wat mij betreft is het: vraag ik het je niet, dan hoef ik het ook niet te weten. En dat is wederzijds. Als je mij niet vraagt of ik je geloof, dan zal ik daar geen woord over zeggen.'

Ik wachtte om te zien of ze hierop wilde reageren. Dat deed ze niet.

'Dus, zijn we het eens? Want ik ben niet van plan om me voor deze zaak de benen uit het lijf te lopen als jij op zoek wilt gaan naar een goedgelovige plaatsvervanger.'

'Ja, we zijn het eens, neem ik aan.'

'Goed, dan kom ik morgen bij je langs om de zaak te bespreken en te bezien welke kant we op moeten denken. In de tussentijd hoop ik dat mijn onderzoeksmedewerker zich een eerste indruk heeft kunnen vormen van het belastende bewijs. Hij is...'

'Mag ik je nog iets vragen, Mickey?'

'Natuurlijk.'

'Kun jij me het geld voor de borg niet lenen?'

Ik was niet verbaasd. Ik was allang de tel kwijt van alle cliënten die me hadden gevraagd of ik hun het geld voor de borg kon lenen. Misschien was dit het hoogste bedrag tot nu toe, maar ik verwachtte niet dat het de laatste keer zou zijn dat het me werd gevraagd.

'Dat kan ik niet doen, Lisa. Ten eerste heb ik dat geld niet, en ten tweede is er sprake van belangenverstrengeling wanneer een advocaat de borg van zijn eigen cliënt voorschiet. Dus ik kan je op dit punt niet helpen. Ik denk dat je beter kunt proberen te wennen aan het idee dat je gedurende het proces in hechtenis blijft. De hoogte van de borg is vastgesteld op twee miljoen, wat betekent dat je zelf ten minste tweehonderdduizend moet ophoesten. Dat is een hoop geld, Lisa, en als je het had, zou ik de helft ervan opeisen voor de verdediging. Dus je zou hoe dan ook in de gevangenis blijven.'

Ik glimlachte, maar het was duidelijk dat de humor ervan haar ontging.

'Als je zo'n aanbetaling doet, krijg je die na het proces dan terug?' vroeg ze.

'Nee, dat geld gaat naar de borgsteller, om zijn risico te dekken, want hij is degene die voor de volle twee miljoen hangt als jij ervandoor gaat.'

Lisa keek me geschokt aan.

'Ik ga er niet vandoor! Ik blijf hier en vecht tot ik erbij neerval. Ik wil alleen bij mijn kind zijn. Hij heeft zijn moeder nodig.'

'Lisa, ik had het niet over jou persoonlijk. Ik leg je alleen uit hoe het werkt met borg en borgstellers. Hoe dan ook, de hulpsheriff die achter je staat is heel geduldig geweest. Je moet nu met hem meegaan, en ik moet weg om aan je verdediging te gaan werken. Ik spreek je morgen.'

Ik knikte naar de hulpsheriff die dichterbij kwam om Lisa terug te brengen naar het cellencomplex van het gerechtshof. Voordat Lisa door de stalen deur aan de zijkant de beklaagdenkamer uit liep, keek ze met een angstige blik achterom. Ze kon onmogelijk weten wat de toekomst haar zou brengen en dat dit nog maar het begin was van de zwaarste beproeving van haar leven.

Andrea Freeman had in de rechtszaal met een collega staan praten, wat me de kans gaf haar even aan te schieten voordat ze vertrok.

'Heb je tijd voor een kop koffie en een praatje?' vroeg ik toen ik naar haar toe was gelopen.

'Moet je niet met jouw mensen gaan praten?'

'Mijn mensen?'

'Die met die camera's. Die buiten op je staan te wachten.'

'Ik praat liever met jou, en als je wilt kunnen we zelfs afspraken maken over hoe we de pers te woord zullen staan.'

'Ik denk dat ik wel een paar minuutjes heb. Zullen we naar de kelder gaan, of ga je mee naar kantoor voor een lekkere kop OM-koffie?'

'Laten we maar naar de kelder gaan. Bij jou op kantoor moet ik voortdurend achteromkijken.'

'Vanwege je ex-vrouw?'

'Zij en enkele anderen, hoewel mijn ex en ik de laatste tijd op redelijk goede voet met elkaar staan.'

'Goed om te horen.'

'Ken je Maggie?'

Er werkten minstens tachtig openbaar aanklagers op Bureau Van Nuys.

'Van gezicht.'

We liepen de rechtszaal uit en stonden zij aan zij tegenover de verzamelde pers om mee te delen dat we in dit vroege stadium van de zaak nog geen commentaar hadden. Toen we naar de lift liepen, drukten minstens zes reporters, van wie ik de meesten uit de stad kende, me hun kaartje in de hand: *New York Times, CNN, Dateline, Salon* en – de Heilige Graal van het hele stel – *60 Minutes*. In minder dan vierentwintig uur was ik van onteigeningsadvocaatje in Zuid-L.A. – voor tweehonderdvijftig dollar per zaak per maand – getransformeerd tot de befaamde strafpleiter in een zaak die het symbool van het financiële lijden van de natie dreigde te worden.

En het beviel me uitstekend.

'Ze zijn weg,' zei Freeman toen we in de lift stonden. 'Je kunt die zelfingenomen grijns van je gezicht halen.'

Ik keek haar aan en glimlachte.

'Is het zo duidelijk?'

'Ja. Het enige wat ik kan zeggen is: geniet ervan zolang het kan.'

Het was een niet al te subtiele manier om me eraan te herinneren tegenover wie ik in deze zaak stond. Freeman was een van de rijzende sterren van het OM en er werd gezegd dat er een goede kans was dat ze er ooit de leiding zou hebben. Men was geneigd haar te bewonderen tijdens die reis naar boven en onderling te roddelen over haar donkere huidskleur en de interne politiek, en te suggereren dat zij de goede zaken kreeg omdat ze als minderheid de bescherming genoot van een andere minderheid. Maar ik wist dat dit een grove fout zou zijn. Andrea Freeman was verdomd goed in haar werk, en dat ik in het verleden nooit een punt tegen haar had gescoord was daar het bewijs van. Toen ik de afgelopen avond vernam dat zij was aangewezen voor de Trammel-zaak, voelde dat alsof ik een por in mijn ribben kreeg. Het deed pijn, maar ik kon er niets aan veranderen.

In de kantine in de kelder schonken we een kop koffie in en namen plaats aan een tafeltje in een stille hoek. Zij aan de kant van de tafel waar ze kon zien wie er binnenkwam. Dat was een gewoonte die van de agenten en rechercheurs naar de openbaar aanklagers was overgewaaid. Keer de hoek waaruit het gevaar kan komen nooit de rug toe.

'Nou,' zei ik, 'daar zitten we dan. Jij bent dus degene die een potentiële held van het Amerikaanse volk wil laten veroordelen.'

Freeman lachte alsof ik niet goed bij mijn hoofd was.

'Ah, juist. Voor zover ik weet maken we hier geen helden van moordenaars.'

Ik herinnerde me een spraakmakende zaak, hier in L.A., die het tegendeel bewees, maar hield mijn mond.

'Misschien is dat ook een beetje overdreven,' zei ik. 'Laten we dan zeggen dat er een goede kans is dat de sympathie van het publiek in deze zaak naar de kant van de beklaagde zal neigen. En dat we, als we de pers tegen ons in het harnas jagen, het alleen maar erger maken.'

'Dat zal best, in deze fase. Maar als het bewijs eenmaal op tafel komt en de details openbaar zijn, geloof ik niet dat de sympathie van het publiek een grote rol zal spelen. Voor mij in ieder geval niet. Maar waar wil je naartoe, Haller? Wil je nu al over een schuldbekentenis onderhandelen, in een zaak die amper een dag oud is?'

Ik schudde mijn hoofd.

'Nee, zeker niet. Over dat soort dingen wil ik nog helemaal niet praten. Mijn cliënt zegt dat ze onschuldig is. Ik breng de sympathiefactor ter sprake omdat de zaak nu al veel aandacht krijgt. Ik heb al een visitekaartje van een producer van *60 Minutes* in mijn zak, dus ik zou graag een paar afspraken met je maken over hoe we de pers tegemoet treden. Je had het net over bewijs en hoe het publiek daar kennis van zal nemen. Ik hoop dat je het hebt over bewijs dat aan het hof is overhandigd, en niet alleen aan de *L.A. Times* of iemand anders in medialand.'

'Hé, ik wil met alle plezier nu al een *no-fly zone* instellen. Niemand praat met de pers, onder welke omstandigheden dan ook.'

Ik fronste mijn wenkbrauwen.

'Zo ver zou ik nu nog niet willen gaan.'

Ze knikte alwetend.

'Dat vermoedde ik al. Dus is het enige wat ik zeg dat je op je tellen moet passen. Dat we allebei op onze tellen moeten passen. Ik zal bijvoorbeeld geen moment aarzelen voordat ik naar de rechter stap als ik denk dat je de jury probeert te beïnvloeden.'

'Ik ook niet.'

'Mooi. Dat is dan geregeld. Verder nog iets?'

'Wanneer krijg ik inzage van de stukken?'

Ze nam ruim de tijd om een slokje koffie te nemen voordat ze antwoordde.

'Je weet van eerdere zaken hoe ik werk. Ik ben niet iemand van "ik laat je de mijne zien als jij me de jouwe laat zien". Dat draait bijna altijd uit op eenrichtingverkeer omdat de verdediging nooit iets hééft om te laten zien. Dus ben ik er een voorstander van om alles zo veel mogelijk voor mezelf te houden.'

'We zullen toch tot een soort uitwisseling moeten komen, lijkt me, raadsvrouw.'

'Nou, als er een rechter is benoemd kun je met hem gaan praten. Maar in het geval van een moordenaar ben ik niet van plan het netjes te spelen, wie haar advocaat ook is. En je mag best weten dat ik je vriend Kurlen al hard heb aangepakt omdat hij je gisteren die dvd heeft gegeven. Dat had niet mogen gebeuren, en hij mag van geluk spreken dat ik hem niet van de zaak af laat halen. Beschouw het als een cadeautje van het OM. Maar het zal het enige cadeautje zijn dat je krijgt... raadsman.'

Het was het antwoord dat ik had verwacht. Freeman was een verdomd goede openbaar aanklager, maar of ze het spel altijd eerlijk speelde, was een ander verhaal. Een proces hoorde een vurige strijd met feiten en bewijs als wapens te zijn. Waarbij voor beide partijen dezelfde wetten en regels golden. Voor Freeman was het echter gebruikelijk om de regels om te buigen en om feiten en bewijs te verbergen of achter te houden. Ze kantelde het spel graag in haar voordeel. Ze was zeker geen heilige. Ze had ook nog nooit in het stof hoeven bijten.

'Kom op, Andrea. De politie heeft de computer en alle papieren van mijn cliënt geconfisqueerd. Dat zijn haar spullen en ik heb die nodig om de strategie van mijn verdediging te kunnen bepalen. Die dingen vallen niet onder de inzageregel.'

Freeman trok haar ene mondhoek omlaag en keek me aan alsof ze werkelijk een compromis overwoog. Ik had moeten weten dat het een act was.

'Weet je wat?' zei ze. 'Zodra we een rechter toegewezen hebben gekregen, stap je naar hem toe en leg je het aan hem voor. Als de rechter zegt dat ik ze aan jou moet geven, doe ik dat. Zo niet, dan zijn ze van mij en deel ik niks.'

'Je wordt bedankt.'

Ze glimlachte.

'Graag gedaan.'

Haar reactie op mijn verzoek om samenwerking en de glimlach waarmee ze me antwoordde bevestigde alleen maar het vermoeden dat zich in mijn geest had genesteld zodra ik hoorde dat ik haar in deze zaak tegenover me had. Ik moest een manier bedenken om haar in het stof te doen bijten.

5

Michael Haller & Partners hielden die middag een stafbespreking in de woonkamer van Lorna Taylors flat in West-Hollywood. Daarbij aanwezig waren Lorna, uiteraard, mijn onderzoeksmedewerker Cisco Wojcie-chowski – het was immers ook zíjn woonkamer – en onze jongste mede-werker, Jennifer Aronson. Ik merkte dat Aronson zich in deze omgeving slecht op haar gemak voelde en moest zelf ook toegeven dat de situatie nogal onprofessioneel was. Een jaar geleden, toen ik de Jason Jessup-zaak deed, had ik een tijdelijke kantoorruimte gehuurd, en dat had toen goed gewerkt. Ik wist dat het beter zou zijn om ook voor de Trammel-zaak een echt kantoor te hebben, in plaats van de woonkamer van mijn twee perso-neelsleden. Het probleem was echter dat dat extra kosten met zich mee zou brengen totdat de boek- en filmrechten van de zaak waren verkocht... als we dat tenminste ooit voor elkaar kregen. Dat maakte me wat terug-houdender wat betreft het nemen van de beslissing, maar nu ik Aronsons teleurstelling zag, hakte ik de knoop door.

'Oké, laten we beginnen,' zei ik, nadat Lorna iedereen van frisdrank of ijsthee had voorzien. 'Ik weet dat dit niet de meest professionele manier is om een advocatenfirma te runnen, dus we moeten zo snel mogelijk op zoek naar kantoorruimte. Tot het zover is...'

'Echt?' vroeg Lorna, duidelijk verbaasd door deze nieuwe ontwikke-ling.

'Ja, dat heb ik net besloten, min of meer.'

'O, nou, ik ben blij dat mijn huis je zo goed bevalt.'

'Dat is het niet, Lorna. Maar weet je, ik heb nagedacht. Nu Bullocks bij ons is, denk ik dat we misschien toe zijn aan een echt kantoor met een of-ficieel adres. Je weet wel, zodat de cliënten naar ons toe kunnen komen in plaats van wij steeds naar hen.'

'Ik vind het best. Zolang we maar niet voor tien uur 's morgens open-gaan en ik mijn badslippers kan blijven dragen. Daar ben ik aan gewend.'

Ik wist dat ik haar had beledigd. We waren ooit korte tijd getrouwd geweest en ik herkende de signalen. Maar dat was van later zorg. We moesten nu al onze aandacht op de verdediging van Lisa Trammel richten.

'Maar goed, laten we het over Lisa Trammel hebben. Ik heb vanochtend, na de voorgeleiding, mijn eerste onderonsje met de openbaar aanklager gehad en dat is niet al te best verlopen. Ik heb eerder met Andrea Freeman te maken gehad en ze is iemand die geen cent cadeau geeft. Als ze iets kan aanvechten, zal ze het zeker niet laten. Als ze materiaal heeft dat onder de inzageregel valt en ze het voor zich kan houden, zal ze dat doen totdat de rechter haar dwingt het aan ons over te dragen. Ik heb op een bepaalde manier bewondering voor haar, maar niet als we in een zaak tegenover elkaar staan. Waar het op neerkomt is dat het een hele dobber zal worden om inzage te krijgen in het materiaal dat ze in haar bezit heeft.'

'Staat het dan al vast dat het tot een proces komt?' vroeg Lorna.

'Daar moeten we van uitgaan,' antwoordde ik. 'In de korte gesprekken met mijn cliënt heeft ze te kennen gegeven dat ze de strijd wil aangaan. Zij zegt dat ze het niet heeft gedaan. Dus wordt er voorlopig niet over schuld bekennen onderhandeld. We bereiden ons voor op het proces maar blijven ook openstaan voor andere mogelijkheden.'

'Wacht eens even,' zei Aronson. 'Je mailde me gisteravond dat ik de dvd van het verhoor moest bekijken. Dat is inzagemateriaal. Is dat dan niet afkomstig van het OM?'

Aronson was tenger, vijfentwintig jaar oud, met kort haar dat zorgvuldig door de war was gemaakt. Ze had een retrobril met een dik, zwart montuur op, waardoor haar lichtgroene ogen voor een deel aan het zicht werden onttrokken. Ze kwam van een rechtenfaculteit waarvoor de zijden-pakkenfirma's in de stad geen enkele belangstelling hadden. Toen ik haar sprak had ik echter het gevoel dat ze beschikte over een gedrevenheid die werd gevoed door negatieve motivatie: zij wilde niets liever dan aantonen dat die zijden-pakkenklojo's het mis hadden. Ik had haar meteen aangenomen.

'De dvd is afkomstig van de rechercheur die de leiding van het onderzoek heeft, en de openbaar aanklager was er helemaal niet blij mee dat hij die aan mij heeft gegeven. Dus van haar hoeven we niks meer te verwachten. Als we iets willen hebben, stappen we naar de rechter of we gaan er zelf naar op zoek. Wat ons bij Cisco brengt. Vertel ons wat je tot nu toe te weten bent gekomen, grote vriend.'

Alle ogen waren gericht op mijn onderzoeksmedewerker, die in een leren draaifauteuil zat, naast de open haard die vol stond met potplanten. Hij was vandaag netjes gekleed, wat inhield dat zijn T-shirt mouwtjes had.

Desondanks verhulde het shirt maar een deel van zijn tatoeages en zijn gespierde torso. Met zijn enorme biceps zag hij er meer uit als een uitsmijter van een nachtclub dan als een ervaren onderzoeker die met veel finesse te werk kon gaan.

Ik had lang moeten wennen aan het idee dat deze reus mijn plaats aan Lorna's zijde had ingenomen. Maar uiteindelijk was het me gelukt, en bovendien kende ik geen betere onderzoeksmedewerker dan hij. In een eerdere fase van zijn leven, toen hij nog lid van de Road Saints was, had de politie hem twee keer in de val gelokt door drugs in zijn huis te verstoppen. Het had geresulteerd in een blijvende argwaan jegens het politieapparaat. De meeste mensen geven de politie het voordeel van de twijfel. Cisco deed dat niet en dat maakte hem heel goed in het werk dat hij deed.

'Oké, ik wil mijn verslag opsplitsen in twee delen,' zei hij. 'De plaats delict en het huis van de cliënt, dat gisteren gedurende enkele uren door de politie is doorzocht. Maar eerst de plaats delict.'

Zonder aantekeningen te hoeven raadplegen gaf hij een gedetailleerd verslag van zijn bevindingen in het hoofdkantoor van WestLand National. Mitchell Bondurant was verrast door zijn belager toen hij uit zijn auto stapte om aan het werk te gaan. Hij was minstens twee keer op het hoofd geslagen met een onbekend voorwerp. De aanval kwam hoogstwaarschijnlijk van achteren. Hij had geen verdedigingswonden op zijn handen en onderarmen, wat erop wees dat hij vrijwel meteen in elkaar was gezakt. Op de betonnen vloer was een gevallen beker koffie van Joe's Joe gevonden, en zijn attachékoffertje, dat geopend niet ver van hem vandaan bij het achterwiel van de auto lag.

'En de pistoolschoten die iemand had gehoord?' vroeg ik.

Cisco haalde zijn schouders op.

'Volgens mij hebben ze die afgedaan als de knallende uitlaat van een auto.'

'Twee keer achter elkaar?'

'Of één keer en de echo ervan. Hoe dan ook, er was geen vuurwapen in het spel.'

Hij ging door met zijn verslag. De uitslag van de autopsie was nog niet binnen, maar Cisco gokte op hoofdwonden toegebracht door een stomp voorwerp als doodsoorzaak. Voorlopig was het tijdstip van overlijden vastgesteld tussen 8.30 en 8.50 uur. In de zak van Bondurants jasje zat een kassabonnetje van een Joe's Joe vier straten verderop. De tijd op het bonnetje was 8.21 uur en de rechercheurs hadden vastgesteld dat het hem minimaal negen minuten moest hebben gekost om van de koffieshop naar de parkeergarage van de bank te rijden. Het telefoontje naar het alarmnummer, door de bankemployee die het stoffelijk overschot had gevonden, stond genoteerd op 8.52 uur.

Het geschatte tijdstip van overlijden bood dus een speelruimte van ongeveer tweeëntwintig minuten. Dat was niet lang, maar wanneer je alle handelingen van een beklaagde in kaart moest brengen voor een alibi, was het een eeuwigheid.

De politie had gesproken met alle eigenaars van de auto's op dezelfde parkeerlaag, en met iedereen van de afdeling waar Bondurant werkte. Tijdens deze gesprekken was Lisa Trammels naam algauw en veelvuldig genoemd. Zij was degene van wie Bondurant had gemeld dat hij zich door haar bedreigd voelde. Zijn afdeling hield een dreigementendossier bij en Lisa's naam stond boven aan de lijst. En zoals we allemaal wisten had ze een straatverbod gekregen om haar uit de buurt van de bank te houden.

De politie had geluk gehad toen een van de bankemployés had gezegd dat ze Lisa Trammel een paar minuten na de moord had zien weglopen van het bankgebouw op Ventura Boulevard.

'Wie is die getuige?' vroeg ik, me onmiddellijk concentrerend op het tot nu toe schadelijkste detail van Cisco's verslag.

'Ze heet Margo Schafer. Ze is kassier. Volgens mijn bronnen heeft ze nooit contact met Trammel gehad. Ze werkt achter de balie, niet bij de kredietafdeling. Maar ze hebben Trammels foto onder het personeel laten circuleren nadat het straatverbod was uitgevaardigd. Ze hebben iedereen verteld dat ze het moesten melden als ze haar hadden gezien. Daarom heeft ze haar herkend.'

'En dat was binnen de perceelgrenzen van het bankgebouw?'

'Nee, ze liep op straat, een half huizenblok verderop. Op Ventura, blijkbaar in oostelijke richting, dus weg van de bank.'

'Weten we iets over deze Margo Schafer?'

'Nog niet, maar daar gaat verandering in komen. Ik ga ermee aan de slag.'

Ik knikte. Ik hoefde Cisco nooit te vertellen wat hij moest doen. Hij ging door met het tweede deel van zijn verslag: het doorzoeken van Lisa Trammels huis. Deze keer maakte hij gebruik van zijn aantekeningen, die hij uit een dossiermap haalde.

'Lisa Trammel is ongeveer twee uur na de moord vrijwillig – hun woord – met de rechercheurs meegegaan naar Bureau Van Nuys. Ze beweren dat ze pas na het verhoor op het bureau is gearresteerd. Op grond van hetgeen ze tijdens het verhoor heeft gezegd en het ooggetuigenverslag van Margo

Schafer hebben ze bij de rechter een huiszoekingsbevel voor Trammels woning aangevraagd. Ze hebben daar ongeveer zes uur naar bewijzen gezocht, naar zowel een mogelijk moordwapen als digitale en handgeschreven plannen om Bondurant te vermoorden.'

Huiszoekingsbevelen bevatten een tijdslimiet waarbinnen de huiszoeking moet plaatsvinden. Vervolgens moet de politie, ook binnen een redelijke termijn, bij de rechter een zogenaamde bevelteruggave indienen, een formulier waarop precies staat aangegeven wat er allemaal in beslag is genomen. Het is dan aan de rechter om te bepalen of de in beslag genomen voorwerpen voor het hof toelaatbaar zijn en of de politie binnen de regels van de wet heeft gehandeld. Cisco vertelde dat de rechercheurs Kurlen en Longstreth die ochtend de teruggave hadden ingediend en dat hij bij de administratie een afschrift had opgevraagd. Op dit moment was dat van groot belang voor onze zaak, aangezien de politie en het OM hun informatie niet met de verdediging wilden delen. Daar had Andrea Freeman een stokje voor gestoken. Maar de aanvraag en de teruggave van het huiszoekingsbevel waren openbare documenten. Die kon Freeman niet voor zichzelf houden. En ze gaven me het best mogelijke beeld van hoe het OM zijn zaak ging opbouwen.

'Vertel ons de belangrijkste details,' zei ik. 'Maar ik wil ook een kopie van het hele ding.'

'Ik heb de jouwe hier,' zei Cisco. 'Nou, voor zover...'

'Mag ik ook een kopie, alsjeblieft?' vroeg Aronson.

Cisco keek me aan alsof hij om toestemming vroeg. Dat was een beetje pijnlijk. Alsof hij me stilzwijgend vroeg of ze wel een volwaardig lid van ons team was en niet alleen de cliëntenbegeleidster die ik al winkelend op een rechtenfaculteit had geronseld.

'Absoluut,' zei ik.

'Je krijgt hem zo,' zei Cisco. 'Nou, de samenvatting. Als het om het moordwapen gaat, lijkt het erop dat onze twee rechercheurs ongeveer al het handgereedschap uit haar garage hebben meegenomen.'

'Dus ze weten nog niet wat het moordwapen is geweest,' zei ik.

'Nee, daar geeft de autopsie nog geen uitsluitsel over,' zei Cisco. 'Ze moeten de wonden onderling vergelijken en analyseren. Dat kost tijd, maar ik heb iemand in hun buurt. Zodra zij het weten, weten wij het ook.'

'Oké, wat nog meer?'

'Ze hebben haar laptop meegenomen, een drie jaar oude MacBook Pro, en een hele berg papieren over de onteigening van het huis op Melba. Met die papieren kunnen ze de rechter tegen zich in het harnas jagen. Ze hebben namelijk geen gespecificeerde lijst van documenten gemaakt, waarschijnlijk omdat het er te veel waren. Alleen de drie categorieën worden vermeld: FLAG, onteigening I en onteigening 2.'

Ik vermoedde dat de onteigeningspapieren bij Lisa thuis vooral van mij afkomstig waren. In het FLAG-dossier en de laptop zouden de namen van de leden van Lisa's groep te vinden zijn, wat kon betekenen dat de politie op zoek was naar medeplichtigen.

'Oké, wat nog meer?'

'Ze hebben haar mobiele telefoon ingenomen, een paar schoenen uit de garage en – het topstuk – een dagboek. Ze zeggen er verder niets over en vermelden ook niet wat ze erin hopen te vinden. Maar als mijn vermoeden juist is en er scheldpartijen tegen de bank en tegen het slachtoffer in het bijzonder in staan, dan hebben we een probleem.'

'Ik zal het aan haar vragen als ik haar morgen zie,' zei ik. 'Maar wacht even... die mobiele telefoon. Stond er in het verzoek vermeld waarom ze die telefoon wilden hebben? Vermoeden ze een samenzwering, of dat ze hulp heeft gehad bij de moord op Bondurant?'

'Nee, niks over een vermeende samenzwering. Ik denk dat ze gewoon niks aan het toeval willen overlaten.'

Ik knikte. Het was heel nuttig om te weten hoe de politie over het doen en laten van mijn cliënt dacht.

'Waarschijnlijk hebben ze met een apart gerechtelijk bevel bij haar provider de belstaten opgevraagd,' zei ik.

'Dat zal ik nagaan,' zei Cisco.

'Oké, verder nog iets over de huiszoeking?'

'De schoenen. Op de teruggave staat één paar schoenen uit de garage vermeld. Er staat niet bij waarom, alleen dat het tuinschoenen waren. Damesschoenen.'

'Er zijn geen andere schoenen meegenomen?'

'Volgens de vermelding niet. Alleen deze.'

'Je hebt niks gehoord over voetafdrukken op de plaats delict, hè?'

'Nee.'

'Oké.'

Ik was ervan overtuigd dat we gauw genoeg te weten zouden komen waarom ze die schoenen hadden meegenomen. Bij een huiszoeking gaat de politie altijd zo breed mogelijk te werk als de wet maar toestaat. Je kunt beter te veel meenemen dan iets vergeten. Wat betekent dat er soms dingen worden meegenomen die niets met de zaak te maken hebben.

'Trouwens,' zei Cisco, 'als je er tijd voor hebt biedt de aanvraag voor het huiszoekingsbevel interessant leesmateriaal, als je tenminste door alle spel- en grammaticafouten heen kijkt. Ze hebben het verhoor werkelijk tot de laatste druppel uitgewrongen, maar dat zagen we al op de dvd die je van Kurlen kreeg.'

'Ja, haar zogenaamde bekentenissen en zijn overdreven interpretatie ervan.'

Ik stond op, liep naar het midden van de kamer en begon te ijsberen. Lorna stond ook op en nam het huiszoekingsbevel over van Cisco om er een kopie van te maken. Ze liep naar de zijkamer die als haar kantoortje dienstdeed en waar het kopieerapparaat stond.

Ik wachtte tot ze terug was en de papieren aan Aronson had gegeven voordat ik begon.

'Goed, we gaan het volgende doen. Ten eerste hebben we zo gauw mogelijk een echt kantoor nodig, ergens in de buurt van het gerechtshof van Van Nuys, waar we onze commandopost inrichten.'

'Wil je dat ik dat doe, Mick?' vroeg Lorna.

'Ja, graag.'

'Ik zal erop letten dat er genoeg parkeerruimte en goeie eettentjes in de buurt zijn.'

'Het zou het mooist zijn als we lopend naar het gerechtshof kunnen.'

'Komt voor elkaar. Voor hoe lang?'

Ik dacht na. Het werken vanaf de achterbank van de Lincoln was me altijd goed bevallen. Het gaf me een gevoel van vrijheid dat stimulerend werkte op mijn manier van denken.

'We huren het voor een jaar. We zien wel hoe het loopt.'

Mijn blik ging naar Aronson. Ze zat met gebogen hoofd op haar blocnote te schrijven.

'Bullocks, ik wil dat jij onze huidige cliënten blijft begeleiden en dat je de nieuwe bellers de basisvoorwaarden uitlegt. De radioreclames lopen tot het eind van de maand door, dus we kunnen nog de nodige nieuwe cliënten verwachten. Maar ik heb je ook nodig bij de Trammel-zaak.'

Ze keek me aan en haar ogen lichtten op bij het vooruitzicht dat ze nog geen jaar na haar toelating door de Orde van Advocaten aan een echte moordzaak mocht werken.

'Juich niet te vroeg,' zei ik. 'Je zit nog niet naast me achter de tafel van de verdediging. Je krijgt voorlopig al het rotwerk te doen. Hoe was je met gerede twijfel op de rechtenfaculteit?'

'Ik was de beste van mijn jaar.'

'Natuurlijk was je dat. Nou, zie je die papieren die je in je hand hebt? Ik wil dat je dat huiszoekingsbevel millimeter voor millimeter uitkamt. We zijn op zoek naar weglatingen en onjuiste voorstellingen van zaken, naar alles wat ik kan gebruiken om ertegen te ageren. Want ik wil dat al het materiaal dat uit Lisa Trammels huis is gehaald als ontoelaatbaar bewijs wordt gezien.'

Aronson slikte zichtbaar. Wat ik van haar eiste was een hels karwei. En het was meer dan alleen rotwerk, want ze moest er veel energie in stoppen en het zou waarschijnlijk niets opleveren. Het kwam zelden voor dat bewijsmateriaal op deze manier uit een zaak werd geweerd. Maar ik wilde geen mogelijkheid onbenut laten en daar gebruikte ik Aronson voor. Ze was slim genoeg om dat in te zien en dat was een van de redenen dat ik haar had aangenomen.

'Vergeet niet dat je aan een moordzaak werkt,' zei ik. 'Hoeveel van je jaargenoten kunnen dat zeggen?'

'Geen een, denk ik.'

'Precies. Dus als je daarmee klaar bent, neem je de dvd met het politieverhoor van Lisa en doe je daarmee hetzelfde. Zoek naar elke steek die de politie heeft laten vallen, alles wat we kunnen gebruiken om het verhoor van tafel te vegen. Volgens mij heeft het hooggerechtshof daar vorig jaar een uitspraak over gedaan. Ben je daarvan op de hoogte?'

'Eh... dit is mijn eerste strafzaak.'

'Lees je dan in. Kurlen is buiten zijn boekje gegaan door de schijn te wekken dat ze vrijwillig met hem is meegekomen voor een verhoor. Als we kunnen aantonen dat hij haar heeft geïntimideerd, met of zonder handboeien, kunnen we stellen dat ze vanaf het eerste begin onder arrest heeft gestaan. Lukt dat, dan vervalt alles wat ze heeft gezegd voordat ze haar haar rechten hebben voorgelezen.'

'Oké.'

Aronson zat te schrijven en keek niet op.

'Is het duidelijk wat je opdrachten zijn?'

'Ja.'

'Mooi, aan de slag dan, maar vergeet de rest van de cliënten niet. Die betalen hier de rekeningen. Voorlopig tenminste.'

Ik wendde me weer tot Lorna.

'Wat me eraan herinnert, Lorna, dat je contact moet opnemen met Joel Gotler om te zien of hij iets met dit verhaal kan. Als ze straks schuld bekent en we komen tot een schikking, hebben we niks meer, dus laten we proberen er nu een deal uit te slepen. Zeg tegen hem dat hij niet te hoog inzet en dat we bereid zijn met een redelijk voorschot akkoord te gaan. We moeten tenslotte de verdediging financieren.'

Gotler was de Hollywood-agent die me vertegenwoordigde. Ik schakelde hem altijd in zodra Hollywood zich kwam melden. Deze keer echter meldden wij ons bij Hollywood en probeerden we er vooraf een deal uit te halen.

'Maak hem enthousiast,' zei ik tegen Lorna. 'Ik heb in de auto een visitekaartje van een producer van *60 Minutes*. Zo groot kan dit worden.'

'Ik zal Joel bellen,' zei ze. 'Ik weet wat ik tegen hem moet zeggen.'

Ik stopte even met ijsberen om na te denken over wat we nog moesten bespreken en wat mijn eigen rol daarin zou zijn. Ik keek Cisco aan.

'Wil je dat ik met de getuige aan de slag ga?' vroeg hij.

'Ja, én met het slachtoffer. Ik wil een zo volledig mogelijk beeld van allebei.'

Mijn opdracht werd onderbroken door een scherp zoemend geluid uit de intercom aan de muur naast de keukendeur.

'Sorry, dat is de deurtelefoon van de flat.'

Ze maakte geen aanstalten om ernaartoe te lopen.

'Moet je niet opendoen?' vroeg ik.

'Nee, ik verwacht niemand en alle bezorgers kennen de combinatie. Het zal wel weer iemand zijn die een verzekering probeert te slijten. Het wemelt hier in de buurt van dat soort zombies.'

'Oké,' zei ik, 'dan gaan we door. Het volgende waaraan we moeten denken is een alternatieve dader.'

Ik had onmiddellijk ieders onverdeelde aandacht.

'We hebben iemand nodig die onze cliënt in de val heeft gelokt,' zei ik. 'Als we gaan procederen, zal het niet voldoende zijn om alleen de zaak van het OM te ondergraven. Dan moeten we een agressieve verdediging voeren. We moeten proberen de jury een andere kant op te sturen, de aandacht weg te leiden van Lisa. Om dat te kunnen doen, hebben we een alternatieve theorie nodig.'

Ik was me ervan bewust dat Aronson me zat aan te staren terwijl ik aan het woord was. Ik voelde me als een docent op een rechtenfaculteit.

'Waar wij behoefte aan hebben, is de hypothese van onschuld. Als we die kunnen creëren, winnen we de zaak.'

Op dat moment ging de zoemer bij de keukendeur weer. En daarna nog twee keer, lang en doordringend.

'Wat moet dit verdomme voorstellen?' vroeg Lorna.

Geërgerd stond ze op, liep naar de intercom en drukte op de knop.

'Ja, wie is daar?'

'Is dit het advocatenkantoor van Mickey Haller?'

Het was de stem van een vrouw, die me bekend in de oren klonk maar die ik niet meteen kon plaatsen. Het was een kleine speaker met een laag volume. Lorna draaide zich om, keek ons met een verbaasde blik aan en schudde haar hoofd. Haar adres werd in geen van onze advertenties vermeld. Hoe was deze persoon bij de ingang van haar flat terechtgekomen?

'Ja, maar alleen op afspraak,' antwoordde Lorna. 'Ik kan u het telefoonnummer geven om een afspraak met meneer Haller te maken.'

'Alsjeblieft! Ik moet hem nu spreken. Ik ben het, Lisa Trammel, en ik ben al cliënt. Ik moet hem dringend spreken.'

Ik staarde naar de intercom alsof die direct in verbinding stond met het vrouwenblok van Van Nuys, waar Lisa in de cel hoorde te zitten. Daarna keek ik Lorna aan.

'Ik denk dat je beter kunt opendoen.'

6

Lisa Trammel was niet alleen. Toen Lorna haar voordeur opendeed, kwam mijn cliënt binnen met een man die ik in de rechtszaal had gezien tijdens Lisa's voorgeleiding. Hij had op de eerste rij van de tribune gezeten en was me opgevallen omdat hij er niet uitzag als een advocaat of een journalist. Hij zag eruit als Hollywood. En niet het Hollywood vol glamour en zelfvertrouwen. Het andere Hollywood. Het Hollywood van hen die er zielsgraag bij wilden horen. Hij droeg een toupet, of een of andere amateur had zijn haar geverfd, net als het plukje haar onder zijn onderlip, zijn nek was mager en verlept... kortom, hij zag eruit als een zestigjarige die zonder veel succes voor veertig probeerde door te gaan. Hij droeg een zwartleren colbert en een donkerrode coltrui. Om zijn hals hing een gouden ketting waaraan het vredesteken hing. Wie hij ook was, ik had het sterke vermoeden dat hij de reden was dat Lisa nu vrij rondliep.

'Nou, of je bent uit de gevangenis van Van Nuys ontsnapt, of je hebt de borg betaald,' zei ik. 'Om de een of andere reden denk ik dat het laatste het geval is.'

'Slim van je,' zei Lisa. 'Mag ik jullie voorstellen, dit is Herbert Dahl, mijn vriend en weldoener.'

'Dahl met D-A-H-L,' zei de glimlachende weldoener.

'Weldoener?' vroeg ik. 'Houdt dat in dat jij Lisa's borg hebt betaald?'

'Aan een borgsteller, om precies te zijn,' zei Dahl.

'Wie?'

'Ene Valenzuela. Hij woont vlak bij de gevangenis. Heel handig, en hij zei dat hij jou kent.'

'Dat klopt.'

Ik zweeg even, vroeg me af hoe ik moest doorgaan, maar Lisa nam het woord weer.

'Herb is een echte held, hij heeft me uit die vreselijke cel gered,' zei ze. 'Nu ben ik vrij en kan ik jullie helpen met jullie strijd tegen al die valse beschuldigingen.'

Lisa had Aronson al eens eerder gesproken, maar Lorna en Cisco nog niet. Ze liep naar hen toe, schudde beiden de hand en stelde zich voor alsof het de gewoonste zaak van de wereld was en het nu tijd was om spijkers met koppen te slaan. Cisco keek me aan alsof hij wilde zeggen: wat krijgen we verdomme nou? Ik haalde mijn schouders op. Ik wist het ook niet.

Lisa had het nooit met me gehad over Herb Dahl, haar goede vriend en 'weldoener', die ze blijkbaar zo goed kende dat hij bereid was tweehonderdduizend dollar aan een borgsteller voor haar te betalen. Dit, plus het feit dat ze geen beroep op zijn vrijgevigheid had gedaan om voor haar verdediging te betalen, verbaasde me niet. Net zomin als het me verbaasde dat ze hier zomaar kwam binnenvallen en er helemaal klaar voor was om ons met haar verdediging te helpen. Ik was ervan overtuigd dat Lisa er tegenover onbekenden heel bedreven in was persoonlijke en emotionele zaken verborgen te houden. Ze kon bedrieglijk charmant zijn en ik vroeg me oprecht af of Herb Dahl wist waar hij aan was begonnen. Ik ging ervan uit dat hij zakelijke redenen had om haar te helpen, maar dat hij niet besefte dat hij zelf ook werd gebruikt.

'Lisa,' zei ik, 'kan ik je even onder vier ogen spreken in Lorna's kantoor?'

'Ik denk dat Herb ook moet horen wat je te zeggen hebt. Hij gaat de hele zaak documenteren.'

'Nou, onze gesprekken gaat hij in ieder geval níét documenteren, want alles wat jij en je advocaat met elkaar te bespreken hebben, is strikt vertrouwelijk en niet bedoeld voor andermans oren. Hij kan wel als getuige gedagvaard worden over iets wat hij heeft gehoord of gezien.'

'O... nou, kunnen we hem dan niet in dienst nemen of zoiets, zodat hij deel uitmaakt van het juridische team?'

'Lisa, kom nou maar even mee.'

Ik wees naar de zijkamer en uiteindelijk begon Lisa die kant op te lopen.

'Lorna, misschien wil jij meneer Dahl iets te drinken aanbieden?'

Ik liep Lisa achterna, de zijkamer in, en deed de deur dicht. Er stonden twee bureaus. Het ene was van Lorna en het andere van Cisco. Ik pakte een stoel, zette die tegenover Lorna's bureau, zei tegen Lisa dat ze moest gaan zitten en nam zelf achter het bureau plaats.

'Wat een raar advocatenkantoor,' zei ze. 'Het lijkt wel of we bij iemand thuis zijn.'

'Dat is tijdelijk. Maar laten we het over je held in de andere kamer hebben, Lisa. Hoe lang ken je hem al?'

'Pas een paar maanden, zoiets.'

'Hoe heb je hem leren kennen?'

'Op de treden van het gerechtshof. Hij was op een protestbijeenkomst van de FLAG afgekomen. Hij zei dat hij als filmregisseur in ons geïnteresseerd was.'

'O ja? Dus hij is filmmaker? Waar is zijn camera?'

'Nou, eigenlijk is hij iemand die alles bij elkaar brengt. Hij heeft heel veel succes. Hij, je weet wel, sluit contracten voor boeken en films af. Dat gaat hij nu ook doen. Deze zaak gaat gigantisch veel aandacht trekken, Mickey. In de gevangenis zeiden ze dat ik aanvragen voor interviews van zesendertig reporters had. Natuurlijk mocht ik niet met ze praten, maar met Herb wel.'

'Dus Herb is je komen opzoeken in de gevangenis? Het moet hem heel wat moeite hebben gekost om bij je te komen.'

'Hij zei dat als hij een goed verhaal ziet, hij zich door niets laat weerhouden. Ken je dat verhaal van dat kleine meisje dat een week lang met haar dode vader op die berghelling is gebleven nadat ze met de auto van de weg waren geraakt? Hij heeft daar een tv-film van gemaakt.'

'Indrukwekkend.'

'Dat weet ik. Hij heeft heel veel succes.'

'Ja, dat zei je al. Heb je met hem een of andere overeenkomst gesloten?'

'Ja. Hij gooit alle verschillende deals bij elkaar en naderhand delen we fiftyfifty na aftrek van zijn onkosten en het geld van de borg. Ik bedoel, dat is eerlijk, nietwaar? Maar hij zegt dat het een heleboel geld gaat opbrengen. Misschien kan ik zelfs mijn huis houden, Mickey.'

'Heb je iets getekend? Een contract of een overeenkomst, of zoiets?'

'O, ja, allemaal heel legaal en bindend. Hij moet me mijn deel uitbetalen.'

'Dat weet je omdat je het contract door je advocaat hebt laten doornemen?'

'Eh... nee, maar Herb zei dat het de gebruikelijke regeltjes waren. Je weet wel, juridisch bla-bla-bla. Maar ik heb het gelezen.'

Ja, ja, dacht ik. Zeker net zo goed als toen ze míjn contracten tekende.

'Mag ik dat contract zien, Lisa?'

'Dat heeft Herb. Je kunt het aan hem vragen.'

'Dat zal ik zeker doen. En heb je hem toevallig ook over ónze overeenkomsten verteld?'

'Onze overeenkomsten?'

'Ja, je hebt gisteren op het politiebureau een paar contracten getekend, weet je nog? Eén voor mij, om jou in een strafzaak te mogen vertegenwoordigen, en twee andere waarmee je me machtigt en de copyrights van de zaak aan me overdraagt, zodat we je verdediging kunnen financieren. Weet je nog dat je die papieren hebt getekend?'

Ze gaf geen antwoord.

'Heb je die drie mensen in de kamer gezien, Lisa? Die zijn allemaal bezig met jouw zaak. En tot nu toe heb je ons nog geen cent betaald. Wat inhoudt dat ik mag opdraaien voor hun salaris en al hun onkosten. Elke week. Daarom staat er in het contract dat je gisteren hebt getekend dat je de boek- en filmrechten van de zaak aan mij overdraagt.'

'O... dat deel heb ik niet gelezen.'

'Vertel me eens, Lisa, wat is belangrijker voor je? Dat je de best mogelijke verdediging krijgt, we straks in de rechtszaal stevig in onze schoenen staan en je de zaak wint, of dat je er een boek- of filmdeal aan overhoudt?'

Lisa trok een pruilmondje en negeerde vervolgens de vraag.

'Maar je begrijpt het niet. Ik ben onschuldig. Ik heb niks...'

'Nee, jíj begrijpt het niet. Of je onschuldig bent of niet heeft niks met mijn vraag te maken. Dat gaan we in de rechtszaal aantonen of aanvechten. En als ik zeg "we", dan bedoel ik "ik", Lisa. Ik ga dat doen. Ik ben jouw held, niet Herb Dahl met zijn leren jasje en dat belachelijke vredesteken om zijn nek.'

Ze wachtte lange tijd voordat ze antwoord gaf.

'Ik kan niet meer terug, Mickey. Hij heeft net mijn borg betaald. Ik heb hem tweehonderdduizend dollar gekost. Die moet hij terugverdienen.'

'En je juridische bijstandsteam mag in de tussentijd omkomen van de honger?'

'Nee, je wordt heus wel betaald, Mickey. Ik beloof het je. Ik krijg de helft van alle opbrengsten. Ik betaal je, echt.'

'Nadat hij zijn tweehonderdduizend plus zijn onkosten eraf heeft getrokken. Onkosten die van alles kunnen zijn, zo te horen.'

'Hij zei dat hij een half miljoen heeft verdiend aan het verhaal van een van Michael Jacksons artsen. En dat was alleen voor de krant. Van mijn verhaal gaat hij misschien een film maken!'

Ik stond op het punt mijn geduld te verliezen. Op Lorna's bureau lag een speelgoedje waarmee je je emoties kon afreageren. Het was een klein model rechtershamer van hard rubber, door haar bedacht en bedoeld ter promotie of als relatiegeschenk. Op de steel kon de naam en het telefoonnummer van ons kantoor worden gedrukt. Ik pakte het ding op, kneep zo hard als ik kon in de hamerkop en dacht daarbij aan Herb Dahls strottenhoofd. Na enige tijd nam mijn woede af. Het ding werkte echt. Ik nam me voor tegen Lorna te zeggen dat ze er een paar dozen van moest bestellen. We konden ze uitdelen op de kantoren van borgstellers en tijdens straatmarkten.

'Oké,' zei ik. 'We zullen het er later nog eens over hebben. We gaan nu terug naar de kamer. Toch zul je tegen Herb moeten zeggen dat hij moet vertrekken, want we gaan over jouw zaak praten en dat doen we niet in het bijzijn van derden. En als we hier klaar zijn, bel je hem op en zeg je tegen hem dat hij niks doet en geen enkele deal sluit zonder mijn toestemming. Heb je dat begrepen, Lisa?'

'Ja.'

Ze klonk bedeesd en verslagen.

'Zeg jij tegen hem dat hij moet weggaan of doe ik dat?'

'Wil jij dat doen, Mickey?'

'Geen probleem. Kom mee, we zijn hier klaar.'

We gingen terug naar de woonkamer, waar Dahl blijkbaar een verhaal had verteld en dat net afrondde.

'... en dat was vóórdat hij *Titanic* maakte!'

Hij lachte om zijn eigen uitsmijter, maar de anderen in de kamer konden niet lachen om zijn Hollywood-humor.

'Oké, Herb, we moeten weer aan het werk en met Lisa over de zaak praten,' zei ik. 'Dus ik ga je nu uitlaten.'

'Maar hoe komt ze dan thuis?'

'Ik heb een auto met chauffeur. Wij regelen dat wel.'

Hij aarzelde en keek Lisa aan alsof hij steun zocht.

'Het is oké, Herb,' zei ze. 'We moeten over de zaak praten. Ik bel je zodra ik thuis ben.'

'Beloofd?'

'Beloofd.'

'Mick, ik kan hem wel uitlaten,' bood Lorna aan.

'Nee, dat hoeft niet. Ik moet toch even naar de auto.'

Iedereen nam afscheid van de man met het vredesteken, waarna Dahl en ik de flat verlieten. Alle units van het gebouw hadden een achteruitgang. We liepen over het voetpad om de flat heen naar de hoofdingang aan Kings Road. Bij de brievenbussen was een stapel telefoonboeken achtergelaten en ik nam er een mee om de poort open te houden, zodat ik straks weer naar binnen kon.

We liepen naar mijn auto, die in de rode zone langs de stoeprand geparkeerd stond. Rojas zat op de motorkap en rookte een sigaret. Ik had mijn *remote key* in de bekerhouder laten zitten, dus ik riep hem.

'Rojas, de kofferbak.'

Hij haalde de sleutels uit zijn zak en opende de klep. Ik zei tegen Dahl dat ik hem iets wilde geven en hij liep met me mee.

'Je gaat me er toch niet in proppen, hè?'

'Nee, dat niet, Herb. Ik wil je alleen iets geven.'

We liepen om de auto heen en ik deed de klep helemaal open.

'Jezus, je hebt je hele administratie hier,' zei hij toen hij de dozen met dossiers zag.

Ik reageerde er niet op. Ik trok de map met contracten uit de doos en haalde de papieren eruit die Lisa de vorige dag had getekend. Daarna liep ik weer om de auto heen en kopieerde ze op het 'alles-in-één'-apparaat op de passagiersstoel. Ik overhandigde Dahl de kopieën en hield de originelen zelf.

'Alsjeblieft, lees deze eens door als je tijd hebt.'

'Wat zijn het?'

'Het eerste is een contract waarin staat dat ík Lisa's zaak vertegenwoordig. De gebruikelijke bla-bla. Verder zie je een machtiging om als haar advocaat op te treden en een contract voor de overdracht van alle inkomsten die uit de zaak voortvloeien. Je ziet dat Lisa alle drie de documenten gisteren heeft gedateerd en ondertekend. Dat houdt in dat ze jouw contract ongeldig maken, Herb. Lees de kleine lettertjes maar. Dat betekent dat alle copyrights – van boeken, films, tv, alles – bij mij berusten.'

Ik zag de blik in zijn ogen verharden.

'Wacht eens even...'

'Nee, Herb, jij wacht even. Ik weet dat je net tweehonderd ruggen hebt opgehoest voor de borg, plus wat je hebt moeten betalen om in de gevangenis bij haar te komen. Ik ben me ervan bewust dat je een enorme investering hebt gedaan. En ik zal ervoor zorgen dat je dat geld terugkrijgt. Uiteindelijk. Maar je bent de tweede in de rij, makker. Accepteer het en hou je verder gedeisd. Je onderneemt niks en sluit geen enkele deal zonder mijn medeweten.'

Ik tikte op de contracten in zijn hand, waar hij naar staarde.

'Doe je dat niet, dan zul je zelf een advocaat nodig hebben. En een verdomd goeie ook. Dan zorg ik ervoor dat je twee jaar krijgt en zie je nooit meer een cent van die tweehonderdduizend terug.'

Ik gooide het portier dicht om mijn laatste woorden kracht bij te zetten.

'Een prettige dag nog.'

Ik liet hem daar staan en liep naar de kofferbak om de originelen terug te doen in de map. Toen ik de klep sloot, viel het me op dat de omtrek van de graffiti nog steeds zichtbaar was. De spuitverf was verwijderd, maar die had de glans van de oorspronkelijke lak aangetast. De Florencia 13 had me voor het leven getekend. Ik keek naar de nummerplaat op de bumper.

VRYDOORMY

Dat was deze keer gemakkelijker gezegd dan gedaan. Ik liep langs Dahl, die nog steeds op de stoep naar de contracten stond te staren. Bij de poort van de flat raapte ik het telefoonboek op en sloeg het op een willekeurige bladzijde open. Mijn advertentie stond erin. Met mijn glimlachende gezicht erbij.

RED UW HUIS!
Laat u niet onteigenen zonder terug te knokken
Michael Haller & Partners, juristen
bel:
323-988-0761
of ga naar:
www.stopfaillissement.com
Se Habla Español

Ik bladerde het boek door om te zien of de advertentie op alle pagina's stond, waar ik voor had betaald, en legde het terug op de stapel. Ik wist niet eens of mensen nog wel telefoonboeken gebruikten, maar mijn boodschap stond er in ieder geval in.

De anderen zaten zwijgend op me te wachten toen ik de flat binnenkwam. De komst van Lisa en haar weldoener had een wat opgelaten sfeer veroorzaakt. Ik probeerde de bijeenkomst opnieuw op te starten als een trainer die zijn team oppept voor de tweede helft.

'Oké, iedereen kent nu iedereen. Lisa, we zaten midden in een discussie over hoe we moeten verdergaan en wat we moeten weten voordat we dat doen. We hadden niet het voordeel van je aanwezigheid, want eerlijk gezegd was ik er redelijk zeker van dat je in de gevangenis zou blijven totdat de rechter het "niet schuldig" zou uitspreken. Maar nu je er bent, ben ik zeker van plan van je aanwezigheid gebruik te maken bij het bepalen van onze strategie. Is er iets wat je tegen de groep wilt zeggen?'

Ik voelde me alsof ik een groepstherapie in het buurtcentrum leidde. Maar Lisa's gezicht klaarde op toen ze de kans kreeg haar woordje te doen.

'Ja, ten eerste zou ik willen zeggen dat ik jullie heel dankbaar ben voor alle moeite die jullie voor me doen. Ik weet dat dingen als schuld en onschuld er in een rechtszaak niet echt toe doen. Dat het gaat om wat je kunt bewijzen. Ik begrijp dat, maar misschien zou het toch goed zijn als jullie het van mij horen, ook al is het maar deze ene keer. Ik ben niet schuldig aan waar ik van word verdacht. Ik heb meneer Bondurant niet vermoord. Ik hoop dat jullie me geloven en dat we dat tijdens het proces kunnen bewijzen. Ik heb een zoontje dat zijn moeder hard nodig heeft.'

Niemand zei iets maar er werd door iedereen ernstig geknikt.

'Oké,' zei ik. 'Voordat je hier kwam binnenvallen waren we de taken aan het verdelen. Wie doet dit en wie doet dat, dat soort dingen. Ik zou jou daar ook graag bij betrekken.'

'Natuurlijk, wat je maar wilt.'

Ze zat opeens kaarsrecht op het puntje van haar stoel.

'Nadat je was gearresteerd, is de politie urenlang in je huis bezig geweest. Ze hebben het van boven tot onder doorzocht en hebben, binnen het kader van de richtlijnen van het huiszoekingsbevel, diverse dingen in beslag genomen die mogelijk als bewijs in de zaak zullen dienen. We hebben een lijst van die spullen, en als je die wilt zien, kan dat. Je laptop staat erop, en drie bestanden met de namen FLAG en Onteigening I en 2. En daar hebben we jou voor nodig. Zodra we een rechtszaal en een rechter toegewezen hebben gekregen, dienen we een gerechtelijk verzoek in om onmiddellijk in de gelegenheid te worden gesteld de laptop en de bestanden te bekijken. Maar vóór het zover is, wil ik dat jij een zo volledig mogelijke lijst maakt van wat er in die bestanden en de laptop te vinden is. Met andere woorden, Lisa, wat staat er in die bestanden wat voor de politie een reden was om ze mee te nemen? Begrijp je wat ik bedoel?'

'Helemaal, en ja, dat kan ik. Ik begin er meteen vanavond mee.'

'Dank je. Maar er is nog iets wat ik je wil vragen. Want zie je, als het tot een proces komt, wil ik niet verrast worden. Ik wil niet dat er opeens iemand uit het niets tevoorschijn komt die...'

'Waarom zeg je "als"?'

'Pardon?'

'Je zei "als". Als het tot een proces komt. "Als" bestaat niet.'

'Sorry, een kleine verspreking. Hoewel je best mag weten dat een goede advocaat altijd naar een aanbod van het OM zal luisteren. Omdat de onderhandelingen erover je vaak de kans bieden een snelle blik te werpen op hoe hun zaak ervoor staat. Dus als ik tegen je zeg dat ik met het OM over een deal ga praten, onthoud dan dat ik daar een achterliggende reden voor heb, oké?'

'Oké, maar ik kan je nu al vertellen dat ik geen schuld ga bekennen voor iets wat ik niet heb gedaan. Er is een moordenaar op vrije voeten terwijl ze mij ervoor willen laten opdraaien. De afgelopen nacht, in die afschuwelijke cel, heb ik geen oog dichtgedaan. Ik lag maar aan mijn zoontje te denken... dat ik hem nooit meer recht in de ogen zou kunnen kijken als ik schuld beken voor iets wat ik niet heb gedaan.'

Even was ik bang dat ze zich zou laten meeslepen door haar emoties, maar ze wist zich goed te houden.

'Dat begrijp ik,' zei ik zacht. 'Goed, Lisa, er is nog iemand over wie ik wil praten, en dat is je man.'

'Waarom?'

Ik hoorde haar alarmbellen onmiddellijk rinkelen. We kwamen op gevaarlijk terrein.

'Omdat hij voor ongewenste verrassingen zou kunnen zorgen. Wanneer heb je voor het laatst iets van hem gehoord? Is hij in staat ineens te komen opdraven en het ons moeilijk te maken? Kan hij een getuigenis over je afleggen, over eventuele eerdere vergeldings- of wraakacties? We moeten weten wat we kunnen verwachten, Lisa. Of het ooit echt zover komt, doet er niet toe. Als er een dreiging bestaat, moeten we daarvan op de hoogte zijn.'

'Ik dacht dat een echtgenoot niet tegen zijn partner mocht getuigen.'

'Er bestaat een regel dat je daartegen kunt protesteren, maar soms is het een grijs gebied, zeker als jullie niet meer samenleven. Dus wil ik die verrassing uitsluiten. Heb je enig idee waar je echtgenoot op het ogenblik uithangt?'

Het was niet helemaal waar wat ik zei over dit wetsartikel, maar ik moest de echtgenoot zien te vinden om het wel en wee van hun huwelijk te kunnen begrijpen en of dat de verdediging al dan niet last kon bezorgen. Verdwenen echtelieden konden onverwachte troefkaarten worden. Je kon misschien voorkomen dat ze tegen je cliënt getuigden, maar dat wilde nog niet zeggen dat ze het OM buiten de rechtszaal niet konden helpen.

'Nee, geen idee,' antwoordde ze. 'Maar ik ga ervan uit dat hij vroeg of laat wel zal komen opdraven.'

'Waarom?'

Lisa hield haar handen op alsof het antwoord voor de hand lag.

'Omdat er geld te verdienen valt. Als hij op tv of in een krant ziet wat er hier gaande is, komt hij zeker terug. Daar kun je op rekenen.'

Het leek een vreemd antwoord, alsof haar echtgenoot de reputatie van een geldwolf had, terwijl ik wist dat hij, waar hij ook was, verdraaid weinig uitgaf.

'Je vertelde me dat hij in Mexico jullie creditcard heeft leeggehaald.'

'Dat klopt. Rosarito Beach. Er stond vierenveertighonderd op de Visacard en hij heeft de limiet overschreden. Ik moest hem opzeggen, en het was de enige creditcard die we hadden. Maar ik had er niet aan gedacht dat ik, door hem op te zeggen, nu ook niet meer kon nagaan waar hij uithing. Dus het antwoord is: nee, ik weet niet waar hij nu is.'

Cisco schraapte zijn keel en mengde zich in het gesprek.

'Zocht hij wel eens contact? Telefoontjes, e-mails, sms'jes?'

'In het begin, een paar e-mails. Daarna niks meer, totdat hij belde op de verjaardag van onze zoon. Dat was zes weken geleden.'

'Heeft je zoon gevraagd waar hij was?'

Lisa aarzelde en zei toen nee. Ze kon slecht liegen. Ik zag meteen dat er meer achter zat.

'Wat wil je zeggen, Lisa?'

Ze wachtte nog even en gaf het toen op.

'Jullie zullen wel denken dat ik een vreselijk slechte moeder ben, maar ik heb hem niet met Tyler laten praten. We kregen ruzie en toen... toen heb ik opgehangen. Later kreeg ik er spijt van, maar ik kon hem niet terugbellen, want het nummer was geblokkeerd.'

'Maar hij heeft een mobiele telefoon?' vroeg ik.

'Nee. Hij had er een, maar dat nummer is al een tijd buiten gebruik. Hij belde niet met zijn eigen telefoon. Dus of hij heeft er een van iemand geleend, of hij heeft een nieuw nummer dat hij me niet wil geven.'

'Het kan een weggooier zijn,' zei Cisco. 'Die kun je in elke supermarkt kopen.'

Ik knikte. Het verhaal van het gestrande huwelijk had iedereen somber gemaakt. Uiteindelijk nam ik het woord weer.

'Lisa, als hij nog eens contact zoekt, laat het me dan meteen weten.'

'Dat zal ik doen.'

Mijn blik ging van haar naar mijn onderzoeksmedewerker. We keken elkaar even aan en zonder iets te zeggen ontving hij de opdracht om alles wat hij over Lisa's op drift geraakte echtgenoot te weten kon komen, boven water te halen.

Cisco knikte. De boodschap was overgekomen.

'Lisa, nog een paar dingen en dan kunnen we aan de slag.'

'Oké.'

'Toen de politie gisteren je huis doorzocht, hebben ze nog een paar dingen meegenomen waar we het nog niet over hebben gehad. Een van die dingen werd beschreven als een dagboek. Weet je wat ze daarmee bedoelen?'

'Ja, ik was een boek aan het schrijven. Een boek over mijn reis.'

'Je reis?'

'Ja, de reis naar jezelf, om jezelf te ontdekken in wat er gebeurt tijdens onze acties. De ontwikkeling die je doormaakt. Om andere mensen te helpen die voor hun huis knokken.'

'Oké, dus het was een dagboek van de protesten en dat soort dingen?'

'Dat klopt.'

'Kun je je herinneren of je Mitchell Bondurants naam erin hebt genoemd?'

Ze keek naar de grond en dacht na.

'Ik geloof het niet. Maar het zou kunnen dat ik hem een keer heb genoemd. Hij was tenslotte de grote man achter alles.'

'Maar niets over dat je hem kwaad wilde doen?'

'Nee, dat niet. En ik héb hem geen kwaad gedaan! Ik heb hem niet vermoord!'

'Dat vraag ik niet, Lisa. Ik probeer erachter te komen welke bewijzen ze tegen je hebben. Dus jij denkt dat het dagboek ons geen problemen gaat opleveren?'

'Nee, geen problemen. Er staan geen slechte dingen in.'

'Oké, goed dan.'

Ik liet mijn blik langs de andere leden van mijn team gaan. Door het verbale sparren met Lisa was ik bijna mijn volgende vraag vergeten. Cisco herinnerde me eraan.

'De getuige?'

'Juist. Lisa, ben je gisterochtend, omstreeks het tijdstip van de moord, in de buurt van het hoofdkantoor van WestLand National in Sherman Oaks geweest?'

Ze antwoordde niet meteen, wat mij vertelde dat we een probleem hadden.

'Mijn zoontje gaat naar school in Sherman Oaks. Ik breng hem 's morgens naar school en dan rij ik langs dat gebouw.'

'Oké. Dus je bent er gisteren langsgereden. Hoe laat was dat ongeveer?'

'Eh, kwart voor acht, denk ik.'

'Toen je hem naar school bracht?'

'Ja.'

'En daarna, nadat je hem hebt afgezet? Neem je dan dezelfde weg terug?'

'Ja, meestal wel.'

'En gisteren? We hebben het over gisteren. Ben je er toen op de terugweg langsgereden?'

'Ik denk het wel, ja.'

'Dat weet je niet meer?'

'Ja, ik ben er langsgereden. Via Ventura naar Van Nuys en dan over de snelweg.'

'Ben je, nadat je Tyler had afgezet, rechtstreeks naar huis gereden, of heb je nog iets anders gedaan?'

'Ik ben gestopt om een beker koffie te kopen en ben doorgereden naar huis. Toen kwam ik langs het kantoor.'

'Hoe laat was dat?'

'Dat weet ik niet precies. Ik heb niet op de tijd gelet. Het zal rond half negen geweest zijn.'

'Dus je bent niet uit de auto gestapt toen je in de buurt van WestLand National was?'

'Nee, natuurlijk niet.'

'Weet je dat zeker?'

'Natuurlijk weet ik dat zeker. Dat zou ik me wel herinneren, denk je ook niet?'

'Oké. En waar ben je gestopt om koffie te halen?'

'Bij Joe's Joe op Ventura, bij Woodman. Daar haal ik altijd koffie.'

Ik zei niets. Ik keek eerst Cisco en daarna Aronson aan. Cisco had me verteld dat Mitchell Bondurant een beker koffie van Joe's Joe bij zich had gehad toen hij werd doodgeslagen. Ik besloot de voor de hand liggende vraag – of Lisa Bondurant in de koffieshop had gezien of gesproken – nog niet te stellen. Als Lisa's advocaat zou ik worden gehouden aan wat ik wist. Ik zou nooit meewerken aan het plegen van meineed. Als ik het Lisa nu vroeg en ze me vertelde dat ze Bondurant had gezien of misschien zelfs had gesproken, zou ik nooit mogen toestaan dat ze me tijdens het proces, als ze moest getuigen, een ander verhaal vertelde.

Ik moest oppassen met het vergaren van informatie die me in deze vroege fase van de zaak in mijn doen en laten beperkte. Ik wist dat dit tegenstrijdig klonk. Het was mijn taak zo veel mogelijk te weten te komen, en toch waren er dingen die ik nu nog niet wilde weten. Want soms konden dingen die je wist je juist hinderen. Als ik ze niet wist, had ik meer speelruimte bij het opbouwen van de verdediging.

Aronson zat me aan te staren en vroeg zich duidelijk af waarom ik de voor de hand liggende vraag niet stelde. Ik keek haar aan en schudde net zichtbaar mijn hoofd. Ik zou het haar later uitleggen, want dit was ook iets wat ze je op de rechtenfaculteit niet leren.

Ik stond op.

'Lisa, ik vind het genoeg voor vandaag. Je hebt ons heel wat informatie gegeven en daar gaan we mee aan de slag. Ik laat je nu door mijn chauffeur naar huis brengen.'

7

Ze was al veertien en toch at ze bij het avondeten het liefst pannenkoeken. Mijn dochter en ik zaten in een box bij Du-par's in Studio City. Ons vaste woensdagavondritueel. Ik had haar opgehaald bij haar moeder en op weg naar mijn huis maakten we onze gebruikelijke tussenstop voor pannenkoeken. Tijdens het eten deed zij haar huiswerk en ik het mijne van de zaak. Het was voor mij het dierbaarste moment van de week.

De officiële voogdijregeling stelde dat Hayley elke woensdagavond en om het weekend bij mij was. Kerstmis en Thanksgiving wisselden we af en in de zomervakantie was ze ook twee weken bij me. Maar dat was de officiële regeling. Het ging sinds een jaar best goed tussen mijn ex-vrouw en mij en we deden de laatste tijd zelfs dingen met z'n drieën. Met Kerstmis hadden we als gezin aan tafel gezeten. En soms kwam mijn ex zelfs mee als we pannenkoeken gingen eten. Ook dat was me heel wat waard.

Maar vanavond waren Hayley en ik met z'n tweeën. Het werk aan de zaak omvatte onder meer de uitslag van de autopsie van Mitchell Bondurant. Er zaten foto's bij, zowel van het stoffelijk overschot als van de vindplaats in de parkeergarage van de bank. Ik leunde achterover in de box en lette er goed op dat Hayley noch iemand anders in het restaurant de gruwelijke beelden zag. Die deden het niet goed in combinatie met pannenkoeken.

Ondertussen deed Hayley haar natuurkunde en bestudeerde ze veranderingen in stoffen en moleculen bij verhitting.

Cisco had gelijk gehad. De autopsie bevestigde dat Bondurant was overleden aan een hersenbloeding als gevolg van diverse slagen op het hoofd met een stomp voorwerp.

Drie, om precies te zijn. Het rapport bevatte een schematische tekening van de bovenkant van het hoofd van het slachtoffer. De drie inslagpunten bevonden zich op de kruin en lagen zo dicht naast elkaar dat ze alle drie binnen de omtrek van een theekopje pasten.

Het zien van de tekening bracht de nodige opwinding in me teweeg. Ik bladerde terug naar de voorpagina van het rapport waar de algemene kenmerken van het stoffelijk overschot stonden beschreven. Mitchell Bodurant was een meter drieëntachtig lang en woog negentig kilo. Ik wist niet hoe lang Lisa was dus belde ik het nummer van de mobiele telefoon die Cisco haar die ochtend had gegeven, aangezien haar eigen telefoon was ingenomen door de politie. Het was altijd zaak dat een cliënt op elk willekeurig moment bereikbaar was.

'Lisa, met Mickey. Even snel, hoe lang ben je?'

'Wat? Mickey, ik zit te eten, met...'

'Vertel me alleen hoe lang je bent en ik laat je verder met rust. Niet liegen. Wat staat er op je rijbewijs?'

'Eh, een achtenvijftig, geloof ik.'

'Klopt dat?'

'Ja, maar...'

'Oké, meer hoef ik niet te weten. Ga maar weer eten. Een prettige avond nog.'

'Wat...?'

Ik verbrak de verbinding en noteerde haar lengte op de blocnote die voor me op tafel lag. Daarnaast noteerde ik Bondurants lengte. Het opmerkelijke was dat hij vijfentwintig centimeter groter was dan zijn vermeende moordenaar, en toch was die laatste erin geslaagd hem boven op het hoofd te slaan en hem op die manier om het leven te brengen. Dit leidde tot de vraag van wat ik het 'fysieke onvermogen' noemde. Een vraag waarover juryleden konden nadenken en die ze voor zichzelf konden beantwoorden. De vraag waar een goede strafpleiter iets mee kon doen. Deze kwestie viel in de categorie: als de schoen je niet past, is hij misschien niet van jou. De vraag was natuurlijk: hoe had de kleine Lisa Trammel de een meter drieëntachtig lange Mitchell Bondurant boven op zijn hoofd kunnen slaan?

En natuurlijk hing het antwoord af van de afmetingen van het wapen en van meer zaken, zoals de houding van het slachtoffer op dat moment. Als hij op de grond had gezeten toen hij werd aangevallen, deed dit er allemaal niet toe. Maar voorlopig was het iets wat houvast bood. Snel zocht ik in een van de dossiers op tafel en haalde het teruggaveformulier van de huiszoeking eruit.

'Met wie belde je?' vroeg Hayley.

'Met mijn cliënt. Ik moest weten hoe lang ze was.'

'Waarom?'

'Omdat dat belangrijk kan zijn voor de vraag of ze gedaan kan hebben waarvan ze wordt beschuldigd.'

Ik bekeek de lijst van de ingenomen voorwerpen. Zoals Cisco had gezegd stond er maar één paar schoenen op, dat werd omschreven als 'tuinschoenen', die ze uit de garage hadden meegenomen. Geen schoenen met hoge hakken of plateauzolen en geen ander schoeisel. Het was wel zo dat de politie de huiszoeking had gedaan vóór de uitslag van de autopsie bekend was, dus ze waren niet op de hoogte geweest van de betekenis hiervan. Ik dacht er nog eens over na en kwam tot de conclusie dat tuinschoenen hoogstwaarschijnlijk lage of geen hakken hadden. Als zij wilden stellen dat dit de schoenen waren die ze had gedragen toen ze Bondurant vermoordde, kwam mijn cliënt nog steeds een kwart meter lengte te kort... als hij tenminste had gestaan toen hij werd aangevallen.

Dit was goed. Ik zette drie dikke strepen onder mijn aantekeningen op de blocnote. Ondertussen vroeg ik me af waarom ze maar één paar schoenen hadden meegenomen. Op het formulier stond niet vermeld waarom juist de tuinschoenen waren meegenomen, terwijl op het huiszoekingsbevel stond aangegeven dat de politie alles mocht meenemen wat in verband met het misdrijf kon worden gebracht. Toch hadden ze alleen dat ene paar schoenen meegenomen en ik had geen idee waarom.

'Mama zegt dat je met een heel grote zaak bezig bent.'

Ik keek mijn dochter aan. Ze praatte zelden met me over mijn werk. Ik meende dat ze dat deed omdat ze nog jong was en de dingen erg zwart-wit zag, zonder de grijze tussentinten. Mensen waren goed of slecht en ik verdedigde de slechte om aan de kost te komen. Dus viel er weinig te praten.

'O ja? Nou, het is wel een zaak die veel aandacht krijgt.'

'Is het die vrouw die die man heeft vermoord omdat hij haar huis wil inpikken? Had je haar net aan de telefoon?'

'Ze wordt ervan beschúldigd dat ze hem heeft vermoord. Ze is nog niet veroordeeld. Maar inderdaad, ik had haar net aan de telefoon.'

'Waarom moest je weten hoe lang ze is?'

'Wil je dat echt weten?'

'Yep.'

'Nou, ze beweren dat ze een man heeft vermoord die een stuk groter is dan zij, door hem met een of ander stuk gereedschap of wapen boven op zijn hoofd te slaan. Dus vraag ik me af of ze wel groot genoeg is om het gedaan te kunnen hebben.'

'Dus Andy moet bewijzen dat zij het was, hè?'

'Andy?'

'Ma's vriendin. Ze is de openbaar aanklager in jouw zaak, zei ma.'
'Andrea Freeman? Die lange, zwarte vrouw met dat korte haar?'
'Ja.'

Dus ze noemden haar al Andy, bedacht ik. De Andy die zei dat ze mijn ex-vrouw alleen 'van gezicht' kende.

'Dus zij en je moeder zijn goed bevriend? Dat wist ik niet.'
'Ze gaan samen naar yoga, en soms, als Gina er is, komt Andy langs en gaan ze samen uit. Ze woont ook in Sherman Oaks.'

Gina was de oppas die mijn ex liet komen wanneer ik niet beschikbaar was, of wanneer ze niet wilde dat ik wist wat haar sociale bezigheden waren. Of wanneer we samen uitgingen.

'O, nou, hoor eens, Hay, doe me een plezier, wil je? Zeg tegen niemand waar we het zonet over hadden, of wat je me aan de telefoon hoorde zeggen. Dat is allemaal heel vertrouwelijk, en ik wil niet dat die informatie bij Andy terechtkomt. Ik had het eigenlijk niet eens in jouw bijzijn mogen zeggen.'

'Oké, ik zeg niks.'
'Dank je, schat.'

Ik wachtte om te zien of ze nog iets over de zaak zou zeggen, maar ze richtte haar aandacht weer op haar natuurkundeboek.

Ik ging door met het autopsierapport en de foto's van de dodelijke wonden op Bondurants hoofd. De patholoog had het haar op en rondom de wonden afgeschoren. En er was een liniaal naast de wonden gehouden om een indruk van de grootte te geven. De afdrukken in de huid waren roze van tint en rond van vorm. De huid was gescheurd, maar het bloed was afgespoeld om de wonden goed zichtbaar te maken. Twee van de wonden overlapten elkaar voor een deel, en de derde bevond zich er twee à drie centimeter naast.

Door de ronde vorm van de afdrukken in de huid leek het erop dat Bondurant met een hamer was doodgeslagen. Ik was niet zo'n doe-het-zelver, maar ik was genoeg thuis in gereedschap om te weten dat de meeste hamers ronde of ovale afdrukken achterlaten wanneer je ermee slaat. Ik was ervan overtuigd dat dit zou worden bevestigd door de deskundige op het gebied van slagwapens van het mortuarium, maar het kon nooit kwaad het OM een stap voor te zijn en erop te anticiperen. Het viel me op dat er in alle drie de afdrukken een kleine, v-vormige inkeping zichtbaar was en vroeg me af wat die te betekenen had.

Ik keek weer op het teruggaveformulier van de huiszoeking en zag dat de politie geen hamer had vermeld bij het gereedschap dat uit Lisa Trammels garage was meegenomen. Dat was vreemd, want er was wel allerlei ander, minder voor de hand liggend gereedschap meegenomen. Maar nogmaals, dat kon te wijten zijn aan het feit dat de huiszoeking was gedaan voordat de autopsie was verricht en dat men daardoor minder doelgericht te werk was gegaan. Zo te zien had de politie gewoon al het gereedschap meegenomen in plaats van één specifiek werktuig. Maar het liet toch een vraag onbeantwoord.

Waar was de hamer?

En: was er wel een hamer geweest?

Voor de zaak was dit het eerste mes dat aan twee kanten sneed. Het OM zou stellen dat het ontbreken van een hamer in een verder goed uitgeruste garage een indicatie van schuld was. De beklaagde had de hamer gebruikt om het slachtoffer te doden en had zich vervolgens van het wapen ontdaan om haar betrokkenheid bij de misdaad te verhullen.

De verdediging kon hier tegenoverstellen dat het ontbreken van een hamer de beklaagde juist vrijpleitte. Als je geen moordwapen hebt, is er geen verband met de beklaagde en heb je geen zaak.

Op papier lijkt het doodsimpel. Maar dat is het niet altijd. Juryleden hebben de neiging bij dit soort vragen de kant van het OM te kiezen. In het voordeel van de thuisspelende ploeg, zou je kunnen zeggen. En het OM speelt altijd thuis.

Toch maakte ik een notitie dat ik Cisco moest vragen zijn uiterste best te doen om de hamer te vinden. Lisa Trammel ernaar te vragen om te zien wat zij ervan wist. Haar echtgenoot op te sporen, al was het alleen maar om hem te vragen of er ooit een hamer was geweest en wat ermee was gebeurd.

De volgende foto's waren ook van de schedel, maar genomen nadat de huid ervan was verwijderd. De schade was aanzienlijk, met botbreuken op de plekken van alle drie de slagen en rondom elke plek een golvend patroon van scheurtjes. Alle drie de wonden werden omschreven als dodelijk en de foto's onderschreven die conclusie.

Het autopsierapport vermeldde nog meer verwondingen: opengehaalde huid, schaafwonden, nog een botbreuk en zelfs drie afgebroken tanden, maar de patholoog interpreteerde deze allemaal als gevolg van het feit dat Bondurant voorover op de betonnen vloer was gevallen nadat zijn schedel was ingeslagen. Hij was buiten kennis of misschien al dood voordat hij de betonnen vloer raakte. Er werden geen verdedigingswonden vermeld.

Een deel van het autopsierapport was gewijd aan de plaats delict en bevatte kleurenprints van de foto's die de patholoog van de politie van L.A.

had gekregen. Het was niet de complete serie, maar slechts zes opnamen waarop het slachtoffer te zien was zoals het in de parkeergarage was aangetroffen. Ik had liever de hele serie afdrukken van de originele foto's gehad, maar die zou ik pas in handen krijgen wanneer de rechter een eind maakte aan het embargo op de inzage van stukken dat door 'Andy' Freeman was ingesteld.

Op de kopieën was Bondurants lijk te zien, gefotografeerd uit verschillende hoeken. Het lag tussen twee geparkeerde auto's in. Het portier aan de bestuurderskant van de ene auto, een Lexus suv, stond open. Op de betonnen vloer waren een koffiebeker van Joe's Joe en een donkere plas gemorste koffie te zien. Niet ver daarvandaan lag zijn attachékoffertje, dat geopend was.

Bondurant lag op zijn buik op de grond en de boven- en achterkant van zijn hoofd zaten onder het bloed. Zijn ogen waren open en staarden naar het beton.

Op de foto's waren de bloedspatten op de betonnen vloer gemarkeerd met plastic vlaggetjes. Er was geen analyse van de bloedspatten, en je kon niet bepalen of die tijdens het slaan op de vloer waren terechtgekomen of dat ze kort daarna van het moordwapen waren gedropen.

Ik vond het koffertje een merkwaardig detail. Waarom was het geopend? Was er iets uit gehaald? Had de dader de tijd genomen om het te doorzoeken nadat Bondurant de geest had gegeven? Als dat zo was, moest de dader wel een heel koele kikker zijn. Talloze personeelsleden hadden op dat moment de garage kunnen binnenkomen. De tijd nemen om een koffertje te doorzoeken terwijl je slachtoffer ernaast dood op de grond ligt leek extreem riskant en niet het soort actie van een door emotie en wraak gedreven dader. Zo handelde een amateur gewoon niet.

Ik maakte een paar aantekeningen met betrekking tot deze vragen, plus een laatste notitie die me aan iets moest herinneren. Ik moest Cisco laten uitzoeken of het hogere personeel een vaste parkeerplek in de garage had. Stond Bondurants naam op de muur om zijn plek aan te te geven? De stelling van het om, dat het om moord met voorbedachten rade ging, suggereerde dat Trammel had geweten waar Bondurant zou zijn, en hoe laat hij daar zou zijn. Zij zouden dat tijdens het proces moeten bewijzen.

Ik sloeg de Trammel-dossiers dicht, legde ze op de blocnote en deed er een breed elastiek omheen.

'Gaat het goed?' vroeg ik aan Hayley.

'Ja.'

'Ben je bijna klaar?'

'Met eten of met mijn huiswerk?'

'Allebei.'

'Ik heb genoeg gegeten, maar ik moet mijn maatschappijleer en Engels nog doen. Maar we kunnen wel gaan als je wilt.'

'Ik heb nog een paar dossiers die ik moet doornemen. Ik moet morgen naar het gerechtshof.'

'Voor die moordzaak?'

'Nee, voor andere zaken.'

'Om ervoor te zorgen dat die mensen in hun huis mogen blijven?'

'Ja, dat klopt.'

'Hoe komt het dat je zo veel van dat soort zaken hebt?'

Kinderen die vragen stellen...

'Door hebzucht, schat. Alles komt neer op hebzucht, van alle partijen.'

Ik keek haar aan om te zien of ze genoegen nam met het antwoord, maar ze ging niet door met haar huiswerk. Ze keek me afwachtend aan, een veertienjarig meisje dat geïnteresseerd was in wat het merendeel van het land koud liet.

'Kijk, een huis of een appartement kopen kost heel veel geld. Daarom huren de meeste mensen een huis. En de mensen die toch een huis willen kopen, sparen eerst een hoop geld bij elkaar, maar meestal is dat niet genoeg om het hele huis in één keer te betalen, dus stappen ze naar een bank om daar de rest te lenen. De bank bekijkt of ze genoeg eigen geld hebben en of ze genoeg verdienen om de lening, die hypotheek wordt genoemd, terug te betalen. En als alles wordt goedgekeurd, kopen ze hun droomhuis en betalen ze de hypotheek verspreid over een groot aantal jaren in maandelijkse termijnen af. Kun je het tot zover volgen?'

'Je bedoelt dat ze eigenlijk huur aan de bank betalen.'

'Zoiets, ja. Maar als je een huis van een huisbaas huurt, wordt het nooit je eigendom. Als je een hypotheek neemt, doe je dat om het huis tot jouw eigendom te maken. Dan is het jóúw huis, en de mensen zeggen dat het de droom van iedere Amerikaan is om zijn eigen huis te hebben.'

'Ben jij eigenaar van jouw huis?'

'Ja. En je moeder is eigenaar van haar huis.'

Ze knikte, maar ik vroeg me af of het wel te begrijpen was voor een veertienjarige. Dat haar ouders ieder hun eigen hypotheek en een verschillend adres hadden, leek niet echt te stroken met de Amerikaanse droom.

'Maar luister, een tijd geleden begonnen ze het voor de mensen gemakkelijker te maken om een huis te kopen. En algauw kon bijna iedereen een bank binnenwandelen of naar een hypotheekverstrekker gaan om geld voor een huis te lenen. Er werd gefraudeerd, er was sprake van corruptie en er werden een hoop hypotheken verstrekt aan mensen die ze eigenlijk niet hadden mogen krijgen. Er waren mensen die logen om een hypotheek te krijgen en verstrekkers die logen om de mensen er een aan te smeren. We hebben het hier over miljoenen hypotheken, Hay, en als het er zo veel zijn, heb je algauw niet meer genoeg mensen en regels om alles in de gaten te houden.'

'Dus niemand betaalde meer iets?'

'Daar kwam het soms wel op neer, maar voor het merendeel ging het om mensen die veel meer hadden geleend dan ze konden terugbetalen. En dat de rente op die leningen veranderde. Dat rentepercentage bepaalde hoeveel de mensen elke maand moesten aflossen, en dat kon flink omhoogschieten. En sommige mensen hadden te maken met een betaling ineens, zoals ze dat noemen, een hypotheek waarvan je het resterende bedrag na vijf jaar in één keer aflost. Maar om een lang en ingewikkeld verhaal kort te maken: de landelijke economie liep terug en daardoor daalde de waarde van de huizen. Dit ontwikkelde zich tot een echte crisis toen miljoenen mensen in het hele land de aflossingen van hun huis niet meer konden betalen, en ze konden het ook niet verkopen, want het was inmiddels veel minder waard dan de prijs die ze ervoor hadden betaald. Maar dat kon de banken, de investeerders en alle andere hypotheekverstrekkers niks schelen. Die wilden gewoon hun geld terug. Nou, toen zijn ze dus begonnen de mensen die hun hypotheek niet meer konden betalen, hun huis af te nemen.'

'En toen kwamen al die mensen naar jou toe.'

'Een klein deel van die mensen. Want er zijn miljoenen onteigeningen gaande. Al die hypotheekverstrekkers willen hun geld terug en sommige gaan zelf zover dat ze hun klanten bedreigen en kwaad doen, of andere mensen opdracht geven ze kwaad te doen. Ze liegen en bedriegen en proberen die mensen hun huis af te nemen zonder zich daarbij aan de wet te houden. En dan komen ze mij tegen.'

Ik keek haar aan. Ze kon het waarschijnlijk allang niet meer volgen. Ik trok de tweede stapel dossiers naar me toe en sloeg het bovenste open. Ik gaf haar een korte samenvatting terwijl ik het las.

'Oké, hier is een voorbeeld. Dit gezin kocht zes jaar geleden een huis en de maandelijkse hypotheek bedroeg negenhonderd dollar. Twee jaar later, toen de stront...'

'Papa!'

'Sorry. Twee jaar later, toen het in het land begon mis te gaan, schoot de hypotheekrente omhoog en daardoor ook hun maandelijkse aflossingen. In dezelfde periode raakte de vader van het gezin zijn baan als chauffeur van de schoolbus kwijt omdat hij betrokken was bij een aanrijding. Dus stapten de man en de vrouw naar de bank en zeiden: "Hé, we zitten met een probleem. Kunnen we de looptijd van onze hypotheek veranderen zodat we toch voor ons huis kunnen blijven betalen?" Dit noemen ze herziening van de hypotheek en het rammelt aan alle kanten. Deze mensen deden er goed aan naar de bank te stappen, maar de bank maakte misbruik van de situatie. Ze zeiden: "Oké, we zijn bereid mee te werken. Jullie blijven gewoon betalen wat je kunt missen en in de tussentijd gaan wij ermee aan de slag." Dus betaalden ze wat ze konden, maar dat was niet veel. Ze wachtten en wachtten, maar ze hoorden niks meer van de bank. Tenminste, totdat er op een dag een brief bij de post zat waarin stond dat de onteigeningsprocedure was gestart. Nou, dit soort dingen mogen dus niet en ik probeer daar iets aan te doen. Maar het is David tegen Goliath, Hay. De grote financiële instellingen walsen zonder pardon over de mensen heen en veel van deze mensen hebben niet iemand zoals ik die voor hen in de bres springt.'

Terwijl ik het aan mijn jonge dochter uitlegde, begon ik eindelijk te beseffen waaróm dit gebied van rechtsbijstand me zo aantrok. Goed, sommigen van mijn cliënten lichtten het systeem net zo goed op. Het waren charlatans die geen haar beter waren dan de banken waar ze op afgaven. Maar het merendeel van mijn cliënten was gemanipuleerd en werd uitgezogen. Het waren de underdogs van de samenleving en voor hen was ik bereid te knokken om ze zo lang mogelijk in hun huis te houden.

Hayley had haar pen gepakt en zat te popelen om weer aan het werk te gaan, maar pas zodra ik haar de kans gaf. Ze was beleefd wat dat soort dingen betreft, en dat moest ze van haar moeder hebben.

'Nou, dat is het zo'n beetje. Ga maar door met je huiswerk. Wil je nog iets drinken? Of een dessert?'

'Papa, pannenkoeken zíjn een dessert.'

Ze had een beugel en had voor lichtgroene bandjes gekozen. Als ze praatte, werd mijn aandacht constant naar haar mond getrokken.

'O, ja, juist. Iets te drinken dan? Nog een glas melk?'

'Nee, dank je.'

'Oké.'

Ik ging ook weer aan het werk en legde de dossiers van de drie onteigeningszaken voor me neer. De radioreclames hadden zo veel cliënten opgeleverd dat we de zittingen hadden moeten bundelen. Tenminste, we probeerden de voorgeleidingen en hoorzittingen voor een bepaalde rechter op dezelfde dag te plannen. Morgenochtend had ik drie hoorzittingen met rechter Alfred Byrne in het oude gerechtshof in de stad. Het ging bij deze drie zaken om de claim van de verdediging dat de onteigening onrechtmatig was en dat de hypotheekverstrekker of diens tussenpersoon onwettig had gehandeld.

In elk van deze zaken had ik opschorting geëist op basis van mijn gegevens. Dat hield in dat mijn cliënten in hun huis konden blijven wonen en niet verplicht waren tot hun maandelijkse aflossingen. De tegenpartij was van mening dat dit in het licht van de kredietcrisis net zo'n grote misdaad was. Ik werd veracht omdat ik die misdaad wettelijk mogelijk maakte en omdat ik de onvermijdelijke uitkomst alleen maar uitstelde.

Ik vond dat niet erg. Als je je hele leven strafzaken hebt gedaan, weet je wat het is om veracht te worden.

'Ben ik te laat voor een portie pannenkoeken?'

Ik keek op en zag mijn ex-vrouw naast onze dochter in de box plaatsnemen. Ze kuste Hayley op haar wang voordat die haar hoofd kon wegdraaien. Ze was op die leeftijd. Ik zou het niet erg hebben gevonden als Maggie naast mij was komen zitten en mij op mijn wang had gekust. Maar ik had geduld.

Ik glimlachte naar haar en stapelde de dossiers op elkaar om ruimte te maken.

'Voor pannenkoeken is het nooit te laat,' zei ik.

8

De daaropvolgende dinsdag werd Lisa Trammel in het gerechtshof van Van Nuys officieel in staat van beschuldiging gesteld. Dit was een routinezitting, bedoeld om haar 'schuldig' of 'onschuldig' vast te leggen en te voldoen aan de voorwaarden om het proces versneld op de rol te krijgen. Aangezien mijn cliënt echter vrij was op borgtocht, zouden we het aanbod van een versneld proces waarschijnlijk afslaan. Het was niet nodig om ons te haasten zolang ze vrij rondliep. De zaak moest de kans krijgen te groeien, zich te ontwikkelen als een zomerstorm, en pas beginnen als de verdediging er helemaal klaar voor was.

Maar de in staat van beschuldiging stelling gaf ons wel de kans om Lisa's oprechte en empathische 'onschuldig' te laten vastleggen, zowel in het rechtbankverslag als door de filmcamera's van de verzamelde pers. Hoewel de opkomst minder groot was dan tijdens de eerste voorgeleiding – de landelijke pers heeft de neiging zich terug te trekken zodra een zaak eenmaal aan zijn weg door het systeem begint – was de plaatselijke pers volop aanwezig en werd de hele vijftien minuten durende zitting vastgelegd.

De zaak was toegewezen aan opperrechter Dario Morales, die de in staat van beschuldiging stelling en de eerste hoorzitting zou doen. Deze laatste was voornamelijk bedoeld om de aanklacht voor te lezen. Vervolgens zou Lisa ongetwijfeld herhalen dat ze onschuldig was en zou de zaak worden overgedragen aan een andere rechter voor het echte werk: het proces.

Hoewel ik Lisa sinds haar arrestatie bijna dagelijks aan de telefoon had gehad, had ik haar al meer dan een week niet gezien. Ze had mijn uitnodigingen voor een persoonlijke ontmoeting steeds afgeslagen en ik begreep nu waarom. Ze zag eruit als een andere vrouw toen ze op het gerechtshof arriveerde. Ze had een nieuw, golvend kapsel en haar gezicht had een lichtroze teint en zag er opvallend glad uit. In de rechtszaal werd gefluisterd dat Lisa zich had laten 'botoxen' om het beter te doen voor de camera's van de pers.

Ik wist vrijwel zeker dat deze cosmetische aanpassingen, net als het nieuwe, modieuze mantelpakje dat Lisa aanhad, het werk van Herb Dahl waren. Hij en Lisa leken onafscheidelijk en Dahls betrokkenheid bezorgde ons steeds meer overlast. Dankzij hem werd ons kantoor voortdurend gebeld door producers en scriptschrijvers. Lorna had er een dagtaak aan om al hun pogingen om een stukje van Lisa Trammels verhaal te bemachtigen af te wimpelen. Want een snelle check van de Internet Movie Database toonde meestal aan dat het ging om Hollywood-avonturiers en uitvoerders van het laagste kaliber. Niet dat we bezwaar hadden tegen de aanzienlijke bedragen aan Hollywood-geld die werden geboden om onze oplopende kosten te dekken, maar het was steeds op basis van 'nu tekenen en later delen in de opbrengst', en daar pasten we voor. Ondertussen was mijn eigen agent druk doende om een échte deal te bezegelen, met een flink voorschot waarvan we de salarissen konden betalen, een kantoorruimte konden huren en daarna nog genoeg overhielden om Dahl zijn geld terug te geven zodat we van hem af waren.

Zoals bij de meeste in staat van beschuldiging stellingen zijn het niet de belangrijkste informatie en acties die uiteindelijk in de rechtbankverslagen terechtkomen. Zo ging het ook in Lisa's geval. Nadat haar 'onschuldig' routineus was genoteerd en Morales de eerste hoorzitting voor over twee weken had gepland, zei ik tegen de rechter dat ik een aantal verzoeken had die ik wilde indienen. Hij vond dat goed, dus kwam ik naar voren en overhandigde de vijf afzonderlijke verzoeken aan de griffier. Andrea Freeman kreeg er ook kopieën van.

De eerste drie verzoeken waren opgesteld door Aronson, na grondige bestudering van het huiszoekingsbevel van de politie van L.A., de dvd met inspecteur Kurlen die Lisa Trammel verhoorde, en de vragen op welk moment Lisa haar rechten waren voorgelezen en wanneer ze precies onder arrest was gesteld. Aronson was op inconsequenties, procedurefouten en overdrijving van feiten gestuit. Ze stelde in de verzoeken voor dat de rechter niet alleen het gefilmde verhoor maar ook al het ingenomen materiaal van de huiszoeking als bewijs zou uitsluiten.

. De verzoeken waren goed doordacht en compact geschreven. Ik was trots op Aronson en erg ingenomen met mezelf omdat ik haar had herkend als een ongeslepen diamant, toen ik haar werk doornam. Maar de waarheid was dat ik wist dat haar verzoeken geen enkele kans maakten. Geen enkele gekozen rechter sluit in een moordzaak het bewijsmateriaal uit. Niet als hij wil dat de kiezers hem op zijn rechtersstoel laten zitten. In zo'n geval kiest de jurist in hem voor de status-quo en laat hij het oordeel over het bewijs aan de jury over.

Toch speelden Aronsons gerechtelijke verzoeken een belangrijke rol in de strategie van de verdediging. Want ze werden gevolgd door nog twee verzoeken. In het ene werd geprobeerd de inzage van stukken te versnellen door de verdediging toegang te geven tot alle stukken en interne correspondentie met betrekking tot Lisa Trammel en Mitchell Bondurant van WestLand Financial. In het tweede verzoek werd verzocht het OM te sommeren de verdediging toegang te geven tot Trammels laptop, haar mobiele telefoon en alle persoonlijke papieren die bij de huiszoeking waren ingenomen.

Aangezien Morales gelijkwaardig tegen de verdediging en het OM zou willen optreden, hoopte ik hem op deze manier in de richting van een salomonsoordeel te sturen. Hak het kind in tweeën. Keur de uitsluiting van het bewijs af en willig de andere twee verzoeken in.

Natuurlijk was zowel Morales als Freeman ervaren genoeg om mijn achterliggende bedoelingen van een kilometer afstand te zien aankomen. Maar al wisten ze wat ik van plan was, dat betekende nog niet dat ze het konden tegenhouden. Bovendien had ik in mijn binnenzak een zesde verzoek, dat ik nog niet bij de rechter had ingediend en dat ik als troefkaart achter de hand hield.

Morales gaf Freeman tien dagen om op de verzoeken te reageren en hamerde de zitting af om aan de volgende zaak te beginnen. Een goede rechter houdt altijd de vaart erin. Ik wendde me tot Lisa en zei dat ze op de gang op me moest wachten omdat ik nog iets met de openbaar aanklager wilde bespreken. Ik zag dat Dahl al bij het hekje op haar stond te wachten. Hij zou haar met alle plezier naar buiten begeleiden. Ik besloot dat ik later met Dahl zou afrekenen en liep naar de tafel van het OM. Freeman zat met gebogen hoofd op haar blocnote te schrijven.

'Eh, Andy?'

Ze keek op. Er lag al een begin van een glimlach om haar mond omdat ze verwachtte een van haar vrienden te zien, aangezien alleen die haar Andy noemden. Toen ze mij zag verdween de glimlach meteen. Ik legde het zesde verzoek voor haar op tafel.

'Kijk hier eens naar als je een minuutje tijd hebt. Ik ga dit morgenochtend indienen. Ik wilde het hof niet vandaag al onder een berg papier bedelven. Morgenochtend is vroeg genoeg, maar het leek me sportief om dit nu alvast aan jou te geven, aangezien het jou betreft.'

'Mij? Waar heb je het over?'

Ik gaf geen antwoord. Ik liet haar daar achter, liep het hekje door en verliet de rechtszaal. Zodra ik de dubbele deuren door was zag ik mijn cliënt en Herb Dahl, die audiëntie hielden voor een groep reporters en cameramensen die in een halve cirkel van meerdere lagen om hen heen stonden. Snel liep ik naar Lisa toe, pakte haar bij haar arm en trok haar mee terwijl ze halverwege haar zin was.

'*Th-th-th-that's all, folks!*' zei ik in mijn beste Porky Pig-imitatie.

Lisa probeerde zich los te trekken, maar het lukte me haar bij de groep weg te krijgen en met haar een eind de gang in te lopen.

'Wat doe je nou?' protesteerde ze. 'Je zet me voor schut.'

'Voor schut? Lisa, je zet jezelf voor schut met die vent. Ik heb je gezegd dat je hem moest lozen. En moet je jezelf zien, helemaal opgedirkt alsof je een of andere filmster bent. Dit is een proces, Lisa, niet *Entertainment Tonight.*'

'Ik was ze mijn verhaal aan het vertellen.'

Ik bleef staan toen ik meende dat we buiten gehoorsafstand van de anderen waren.

'Lisa, je kunt niet zo openlijk met de pers praten. Daar krijg je last mee.'

'Waar heb je het over? Het was voor mij een uitgelezen kans om ze míjn kant van het verhaal te vertellen. Ik word er ingeluisd en het is hoog tijd dat ik van me af bijt. Ik heb je al eerder gezegd dat het de schuldige mensen zijn die blijven zwijgen.'

'Het probleem is dat het OM een eigen persdienst heeft en dat die alles bijhoudt wat er over jou in de krant en op tv komt. Alles wat jij zegt komt in hun dossier terecht. En als je ook maar één woord van je verhaal verandert, pakken ze je daarop. Dan word je ten overstaan van de jury aan het kruis genageld. Wat ik je probeer uit te leggen, is dat het het risico niet waard is, Lisa. Je moet mij het woord voor je laten doen. En als je dat niet kunt en het echt nodig vindt dat de mensen jouw kant van het verhaal horen, moeten we dat eerst samen doornemen en repeteren, en dan pas op strategische momenten aan de pers doorspelen.'

'Maar daar heb ik Herb voor. Hij let erop dat ik niet...'

'Ik zal het je nog één keer uitleggen, Lisa. Herb Dahl is niet jouw advocaat en jouw welzijn is niet zijn eerste prioriteit. Herb Dahl is zijn eerste prioriteit. Duidelijk? Ik schijn het je maar niet aan je verstand te kunnen brengen. Je moet die man lozen. Hij...'

'Nee! Dat kan ik niet doen. Herb is de enige die echt om me geeft.'

'O, nu breekt mijn hart, Lisa. Als hij de enige is die om je geeft, waarom staat hij dan nog steeds met die persmensen te praten?'

Ik wees naar de groep reporters en fotografen. Dahl had nog steeds hun volle aandacht en vertelde hun alles wat ze weten wilden.

'Wat zegt hij tegen die mensen, Lisa? Weet jij het? Want ik heb geen idee, en dat is nogal merkwaardig aangezien jij de beklaagde en ik je advocaat ben, vind je ook niet? Wie is hij nu helemaal?'

'Hij doet het woord voor me,' zei Lisa.

Terwijl we Dahl zagen gebaren tegen de reporters, ging de deur van de rechtszaal open. Andrea Freeman kwam de gang op benen, met mijn zesde gerechtelijk verzoek in haar hand, en liet haar blik door de gang gaan. Aanvankelijk werd haar aandacht getrokken door het groepje persmensen, totdat ze zag dat ik niet in het middelpunt van de belangstelling stond. Toen haar radar me opmerkte, veranderde ze van koers en kwam mijn kant op. Enkele reporters riepen haar na, maar ze wuifde ze nijdig weg met het verzoek.

'Lisa, ga op een van die banken zitten en wacht daar op me. En je zegt geen woord meer tegen die reporters.'

'Maar...'

'Doe wat ik zeg.'

Terwijl Lisa wegliep kwam Freeman naar me toe. Ze was boos en ik zag het vuur gloeien in haar ogen.

'Wat is dit voor gelul, Haller?'

Ze hield het verzoek op. Ik bleef kalm, ook al kwam ze veel te dicht bij me staan.

'Nou,' zei ik, 'het lijkt me nogal duidelijk wat dat is. Ik ga de rechter verzoeken jou van de zaak te halen wegens conflicterende belangen.'

'Conflicterende belangen? Ik? Welke belangen zijn dat dan?'

'Kijk, Andy... Ik mag je wel Andy noemen, hè? Ik bedoel, mijn dochter noemt je tenslotte ook zo.'

'Hou op met die onzin, Haller.'

'Oké, oké. Het conflict waar ik het over heb is het feit dat jij deze zaak hebt besproken met mijn ex-vrouw en...'

'Die als openbaar aanklager werkt op het kantoor waar ik ook werk.'

'Dat is waar, maar het probleem is dat jullie gesprekken niet uitsluitend op kantoor hebben plaatsgevonden. Nee, die hebben plaatsgevonden tijdens yoga en in het bijzijn van mijn dochter, en weet ik veel waar nog meer in de Valley.'

'Ach, kom nou. Wat een onzin.'

'O ja? Waarom heb je dan tegen me gelogen?'

'Ik heb niet tegen je gelogen. Waar heb je...?'

'Ik heb jou gevraagd of je mijn ex-vrouw kende en toen zei jij "van gezicht". Dat komt niet helemaal overeen met de waarheid, is het wel?'

'Ik vond dat het je niks aanging.'

'Dus loog je erover. Ik heb dat niet in het verzoek vermeld, maar dat kan ik alsnog doen voordat ik het indien. Dan kan de rechter bepalen of het van belang is of niet.'

Ze blies haar adem uit, getergd maar in de hoek gedreven.

'Wat wil je van me?'

Ik keek om me heen. Niemand kon ons horen.

'Wat ik wil? Ik wil je laten zien dat ik het ook op jouw manier kan spelen. Als jij per se de harde tante wilt uithangen, doe ik met je mee.'

'En dat houdt in, Haller? Wat staat ertegenover?'

Ik knikte. We begonnen in de buurt van een deal te komen.

'Je weet dat het met je gebeurd is als ik dit verzoek morgen indien. De rechter zal zeker de kant van de verdediging kiezen. Hij zal alles willen vermijden wat hem in een latere fase van de zaak kan opbreken. Bovendien weet hij dat er op het om driehonderd volwaardige openbaar aanklagers rondlopen. Dus hij kan je zo laten vervangen.'

Ik wees naar het groepje persmensen verderop in de gang, die nog steeds om Herb Dahl heen stonden.

'Zie je dat, al die reporters en aandacht van de pers? Dat gaat dan aan je neus voorbij. Waarschijnlijk je grootste zaak ooit en die glipt je uit handen. Geen persconferenties, geen krantenkoppen, geen schijnwerpers. Dat gaat dan allemaal naar degene die jouw plaats inneemt.'

'Ten eerste zal ik me tot het uiterste tegen dit verzoek verzetten, en het is nog maar de vraag of rechter Morales in deze onzin zal trappen. Ik zal hem precies vertellen wat je ermee probeert te bereiken. Dat je probeert openbaar aanklagers te shoppen. Dat je mij als openbaar aanklager probeert te lozen omdat je gewoon bang voor me bent.'

'Je mag hem alles vertellen wat je wilt, maar toch zul je de rechter – in een goed gevulde rechtszaal – moeten uitleggen hoe het mogelijk is dat mijn dochter van veertien me vorige week tijdens een etentje feiten over deze zaak vertelde.'

'Wat een onzin. Je zou je moeten schamen dat je je dochter gebruikt om...'

'Wat? Ga je beweren dat ik lieg, of dat mijn dochter liegt? Want we kunnen haar ook naar de rechtszaal laten komen, hoor. En ik betwijfel of je bazen blij zullen zijn met het spektakel dat dit zal veroorzaken... om over de krantenkoppen nog maar te zwijgen. om belaagt meisje van veertien, noemt het kind een leugenaar, dat soort dingen. Nogal platvloers, vind je ook niet?'

Freeman keerde me haar rug toe, liep twee passen weg en bleef toen staan. Ik wist dat ik haar in de tang had. Ze had moeten doorlopen, weg van mij en de zaak, maar dat kon ze niet. Ze wilde deze zaak, en alles wat die haar kon opleveren.

Ze draaide zich om. Ze keek me aan alsof ik er niet stond, alsof ik doorzichtig was.

'Oké, wat wil je?'

'Ik dien dit verzoek morgen liever niet in. Sterker nog, ik trek mijn andere verzoeken, over de meegenomen bezittingen van mijn cliënt en de papieren van WestLand ook liever terug. Het enige wat ik wil is een beetje samenwerking. Een vriendelijke, tweezijdige inzage van stukken. En ik wil dat die uitwisseling nu begint, niet pas later. Ik wil niet naar de rechter stappen elke keer dat er iets is waar ik recht op heb.'

'Ik kan een klacht over je indienen bij de Orde van Advocaten.'

'Best, we kunnen over en weer klachten indienen. Dan gaan ze ons allebei doorlichten en komen ze tot de conclusie dat jij onrechtmatig hebt gehandeld door de zaak met de ex-vrouw en de dochter van de verdediging te bespreken.'

'Ik heb de zaak niet met je dochter besproken. Ze was er alleen bij.'

'Het is aan de Orde van Advocaten om dat onderscheid te maken.'

Ik liet haar nog even spartelen. Zij was aan zet, maar ze had nog een laatste duwtje nodig.

'O, trouwens, als ik morgen het verzoek indien, zal ik de *L.A. Times* ook een seintje geven. Wie is hun rechtbankverslaggever ook alweer? Salters? Ik denk dat ze dit interessant genoeg zal vinden voor een leuk verhaaltje. Exclusief, uiteraard.'

Ze knikte alsof ze haar toekomst opeens glashelder voor zich zag.

'Trek je verzoeken in,' zei ze. 'Vrijdag voor het eind van de dag heb je alles waar je om hebt gevraagd.'

'Morgen.'

'Dat is te kort dag. Ik moet alles bij elkaar zoeken en laten kopiëren. De kopieerapparaten zijn altijd bezet.'

'Dan donderdag voor de lunch, of ik dien het verzoek in.'

'Jij je zin, klootzak.'

'Mooi. En als ik alles heb doorgenomen, kunnen we het misschien hebben over een schuldbekentenisdeal. Dank je, Andy.'

'Val dood, Haller. En er komt geen schuldbekentenisdeal. We hebben haar bij de kladden en ik zal op jouw gezicht letten, niet op het hare, wanneer de rechter uitspraak doet.'

Ze draaide zich met een ruk om en wilde weglopen, maar ze keek nog één keer om.

'En noem me geen Andy. Waag het niet me zo te noemen.'

Daarna marcheerde ze weg, met grote, nijdige stappen naar de hal met de liften, zonder acht te slaan op de reporter die haar achternakwam om haar een quote te ontfutselen.

Ik wist allang dat er geen schuldbekentenisdeal zou komen. Omdat mijn cliënt dat niet wilde. Maar ik had Freeman de opening gegeven, zodat zij die kon afwijzen. Ik had gewild dat ze boos vertrok, maar niet zo boos als ze nu was. Ik had gewild dat ze dacht dat ze toch nog iets uit het vuur had gesleept. Dat zou haar iets gemakkelijker in de omgang maken.

Ik keek om en zag dat Lisa gehoorzaam op de bank zat te wachten. Ik gebaarde haar dat ze moest opstaan.

'Kom, Lisa, we gaan hier weg.'

'En Herb dan? We zijn hier samen naartoe gereden.'

'In jouw auto of de zijne?'

'De zijne.'

'Dan redt hij zich wel. Mijn chauffeur kan jou naar huis brengen.'

We liepen naar de hal met de liften. Gelukkig was Andrea Freeman al afgedaald naar het kantoor van het OM op de eerste verdieping. Ik drukte op de knop, maar de lift kwam niet meteen. We kregen gezelschap van Dahl.

'Wat? Wilden jullie zonder mij vertrekken?'

Ik gaf geen antwoord op zijn vraag en besloot onmiddellijk alle schijn van beschaafdheid te laten varen.

'Weet je, je helpt alles naar de kloten door op die manier met de pers te praten. Je denkt misschien dat je de zaak vooruit helpt, maar dat doe je niet... tenzij Herb Dahl voor jou de zaak is.'

'Ho, wat een taal. We zijn hier in het gerechtshof.'

'Het kan me niet schelen waar we zijn. Jij spreekt niet namens mijn cliënt. Heb je dat goed begrepen? Als je het nog een keer doet, geef ik een persconferentie en doe ik een boekje over je open waar je niet blij mee zult zijn.'

'Oké, oké, ik zal niet meer met de pers praten. Maar ik heb voor jou ook een vraag. Wat mankeert er aan al die mensen die ik jouw kant op heb gestuurd? Sommigen hebben me teruggebeld en zeiden dat ze door je personeel zijn afgeblaft.'

'Ja, en als jij ze blijft sturen, blijven wij ze afblaffen.'

'Hé, ik ken de business en het zijn allemaal hardwerkende vakmensen.'

'*The Grind Side.*'

Dahl keek me verbaasd aan. Daarna keek hij naar Lisa en toen weer naar mij.

'Waar heb je het over?'

'*The Grind Side.* Kom nou, wou je zeggen dat je nog nooit van *The Grind Side* hebt gehoord?'

'Bedoel je *The Blind Side*? De film over die vrouw die een footballspeler adopteert?'

'Nee, ik bedoel *The Grind Side*. Een film van een van de producers die je naar ons toe hebt gestuurd. Over een vrouw die een footballspeler adopteert en zich vervolgens drie of vier keer per dag door hem laat naaien. Daarna, als hij haar begint te vervelen, nodigt ze de rest van het team ook uit. Volgens mij heeft de film aanzienlijk minder geld opgebracht dan *The Blind Side*.'

Lisa was bleek geworden. Ik kreeg de indruk dat wat ik over Dahls Hollywood-connecties zei niet overeenkwam met wat Dahl haar de afgelopen weken had ingefluisterd.

'Ja, dat is wat hij voor je doet, Lisa. Dit zijn de mensen met wie hij jou in contact wil brengen.'

'Hoor eens,' zei Dahl, 'heb je enig idee hoe moeilijk het is om in deze stad aan de bak te komen? Om een project van de grond te krijgen? Sommige mensen lukt het en anderen niet. Het kan mij niet schelen wat de man vroeger heeft gedaan, als hij nu maar goed werk levert. Begrijp je? We hebben het hier over integere mensen, en ik heb een hoop geld in dit project zitten, Haller.'

Eindelijk schoof de liftdeur open. Ik gebaarde Lisa dat ze moest instappen, zette mijn vingertoppen op Dahls borst en duwde hem langzaam weg van de deur.

'Blijf uit haar buurt, Dahl. Ik zal zorgen dat je je geld terugkrijgt en misschien nog wel wat meer. Maar je blijft uit haar buurt.'

Ik stapte in de lift en draaide me meteen om voor het geval Dahl wilde proberen op het laatste moment in te stappen. Dat deed hij niet, maar hij liep ook niet weg. Zijn van haat vervulde ogen bleven me aanstaren totdat de deur dichtschoof.

9

Op zaterdagochtend verhuisden we naar ons nieuwe kantoor. Het bestond uit drie kamers in een gebouw op de hoek van Victory en Van Nuys Boulevard. Het heette de Victory Building, en die naam sprak me wel aan. Bovendien was het volledig ingericht en maar twee straten van het gerechtshof waar Lisa Trammel zou worden berecht.

We moesten alle zeilen bijzetten voor de verhuizing. Rojas hielp ook mee, in een T-shirt en korte broek, waardoor al de tatoeages op zijn armen en benen voor iedereen te zien waren. Ik weet niet wat ik schokkender vond, de tatoeages, of Rojas zonder het pak dat hij altijd aanhad wanneer hij me reed.

De indeling was als volgt: ik kreeg mijn eigen kantoor, Cisco en Aronson namen hun intrek in het grootste kantoor en Lorna zwaaide de scepter in de receptieruimte ertussenin. Van de achterbank van een Lincoln naar een kantoor met een ruim drie meter hoog plafond, een eigen bureau en een bank om een dutje op te doen, was een hele verandering. Het eerste wat ik deed zodra ik me had gesetteld, was de open ruimte van de glimmende parketvloer gebruiken om de meer dan achthonderd pagina's van de documenten die ik van Andrea Freeman ter inzage had ontvangen uit te leggen en te sorteren.

Het meeste materiaal was afkomstig van WestLand en een aanzienlijk deel ervan was niet ter zake doende. Het was Freemans stilzwijgende wraakactie als antwoord op het feit dat ze door de verdediging voor het blok was gezet. Er waren tientallen pagina's en hele pakketjes over het procedurebeleid van de bank en andere formulieren waar ik niets aan had. Die gingen allemaal op de eerste stapel. Daarnaast waren er kopieën van alle correspondentie die rechtstreeks over Lisa Trammel ging, waarvan ik het meeste al had, of al had gelezen. Deze kwamen terecht op de tweede stapel. En als laatste was er de interne correspondentie van de bank, en die van het slachtoffer, Mitchell Bondurant, met het externe bureau dat de onteigeningen uitvoerde.

Het bureau heette ALOFT en het was inmiddels een goede bekende van me, aangezien het in minstens een derde van mijn onteigeningszaken mijn tegenstander was geweest. ALOFT was een papiermolen die alle benodigde documenten voor de langdurige onteigeningsprocedure opvroeg en opsloeg. Het was de tussenpersoon die bankiers en andere geldverstrekkers de kans gaf buiten schot te blijven terwijl de mensen hun huis werd afgenomen. Bureaus als ALOFT klaarden de klus en de bank hoefde weinig meer te doen dan de cliënt een brief sturen waarin de onteigeningsprocedure werd aangekondigd.

Het was deze correspondentie waarin ik het meest geïnteresseerd was, en het was deze stapel waarin ik het document vond dat de loop van de hele rechtszaak zou veranderen.

Ik ging achter mijn bureau zitten en staarde naar de telefoon. Het toestel had meer knoppen dan ik ooit zou gebruiken. Uiteindelijk vond ik de knop van de intercom, voor contact met het andere kantoor, en drukte die in.

'Hallo?'

Geen reactie. Ik drukte er nog een keer op.

'Cisco? Bullocks? Zijn jullie daar?'

Nog steeds niets. Ik stond op en was al op weg naar de deur om op de ouderwetse manier met mijn personeel te communiceren, toen er opeens een stem uit het luidsprekertje van de telefoon klonk.

'Mickey, ben jij het?'

Het was de stem van Cisco. Ik haastte me terug naar het bureau en drukte de knop in.

'Ja, ik ben het. Kun je even komen? En neem Bullocks mee.'

'Oké.'

Even later kwamen mijn onderzoeksmedewerker en assistent-jurist mijn kantoor binnen.

'Hé, baas...' zei Cisco toen hij de stapels papieren op de vloer zag, '... de functie van een kantoor is dat je papieren kunt opbergen in laden en archiefkasten en zo.'

'Daar moet ik nog aan wennen,' zei ik. 'Doe de deur dicht en ga zitten.'

Toen we plaats hadden genomen keek ik de twee aan over mijn grote, gehuurde bureau en begon te lachen.

'Dit is maf,' zei ik.

'Ik zou er wel aan kunnen wennen, aan een kantoor,' zei Cisco. 'Voor Bullocks is het allemaal nieuw, uiteraard.'

'Niet waar,' protesteerde Aronson. 'De afgelopen zomer heb ik stage gelopen bij Shandler, Massey & Ortiz en daar had ik mijn éígen kantoor.'

'Nou, misschien kunnen wij je de volgende keer ook je eigen kantoor bieden,' zei ik. 'Maar eerst is er werk aan de winkel. Cisco, heb je de laptop al naar die vriend van je gebracht?'

'Ja, gisterochtend. Ik heb hem gezegd dat er haast mee was.'

We hadden het over Lisa's laptop, die we van het OM hadden gekregen, tezamen met haar mobiele telefoon en vier dozen papieren.

'En denk je dat hij ons kan vertellen waar de openbaar aanklager naar op zoek is geweest?'

'Hij zei dat hij een lijst zou maken van de bestanden die ze hebben geopend en hoe lang ze geopend zijn geweest. Daaruit moeten we kunnen opmaken wat hun belangstelling had. Maar ik zou er niet te veel van verwachten.'

'Waarom niet?'

'Omdat Freeman ons veel te snel onze zin heeft gegeven. Ik geloof niet dat ze de laptop zo gemakkelijk zou hebben afgestaan als er voor haar belangrijke informatie op stond.'

'Misschien niet.'

Hij en Aronson waren niet op de hoogte van de deal die ik met Freeman had gesloten, of het zetje dat ik haar had gegeven. Ik wendde me tot Aronson. Nadat ze eerder die week de gerechtelijke verzoeken had voltooid, had ik haar op de achtergrond van het slachtoffer gezet. Dit nadat Cisco tijdens zijn onderzoek op aanwijzingen was gestuit dat niet alles even goed ging in de persoonlijke wereld van Mitchell Bondurant.

'Bullocks, wat ben je over ons slachtoffer te weten gekomen?'

'Er is nog een heleboel wat gecheckt moet worden, maar er bestaat geen twijfel over dat hij een moeilijke tijd tegemoet ging. Financieel, bedoel ik.'

'Hoe dat zo?'

'Nou, toen het allemaal niet op kon en alles gemakkelijk te financieren was, was hij zelf ook een bezig baasje op de vastgoedmarkt. Tussen 2002 en 2007 heeft hij eenentwintig panden gekocht en verhandeld, voornamelijk woonhuizen. Daar heeft hij veel geld aan verdiend, dat hij weer in nieuwe, grotere projecten heeft gestopt. Toen sloeg de economie op tilt en zat hij met de gebakken peren.'

'Is hij zijn geld kwijtgeraakt?'

'Ja. Op het moment van zijn dood was hij eigenaar van vijf grote objecten die opeens minder waard waren dan hij ervoor had betaald. Zo te zien was hij al meer dan een jaar bezig ze te verkopen. Geen gegadigden. En van drie van de vijf zou de restschuld dit jaar moeten worden afgelost. Bij elkaar zou hij voor meer dan twee miljoen dollar in het krijt staan.'

Ik stond op, liep om het bureau heen en begon door het kantoor te ijsberen. Aronsons nieuws bracht de nodige opwinding in me teweeg. Ik wist nog niet hoe het bij de rest paste, maar had er alle vertrouwen in dat ik het passend zou kunnen maken. Door er met elkaar over te praten.

'Oké, dus Bondurant, adjunct-directeur van de afdeling Krediet van WestLand, was het slachtoffer geworden van dezelfde situatie als die van veel van zijn cliënten, die hij uit hun huis moest laten zetten. Toen het geld nog aan de bomen groeide had hij vijf hypotheken afgesloten, tegen lage rente en de aflossing van de restschuld na vijf jaar, in de veronderstelling dat hij de objecten voor die tijd allang zou hebben doorverkocht of na vijf jaar op een andere manier zou kunnen financieren.'

'Maar in de tussentijd raakt de economie in een vrije val,' zei Aronson. 'Hij kan ze niet verkopen en ze evenmin financieren, omdat ze minder waard zijn dan hij ervoor heeft betaald. Daar zal geen enkele bank zijn vingers aan branden, zelfs zijn eigen bank niet.'

Er kwam een onzekere uitdrukking op Aronsons gezicht.

'Knap werk, Bullocks. Wat is er mis mee?'

'Nou, ik vraag me alleen af wat het met de moord te maken heeft.'

'Misschien niks. Of misschien alles.'

Ik liep terug naar mijn bureau en ging weer zitten. Ik gaf haar de drie velletjes papier die ik in de stapels materiaal van het OM had gevonden. Ze pakte ze aan en hield ze zo dat Cisco kon meelezen.

'Wat is dit?' vroeg ze.

'Volgens mij wordt dit ons geheime wapen.'

'Ik heb mijn bril in het andere kantoor laten liggen,' zei Cisco.

'Lees het voor, Bullocks.'

'Dit is een kopie van een aangetekende brief van Bondurant aan Louis Opparizio van A. Louis Opparizio Financial Technologies of ALOFT, in het kort. Hij schrijft: "Beste Louis, aangehecht vind je een schrijven van ene Michael Haller, de advocaat van de huiseigenaar van een van de onteigeningszaken die je voor WestLand doet." Dan volgt Lisa's naam en haar kredietnummer. Vervolgens schrijft hij: "In zijn brief uit meneer Haller de beschuldiging dat uit het dossier is gebleken dat er tijdens de afhandeling van de zaak frauduleuze acties hebben plaatsgevonden. Je zult zien dat hij die specificeert en dat het allemaal acties zijn die door ALOFT zijn verricht. Zoals je weet en we al eens eerder hebben besproken, is dit niet de eerste keer dat er klachten zijn. Deze nieuwe aantijgingen, als ze waar zijn, hebben WestLand in een kwetsbare positie gebracht, zeker wanneer we de recente interesse van de overheid voor deze sector van de hypotheekbusiness in aanmerking nemen. Tenzij we tot een soort toezegging en regeling hierover komen, zal ik de raad van bestuur adviseren het contract met jouw bureau te ontbinden en alle lopende zaken te cancelen. Ook zullen we dan verplicht zijn bij de daarvoor aangewezen autoriteiten een RVA in te dienen. Neem alsjeblieft zo spoedig mogelijk contact met me op om de zaak verder te bespreken." Dat is alles. Aangehecht zijn een kopie van jouw oorspronkelijke brief en een ontvangstbewijs van het postkantoor. De brief is namens Bondurant ondertekend door ene Natalie van wie ik de achternaam niet kan lezen. Begint met een L.'

Ik leunde achterover in mijn leren directiestoel en glimlachte naar beiden terwijl ik als een goochelaar een paperclip over de kootjes van mijn vingers liet kantelen. Aronson, die graag een goede indruk wilde maken, was de eerste die reageerde.

'Dus Bondurant dekte zich in. Hij moet hebben geweten waar ALOFT mee bezig was. De banken hebben een soort knipperlichtrelatie met al die onteigeningsbureaus. Het kan ze geen barst schelen hoe het wordt gedaan, zolang ze het maar doen. Met deze brief distantieert hij zich van ALOFT en de genoemde praktijken.'

Ik haalde mijn schouders op alsof ik wilde zeggen: misschien.

'"Toezegging en regeling",' zei ik.

Ze keken me allebei niet-begrijpend aan.

'Zo zegt hij het in de brief. "Tenzij we tot een soort toezegging en regeling komen."'

'Ja, maar wat wordt daarmee bedoeld?' vroeg Aronson.

'Je moet tussen de regels door lezen. Ik geloof niet dat hij zich wilde distantiëren. Ik denk dat de brief een dreigement was. Ik denk dat hij geld van ALOFT wilde. Hij probeerde zich bij ALOFT naar binnen te werken én hij dekte zich in, ja, door deze brief te sturen, maar ik denk dat de echte boodschap een andere was. Hij wilde geld zien, of hij zou Opparizio zijn handel afnemen. Hij heeft zelfs met een RVA gedreigd.'

'Wat is een RVA precies?' vroeg Aronson.

'Rapportage Verdachte Activiteiten,' zei Cisco. 'Standaardprocedure. Banken dienen over van alles RVA's in.'

'Bij wie?'

'De federale handelscommissie, de FBI, de geheime dienst, bij wie ze maar willen, eigenlijk.'

Ik merkte dat ik ze nog niet had overtuigd.

'Hebben jullie enig idee hoeveel geld er in ALOFT omgaat?' vroeg ik. 'In meer dan een derde van onze zaken hebben we met ALOFT te maken. Ik weet dat het niet wetenschappelijk onderbouwd is, maar als je ervan uitgaat dat ALOFT een derde van de zaken in de regio L.A. doet, hebben we het over talloze miljoenen aan honoraria, alleen al in deze regio. Ze zeggen dat als de huidige ontwikkeling zich voortzet, er in Californië in de komende paar jaar drie miljoen onteigeningen zullen plaatsvinden. En dan heb je nog de acquisitie.'

'Wat voor acquisitie?' vroeg Aronson.

'Je moet de kranten lezen. Opparizio is bezig ALOFT aan een grote investeerder te verkopen, een bedrijf dat LeMure heet. Iedereen kan erop intekenen en elke vorm van controverse over de belangrijkste activiteiten van het bedrijf kan zowel de deal als de aandelenprijs in gevaar brengen. Dus hou jezelf niet voor de gek. Als Bondurant wanhopig genoeg was, was hij zeker in staat onrust te zaaien. Alleen heeft hij misschien meer onrust gezaaid dan hij oorspronkelijk van plan was.'

Cisco knikte, was de eerste die zich bij mijn theorie aansloot.

'Oké, dus we hebben Bondurant die in de financiële ellende zit,' zei hij. 'Er hangen hem drie restschulden boven het hoofd. Dus hij draait de zaak om, probeert zich in ALOFT en de LeMure-deal te werken en een graantje mee te pikken van de onteigeningsgoudmijn. En daarom wordt hij vermoord?'

'Precies.'

Cisco was om. Ik ging verzitten en keek Aronson aan.

'Ik weet het niet,' zei ze. 'Ik vind het een erg grote sprong. En het zal moeilijk te bewijzen zijn.'

'Wie zegt dat we het moeten bewijzen? We hoeven alleen een manier te bedenken om het aan de jury te verkopen.'

Dat was ook zo; we hoefden helemaal niets te bewijzen. We hoefden het alleen aan de jury voor te leggen en dan mochten zij de rest doen. Ik wilde alleen de zaadjes van de gerede twijfel zaaien. De basis voor de hypothese van onschuld leggen. Ik boog me over mijn reusachtige houten bureau en keek de leden van mijn team aan.

'Dit wordt de strategie van onze verdediging. Met Opparizio als onze stroman. Hij is degene die we als schuldige gaan afschilderen. Als de jury hem aanwijst, gaat onze cliënt vrijuit.'

Ik keek beiden recht aan en kreeg geen reactie. Dus ging ik verder.

'Cisco, jij stort je op Louis Opparizio en zijn bureau. Ik wil alles zien wat je boven water kunt krijgen. Verleden, bekende connecties, alles. Plus alle bijzonderheden van de overname. Ik wil meer over die man en de deal weten dan hij zelf weet. Tegen eind volgende week ga ik alle papieren van ALOFT vorderen. Ze zullen dat zeker aanvechten, maar het is een prima manier om onrust te zaaien.'

Aronson schudde haar hoofd.

'Maar wacht eens even,' zei ze. 'Wil je zeggen dat dit allemaal onzin is? Dat dit puur strategie is en dat het niet uitmaakt of Opparizio het wel of niet heeft gedaan? Maar stel dat we gelijk hebben over Opparizio en dat zij het mis hebben over Lisa Trammel. Stel dat ze onschuldig is.'

Ze keek me aan met een blik vol naïeve hoop. Ik glimlachte en wendde me tot Cisco.

'Zeg jij het maar tegen haar.'

Mijn onderzoeksmedewerker draaide zich om naar mijn jonge juriste.

'Meisje, je bent nieuw hier dus is het je vergeven. Wij stellen die vraag nooit. Het maakt geen verschil of onze cliënten schuldig of onschuldig zijn. Ze krijgen allemaal dezelfde waar voor hun geld.'

'Ja, maar...'

'Er bestaat geen "maar",' zei ik. 'We hebben het hier over het traject dat de verdediging volgt. De stappen die we ondernemen die onze cliënt de best mogelijke verdediging oplevert. Als je strafzaken wilt gaan doen, moet je dat goed in je oren knopen. Je vraagt je cliënt nooit of hij het heeft gedaan. Ja of nee, het antwoord leidt je alleen maar af. Dus je hoeft het niet te weten.'

Ze kneep haar lippen samen tot een dunne, rechte lijn.

'Ken je het werk van Tennyson?' vroeg ik. '*De charge van de lichte brigade?*'

'Wat heeft dat...'

'"Aan hen niet het waarom, maar slechts het doen of sterven." Wíj zijn de lichte brigade, Bullocks. We moeten het opnemen tegen een leger dat veel meer mensen, veel meer wapens en veel meer van alles heeft. In de meeste gevallen zal dat uitdraaien op een regelrechte zelfmoordactie. Je overlevingskansen zijn nihil. Je overwinningskansen ook. Maar soms krijg je een zaak die je een kans biedt. Een minimale kans, maar desondanks een kans. En die grijp je met beide handen aan. Je kiest de aanval... en je stelt níét dat soort vragen.'

'Oké, maar volgens mij is het "doen én sterven". Daar draait het in het gedicht juist om. Ze hadden de keus niet. Ze moesten het allebei, doen en sterven.'

'Dus je kent je Tennyson. Mij bevalt "doen of sterven" beter. Waar het om gaat is: heeft Lisa Trammel Mitchell Bondurant vermoord? Ik weet het echt niet. Zij zegt van niet en voor mij is dat goed genoeg. Als het dat voor jou niet is, haal ik je van de zaak af en kun je je fulltime aan de onteigeningen wijden.'

'Nee,' zei Aronson snel. 'Ik wil blijven meedoen. Echt.'

'Mooi zo. Want er zijn niet veel juristen die amper tien maanden van de rechtenfaculteit de kans krijgen om naast mij aan tafel te zitten.'

Ze keek me met grote ogen aan.

'Naast jou aan tafel?'

Ik knikte.

'Je hebt het verdiend. Je hebt in deze zaak al heel knap werk verricht.'

Maar de vreugde in haar ogen doofde snel.

'Wat is er?'

'Ik begrijp alleen niet waarom het niet allebei zou kunnen. Je weet wel, je helemaal voor je cliënt inzetten en toch gewetensvol handelen. Om tot de beste uitkomst te komen.'

'De beste uitkomst voor wie? Voor je cliënt? Voor de samenleving? Of voor jezelf? Jouw verantwoordelijkheid ligt bij je cliënt en de wet, Bullocks. Verder bij niets en niemand.'

Ik bleef haar lange tijd aankijken voordat ik verderging.

'En probeer me geen geweten aan te praten,' zei ik. 'Die weg heb ik al eens bewandeld. Daar is nooit iets goeds uit voortgekomen.'

10

Nadat we bijna de hele dag bezig waren geweest met het inrichten van ons kantoor was het bijna acht uur toen ik thuiskwam. Op de treden van de veranda aan de voorkant zat mijn ex-vrouw. Onze dochter was niet bij haar. We hadden elkaar in het afgelopen jaar al vaker gezien zonder Hayley erbij, en het vooruitzicht van nog zo'n ontmoeting bracht de nodige opwinding in me teweeg. Ik was doodmoe van het lichamelijke en geestelijke werk van de afgelopen dag, maar voor Maggie McFurie sprak ik met alle plezier mijn energiereserves aan.

'Hé, Mags. Ben je de sleutel vergeten?'

Toen ze opstond zag ik al aan haar houding en de zakelijke manier waarop ze het stof van het zitvlak van haar spijkerbroek sloeg dat er iets niet goed zat. Ik liep de treden op en boog me naar haar toe voor een kus... alleen op haar wang. Maar ze draaide zich weg en mijn vermoeden was bevestigd.

'Je lijkt Hayley wel,' zei ik. 'Die wringt zich tegenwoordig ook in allerlei bochten als ik haar een kusje op de wang probeer te geven.'

'Nou, daar kom ik niet voor, Haller. En ik heb mijn sleutel niet gebruikt omdat je het misschien als een vorm van belangenverstrengeling zou beschouwen als je een openbaar aanklager in je huis aantreft.'

Nu begreep ik het.

'Je bent zeker naar yoga geweest? Heb je Andrea Freeman gesproken?'

'Ja.'

Opeens voelde ik de nieuwe energie weer uit me wegstromen. Ik draaide de deur van het slot en duwde hem open als de ter dood veroordeelde die nog eens extra wordt gestraft wanneer hij de deur van de kamer waar ze de naald in zijn arm zullen steken, zelf moet opendoen.

'Kom binnen. Dan praten we het uit.'

Die laatste opmerking zorgde blijkbaar voor nog meer olie op het vuur, want met grote passen kwam ze me achterna.

'Wat je hebt gedaan is onvergeeflijk. Je eigen dochter gebruiken op zo'n achterbakse manier.'

Met een ruk draaide ik me naar haar om.

'Heb ik onze dochter gebruikt? Dat is niet waar. Onze dochter is hier ongewild bij betrokken geraakt en het was puur toeval dat ik dat te weten kwam.'

'Dat maakt niet uit. Je bent walgelijk.'

'Nee, ik ben advocaat. En jouw grote vriendin Andy heeft het met mijn ex-vrouw, in het bijzijn van onze dochter, over mij en mijn zaak gehad. En daarna heeft ze ook nog eens glashard tegen me gelogen.'

'Wat klets je nou? Ze liegt niet.'

'Ik heb het niet over Hayley. Ik heb het over Andy. Ik heb haar op de allereerste dag van de zaak gevraagd of ze jou kende en toen zei ze: alleen van gezicht. Ik denk dat we het erover eens kunnen zijn dat dit niet het geval is. En ik weet het niet zeker, maar ik denk dat als we deze situatie aan tien verschillende rechters voorleggen, ze dat alle tien als belangenverstrengeling zullen zien.'

'Luister nou, we hádden het niet over jou of de zaak. We waren aan het lunchen toen het ter sprake kwam. Hayley was er toevallig bij. Wat moet ik dan, al mijn vrienden uit de weg gaan vanwege jou? Dat ben ik niet van plan.'

'Als het niks voorstelde, waarom heeft ze dan tegen me gelogen?'

'Het was geen echte leugen. En we zijn helemaal niet zo dik bevriend als je denkt. Ik denk dat ze het gewoon wilde afdoen als niet al te belangrijk, zonder te weten dat jij erbovenop zou duiken.'

'Dus we gaan leugens nu indelen als echt en minder echt? Sommige leugens zijn indirect en stellen daarom niks voor? Daar hoeven we ons geen zorgen om te maken?'

'Haller, gedraag je niet als een klootzak.'

'Hoor eens, wil je iets drinken?'

'Nee, ik wil niks drinken. Ik ben hiernaartoe gekomen om je te vertellen dat je niet alleen mij en je dochter te schande hebt gemaakt, maar vooral jezelf. Het was achterbaks, Haller. Je hebt een onschuldige opmerking van je eigen dochter gebruikt om een punt te scoren. Dat is gewoon vals.'

Ik had mijn koffertje nog steeds in mijn hand. Ik zette het op de eettafel, legde mijn handen op de rugleuning van een van de stoelen en leunde erop terwijl ik nadacht over mijn reactie.

'Kom op dan,' zei Maggie uitdagend. 'Je hebt altijd op alles een antwoord klaar. De grote strafpleiter. Laat het maar horen.'

Ik begon te lachen en schudde mijn hoofd. Ze was zo verdomde mooi als ze boos was. Het nam me alle wapens uit handen. Het vervelende was alleen dat ik denk dat ze dat wist.

'O, dus je vindt dit grappig? Je dreigt iemands carrière om zeep te helpen en daar moet je om lachen?'

'Ik heb helemaal niet gedreigd dat ik haar carrière om zeep zou helpen. Ik heb alleen gezegd dat ik haar van de zaak zou laten halen. En nee, ik vind dit niet grappig. Het is wel zo dat...'

'Wat, Haller? Wat is wel zo? Ik heb hier twee uur zitten wachten en me afgevraagd of je zou thuiskomen, want ik wil weten hoe je dit hebt kunnen doen.'

Ik draaide me weg van de tafel, koos voor de aanval en deed een stap naar haar toe voordat ik iets zei. Ik dwong haar achteruit te lopen totdat ik haar in de hoek had gedreven en richtte mijn wijsvinger op haar totdat die haar borst bijna raakte.

'Ik heb dit gedaan omdat ik advocaat ben, en als advocaat heb ik gezworen dat ik mijn cliënten naar beste kunnen zal verdedigen. Dus ja, ik zag hier een mogelijkheid. Jouw grote vriendin Andy, én jij, hebben duidelijk een grens overschreden. Goed, er is geen kwaad geschied... voor zover ik weet. Maar dat betekent niet dat er geen grens is overschreden. Als er op een hek een bord met VERBODEN TOEGANG zit en je springt eroverheen, dan ben je een indringer, ook als je meteen weer terug springt. Ik merkte deze overtreding op en heb die aangewend om iets te krijgen wat ik nodig had om mijn cliënt te verdedigen. Iets wat ik sowieso had moeten krijgen, maar wat jouw vriendin voor me achterhield omdat ze daartoe het recht had. Dus heeft ze binnen de regels gehandeld? Ja. Was het eerlijk? Nee. En de enige reden dat jij zo oververhit en quasibezorgd reageert is omdat je wéét dat het niet eerlijk was en dat ik juist heb gehandeld. Omdat het iets is wat je zelf ook zou hebben gedaan.'

'In geen miljoen jaar. Ik zou nooit zo laag zinken.'

'Gelul.'

Ik draaide me van haar weg. Ze bleef in de hoek staan.

'Wat kom je hier doen, Maggie?'

'Hoe bedoel je? Ik heb je net verteld waarom ik hier ben.'

'Ja, maar je had ook de telefoon kunnen pakken of me een e-mail kunnen sturen. Waarom ben je hier?'

'Ik wilde je gezicht zien als je het uitlegde.'

Ik draaide me weer naar haar om. Dit hele gedoe was een soort voorprogramma. Ik ging dichter bij haar staan en zette mijn hand naast haar hoofd op de muur.

'Het waren dit soort halfzachte ruzies die ons huwelijk naar de knoppen hebben geholpen,' zei ik.

'Ja, dat weet ik.'

'Weet je dat het al acht jaar geleden is? We zijn net zo lang gescheiden als we getrouwd zijn geweest.'

Acht jaar en ik had me nog steeds niet van haar losgemaakt.

'Acht jaar en daar staan we dan,' zei ze.

'Ja, hier staan we dan.'

'Weet je, Haller, jíj bent de indringer. Jij bent degene die over de hekjes van anderen springt. Die ons leven in en uit wandelt wanneer je maar wilt. En wij laten je je gang gaan.'

Langzaam boog ik me naar haar toe, totdat we dezelfde lucht inademden. Ik kuste haar zacht op de mond, en een beetje steviger toen ze iets wilde zeggen. Ik wilde geen woorden meer horen. Ik had genoeg woorden gehoord.

Deel twee

De hypothese van onschuld

11

Het kantoor was gesloten voor de avond en de deur zat op slot, maar ik zat nog steeds achter mijn bureau om me op de eerste hoorzitting voor te bereiden. Het was een dinsdag, begin maart, en ik had graag een raam geopend om wat frisse avondlucht binnen te laten. Maar het kantoor was helaas voorzien van verticale ramen die niet open konden. Lorna had er niet op gelet toen ze de ruimte inspecteerde voordat ze het huurcontract tekende. Hierdoor miste ik het werken op de achterbank van de Lincoln, waar ik tenminste een zijraampje kon openen voor wat frisse lucht.

De hoorzitting was over een week. Met voorbereiden bedoelde ik dat ik wilde kunnen anticiperen op wat mijn opponent, Andrea Freeman, wenste prijs te geven als ze haar zaak voor de rechter uiteenzette.

Een voorbereidende hoorzitting is de eerste stap op weg naar het echte proces. Het is de onemanshow van de openbaar aanklager. Het OM is verplicht zijn zaak aan het hof voor te leggen en de rechter beslist of er al dan niet voldoende bewijs is om het tot een juryproces te laten komen. Gerede twijfel komt dan nog niet aan bod. Nog lang niet. De rechter hoeft alleen te besluiten of er voldoende bewijs is om de aanklacht hard te maken. Als hij daartoe besluit, is de eerstvolgende fase een volwaardig proces.

Voor Freeman ging het erom net genoeg bewijs te laten zien om de rechter een goedkeurend hoofdknikje te ontlokken, maar zónder te veel prijs te geven. Want ze wist dat ik me zou vastbijten in alles wat ze op tafel legde.

Iedereen is het erover eens dat de bewijslast van het OM in dit geval niks voorstelt. Hoewel de voorbereidende hoorzitting in het leven is geroepen als tussentijdse controle van het systeem, om te voorkomen dat de overheid over individuen heen walst, blijft het een soort theater. Zeker in Californië.

Getergd door de schijnbaar eeuwigdurende strafzaken die het rechtssysteem zo lang platlegden, hadden de politici van Sacramento actie ondernomen. Men vond dat wanneer het rechtssysteem werd vertraagd, het niet goed functioneerde, ook al druiste dit in tegen een van de beginselen van het systeem: dat elke beklaagde recht heeft op een kundige, onbeperkte verdediging. Men negeerde dit kleine ongemak, stemde voor veranderingen en nam een stel regels aan die het proces moesten stroomlijnen. De voorbereidende hoorzitting, oorspronkelijk bedoeld voor de presentatie van al het bewijs van het OM, veranderde in een soort verstoppertje spelen. Afgezien van de leider van het politieonderzoek werden er nauwelijks getuigen opgeroepen, indirect bewijs werd vaker geaccepteerd dan ontmoedigd en het OM hoefde nog niet de helft van zijn bewijs te laten zien. Als het maar net genoeg was om de zaak over de streep te trekken.

Het resultaat hiervan was dat er zelden níet werd voldaan aan de vereiste hoeveelheid bewijs, en werd de voorbereidende hoorzitting een formaliteit waarin als tussenfase voor het proces alleen de aanklacht werd gepresenteerd.

Toch kon het voor de verdediging een zinvolle fase zijn. Er werd me een blik gegund op wat me te wachten stond, en ik kon me afvragen waarom welk bewijs en welke getuigen werden opgevoerd. En daarom deed ik mijn huiswerk. Ik moest proberen te ontdekken welke kaarten Freeman zou uitspelen en weten hoe ik daarop zou reageren.

De fase van een schuldbekentenis in ruil voor strafvermindering waren we allang voorbij. Freeman had er nog geen woord over gezegd en mijn cliënt wilde er evenmin aan. Dus lagen we op koers voor een proces in april of mei, en ik kan niet zeggen dat ik daar ontevreden mee was. We maakten een goede kans en als Lisa Trammel die wilde aangrijpen, was ik er klaar voor.

We hadden in de afgelopen weken op het bewijsfront zowel goed als slecht nieuws te horen gekregen. Zoals te verwachten was had rechter Morales onze gerechtelijke verzoeken voor het uitsluiten van het politieverhoor en het materiaal van de huiszoeking afgewezen. Dit maakte voor het OM de weg vrij om hun zaak te bouwen op de fundamenten van motief, gelegenheid en een enkel ooggetuigenverslag. Ze beschikten over de feiten van de onteigeningszaak. Ze hadden Lisa's protesten tegen de bank. Ze hadden haar belastende versprekingen tijdens het verhoor. En het belangrijkste van alles, ze hadden die ooggetuige, Margo Schafer, die beweerde dat ze Lisa enkele minuten na de moord een half huizenblok van de bank had gezien.

Maar wij als verdediging bouwden aan een zaak die deze fundamenten moest ondergraven en die hun bewijzen moest ontkrachten.

Er was nog geen moordwapen geïdentificeerd of gevonden, en de overijverige poging van het OM om aan te tonen dat het bloedvlekje op de pijpsleutel die in Lisa's garage was gevonden van Mitchell Bondurant was, kon na een bloedproef als mislukt worden beschouwd. Natuurlijk zou het OM hierover zwijgen tijdens de hoorzitting en het proces, maar ik kon het melden en was dat ook zeker van plan. Het is immers de taak van de verdediging om alle fouten en verkeerde inschattingen onder een vergrootglas te leggen en ze vervolgens door de strot van het OM te rammen. En ik was niet van plan me in te houden.

Daar kwam nog bij dat mijn onderzoeksmedewerker informatie had verzameld die vraagtekens zette bij de observaties van de sleutelgetuige van het OM, hoewel we daarmee zouden moeten wachten tot tijdens het proces. Bovendien hadden we de hypothese van onschuld. De alternatieve theorie vorderde gestaag. We hadden gerechtelijke bevelen ingediend bij Louis Opparizio en zijn bedrijf ALOFT, het onteigeningsbureau dat het middelpunt van onze strategie zou vormen.

Ik ging ervan uit dat de aanpak of het bewijs van de verdediging tijdens de hoorzitting niet aan bod zou komen. Freeman zou inspecteur Kurlen in de getuigenbank zetten en hij zou met de rechter de hele zaak doornemen, waarbij hij er heel goed op zou letten dat alle zwakheden in de bewijsvoering onbesproken bleven. Daarna zou ze hoogstwaarschijnlijk de patholoog-anatoom en misschien een forensisch analist oproepen.

Het grote vraagteken was Schafer, de ooggetuige. Mijn eerste vermoeden was dat Freeman haar zou achterhouden. Ze kon het aan Kurlen overlaten om de informatie over zijn gesprek met haar te verstrekken en daarmee een beeld te geven van wat Schafer tijdens het uiteindelijke proces zou verklaren. Voor een voorbereidende hoorzitting was dat meer dan genoeg. Aan de andere kant kon Freeman haar ook in de getuigenbank zetten om te zien wat ik voor haar in petto had. Als ik tijdens het kruisverhoor liet blijken hoe ik van plan was de getuige aan te pakken, kon Freeman daarop inspelen voor de confrontatie tijdens het proces.

Het was in deze fase een en al strategie en spel, en ik moest toegeven dat ik dit het leukste deel van de hele zaak vond. De zetten die buiten de rechtszaal werden gedaan waren bijna altijd van meer betekenis dan wat er achter de deuren plaatsvond. Binnen de rechtszaal was alles voorgekookt en gechoreografeerd. Ik gaf de voorkeur aan de improvisatie buiten het gerechtshof.

Ik zette op mijn blocnote een streep onder Schafers naam toen ik bij de receptie de telefoon hoorde overgaan. Ik had het gesprek op mijn telefoon kunnen aannemen, maar daar had ik geen zin in. Het was ruim na kantoortijd en ik wist dat alle reacties op onze advertentie in het telefoonboek werden doorgeschakeld naar het nieuwe kantoornummer. Iedereen die zo laat belde wilde waarschijnlijk informatie over een onteigening. Ze konden een bericht inspreken.

Ik pakte het rapport met de bloedanalyse en legde het voor me op het bureau. Het bevatte de uitslag van de DNA-test van het bloed dat was aangetroffen in een van de sleuven in het handvat van de pijpsleutel die ze op Lisa's werkbank hadden gevonden. Het OM had er haast mee gemaakt en had gekozen voor een duur, extern laboratorium in plaats van de klus gewoon door het regionale lab te laten doen. Ik stelde me Freemans teleurstelling voor toen ze de uitslag kreeg en die negatief bleek te zijn. Het was Mitchell Bondurants bloed niet. Het was niet alleen een tegenvaller voor het OM, want een match zou vrijspraak voor Lisa onmogelijk maken en haar dwingen tot een schuldbekentenisdeal, maar Freeman wist nu ook dat ik met het rapport naar de jury kon zwaaien en kon zeggen: 'Ziet u wel? De zaak van het OM zit vol foute veronderstellingen en verkeerd bewijs.'

We hadden ook een punt gescoord wat betreft de videobeelden van de camera's in het bankgebouw en bij de ingang van de parkeergarage, want daarop was Lisa Trammel voor en na het tijdstip van de moord niet te zien. Dat de camera's niet elk plekje van het gebouw bestreken, deed niet ter zake. Dit was ontlastend bewijs.

Mijn mobiele telefoon begon te trillen. Ik haalde het toestel uit mijn zak en keek naar de naam op het schermpje. Het was mijn agent, Joel Gotler. Ik aarzelde even maar nam het gesprek toch aan.

'Je bent nog laat aan het werk,' zei ik bij wijze van begroeting.

'Ja, lees je je e-mail niet meer?' vroeg Gotler. 'Ik probeer je al een hele tijd te bereiken.'

'Sorry. Ik heb mijn laptop hier, maar ik was met iets anders bezig. Wat is er loos?'

'We hebben een groot probleem. Lees je *Deadline Hollywood* wel eens?'

'Nee, wat is dat?'

'Een blog. Zoek hem op op je laptop.'

'Nu?'

'Ja, nu. En schiet een beetje op.'

Ik legde het rapport over het bloed neer en schoof het opzij. Ik trok de laptop naar me toe en klapte hem open. Ik ging het net op en typte *Deadline Hollywood* in. Ik scrolde omlaag. Het zag eruit als een lijst korte berichten over Hollywood-deals, cijfers van de box office en komende en gaande studio's. Wie wat had gekocht en verkocht, wie er weg was bij welke agent, wiens ster rijzende en wiens ster dalende was, dat soort dingen.

'Oké, waar zoek ik naar?'

'Scrol omlaag naar 15.45 uur vanmiddag.'

Alle berichten waren voorzien van het tijdstip waarop ze waren geplaatst. Ik deed wat me was opgedragen en vond het bericht dat Gotler me wilde laten zien. Alleen al de kop was als een schop in mijn kruis.

ARCHWAY LEGT DE HAND OP REAL-LIFE MOORDMYSTERIE

Dahl/McReynolds – producers

Bronnen hebben me verteld dat Archway Pictures een bedrag van zes tot zeven cijfers heeft neergelegd voor de rechten van de zaak van de vergeldingsmoord na onteigening die binnenkort voor het gerechtshof van LaLaLand zal dienen. De beklaagde, Lisa Trammel, wordt in de deal vertegenwoordigd door Herb Dahl die samen met Archways Clegg McReynolds de productie voor zijn rekening zal nemen. De meervoudige deal omvat ook de tv- en documentairerechten. De ontknoping van het verhaal moet echter nog geschreven worden aangezien Trammel nog voor de rechter moet verschijnen voor de moord op de bankier die probeerde haar huis te onteigenen. In een persverklaring stelde McReynolds dat Trammels verhaal zal worden gebruikt om een vergrootglas te leggen op de onteigeningsepidemie die ons land sinds enige jaren teistert. Trammel zal over ongeveer twee maanden worden berecht.

'De vuile schoft,' zei ik.

'Ja, zeg dat wel,' zei Gotler. 'Wat is er verdomme aan de hand? Ik ben druk bezig dit verhaal aan de man te brengen en zat dicht bij een deal met Lakeshore, en nu lees ik dit! Ben je achter mijn rug om aan het klooien, Haller? Probeer je me te besodemieteren?'

'Hoor eens, ik weet niet wat er precies aan de hand is, maar ik heb Lisa Trammel een contract laten tekenen en...'

'Ken jij die Dahl? Ik wel, en dat is een smeerlap van de bovenste plank.'

'Ik weet het, ik weet het. Hij heeft al geprobeerd zich erin te mengen en toen heb ik dat kortgesloten. Hij heeft Lisa iets laten tekenen, maar...'

'Ah, jezus, heeft ze bij hém getekend?'

'Nee. Ik bedoel ja, maar toen had ze al bij mij getekend. Ik heb haar handtekening op mijn contract. Dus ik heb de eerste...'

Ik zweeg abrupt. De contracten. Ik had er kopieën van gemaakt en die aan Dahl gegeven. Daarna had ik de originelen terug gedaan in het dossier in de kofferbak van de Lincoln. Dahl had dat allemaal gezien.

'De smeerlap!'

'Wat is er?'

Ik keek naar de stapel dossiers op de hoek van mijn bureau. Die hadden allemaal met de zaak van Lisa Trammel te maken. Maar de rest van haar dossiers zat nog steeds in de dozen achter in de Lincoln, omdat ik te lui was geweest om ze eruit te halen. Ik was in de veronderstelling dat het oude contracten en oude zaken waren en dat ik ze in mijn kantoor van steen en glas voorlopig niet nodig zou hebben. Maar de map met contracten lag nog in de kofferbak.

'Joel, ik bel je zo terug.'

'Hé, wat...'

Ik klapte de telefoon dicht en liep naar de deur. De Victory Building had een eigen parkeergarage van twee verdiepingen, maar die stond los van het gebouw. Dus ik moest eerst naar buiten en een eindje lopen. Ik liep de oprit op, kwam op de tweede parkeerlaag en richtte de remote key op de kofferbak. Mijn Lincoln was de enige auto die er nog stond. Ik trok de map met contracten uit de doos en bladerde hem door in het licht van het lampje aan de binnenkant van de klep.

Lisa Trammels contract was weg.

Als ik zeg dat ik boos was, is dat een understatement. Ik deed de map terug in de doos en smeet de klep van de kofferbak dicht. Ik haalde mijn telefoon uit mijn zak en belde Lisa terwijl ik terugliep naar de oprit. Haar toestel schakelde door naar de voicemail.

'Lisa, dit is je advocaat. Ik dacht dat we hadden afgesproken dat je zou opnemen als ik je belde. Ongeacht hoe laat het is of wat je aan het doen bent. Maar nu bel ik je en krijg ik geen antwoord. Bel me terug, hoor je? Ik moet je spreken over je vriendje Herb en de deal die hij vandaag heeft gesloten. Je begrijpt vast wel wat ik bedoel. Maar wat je misschien niet begrijpt, is dat ik hem voor deze stunt voor de rechter ga slepen. Ik laat geen spaan van hem heel, Lisa. Dus bel me terug. Onmiddellijk!'

Ik klapte het toestel dicht en klemde mijn hand eromheen terwijl ik de oprit af liep. Ik schonk nauwelijks aandacht aan de twee mannen die me tegemoet kwamen, totdat de ene me riep.

'Hé, jij bent het, hè?'

Ik bleef staan, verbaasd, met mijn gedachten nog steeds bij Herb Dahl en Lisa Trammel.

'Pardon?'

'Die advocaat. Jij bent die beroemde advocaat van tv.'

Ze kwamen allebei op me af. Ze waren jong, droegen zwartleren jacks en hadden hun handen in de zakken. Ik voelde er niets voor om te blijven staan voor een praatje.

'Eh, nee, volgens mij heb je het mis...'

'Nee, man, jij bent het. Ik heb jou op tv gezien, oké?'

Ik gaf het op.

'Goed dan, ik heb een rechtszaak. Daardoor kom ik soms op tv.'

'Ja, precies... en hoe heet je ook alweer?'

'Mickey Haller.'

Zodra ik mijn naam had gezegd, haalde de zwijgzame van de twee zijn handen uit zijn zakken, draaide zich naar me om en rechtte zijn schouders. Hij droeg zwarte handschoenen zonder vingers. Het was niet koud genoeg voor handschoenen, en op dat moment besefte ik dat, aangezien er geen andere auto's op de tweede parkeerlaag stonden, deze mannen daar niets te zoeken hadden. Tenzij ze naar mij op zoek waren.

'Wat moet dit...'

De stille haalde uit en zijn linkervuist trof me in de maagstreek. Ik sloeg dubbel en was me er nog net van bewust dat zijn rechtervuist drie van mijn ribben brak. Ik herinner me dat ik mijn telefoon liet vallen, maar verder niet veel meer. Alleen nog dat ik probeerde weg te rennen, maar de man die me had aangesproken hield me tegen, draaide me een halve slag om, greep mijn armen vast en wrong ze op mijn rug.

Ook hij droeg zwarte handschoenen.

12

Ze lieten mijn gezicht met rust, maar dat was ongeveer het enige wat niet gekneusd of gebroken aanvoelde toen ik op de intensive care van het Holy Cross bij kennis kwam. De uiteindelijke score was achtendertig hechtingen in mijn schedelhuid, negen gebroken ribben, vier gebroken vingers, twee beschadigde nieren en een testikel die door de chirurg honderdtachtig graden moest worden gedraaid voordat hij weer op de juiste plek zat. Mijn bovenlichaam had de kleur van een cassisijsje en mijn urine die van Coca-Cola.

De laatste keer dat ik in het ziekenhuis had gelegen was ik verslaafd geraakt aan Oxycodone, een verslaving die me bijna mijn dochter en mijn carrière had gekost. Dus zei ik tegen de artsen dat ik me er deze keer doorheen zou slaan zonder chemische hulpmiddelen. Wat algauw een pijnlijke beslissing bleek te zijn. Twee uur nadat ik mijn statement had gemaakt smeekte ik de artsen, de verpleegsters en wie er maar naar me wilde luisteren om pijnstillers. Die namen de pijn wel weg, maar ze gaven me ook het gevoel dat ik twee meter boven mijn bed zweefde. Het duurde een paar dagen voordat we het juiste evenwicht tussen pijnbeheersing en bewustzijn hadden gevonden. Dat was het moment waarop ik bezoek mocht ontvangen.

Mijn eerste bezoek bestond uit twee rechercheurs van de EPM van Bureau Van Nuys. Ze heetten Stilwell en Eyman. Ze stelden me de gebruikelijke vragen zodat ze hun papierwerk konden afmaken. Ze hadden ongeveer evenveel interesse in het vinden van de daders als in een avondje overwerken. Ik was tenslotte de advocaat van een vermeende moordenaar die door hun collega's was gepakt. Zij zouden zich in ieder geval níét de ballen van het lijf laten draaien om de zaak op te lossen.

Toen Stilwell zijn notitieboekje sloot, wist ik dat het verhoor – en het onderzoek – afgelopen was. Hij zei dat ze zouden terugkomen als er nieuwe feiten aan het licht kwamen.

'Ben je niet iets vergeten?' vroeg ik.

Ik praatte zonder mijn onderkaak te bewegen, want op de een of andere manier had dat invloed op de pijnreceptoren in mijn ribbenkast als ik dat wel deed.

'En dat is?' vroeg Stilwell.

'Je hebt me niet gevraagd hoe mijn belagers eruitzagen. Je hebt niet eens gevraagd wat voor huidskleur ze hadden.'

'Dat doen we de volgende keer wel. De dokter zei dat u moet rusten.'

'Wil je al een afspraak maken voor dat volgende bezoek?'

Geen van beiden zei iets. Die zouden niet meer terugkomen.

'Dat dacht ik al,' zei ik. 'Vaarwel, heren rechercheurs. Ik ben blij dat de Eenheid Persoonsgerichte Misdaden erbovenop zit. Dat geeft me een veilig gevoel.'

'Hoor eens,' zei Stilwell, 'waarschijnlijk was het een willekeurige geweldsdaad. Twee overvallers die op zoek waren naar een gemakkelijke prooi. De kans dat wij...'

'Ze wisten wie ik was.'

'U zei dat ze u herkenden van de tv en de kranten.'

'Dat heb ik niet gezegd. Ik zei dat ze me herkenden, en dat ze de schijn wekten dat het van tv was. Als het jullie echt iets kon schelen, zouden jullie dat onderscheid maken.'

'Beschuldigt u ons ervan dat we geen oog hebben voor willekeurige geweldsdaden in de gemeenschap?'

'Daar komt het ongeveer op neer, ja. En wie zegt dat het een willekeurige geweldsdaad was?'

'U hebt gezegd dat u uw belagers niet kende of herkende. Dus tenzij u die uitspraak aanpast, zijn er geen aanwijzingen dat het om iets anders gaat dan een willekeurige geweldsdaad. Of, in het gunstigste geval, een geweldsdaad door iemand die de pest heeft aan advocaten. Ze herkenden u, waren het er niet mee eens dat u moordenaars en ander tuig verdedigt en besloten hun frustraties op u af te reageren. Het kan van alles geweest zijn.'

Mijn hele lijf klopte van de pijn als reactie op hun onverschilligheid. Maar ik was ook doodmoe en wilde dat ze weggingen.

'Laat maar zitten, heren rechercheurs,' zei ik. 'Ga maar gauw terug naar jullie Eenheid Persoonsgerichte Misdaden, schrijf je rapport en vergeet de zaak. Ik doe de rest zelf wel.'

Daarna sloot ik mijn ogen. Het was het enige waartoe ik in staat was.

Toen ik ze weer opende, zat Cisco op een stoel aan het voeteneinde van mijn bed.

'Hé, baas,' zei hij zacht, alsof zijn gebruikelijke luide stem me pijn zou doen. 'Hoe gaat het?'

Nu was ik helemaal wakker en hoestte, wat een salvo van pijnsteken in mijn testikels tot gevolg had.

'Mijn ballen voelen nog steeds alsof de chirurg ze de verkeerde kant op heeft gedraaid.'

Hij glimlachte omdat hij dacht dat ik ijlde. Maar ik was voldoende bij de tijd om me te herinneren dat dit zijn tweede bezoek was en dat ik hem de eerste keer had gevraagd wat speurwerk te doen.

'Hoe laat is het? Ik slaap zo veel dat ik mijn tijdsbesef begin kwijt te raken.'

'Tien over tien.'

'Donderdag?'

'Nee, vrijdagochtend, Mick.'

Ik had langer geslapen dan ik dacht. Ik probeerde overeind te komen, maar een vlammende pijn in mijn linkerzij maakte die beweging onmogelijk.

'Jezus christus.'

'Gaat het, baas?'

'Wat heb je voor me, Cisco?'

Hij stond op en kwam naast het bed staan.

'Nog niet veel, maar er wordt aan gewerkt. Ik heb wel het politierapport gezien. Er staat weinig in, alleen dat je omstreeks negen uur bent gevonden door de avondploeg van de schoonmaakdienst. Ze zagen je bewusteloos in de garage liggen en hebben de politie gebeld.'

'Negen uur is niet zo lang nadat het gebeurd was. Hebben ze verder nog iets gezien?'

'Nee, niks. Tenminste, volgens het rapport. Maar ik ben van plan er vanavond naartoe te gaan en zelf met ze te praten.'

'Oké. En hoe is het kantoor eraan toe?'

'Lorna en ik hebben alles zo goed mogelijk gecontroleerd. We hebben niet de indruk dat er iemand binnen is geweest. Er is niks weg, voor zover we hebben kunnen zien. En de deur is de hele nacht van het slot geweest. Ik denk dat ze het op jou hadden gemunt, Mick. Niet op het kantoor.'

De infuuszak met de pijnstillende oplossing beschikte over een druppelsysteem dat reageerde op pijnprikkels die naar een computer in de aangrenzende kamer werden gestuurd, die was geprogrammeerd door iemand die ik nooit had ontmoet. Maar op dat moment was deze computernerd mijn grote held. Ik voelde de koele tinteling van een nieuwe dosis die door mijn arm naar mijn borstkas ging. Ik zei niets en wachtte tot mijn krijsende zenuwuiteinden tot zwijgen waren gebracht.

'Wat denk jij ervan, Mick?'

'Mijn geest is een zwart gat. Ik zei al dat ik ze niet heb herkend.'

'Ik heb het niet over die twee. Ik heb het over degene die ze heeft gestuurd. Wat zegt je gevoel je? Opparizio?'

'Die staat zeker boven aan mijn lijst. Hij weet dat we van plan zijn hem onder handen te nemen. Ik bedoel, wie moet het anders zijn?'

'En Dahl?'

Ik schudde mijn hoofd.

'Waarvoor? Hij heeft mijn contract al ingepikt en zijn deal gesloten. Waarom zou hij me ook nog in elkaar laten slaan?'

'Om je een lesje te leren. Of misschien om zijn project sensationeler te maken. Dit voegt er een nieuwe dimensie aan toe. Het is nu een deel van het verhaal.'

'Ik vind het nogal vergezocht. Opparizio bevalt me beter.'

'Maar waarom zou híj het doen?'

'Om dezelfde reden. Me een lesje te leren. Me te waarschuwen. Hij wil niet als getuige worden opgeroepen en heeft geen trek in alle shit waarmee ik hem ga bestoken.'

Cisco haalde zijn schouders op.

'Ik ben nog steeds niet overtuigd.'

'Nou, het maakt niet uit wie het is geweest. Ik laat me er niet door tegenhouden.'

'Wat ben je precies met Dahl van plan? Hij heeft tenslotte je contract gestolen.'

'Daar moet ik nog over nadenken. Maar tegen de tijd dat ik hier weg mag, heb ik een plan om die achterlijke imbeciel voor eens en voor altijd uit te schakelen.'

'Wanneer zal dat zijn?'

'Ze wachten af om te zien of ik goed genees. Gebeurt dat niet, dan moeten ze misschien mijn linkerbal amputeren.'

Cisco kromp ineen alsof het zijn eigen linkerbal betrof.

'Precies, ik probeer er ook maar niet aan te denken,' zei ik.

'Maar goed, laten we verdergaan. Je belagers. Ik heb twee blanke mannen, begin dertig, zwartleren jacks en handschoenen. Herinner je je inmiddels iets meer?'

'Nee, niks.'

'Geen regionaal of buitenlands accent?'

'Niet dat ik me herinner.'

'Littekens, een lichamelijke gebrek, tatoeages?'

'Kan ik me ook niet herinneren. Het ging allemaal nogal snel.'

'Dat begrijp ik. Denk je dat je ze uit een album kunt halen?'

Hij had het over een serie politiefoto's.

'Die ene wel, denk ik. Degene die het woord deed. Op die andere heb ik niet zo gelet. En toen hij eenmaal begon te slaan, zag ik algauw niks meer.'

'Oké. Nou, ik ga ermee door.'

'Heb je verder nog wat, Cisco? Ik begin moe te worden.'

Ik sloot mijn ogen om dat te benadrukken.

'Nou, ik moest Maggie bellen zodra je wakker was. Ze had geen geluk met haar timing. Elke keer als ze hier met Hayley was, lag je knock-out.'

'Bel haar maar op. Zeg dat ze me wakker maakt als ik slaap. Ik wil mijn kind zien.'

'Oké, ik zal vragen of ze komen nadat ze Hayley van school heeft gehaald. O, en Bullocks wil langskomen met een aanhoudingsverzoek, zodat je dat kunt lezen en ondertekenen en zij hem vandaag nog kan indienen.'

Ik opende mijn ogen. Cisco was aan de andere kant van het bed komen staan.

'Hoezo aanhouding?'

'Van de hoorzitting. Dan kan ze de rechter vragen die een paar weken op te schuiven vanwege het feit dat je in het ziekenhuis ligt.'

'Nee.'

'Mick, het is vrijdag. De zitting is dinsdag. Zelfs als ze je voor die tijd laten gaan, ben je absoluut niet in staat...'

'Ze kan het zelf afhandelen.'

'Wie, Bullocks?'

'Ja. Ze is goed. Ze kan het best.'

'Ze is goed maar onervaren. Weet je zeker dat je een voorbereidende hoorzitting van een moordproces wilt overlaten aan iemand die net van de rechtenfaculteit is?'

'Het is maar een hoorzitting. Trammel laat het aankomen op een proces, of ik er nu bij ben of niet. Als het een beetje meezit gunt het OM ons een kijkje in hun strategie, en dan kan Aronson die aan mij doorbrieven.'

'Denk je dat de rechter het zal toestaan? Misschien ziet hij het wel als een blijk van een inadequate verdediging die hem kan opbreken als het uiteindelijk tot een veroordeling komt.'

'Als Lisa akkoord gaat, kan ons niks gebeuren. Ik zal haar bellen en zeggen dat het deel uitmaakt van onze strategie. En Bullocks kan in het weekend een paar uurtjes naast mijn bed komen zitten zodat ik haar instructies kan geven.'

'Maar wat ís onze strategie, Mick? Waarom wachten we niet gewoon totdat je weer op de been bent?'

'Omdat ik wil dat ze denken dat ze in hun opzet geslaagd zijn.'

'Wie?'

'Opparizio. Degene die me dit heeft geflikt. Ze moeten denken dat ik aangeslagen en bang of wat dan ook ben. Aronson handelt de hoorzitting af en we sturen aan op een proces.'

Cisco knikte.

'Begrepen.'

'Goed zo. Nou, smeer 'm en bel Maggie. Zeg dat ze me wakker maakt, wat de zuster ook zegt, zeker als ze Hayley meebrengt.'

'Komt voor elkaar, baas. Maar, eh, nog één laatste ding.'

'Wat?'

'Rojas zit in de wachtkamer. Hij kwam je opzoeken, maar ik heb gezegd dat hij daar moest wachten. Hij is gisteren ook al geweest, maar toen lag je te slapen.'

Ik knikte. Rojas.

'Heb je het slot van de kofferbak gecheckt?'

'Ja. Ik heb geen enkel spoor van braak gevonden. Geen krasjes op de tuimelaar.'

'Oké. Als je weggaat, stuur je hem naar binnen.'

'Wil je hem alleen spreken?'

'Ja. Onder vier ogen.'

'Begrepen.'

Cisco vertrok en ik pakte de afstandsbediening van het bed. Het was een traag, pijnlijk proces om het hoofdeinde omhoog te laten komen totdat ik half overeind zat voor mijn volgende bezoeker. De verandering van houding veroorzaakte een golf van pijn die als een zomerse bosbrand in mijn ribbenkast woedde.

Aarzelend, knikkend en zwaaiend met zijn hand kwam Rojas de kamer binnen.

'Hé, meneer Haller, hoe gaat het?'

'Ik heb betere tijden gekend, Rojas. Hoe is het met jou?'

'Best, best. Ik wilde alleen even gedag komen zeggen.'

Hij was zo gespannen als een veer. En ik meende te weten waarom.

'Aardig van je dat je me komt opzoeken. Ga zitten, pak die stoel daar.'

'Oké.'

Hij liep naar de stoel in de hoek van de kamer. Het gaf me de kans hem eens goed te bekijken. En zijn lichaamssignalen te observeren. Hij vertoonde nu al de klassieke kenmerken van schuldig gedrag... vermeed oogcontact, glimlachte als er geen reden voor was, en zijn handen waren voortdurend in beweging.

'Heeft de dokter gezegd hoe lang u hier moet blijven?' vroeg hij.

'Nog een paar dagen, denk ik. Of in ieder geval totdat ik geen bloed meer pis.'

'O, man, dat is echt heftig. Gaan ze ze pakken, degenen die het hebben gedaan?'

'Ze schijnen er niet al te veel moeite voor te doen.'

Rojas knikte. Ik zei niets. Zwijgen is vaak een heel nuttig instrument tijdens een verhoor. Mijn chauffeur wreef een paar keer met zijn handen over zijn dijbenen en stond toen op.

'Nou, ik zal u niet langer ophouden. U zult wel moeten slapen, neem ik aan.'

'Nee, ik heb voor vandaag genoeg geslapen. Trouwens, ik heb te veel pijn om te kunnen slapen. Dus blijf nog even. Waarom zo'n haast? Je rijdt toch niet iemand anders, hè?'

'O, nee, nee, natuurlijk niet.'

Met tegenzin ging hij weer zitten. Rojas was een cliënt geweest voordat hij mijn chauffeur werd. Hij was gepakt voor het in bezit hebben van gestolen goederen, en hij had al een veroordeling op zijn naam staan. De openbaar aanklager eiste gevangenisstraf, maar het was me gelukt een voorwaardelijk voor hem te krijgen. Hij was me drieduizend dollar schuldig voor mijn werk, maar hij was zijn baan kwijtgeraakt aangezien het slachtoffer van de diefstal tevens zijn werkgever was. Ik had hem aangeboden voor mij te werken, als chauffeur en als tolk, en hij had daarmee ingestemd. In het begin betaalde ik hem vijfhonderd per week plus nog eens tweehonderdvijftig die ik van zijn schuld aftrok. Na drie maanden was de schuld afbetaald, maar hij bleef voor me werken, nu voor de volle zevenhonderdvijftig dollar per week. Ik had de indruk dat hij gelukkig was met de regeling en dat hij op het smalle rechte pad zou blijven, maar misschien klopt de uitdrukking 'eens een dief, altijd een dief' wel.

'Ik wilde alleen zeggen, meneer Haller, dat als u hier weg mag, ik diensten van vierentwintig uur per dag ga draaien. Ik wil niet dat u nog alleen ergens naartoe rijdt. Al moet u naar de Starbucks op de heuvel, dan breng ik u heen en weer.'

'Dank je, Rojas. Dat is trouwens wel het minste wat je kunt doen, vind je niet?'

'Eh...'

Hij was verbaasd, maar niet al te zeer. Hij wist welke kant het gesprek op zou gaan. Ik besloot er niet langer omheen te draaien.

'Hoeveel heeft hij je betaald?'

Hij schoof heen en weer op zijn stoel.

'Wie? Waarvoor?'

'Kom op, Rojas. Speel geen spelletje met me. Dat is gênant.'

'Ik weet echt niet waar u het over hebt. Misschien kan ik toch maar beter gaan.'

Hij stond op.

'We hebben geen arbeidsovereenkomst, Rojas. We hebben geen contract, geen mondelinge afspraken, niets. Als je nu deze kamer uit loopt, ben je ontslagen en dat voor altijd. Is dat wat je wilt?'

'Het maakt niet uit dat we geen overeenkomst hebben. U kunt me niet zomaar zonder reden ontslaan.'

'Ah, maar ik héb een reden, Rojas. Herb Dahl heeft me alles verteld. Je had kunnen weten dat dieven geen enkel eergevoel hebben. Hij zei dat je hem had gebeld en tegen hem had gezegd dat je hem alles kon leveren wat hij nodig had.'

Het was bluf, maar het werkte. Ik zag de woede exploderen in Rojas' ogen. Mijn vinger rustte op de knop van de bel waarmee ik de zuster kon alarmeren, voor de zekerheid.

'Die gladde, gluiperige rothond!'

Ik knikte.

'Die beschrijving klopt. Hoe...'

'Maar ik heb hem niet gebeld. Die schoft kwam naar mij toe. Het enige wat hij wilde, zei hij, was vijftien seconden in de kofferbak kijken. Ik had kunnen weten dat er ellende van zou komen.'

'Ik had je slimmer ingeschat, Rojas. Hoeveel heeft hij je betaald?'

'Vierhonderd.'

'Nog niet eens een weekloon, en nu heb je niks meer.'

Rojas kwam naast het bed staan. Mijn vinger lag nog steeds op de belknop. Ik schatte in dat hij me óf zou aanvallen, óf me om een deal zou vragen.

'Meneer Haller, ik... ik heb deze baan hard nodig. Mijn kinderen...'

'Net als de vorige keer, Rojas. Heb je je lesje niet geleerd nadat je je werkgever had bestolen?'

'Jawel, meneer, echt. Dahl zei dat hij alleen iets wilde nakijken, maar toen nam hij het mee en toen ik hem probeerde tegen te houden zei hij: "Wat denk je eraan te kunnen doen?" Hij had me in de tang. Ik kon het niet voorkomen.'

'Heb je die vierhonderd nog?'

'Ja. Ik heb er geen cent van uitgegeven. Vier biljetten van honderd dollar. En ze zien er echt uit.'

Ik wees naar de stoel en zei dat hij moest gaan zitten. Ik wilde hem niet te dicht in mijn buurt hebben.

'Oké, tijd om een keus te maken, Rojas. Je kunt nu de deur uit lopen met je vierhonderd en dan zien we elkaar nooit meer. Of ik kan je een tweede...'

'Ik wil die kans. Alstublieft, het spijt me.'

'Nou, je zult die moeten verdienen. Ik moet rechtzetten wat je hebt gedaan en daar ga jij me mee helpen. Ik sleep Dahl voor de rechter wegens diefstal van die papieren en jij moet optreden als de getuige die uitlegt wat er precies is gebeurd.'

'Goed, dat zal ik doen, maar wie zal me geloven?'

'Daar komen je vier biljetten van honderd om de hoek kijken. Ik wil dat je nu naar huis gaat, of waar je ze ook hebt verstopt...'

'Ik heb ze hier. In mijn portefeuille.'

Hij schoot overeind van de stoel en trok zijn portefeuille.

'Je moet ze er zó uit halen.'

Ik hield de toppen van mijn duim en wijsvinger tegen elkaar.

'Kunnen ze van geld vingerafdrukken halen?'

'Ja, en als we die van Dahl op die bankbiljetten vinden, maakt het niet meer uit wat hij over jou zegt. Dan hangt hij.'

Ik trok de la van het kastje naast mijn bed open. In een afsluitbare plastic zak zaten mijn portefeuille, mijn sleutels en het kleingeld uit mijn broekzak. Het was erin gestopt door de ziekenbroeders die naar de garage van de Victory Building waren geroepen. Cisco had alles gecheckt en het me vandaag pas teruggegeven. Ik keerde de zak om boven de la en gaf hem aan Rojas.

'Oké, doe het geld hierin en knijp de sluiting dicht.'

Hij deed wat hem was opgedragen en ik gebaarde dat hij de zak aan mij moest geven. De honderdjes zagen er nieuw en gaaf uit. Hoe minder mensen ze in handen hadden gehad, hoe gemakkelijker het zou zijn om de afdrukken eraf te halen.

'Cisco neemt het nu over. Ik zal hem bellen en zeggen dat hij hiernaartoe komt om ze op te halen. Op een zeker moment zal hij jouw vingerafdrukken ook nodig hebben.'

'Eh...'

Rojas' blik was gefixeerd op het zakje met de bankbiljetten.

'Wat is er?'

'Krijg ik dat geld nog terug?'

Ik gooide het zakje in de la en deed die met een klap dicht.

'Jezus christus, Rojas, maak dat je wegkomt voordat ik van gedachten verander en je alsnog ontsla.'

'Oké, oké, het spijt me. Echt.'

'Het spijt je dat je betrapt bent en meer niet. Ga nou maar weg. Ongelooflijk, dat ik je een tweede kans geef. Ik ben niet goed bij mijn hoofd.'

Als een geslagen hond, met zijn staart tussen de benen, liep Rojas de kamer uit. Zodra hij weg was liet ik het hoofdeinde van het bed zakken en probeerde niet te veel na te denken over Rojas' verraad, aan degene die de twee mannen met de zwarte handschoenen op me af had gestuurd, of aan al het andere wat met de zaak te maken had. Ik keek naar de zak met heldere vloeistof die boven me aan de standaard hing en wachtte op de welkome dosis die ten minste een deel van de pijn zou wegnemen.

13

Zoals verwacht bekende Lisa Trammel geen schuld en werd ze door rechter Dario Morales, na een voorbereidende hoorzitting in het gerechtshof van Van Nuys die een dag duurde, in staat van beschuldiging gesteld. Met inspecteur Howard Kurlen als haar belangrijkste bron van bewijsmateriaal spon openbaar aanklager Andrea Freeman heel kundig een web van indirect bewijs waarin Lisa algauw muurvast zat. Als een honderdmeterloopster bracht Freeman de zaak buiten de periferie van handelen uit overmacht en de rechter was net zo snel met het nemen van zijn beslissing. Het was routine. Nuchter en zakelijk. Hup hup, en Lisa was nu officieel 'de beklaagde'.

Mijn cliënt zat tijdens de zitting achter de tafel van de verdediging, maar ik niet. Jennifer Aronson nam voor mij waar, voor zover dat nodig was in dit eenzijdige gebeuren. De rechter stond toe dat de zitting doorgang vond, maar pas nadat hij Lisa uitvoerig had ondervraagd, zich ervan had overtuigd dat ze haar beslissing om zonder mij door te gaan bewust en vrijwillig had genomen en dat die deel uitmaakte van onze strategie. Lisa verklaarde openlijk dat ze zich bewust was van Aronsons gebrek aan ervaring in de rechtszaal en zwoer dat ze zich in een latere fase van het proces niet zou beroepen op het feit dat ze een inadequate verdediging zou hebben gekregen.

Ik zag het meeste ervan in de privacy van mijn eigen huis, waar ik verder herstelde van mijn verwondingen. KTLA Channel 5 zond de ochtendzitting live uit en had de normale ochtendprogrammering geschrapt; pas in de loop van de middag braken ze de uitzending af voor de gebruikelijke talkshows. Zodoende miste ik alleen de laatste twee uur van de zitting. Maar dat was niet erg want toen wist ik allang wat de uitkomst zou zijn. Er deden zich geen onverwachte gebeurtenissen voor en de enige teleurstelling was dat we geen nieuwe lezing kregen van hoe het OM van plan was zijn zaak tijdens het proces, wanneer het erop aankwam, uiteen te zetten.

Zoals we hadden afgesproken tijdens onze voorbereiding in mijn kamer in het Holy Cross, presenteerde Aronson geen getuigen of feiten waarvan de verdediging van plan was gebruik te maken. We kozen ervoor geen enkele verwijzing naar onze hypothese van onschuld prijs te geven, en toen de drempel van schuld boven gerede twijfel werd gepasseerd, eindigde het gebeuren nog bijna in gelijkspel. Aronson maakte spaarzaam gebruik van de mogelijkheid om de getuigen van het OM een kruisverhoor af te nemen. Het waren stuk voor stuk veteranen die in de getuigenbank plaatsnamen... Kurlen, de patholoog-anatoom en een forensisch deskundige. Freeman had ervoor gekozen Margo Schafer niet op te roepen, en ze gebruikte Kurlen om verslag te doen van het verhoor van de ooggetuige die Lisa Trammel binnen de afstand van een huizenblok van de moord had gezien. Er viel niet veel op te maken uit de presentatie van het OM, dus konden we niet veel anders doen dan observeren en afwachten. Onze tijd kwam nog wel. We zouden onze tanden laten zien tijdens het proces, wanneer het er echt op aankwam.

Aan het eind van de zitting bepaalde Morales dat Lisa terecht zou staan voor rechter Coleman Perry op de vijfde verdieping van het gerechtshof. Perry was een rechter tegenover wie ik nog nooit had gestaan. Maar aangezien ik wist dat zijn rechtszaal een van de mogelijke bestemmingen van mijn cliënt zou zijn, had ik wat informatie ingewonnen bij collega-advocaten. De algemene indruk die ik kreeg was dat Perry recht door zee was, maar dat hij een kort lontje had. Hij was fair, totdat je de degens met hem kruiste, dan bestond er een goede kans dat hij een hekel aan je kreeg en dat hij dat tot het eind van het proces volhield. Dit was nuttige informatie nu de zaak zijn laatste, definitieve fase in ging.

Twee dagen later voelde ik me goed genoeg om weer aan het werk te gaan. Mijn gebroken vingers waren strak ingezwachteld op een voorgevormde kunststof spalk en mijn beurse bovenlichaam was van blauw en paars verkleurd tot een ziekelijke gele tint. De hechtingen waren uit mijn schedelhuid verwijderd en mijn haar was lang genoeg om het over de kaalgeschoren plek te kammen.

Het beste van alles was dat mijn bijna afgedraaide testikel, die de chirurg uiteindelijk niet had willen amputeren, zich stukje bij beetje herstelde, volgens de arts die er om de paar dagen naar keek en hem betastte. Het was echter een open vraag of hij ooit nog zou kunnen doen waarvoor hij was bedoeld, of dat hij zou verschrompelen als een ongeplukte Roma-tomaat aan een vergeten tak.

Zoals afgesproken had Rojas de Lincoln recht voor de deur geparkeerd toen ik precies om elf uur naar buiten kwam. Langzaam en steunend op mijn wandelstok liep ik de treden af. Rojas stond al te wachten om me achter in de auto te helpen. Hij deed dat heel voorzichtig en zodra ik op mijn vertrouwde plek zat, konden we gaan. Rojas sprong achter het stuur en de Lincoln kwam met een ruk in beweging.

'Rustig aan, Rojas. Ik heb nog te veel pijn om mijn gordel om te doen. Ik wil niet naar voren gekatapulteerd worden.'

'Sorry, baas. Ik zal erop letten. Waar gaan we vandaag naartoe? Kantoor?'

Dat 'baas' had hij van Cisco. Ik vond het vreselijk om baas genoemd te worden, ook al besefte ik dat ik dat was.

'Kantoor is voor straks. Eerst gaan we naar Archway Pictures op Melrose.'

'Komt voor elkaar.'

Archway was een tweederangs studio, gelegen tegenover een echte gigant, Paramount Pictures, op Melrose. Ze waren begonnen als dependance om aan de grote vraag naar sets en apparatuur tegemoet te komen, en waren later, onder leiding van wijlen Walter Elliot, uitgegroeid tot een zelfstandige studio. Nu produceerden ze jaarlijks een paar films en groeiden ook zij al uit hun jasje. Het toeval wilde dat Elliot toentertijd een cliënt van me was.

Het kostte Rojas twintig minuten om van mijn huis op de heuvel boven Laurel Canyon naar de studio te rijden. Hij stopte bij het wachthuisje naast de grote boog met de naam van de studio erop. Ik liet mijn raampje zakken en toen de bewaker naar de auto toe kwam, zei ik dat ik Clegg McReynolds wilde spreken. Hij vroeg me mijn naam en een legitimatie, en ik gaf hem mijn rijbewijs. Hij trok zich terug in het huisje en keek op zijn computerscherm. Hij fronste zijn wenkbrauwen.

'Het spijt me, meneer, maar u staat niet op de lijst. Hebt u een afspraak?'

'Nee, geen afspraak, maar hij zal me zeker willen ontvangen.'

Ik had McReynolds niet de tijd willen geven om zich voor te bereiden op mijn komst.

'Tja, als u geen afspraak hebt, kan ik u niet doorlaten.'

'Kun je hem bellen en zeggen dat ik er ben? Ik weet zeker dat hij me te woord zal willen staan. Je weet toch wel wie hij is, hè?'

De insinuatie was duidelijk. Hier was iemand die niet met zich liet spotten.

De bewaker schoof de deur dicht en pakte de telefoon. Door de ruit zag ik hem praten. Zo te zien had hij een van zijn bazen aan de lijn. Hij schoof de deur weer open, kwam naar buiten en gaf het toestel aan mij. Er zat een lang snoer aan. Ik pakte de telefoon aan en liet voor de ogen van de bewaker het raampje omhoog gaan. Als hij flauw deed, kon ik dat ook.

'Michael Haller hier. Spreek ik met meneer McReynolds?'

'Nee, met de persoonlijke assistente van meneer McReynolds. Wat kan ik voor u doen, meneer Haller? Ik zie u niet in de agenda staan en eerlijk gezegd weet ik niet wie u bent.'

De stem was van een vrouw, jong en zelfverzekerd.

'Ik ben degene die het leven van je baas grondig gaat verzieken als ik hem niet snel aan de lijn krijg.'

Het bleef enige tijd stil voordat ze antwoordde.

'Ik geloof niet dat uw dreigende toon me bevalt. Meneer McReynolds is op de set en...'

'Dit is geen dreigement. Ik doe niet aan dreigementen. Ik zeg alleen wat er gaat gebeuren. Nou, waar is die set?'

'Dat zeg ik niet. Ik laat u niet bij Clegg in de buurt voordat ik weet waar dit over gaat.'

Het viel me op dat ze haar baas bij de voornaam noemde. Achter me werd luid geclaxonneerd. Er stonden al een paar auto's achter ons. De bewaker klopte op mijn raampje en bukte zich in een poging door het geblindeerde glas naar binnen te kijken. Ik negeerde hem. Er claxonneerde een tweede auto.

'Ik ben hier om je baas een hoop ellende te besparen. Weet je van de deal die hij de afgelopen week bekendmaakte, over die vrouw die wordt beschuldigd van moord op de bankier die haar huis probeert te onteigenen?'

'Ja, daar weet ik van.'

'Nou, je baas heeft die rechten op onrechtmatige wijze in handen gekregen. Ik ga ervan uit dat hij dit niet expres heeft gedaan, of dat hij daarvan wist. Als ik gelijk heb, is hij het slachtoffer van een oplichter, en ik ben hier om de zaak recht te zetten. Dit is een eenmalig aanbod. Gaat hij er niet op in, dan komt hij in juridisch drijfzand terecht.'

Het laatste dreigement werd onderstreept door het aanhoudende geluid van een autoclaxon en vinnig geklop op het raampje.

'Praat met de bewaker bij de poort,' zei ik. 'Zeg hem of het ja of nee is.'

Ik liet het raampje zakken en gaf de telefoon aan de bewaker. Hij bracht het toestel naar zijn oor.

'Wat gaat het worden? De auto's staan hier tot op Melrose.'

Hij luisterde, liep het wachthuisje in en legde het toestel neer. Terwijl hij me recht aankeek, drukte hij op de knop van de slagboom.

'Set negen,' zei hij. 'Rechtdoor en aan het eind linksaf. Kan niet missen.'

Ik glimlachte alsof ik wilde zeggen: ik had het je toch gezegd? Ik liet het raampje omhooggaan en Rojas reed onder de slagboom door.

Set negen was groot genoeg om plaats te bieden aan een vliegdekschip. Het gebouw werd omringd door trucks met apparatuur, campers voor de sterren en busjes van de catering. Opzij van het gebouw, helemaal achteraan, stonden vier verlengde limousines met draaiende motor en chauffeurs die wachtten tot de opnames klaar waren en zij hun werk konden doen.

Het zag eruit als een grote productie, maar ik kreeg niet de kans om te zien wat er allemaal gaande was. In de brede ruimte tussen gebouw negen en tien stonden een oudere man en een jonge vrouw. De vrouw had een headset op, dus zij moest de assistente wel zijn. Ze wees naar onze auto.

'Oké, laat me er hier maar uit.'

Rojas stopte en ik wilde net het portier openen toen mijn mobiele telefoon overging. Ik haalde hem uit mijn zak en keek op het schermpje.

ONBEKEND NUMMER

Dit kreeg ik meestal te zien als ik werd gebeld door oude cliënten uit het drugsmilieu. Die maakten gebruik van goedkope weggooitelefoons om te voorkomen dat ze werden afgeluisterd of dat hun belstaten werden gecheckt. Ik drukte het gesprek weg en gooide de telefoon op de achterbank. Als je me wilt spreken, moet je me vertellen wie je bent.

Voorzichtig stapte ik uit en liet de wandelstok ook in de auto achter. Waarom te koop lopen met je zwakheden, had mijn vader, de grote jurist, altijd gezegd. Langzaam liep ik naar de producer en zijn assistente toe.

'Ben jij Haller?' riep de man.

'Ja.'

'Ik wil dat je weet dat deze productie, die jij nu onderbreekt, me een kwart miljoen dollar per uur kost. Ze hebben alles stilgelegd zodat ik naar buiten kon komen om met je te praten.'

'Dat waardeer ik, en ik zal het kort houden.'

'Mooi zo. Nou, wat is dat verdomme voor gelul dat ik word opgelicht? Niemand waagt het mij op te lichten!'

Ik keek hem aan, wachtte en zei niets. Het duurde slechts vijf tellen voordat de volgende lading tot ontploffing kwam.

'Nou, ga je het me nog vertellen of niet? Ik heb niet de hele dag de tijd.'

Ik keek naar zijn assistente en daarna weer naar hem. Hij begreep de boodschap.

'Ja, ik wil een getuige hebben van alles wat hier wordt gezegd. Het meisje blijft.'

Ik haalde mijn schouders op, pakte een minirecorder uit de zak van mijn jasje en zette hem aan. Ik hield hem op om hem het rode lampje te laten zien.

'Dan ben ik zo vrij het ook vast te leggen.'

McReynolds' blik ging naar de recorder en ik zag zijn bezorgdheid. Zijn stem, zijn woorden voor eeuwig vastgelegd op tape. In Hollywood kon zoiets heel gevaarlijk zijn. Beelden van Mel Gibson dansten door zijn geest.

'Oké, zet dat ding af en Jenny vertrekt.'

'Clegg!' protesteerde Jenny.

McReynolds bracht zijn hand naar achteren en gaf haar een harde tik op haar bil.

'Wegwezen, zei ik.'

Vernederd, als een schoolmeisje, haastte de jonge vrouw zich weg.

'Soms moet je ze zo aanpakken,' legde McReynolds uit.

'Ze zal er vast van leren.'

McReynolds knikte instemmend, dus het sarcasme in mijn stem was hem volledig ontgaan.

'Nou, Haller, vertel op. Waar gaat dit over?'

'Dit gaat over jou, Clegg. Je wordt besodemieterd door Herb Dahl, je partner in de Lisa Trammel-deal.'

McReynolds schudde meelevend zijn hoofd.

'Uitgesloten. Juridische Zaken heeft alles doorgenomen. Die deal is brandschoon. Die vrouw heeft ons volledig gemachtigd. Als ik van haar in de film een hoer van honderdvijftig kilo maak die zich alleen maar door negers laat nemen, kan ze er niks tegen doen. Die deal is waterdicht.'

'Ja, nou, jouw Juridische Zaken heeft blijkbaar toch iets over het hoofd gezien, namelijk dat de rechten niet berusten bij een van beide personen die ze aan jou hebben verkocht. Die berusten namelijk bij mij. Trammel heeft ze aan mij overgedragen voordat Dahl op het toneel verscheen en met de tweede plaats genoegen moest nemen. Vervolgens dacht hij een plaatsje te kunnen opschuiven door de originele contracten uit mijn dossiers te stelen. Maar dat gaat hem niet lukken. Ik heb een getuige van die diefstal en ik heb Dahls vingerafdrukken. Dahl gaat voor de bijl voor fraude en diefstal, en de keus is aan jou of je bereid bent met hem mee te gaan of niet, Clegg.'

'Bedreig je me? Wat moet dit voorstellen, afpersing? Niemand perst mij verdomme af.'

'Nee, dit is geen afpersing. Ik wil alleen wat me toekomt. Dus je kunt óf doorgaan met Dahl als je partner, óf je kunt dezelfde deal met mij sluiten.'

'Daar is het te laat voor. Ik heb al getekend. We hebben allemaal getekend. De deal is rond.'

Hij wilde weglopen.

'Heb je hem al betaald?'

Hij bleef staan en draaide zich om.

'Je maakt zeker een grapje? Dit is Hollywood.'

'Dus je hebt waarschijnlijk alleen een voorlopig contract getekend?'

'Dat klopt. De echte contracten volgen binnen vier weken.'

'Dan is je deal aangekondigd maar nog niet rond. Zo gaat dat in Hollywood. Maar als jij er een wijziging in wilt aanbrengen, dan kun je dat. En als je iets wilt vinden wat de deal om zeep helpt, kun je dat ook.'

'Maar dat wil ik niet. Ik zie wat in het project. Dahl is ermee naar me toe gekomen. Met hem heb ik de deal gesloten.'

Ik knikte alsof ik zijn dilemma begreep.

'Wat je wilt. Maar ik stap morgenochtend naar de politie, en 's middags maak ik de zaak aanhangig bij de rechter. Dan ga jij de boeken in als medeplichtige. Als iemand die heeft meegewerkt aan diefstal en verduistering.'

'Daar heb ik helemaal niet aan meegewerkt! Ik wist er niks van totdat jij het me vertelde.'

'Precies. Maar ik heb het je nu verteld en jij wenst er niks aan te doen. Je wilt blijven samenwerken met een dief, ondanks het feit dat je ervan op de hoogte bent dat hij een dief is. Dat is medeplichtigheid en voor mij voldoende om mijn zaak hard te maken.'

Ik stak mijn hand in mijn zak en haalde de minirecorder eruit. Ik hield het apparaat voor hem op, zodat hij kon zien dat het rode lampje nog steeds brandde.

'Ik ga die film van jou zo lang tegenhouden dat het meisje dat je zonet op haar achterste tikte hier allang de grote baas is voordat jullie eraan mogen beginnen.'

Deze keer liep ík weg en riep hij me na.

'Wacht even, Haller.'

Ik draaide me om. Hij tuurde naar het noorden, naar de berg met de grote witte letters die zo velen hiernaartoe hadden gelokt.

'Wat moet ik doen?' vroeg hij.

'Je sluit dezelfde deal met mij. Met Dahl reken ik zelf af. Hij heeft nog iets van me te goed en dat zal hij krijgen ook.'

'Ik heb een telefoonnummer nodig om aan Juridische Zaken te geven.'
Ik haalde een kaartje uit mijn zak en gaf het aan hem.
'Denk erom, ik wil vandaag nog iets horen.'
'Afgesproken.'
'Trouwens, wat zijn de cijfers van de deal?'
'Twee vijftig vooruit. En nog eens een kwart miljoen voor de productie.'
Ik knikte. Een voorschot van een kwart miljoen dollar was ruim voldoende om Lisa Trammels verdediging te bekostigen. Misschien bleven er zelfs nog wat kruimeltjes over voor Herb Dahl. Het hing er helemaal van af hoe ik dit wilde aanpakken en hoe eerlijk ik tegenover een dief wilde zijn. Eigenlijk moest ik korte metten met die gast maken, maar aan de andere kant was hij degene die het project in een legitiem huis had ondergebracht.

'Weet je wat, en ik zal in deze stad de enige zijn die dit zegt, maar ik wil niet als producer optreden. Laat dat deel van je deal met Dahl maar in stand. Dat is zíjn werk.'
'Zolang hij niet in de gevangenis zit.'
'Zet maar een clausule met die voorwaarde in je contract.'
'Het zou voor het eerst zijn dat zoiets hier gebeurt. Ik hoop dat jz weet hoe dat moet.'
'Het was me een genoegen zaken met je te doen, Clegg.'
Opnieuw draaide ik me om en begon terug te lopen naar de auto. Deze keer kreeg ik gezelschap van McReynolds, die naast me kwam lopen.
'Je bent toch wel bereikbaar, hè? We hebben je nodig als technisch adviseur. Zeker voor het script.'
'Je hebt mijn kaartje.'
Ik kwam bij de Lincoln en Rojas hield het portier voor me open. Voorzichtig, met speciale aandacht voor de edele delen, stapte ik in en keek op naar McReynolds.
'Nog één ding,' zei de producer. 'Ik dacht aan Matthew McConaughey voor de hoofdrol. Maar wie vind je zelf het meest geschikt om jou te spelen?'
Ik glimlachte en pakte de portierhendel vast.
'Je kijkt naar hem, Clegg.'
Ik trok het portier dicht en zag door het getinte glas hoe de verbazing zich over zijn gezicht verspreidde.
Ik zei tegen Rojas dat we naar Van Nuys gingen.

14

Rojas zei dat mijn telefoon diverse keren was overgegaan terwijl ik met McReynolds in gesprek was. Ik checkte de voicemail maar er waren geen berichten. Daarna opende ik de nummerweergave en zag dat ik in de tien minuten dat ik uit de auto was geweest vier keer was gebeld door een onbekend nummer. De pauzes tussen de oproepen waren te willekeurig voor een faxbericht. Iemand had erg zijn best gedaan om me te bereiken, maar het was blijkbaar niet dringend genoeg geweest om een bericht in te spreken.

Ik belde Lorna en zei dat ik onderweg was. Ik lichtte haar in over de deal met McReynolds en zei dat ze voor het eind van de dag een telefoontje van Juridische Zaken van Archway kon verwachten. Ze was verheugd over het nieuws dat er ook eens geld zou binnenkomen in plaats van dat we het alleen maar uitgaven.

'Verder nog nieuws?'

'Andrea Freeman heeft twee keer gebeld.'

Ik dacht aan de vier telefoontjes naar mijn mobiel.

'Heb je haar mijn mobiele nummer gegeven?'

'Ja.'

'Ik denk dat ik haar net heb gemist, maar ze heeft niks ingesproken. Er moet iets aan de hand zijn.'

Lorna gaf me het nummer dat Andrea had achtergelaten.

'Misschien krijg je haar te pakken als je haar nu meteen terugbelt. Ik laat het verder aan jou over.'

'Oké, maar waar is iedereen op dit moment, uit of thuis?'

'Jennifer is hier op kantoor en Cisco heeft net gebeld. Hij was op de terugweg van veldwerk dat hij heeft gedaan.'

'Wat voor veldwerk?'

'Dat heeft hij niet gezegd.'

'Oké, dan zie ik jullie allemaal straks.'

Ik verbrak de verbinding en belde het nummer van Freeman. Ik had niets van haar gehoord sinds mijn confrontatie met de twee mannen met de zwarte handschoenen. Zelfs Kurlen was langs geweest om te vragen hoe het met me ging. Maar geen woord van mijn waardige opponent, zelfs geen beterschapskaartje. En nu zes telefoontjes op één ochtend, zonder ingesproken bericht. Dus ik was zeker nieuwsgierig.

Ze nam op nadat haar toestel één keer was overgegaan en kwam onmiddellijk ter zake.

'Wanneer kun je langskomen?' vroeg ze. 'Ik wil iets aan je voorleggen voordat we aan het echte werk beginnen.'

Het was haar manier om te zeggen dat ze openstond voor het idee het proces voortijdig te beëindigen met een schuldbekentenis in ruil voor een lagere strafeis, voordat de machinerie van het proces werkelijk in beweging kwam.

'Ik dacht dat je zei dat ik een aanbod wel kon vergeten.'

'Nou, laat ik zeggen dat ik op dit moment de koele nuchterheid laat prevaleren. Ik blijf bij wat ik eerder zei over jouw handelwijze in deze zaak, maar het lijkt me niet nodig dat jouw cliënt daarvoor opdraait.'

Er was iets aan de hand. Ik voelde het. Ze was op een of ander probleem in haar zaak gestuit. Er was een bewijsstuk verloren gegaan, of een getuige was van gedachten veranderd. Ik dacht meteen aan Margo Schafer. Misschien had ze een probleem met de ooggetuige. Freeman had haar tijdens de voorbereidende hoorzitting tenslotte buiten beschouwing gelaten.

'Ik voel er niks voor om naar het OM te komen. We kunnen op mijn kantoor afspreken, of op neutraal terrein.'

'Ik vind het geen probleem om het vijandelijke kamp te betreden. Waar is je kantoor?'

Ik gaf haar het adres en we spraken een uur later af. We beëindigden het gesprek en ik probeerde me te concentreren op wat er in de zaak van het OM, in deze fase van de strijd, misgegaan kon zijn. Ik kwam weer bij Schafer uit. Zij moest het wel zijn.

Mijn telefoon trilde in mijn hand en ik keek op het schermpje.

ONBEKEND NUMMER

Freeman belde me zeker terug om de afspraak te cancelen en te zeggen dat het allemaal maar spel was, gewoon een of andere truc uit het psychologiehandboekje van openbaar aanklagers. Ik drukte op het groene knopje.

'Ja?'

Stilte.

'Hallo?'

'Michael Haller?'

Een mannenstem die ik niet herkende.

'Ja, met wie spreek ik?'

'Met Jeff Trammel.'

Om de een of andere reden duurde het even voordat ik de naam kon plaatsen, maar toen wist ik het. De verdwenen echtgenoot.

'Jeff Trammel, ja, hoe is het met je?'

'Goed, denk ik.'

'Hoe kom je aan dit nummer?'

'Ik heb Lisa vanochtend gesproken. Ik heb haar gebeld. Ze zei dat ik u moest bellen.'

'Nou, ik ben blij dat je dat hebt gedaan. Jeff, weet je in wat voor situatie je vrouw zich bevindt?'

'Ja, dat heeft ze me verteld.'

'Heb je het niet op het nieuws gezien?'

'Er is hier geen tv of zoiets. En ik lees geen Spaans.'

'Waar ben je precies, Jeff?'

'Dat zeg ik liever niet. Dan vertelt u het waarschijnlijk aan Lisa en ik vind het op dit moment niet nodig dat ze dat weet.'

'Kom je over voor het proces?'

'Dat weet ik nog niet. Ik heb geen geld.'

'We kunnen wat reisgeld naar je overmaken. Dan kun je terugkomen en je vrouw en je kind bijstaan in deze moeilijke tijden. Je kunt ook getuigen, Jeff. Een getuigenis afleggen over het huis en de bank en alle druk die dat heeft veroorzaakt.'

'Eh... nee, dat kan ik niet. Zo wil ik mezelf niet te kijk zetten, meneer Haller. Met al mijn tekortkomingen. Dat kan ik gewoon niet.'

'Ook niet om je vrouw uit de gevangenis te houden?'

'Mijn ex-vrouw, bedoelt u. We hebben het alleen nog niet gelegaliseerd.'

'Wat wil je dan, Jeff? Wil je geld?'

Het bleef lang stil. Nu zou hij zijn kaarten op tafel leggen. Maar hij verbaasde me.

'Ik wil niks, meneer Haller.'

'Weet je het zeker?'

'Ik wil er alleen buiten worden gelaten. Het is mijn leven niet meer.'

'Waar ben je, Jeff? Waar is je leven nu?'

'Dat kan ik niet zeggen.'

Ik schudde mijn hoofd van frustratie. Ik wilde hem aan de lijn houden, zoals een smeris die een telefoon probeert te traceren, alleen viel hier niets te traceren.

'Luister, Jeff, ik zeg het niet graag, maar het is mijn taak om alle zeilen bij te zetten, begrijp je wat ik bedoel? En als we de zaak verliezen en er komt een uitspraak, dan zal Lisa worden veroordeeld. Haar dierbaren en vrienden krijgen dan de kans het hof toe te spreken en goede dingen over haar te zeggen. Dan kunnen we de zogenaamde verzachtende factoren presenteren. Haar strijd om het huis te behouden, bijvoorbeeld. Ik zou dan wel graag op je willen kunnen rekenen, dat je dan overkomt om te getuigen.'

'Dus u denkt dat jullie gaan verliezen?'

'Nee, ik denk dat we een verdomd goede kans maken om de zaak te winnen. Dat geloof ik echt. De aanklacht berust in zijn geheel op indirect bewijs en ze hebben een getuige die we zo van tafel vegen. Maar ik moet met alles rekening houden. Weet je zeker dat je niet kunt zeggen waar je bent, Jeff? Ik kan het voor me houden. Ik bedoel, ik zal toch moeten weten waar je bent als we het geld naar je toe moeten sturen.'

'Ik moet nu ophangen.'

'En het geld, Jeff?'

'Ik bel u terug.'

'Jeff?'

Hij was weg.

'Ik had hem bijna, Rojas.'

'Sorry, baas.'

Ik legde de telefoon even neer op de armsteun en keek naar buiten om te zien waar we waren. We reden op de 101, bij de Cahuenga Pass. Het zou nog een minuut of twintig duren tot we bij ons kantoor waren.

Jeff Trammel had niet 'nee' gezegd toen ik de laatste keer over geld begon.

Mijn volgende telefoontje was naar mijn cliënt. Toen ze antwoordde hoorde ik de tv hard op de achtergrond.

'Lisa, met Mickey. We moeten praten.'

'Oké.'

'Kun je de tv uitzetten?'

'O, natuurlijk. Sorry.'

Ik wachtte en even later werd het stil aan de andere kant van de lijn.

'Gebeurd.'

'Ten eerste, je man heeft me zonet gebeld. Heb jij hem mijn nummer gegeven?'

'Ja. Dat moest van jou, weet je nog?'

'Ja, dat is prima. Ik wilde het alleen van jou horen. Maar het gesprek is niet goed gegaan. Zo te horen is hij niet van plan hierheen te komen.'

'Dat zei hij tegen mij ook.'

'Heeft hij jou verteld waar hij was? Als ik dat weet, kan ik Cisco naar hem toe sturen om hem ervan te overtuigen dat hij ons moet helpen.'

'Hij wilde het niet zeggen.'

'Zo te horen zat hij nog steeds in Mexico. Hij zei dat hij geen geld had.'

'Tegen mij ook. Hij wil dat ik hem een deel van het filmgeld stuur.'

'Dus daar heb je hem over verteld?'

'Er wordt een film over me gemaakt, Mickey. Dat hoort hij te weten.'

Of misschien bedoelde ze dat ze hem dat wilde inpeperen.

'Waar moest je dat geld dan naartoe sturen?'

'Hij zei dat ik het gewoon kon storten bij Western Union en dat hij het dan bij een van hun kantoren kon opnemen.'

Ik wist dat Western Union diverse kantoren in Tijuana en omgeving had, en ook ten zuiden daarvan. Ik had er eerder geld voor cliënten naartoe gestuurd. Als we hem geld stuurden, konden we het zoekgebied verkleinen door na te gaan bij welk kantoor Jeff Trammel het geld opnam. Maar als hij slim was, deed hij dat niet bij een kantoor in de buurt van waar hij woonde en waren we nog geen steek verder.

'Oké,' zei ik. 'Met Jeff zullen we ons later bezighouden. Ik belde je ook om je te vertellen dat de deal die Herb Dahl met Archway heeft gesloten is veranderd.'

'Hoe dat zo?'

'Het is nu míjn deal. Ik kom net bij Archway vandaan. Herb kan de productie doen, als het ooit tot een film komt. En als hij uit de gevangenis weet te blijven. Dus hij komt er goed van af. Net als jij, want de mensen van jouw verdediging worden nu betaald voor hun werk en jij krijgt de rest, wat trouwens veel meer zal zijn dan je ooit van Herb tegemoet kon zien.'

'Mickey, dat kun je niet doen! Hij heeft die deal gesloten.'

'En ik heb die ongedaan gemaakt, Lisa. Clegg McReynolds voelde er weinig voor om verstrikt te raken in het juridische web dat ik van plan was over Herbs hoofd te gooien. Jij kunt het Herb vertellen, of hij kan me bellen, als hij dat wil.'

Ze zei niets.

'Nog één ding, en dit is belangrijk. Luister je?'

'Ja, ik luister.'

'Ik heb zo meteen, op kantoor, een bespreking met de openbaar aankla-ger. Op haar verzoek. Ik vermoed dat er iets aan de hand is. Dat er aan hun kant iets niet goed zit. Ze wil over een deal praten, en ze zou dat nooit op mijn kantoor doen als het niet strikt noodzakelijk was. Ik wil alleen dat je dat weet. Ik bel je na de bespreking.'

'Geen deals, Mickey, tenzij ze aanbiedt om voor de deur van het ge-rechtshof aan CNN en Fox en al die anderen te verklaren dat ik onschuldig ben.'

Ik voelde de auto van baan veranderen en keek uit het raampje. Rojas wilde de snelweg af vanwege het drukke verkeer.

'Nou, ik denk niet dat dat haar aanbod zal zijn, maar het is mijn plicht om je op de hoogte te houden van de keuzes die je hebt. Ik wil niet dat je in jouw zaak een soort... martelaar wordt. Je moet aanbiedingen altijd in overweging nemen, Lisa.'

'Ik beken geen schuld. Punt uit. Is er verder nog iets wat je met me wilt bespreken?'

'Ik weet voorlopig genoeg. Ik bel je straks.'

Ik legde de telefoon op de armleuning. Genoeg gepraat. Ik sloot mijn ogen om ze een paar minuten rust te gunnen. Ik probeerde mijn vingers te bewegen onder het verband en het deed pijn, maar het lukte. De arts die de röntgenfoto's had bekeken zei dat hij meende dat de breuken waren ontstaan toen iemand met zijn hak op mijn hand had getrapt, toen ik op de grond lag en al buiten bewustzijn was. Een geluk bij een ongeluk, neem ik aan. Hij meende dat de vingers volledig zouden herstellen.

In het duister achter mijn oogleden zag ik de mannen met de zwarte handschoenen op me af komen. Steeds weer opnieuw, als een scène in een film. Ik zag de emotieloze blik in hun ogen toen ze voor me stonden. Voor hen was het gewoon een klus geweest. Meer niet. Voor mij waren het veer-tig jaar van zelfvertrouwen en eigenwaarde die als botjes op het beton wa-ren versplinterd.

Na een tijdje hoorde ik Rojas' stem.

'Hé, baas, we zijn er.'

15

Toen ik de receptie binnenkwam, maakte Lorna een waarschuwend ge-baar vanachter haar bureau en wees ze naar de deur van mijn kantoor. Andrea Freeman zat al op me te wachten, zei ze. Ik liep zo snel ik kon naar het andere kantoor, klopte op de deur en opende die. Cisco en Bullocks zaten achter hun bureau. Ik liep naar dat van Cisco en legde mijn telefoon voor hem neer.

'Lisa's man heeft me gebeld. Meer dan één keer zelfs. Onbekend num-mer. Wil je kijken of je er iets mee kunt?'

Hij wreef met zijn vinger over zijn lippen terwijl hij erover nadacht.

'Onze provider heeft een identificatieservice. Als ik ze de exacte tijd van de gesprekken geef, kunnen ze je nummer door de computer halen. Het duurt een paar dagen en ze kunnen alleen het nummer van de beller identificeren, niet de locatie. Als je een driehoekspeiling wilt laten doen om de locatie te traceren, heb je een gerechtelijk bevel nodig.'

'Ik wil alleen het nummer. De volgende keer wil ik hém bellen in plaats van dat hij mij belt.'

'Komt voor elkaar.'

Ik draaide me om en keek Aronson aan.

'Bullocks, heb je zin om erbij te komen zitten en te horen wat het OM te vertellen heeft?'

'Nou, reken maar.'

Via de receptie liepen we naar mijn kantoor. Freeman zat op de stoel te-genover mijn bureau en las een e-mail op haar telefoon. Ze was niet in rechtbankkleding. Een spijkerbroek en een sweatshirt. Ze had blijkbaar geen zittingen vandaag. Ik sloot de deur en ze keek op.

'Andrea, kan ik je iets te drinken aanbieden?'

'Nee, bedankt.'

'Je kent Jennifer van de hoorzitting.'

'Natuurlijk, stille Jennifer. Ze heeft de hele zitting lang geen kik gege-ven.'

Ik liep om mijn bureau heen, keek naar Aronson en zag dat ze bloosde tot in haar hals. Ik besloot haar te hulp te schieten.

'O, dat had ze best gekund, wel meer dan een kik ook, maar ze had orders van mij om dat niet te doen. Je weet wel, strategie. Jennifer, pak die stoel, wil je?'

Aronson trok de stoel bij en nam naast mijn bureau plaats.

'Daar zitten we dan,' zei ik. 'En, wat voert het OM naar mijn nederige werkplek?'

'Nou, weet je, nu we in de buurt van een proces beginnen te komen, heb ik nog eens nagedacht. Ik neem aan dat jij in de hele county werkt en dat je rechter Perry misschien minder goed kent dan ik.'

'Dat is een understatement. Ik heb nog nooit tegenover hem gestaan.'

'Kijk, Perry houdt zijn straatje graag schoon. Krantenkoppen en ophef interesseren hem niet. Het enige wat hij zal willen weten is of er serieus moeite is gedaan om tot een schikking te komen. Dus dacht ik dat we er nog maar eens over moesten praten voordat we het proces echt in de startblokken zetten.'

'Nog maar eens? Ik kan me niet herinneren dat we er al eerder over hebben gesproken.'

'Wil je erover praten of niet?'

Ik leunde achterover en zat even te draaien in mijn stoel terwijl ik nadacht over die vraag. Dit was allemaal spel en dat wisten we allebei. Freeman was hier niet om rechter Perry een plezier te doen. Er was iets anders aan de hand, iets geheimzinnigs. Er was iets misgegaan bij het OM en dat bood de verdediging kansen. Ik bewoog mijn vingers in het gips, want mijn handpalm jeukte.

'Tja...' zei ik. 'Ik weet niet of je het weet, maar elke keer als ik met mijn cliënt over een deal begin, zegt ze dat ik de boom in kan. Zij wil een proces. Natuurlijk, ik heb het eerder meegemaakt. Het bekende scenario van geen deal, geen deal, geen deal, ja, toch maar wel een deal.'

'Precies.'

'Maar ik ben aan handen en voeten gebonden, Andrea. Mijn cliënt heeft me twee keer verboden het OM welke handreiking dan ook te doen. Ze vindt het niet goed dat ik met je onderhandel. En nu zitten we hier, jij bent naar mij toe gekomen, dus dat is een begin. Maar jij zult de onderhandelingen moeten openen. Jij vertelt mij hoe je erover denkt.'

Freeman knikte.

'Dat lijkt me redelijk. Ik heb jou tenslotte gebeld. Spreken we af dat dit off the record blijft? Alles wat we zeggen blijft binnenskamers, ook als het niet tot een deal komt?'

'Oké.'

Aronson knikte met me mee.

'Goed dan, wat ik aanbied is het volgende, en ik heb al de goedkeuring van mijn bazen. We zakken tot doodslag en eisen een middencategorie straf.'

Ik knikte en duwde mijn onderlip naar voren op een manier die suggereerde dat ik het een levensvatbaar aanbod vond. Maar ik wist dat als zij opende met doodslag en een middencategorie straf, er voor mijn cliënt meer uit te halen viel. Ik wist nu ook dat mijn intuïtie het bij het rechte eind had gehad. Het was uitgesloten dat een openbaar aanklager met zo'n aanbod zou komen als er in hun zaak niet iets ernstig mis was. Mijn inschatting was dat hun zaak al aan de zwakke kant was geweest vanaf het moment dat ze mijn cliënt in de boeien hadden geslagen. Maar nu was er nog iets misgegaan. Iets belangrijks, en ik moest te weten zien te komen wat dat was.

'Dat is een goed aanbod,' zei ik.

'Dat kun je verdomme wel zeggen. We zijn bereid moord met voorbedachten rade te laten vallen.'

'Dus dan hebben we het over moedwillige doodslag, neem ik aan?'

'Zelfs jij kunt hier geen gewone doodslag van maken. Het was geen toeval dat ze in die parkeergarage was. Wat denk je, gaat ze ervoor?'

'Dat weet ik niet. Ze heeft vanaf het eerste begin gezegd dat ze geen deals wil. Zij wil een proces. Ik kan proberen het aan haar te verkopen. Het is alleen zo dat...'

'Dat wat?'

'Nou, weet je, ik ben gewoon nieuwsgierig. Waarom zo'n mooi aanbod? Waarom kom je me tegemoet? Wat is er misgegaan met jullie zaak dat je bereid bent zo veel water bij de wijn te doen?'

'Ik doe geen water bij de wijn. In dit scenario gaat ze nog steeds naar de gevangenis en wordt er wel degelijk recht gedaan. Er is niks mis met onze zaak, maar processen duren lang en kosten veel geld. De top van het om geeft de voorkeur aan een schikking boven een proces. Tenminste, als er een schikking mogelijk is. Dit is zo'n situatie. Maar als jij het aanbod niet wilt, stap ik weer op.'

Ik stak mijn handen op in een gebaar van overgave. Ik zag haar blik naar het gips om mijn linkerhand gaan.

'Het gaat er niet om wat ik wil. De keus is aan mijn cliënt, en ik moet haar alle informatie geven die ik heb, dat is alles. Ik heb dit eerder meegemaakt. Een aanbod als dit is meestal te mooi om waar te zijn. Je gaat erop in en achteraf hoor je dat het om zijn kroongetuige kwijt was of dat ze zijn gestruikeld over een stukje ontlastend bewijs dat je ter inzage had kunnen krijgen als je wat langer had aangedrongen.'

'Ja, nou, dat is deze keer niet het geval. Het aanbod is wat het is. Je hebt vierentwintig uur om te beslissen, daarna gaat het van tafel.'

'Wat dacht je van een lage categorie straf?'

'Wat?'

Het was bijna een schreeuw.

'Kom op, wat je op tafel hebt gelegd is niet je laatste bod. Niemand werkt zo. Je hebt nog één beter bod in je mouw en dat weet jij net zo goed als ik. Moedwillige doodslag, lage categorie strafeis, maximaal vijf tot zeven jaar.'

'Je vermoordt me. De pers verslindt me met huid en haar.'

'Misschien wel, maar ik weet ook dat je baas je niet hiernaartoe heeft gestuurd met alleen dat ene aanbod, Andrea.'

Ze leunde achterover, keek naar Aronson en liet haar blik toen door het kantoor gaan, over boeken op de planken die deel uitmaakten van de inrichting.

Ik wachtte. Ik keek naar Aronson en gaf haar een knipoog. Want ik wist wat er komen ging.

'Ik vind het heel erg van je hand,' zei Freeman. 'Het zal veel pijn hebben gedaan.'

'Nee, eerlijk gezegd niet. Ik lag al knock-out op de grond toen ze dat deden. Ik heb er niks van gevoeld.'

Ik hield mijn hand weer op en bewoog mijn vingers, waarvan de topjes net boven het gips uitstaken.

'Ik kan ze alweer een beetje bewegen.'

'Goed dan, lage categorie straf. Maar ik wil het binnen vierentwintig uur horen. En alles blijft off the record. Afgezien van je cliënt krijgt niemand buiten deze kamer het te horen, anders gaat het feest niet door.'

'Dat hadden we al afgesproken.'

'Oké, dan zijn we klaar. Ik moet er weer eens vandoor.'

Ze stond op en Aronson en ik volgden haar voorbeeld. We vervielen tot de smalltalk die wel vaker volgt op belangrijke besprekingen.

'En wie gaat volgens jou de nieuwe procureur-generaal worden?' vroeg ik.

'Zeg jij het maar,' zei Freeman. 'Een echte favoriet is er nog niet, dat is zeker.'

Het OM stond op dit moment onder leiding van een districtsprocureur, nadat de toenmalige procureur-generaal was weggepromoveerd naar het landelijke hoofdkantoor in Washington. In het najaar zou er een speciale verkiezing worden gehouden om de vacature op te vullen, en tot nu toe was het veld met kandidaten verre van inspirerend.

Nadat we nog enkele algemeenheden hadden uitgewisseld, schudden we elkaar de hand en verliet Freeman het kantoor. Toen we weer zaten keek ik Aronson aan.

'Wat denk jij ervan?'

'Ik denk dat je gelijk hebt. Het aanbod was al mooi, en daarna maakte ze het nog mooier. Ze zitten met een probleem in hun zaak.'

'Ja, maar wat? We kunnen er geen gebruik van maken als we niet weten wat het is.'

Ik boog me over het bureaublad, drukte op de knop van de intercom en vroeg Cisco of hij kon komen. Zwijgend zat ik te draaien in mijn stoel terwijl we wachtten. Cisco kwam binnen, legde mijn telefoon op mijn bureau en nam plaats op de stoel waarop Freeman zojuist had gezeten.

'Er wordt naar het nummer gezocht. Ik zou het een dag of drie de tijd geven. Ze zijn daar niet zo snel.'

'Bedankt.'

'En wat had het OM te melden?'

'Freeman begint 'm te knijpen en we weten niet waarom. Ik weet dat je alles hebt uitgespit wat ze ons heeft gegeven en dat je de getuigen hebt doorgelicht. Maar ik wil toch dat je het nog een keer doet. Er moet iets veranderd zijn. Iets waarvan ze dachten dat ze het hadden en wat er nu niet meer is. We moeten erachter zien te komen wat dat is.'

'Margo Schafer, vermoed ik.'

'Waarom denk je dat?'

Cisco haalde zijn schouders op.

'Ik spreek uit ervaring. Ooggetuigen zijn bijna altijd onbetrouwbaar. Schafer speelt een belangrijke rol in hun belastende bewijs, dat voornamelijk indirect is. Raken ze haar kwijt of is ze ineens niet meer zeker van haar zaak, dan zitten ze met een groot probleem. Het zal toch al moeilijk worden om een jury te overtuigen van wat ze beweert gezien te hebben.'

'Maar wij hebben haar nog steeds niet gesproken?'

'Dat weigert ze, en ze is dat ook niet verplicht.'

Ik trok de middelste la van mijn bureau open en haalde er een potlood uit. Ik stak het in de opening boven in het gips en duwde het tussen twee vingers door omlaag totdat ik de punt in mijn handpalm voelde en bewoog het uiteinde heen en weer om me te krabben.

'Wat doe je?' vroeg Cisco.

'Wat denk je? Ik probeer me te krabben. Ik werd tijdens het hele gesprek gek van de jeuk in mijn handpalm.'

'Je weet wat ze over jeukende handpalmen zeggen, hè?'

Ik keek haar aan en vroeg me af of ze zinspeelde op een antwoord met een of andere seksueel getinte lading.

'Nee, wat?'

'Als het je rechterhand is, is er geld in aantocht. Is het je linker, dan ga je geld kwijtraken. Als je in je handpalmen krabt, voorkom je dat het gebeurt.'

'Leren ze je dat op de rechtenfaculteit, Bullocks?'

'Nee, dat zei mijn moeder altijd. Die was nogal bijgelovig. Zij dacht dat het waar was.'

'Nou, als ze gelijk heeft, heb ik ons net een hoop geld bespaard.'

Ik trok het potlood achter het gips vandaan en legde het terug in de la.

'Cisco, jij richt je aandacht nog een keer op Schafer. Probeer haar te verrassen. Duik op op een plek waar ze je niet verwacht. Kijk hoe ze reageert. Probeer haar aan de praat te krijgen.'

'Komt voor elkaar.'

'En als ze niet wil praten, neem je haar achtergrond nog een keer door. Misschien is er een verband waar we nog niet van op de hoogte zijn.'

'Als die er is, vind ik hem.'

'Daar reken ik op.'

16

Zoals verwacht wilde Lisa Trammel niets weten van een schuldbekentenis die haar een gevangenisstraf van maximaal zeven jaar zou opleveren, ook niet als de kans bestond dat een proces resulteerde in een straf die ruim vier keer zo lang was. Ze wilde voor vrijspraak gaan en ik kon haar geen ongelijk geven. Hoewel ik nog steeds geen idee had om welke reden Freeman haar koers had gewijzigd, wekte het aanbod van de vriendelijke schikking de indruk dat het OM het in zijn broek deed en dat we dus een reële kans hadden om te winnen. Als mijn cliënt bereid was daarvoor te knokken, was ik dat ook. Het was niet míjn vrijheid die op het spel stond.

Ik was de volgende dag na mijn werk op weg naar huis toen ik Andrea Freeman belde om haar het nieuws te vertellen. Ze had eerder op de dag al een paar berichten ingesproken en ik had die om strategische redenen niet beantwoord, in de hoop haar nog een tijdje te laten zweten. Ze bleek echter verre van nerveus toen ik haar aan de lijn kreeg. En toen ik haar vertelde dat mijn cliënt niet op het aanbod inging, begon ze hardop te lachen.

'Eh, Haller, misschien moet je in het vervolg eerder op je voicemails reageren. Ik heb vanochtend diverse keren geprobeerd je te bereiken. Het aanbod is om tien uur vanochtend definitief van tafel gegaan. Als je cliënt het had willen accepteren, had ze dat gisteravond moeten doen, dan had ik haar een jaar of twintig gevangenisstraf kunnen besparen.'

'Wie heeft het aanbod ingetrokken, je baas?'

'Ikzelf. Ik ben van gedachten veranderd, dat is alles.'

Ik kon niets bedenken wat in een tijdsbestek van amper vierentwintig uur zo'n radicale verandering teweeg kon brengen. Het enige wat er vanochtend met betrekking tot de zaak was gebeurd, voor zover ik wist, was dat de advocaat van Louis Opparizio een verzoek had ingediend om het gerechtelijk bevel dat we zijn cliënt hadden uitgereikt, ongedaan te maken. Maar ik zag op dit punt geen verband met Freemans plotselinge koerswijziging wat betreft de schikking.

Toen ik niet reageerde, maakte Freeman aanstalten het gesprek te beeindigen.

'Dus, raadsman, ik zie je binnenkort in de rechtszaal, neem ik aan.'

'Ja, maar even voor de volledigheid, ik zal het weten te vinden, Andrea.'

'Wat weten te vinden?'

'Wat je probeert te verbergen, wat het ook is. Dat wat gisteren mis is gegaan en wat je ertoe bracht met dat aanbod te komen. Het kan me niet schelen dat jij nu denkt dat het is opgelost, ik zal het weten te vinden. En als we straks voor de rechter staan, heb ik het in mijn achterzak.'

Ze lachte weer in de telefoon, op een manier die de stelligheid van mijn laatste uitspraak meteen weer op losse schroeven zette.

'Nogmaals, ik zie je in de rechtszaal,' zei ze.

'Oké, ik zal er zijn.'

Ik legde de telefoon op de armsteun en probeerde te bedenken wat er gaande was. Opeens wist ik het. Misschien hád ik Freemans geheim al in mijn achterzak.

De brief van Bondurant aan Opparizio, verstopt in de hooiberg van papieren die Freeman me in de maag had gesplitst. Misschien had ze die zelf pas net ontdekt en ingezien wat ik ermee kon doen, hoe ik er voor de verdediging een zaak omheen kon bouwen. Zo gaat dat soms. Een openbaar aanklager krijgt een zaak met – schijnbaar – een enorme berg bewijsmateriaal, en dan slaat de gemakzucht toe. Je hebt immers meer dan genoeg en het overige bewijs blijft ongebruikt liggen. Soms te lang.

Ik voelde me steeds zekerder van mijn zaak. Het moest die brief zijn. Een dag eerder liep ze 'm te knijpen vanwege die brief. Nu was ze weer vol zelfvertrouwen. Waarom? Het enige verschil tussen gisteren en vandaag was het gerechtelijk verzoek dat de inbeslagneming van Opparizio's papieren ongedaan moest maken. Opeens begreep ik wat ze van plan was. Het OM zou het verzoek steunen. Als Opparizio niet als getuige optrad, kreeg ik niet de kans om de brief aan de jury te laten zien.

Als ik gelijk had, konden ze de verdediging tijdens het proces een zware slag toebrengen met dit verzoek. Ik wist nu dat ik me moest voorbereiden op een pittig gevecht, alsof mijn hele verdediging ervan afhing. Want dat was ook zo.

Ik pakte mijn telefoon en stopte die in mijn zak. Geen telefoontjes meer. Het was vrijdagavond. Tijd om de hele zaak van me af te zetten en die pas morgenochtend weer op te pakken. Alles kon tot morgen wachten.

'Rojas, zet eens wat muziek op. Het is weekend, man.'

Rojas drukte op de knop van de cd-speler. Ik was vergeten welke cd erin zat, maar al snel herkende ik de stem van Ry Cooder, die 'Teardrops Will Fall' zong, zijn versie van de klassieker uit de jaren zestig, van zijn verzamel-cd. Het klonk goed en toepasselijk. Een liedje over een verloren liefde en eenzaamheid.

Over nog geen drie weken zou het proces beginnen. Of we nu wel of niet te weten kwamen wat Freeman achterhield, het team van de verdediging stond op scherp en was klaar voor de strijd. Er moesten nog een paar gerechtelijke bevelen worden uitgevaardigd, maar voor het overige waren we er klaar voor. Mijn vertrouwen in een goede afloop groeide met de dag.

De komende maandag zou ik me opsluiten in mijn kantoor om een begin te maken met de choreografie van onze zaak. De hypothese van onschuld zou stukje bij beetje en getuige na getuige worden onthuld, totdat alles tezamen als een verpletterende vloedgolf op het OM zou neerstorten.

Maar ik had nog het hele weekend de tijd voordat ik daaraan begon en tot het zover was wilde ik zo veel mogelijk afstand nemen van Lisa Trammel en al het andere. Ry Cooder was begonnen met 'Poor Man's Shangri-La', over de ufo's en andere *space invaders* in Chávez Ravine, het park dat de mensen was afgenomen om er het Dodger Stadion aan te leggen.

What's that sound, what's that light?
Streaking down through the night.

Ik vroeg Rojas het geluid wat harder te zetten, deed beide raampjes omlaag en liet de wind en de muziek met mijn haar en mijn oren spelen.

UFO got a radio
Little Julian singing soft and low
Los Angeles down below
DJ says, we gotta go
To El Monte, to El Monte, pa El Monte
Na, na, na, na, na
Livin' in a poor man's Shangri-La

Ik sloot mijn ogen en liet me naar huis brengen.

17

Rojas zette me voor de deur af en ik liep langzaam de treden op terwijl hij de Lincoln in de garage zette. Zijn eigen auto stond in de straat geparkeerd. Hij zou ermee naar huis rijden en maandagochtend terugkomen, zoals altijd.

Voordat ik de deur opende liep ik naar het eind van de veranda, waar ik uitzicht had op de stad. De zon had nog een paar uur te gaan en zou zich pas morgen weer laten zien. Als je hier stond, steeg er van de stad een geluid op dat aan een fluit van een trein deed denken. Het zachte gesis van een miljoen dromen die met elkaar wedijverden.

'Alles oké met u?'

Ik draaide me om. Het was Rojas die op de bovenste trede stond.

'Ja, best. Hoezo?'

'Nou, ik zag u daar staan en dacht dat er misschien iets mis was. Dat u er niet in kon of zoiets.'

'Nee, ik stond alleen even naar de stad te turen.'

Ik liep naar de deur en haalde mijn huissleutel uit mijn zak.

'Een prettig weekend, Rojas.'

'U ook, baas.'

'Weet je, misschien is het beter als je me niet meer "baas" noemt.'

'Oké, baas.'

'Laat maar zitten.'

Ik draaide de sleutel om en werd onmiddellijk begroet door een luid en meerstemmig: 'Verrassing!'

Ik was een keer in mijn buik geschoten toen ik deze zelfde deur opendeed. Deze verrassing was een stuk aangenamer. Mijn dochter kwam naar me toe rennen en wierp zich in mijn armen. Ik liet mijn blik door de kamer gaan en zag dat iedereen er was: Cisco, Lorna en Bullocks. Mijn halfbroer Harry Bosch en zijn dochter Maddie. En Maggie was er ook. Ze kwam naast Hayley staan en kuste me op de wang.

'Eh,' zei ik, 'ik heb slecht nieuws voor jullie. Ik ben niet vandaag jarig.

Ik vrees dat jullie zijn misleid door iemand die op een gluiperige manier aan een stuk taart probeert te komen.'

Maggie stompte me op mijn schouder.

'Je bent maandag jarig. Dat is geen dag voor een surpriseparty.'

'Nee, en dat kwam me wel zo goed uit.'

'Kom op, ga bij die deur weg en laat Rojas binnen. We blijven niet lang. We komen je alleen maar even feliciteren.'

Ik boog me naar haar toe, kuste haar op de wang en fluisterde in haar oor: 'En jij? Blijf jij ook niet lang?'

'Dat zien we straks wel.'

Ze loodste me langs de gasten en hun handdrukken, kussen en klappen op de schouder. Het was leuk en totaal onverwacht. Ik werd in mijn verjaardagsstoel neergezet en kreeg een glas limonade.

Het feestje duurde ongeveer een uur en ik maakte met iedereen een praatje. Harry Bosch had ik al een paar maanden niet gezien. Er was me verteld dat hij in het ziekenhuis langs was geweest, maar dat ik toen lag te slapen. We hadden een jaar geleden samen aan een zaak gewerkt, met mij voor één keer in de rol van openbaar aanklager. Het was een leuke ervaring geweest om aan dezelfde kant te staan, en ik had gedacht dat het ons nader tot elkaar zou brengen. Maar dat was niet gebeurd. Bosch was zo afstandelijk als altijd gebleven en ik bleef dat jammer vinden.

Toen ik mijn kans schoon zag ging ik naar hem toe en stonden we naast elkaar bij het raam met het mooiste uitzicht op de stad.

'Vanaf deze plek valt het niet mee om er níét verliefd op te worden, hè?' zei hij.

Ik maakte mijn blik los van het uitzicht en keek hem even aan. Bosch dronk ook limonade. Hij had me verteld dat hij met drinken was gestopt toen zijn dochter bij hem kwam wonen.

'Ik begrijp wat je bedoelt,' zei ik.

Hij dronk zijn glas leeg en bedankte me voor de gastvrijheid. Ik zei tegen hem dat hij Maddie bij ons kon laten als ze langer bij Hayley wilde blijven. Maar hij zei dat ze morgen vroeg op moest, want ze zouden naar de schietbaan gaan.

'De schietbaan? Neem jij je dochter mee naar een schietbaan?'

'Ik heb vuurwapens in huis. Ik vind dat ze moet weten hoe ze ermee moet omgaan.'

Ik haalde mijn schouders op. Ik nam aan dat er een soort logica zat in wat hij zei.

Bosch en zijn dochter waren de eersten die weggingen en kort daarna was het feestje afgelopen. Iedereen vertrok, alleen Maggie en Hayley bleven. Ze zouden een nachtje blijven logeren.

Moe van het werk van de afgelopen dag – en alles wat er de afgelopen week en maand was gebeurd – bleef ik lange tijd onder de douche staan en ging ik vroeg naar bed. Maggie kwam even later de slaapkamer in, nadat ze Hayley naar bed had gebracht. Ze deed de deur achter zich dicht en ik wist dat het nu tijd was voor mijn echte verjaardagscadeautje.

Ze had geen nachtkleding bij zich. Ik lag op mijn rug en keek toe terwijl ze zich uitkleedde en naast me onder het dekbed schoof.

'Weet je, je bent me er een, Haller,' fluisterde ze.

'Wat heb ik nu weer gedaan?'

'Je dringt mijn leven weer binnen, zoals je altijd doet.'

Ze kroop tegen me aan en ging toen boven op me zitten. Ze boog zich over me heen totdat haar haar mijn gezicht streelde. Ze kuste me, begon langzaam haar heupen te bewegen en bracht haar lippen naar mijn oor.

'En, wat heeft de dokter tegen je gezegd?' vroeg ze. 'Dat je moet proberen je weer normaal te bewegen?'

'Ja, zoiets.'

'We zullen zien.'

Deel drie

Boléro

18

Louis Opparizio wilde zich niet laten dagvaarden. Als jurist wist hij dat hij alleen bij Lisa Trammels proces kon worden betrokken als hij officieel als getuige werd gedagvaard. Dus zolang hij de dagvaarding ontweek, ontweek hij de getuigenbank. Of hij nu was getipt over de plannen van de verdediging, of dat hij slim genoeg was om het zelf te voorzien, toen we naar hem op zoek gingen was hij nergens te vinden. Zijn verblijfplaats was onbekend en alle bekende trucjes om hem uit zijn tent te lokken hadden tot nu toe niets opgeleverd. We wisten niets eens of hij wel in de Verenigde Staten was, laat staan in Los Angeles.

Als hij wilde onderduiken, had hij één ding mee. Geld. Zolang je genoeg geld had kon je je voor iedereen ter wereld schuilhouden, en Opparizio wist dat. Hij bezat talloze huizen in talloze staten, talloze voertuigen en zelfs een privéjet waarmee hij al zijn stipjes op de landkaart met elkaar kon verbinden. Wanneer hij zich verplaatste, of dat nu van de ene staat naar de andere was of van zijn woonhuis in Beverly Hills naar zijn kantoor in Beverly Hills, werd hij altijd omringd door een stel beveiligingsmensen.

Hij had echter ook iets tegen. Geld. De enorme rijkdom die hij had vergaard met zijn opdrachten van banken en andere geldverstrekkers was zijn achilleshiel. Hij was gewend aan de levensstijl en de verlangens van de superrijken.

En zo kregen we hem uiteindelijk te pakken.

Tijdens zijn speurtocht naar Opparizio's verblijfplaats had Cisco Wojciechowski een reusachtige hoeveelheid informatie over zijn prooi verzameld. Op basis van deze gegevens werd een plan gemaakt dat vervolgens tot in de kleinste details werd uitgevoerd. Een hoogglans brochure met de aankondiging van een besloten veiling van een schilderij van Aldo Tinto werd naar Opparizio's kantoor in Beverly Hills gestuurd. De brochure vermeldde dat het schilderij voor geïnteresseerde kopers slechts twee avonden van 19.00 tot 21.00 uur te bezichtigen was in Studio Z op Bergamot Station in Santa Monica. De geïnteresseerde werd dan tot middernacht in de gelegenheid gesteld een bod op het schilderij te doen.

De uitnodiging zag er heel professioneel en echt uit. De afbeelding van het schilderij was afkomstig uit een onlinecatalogus van privécollecties. We wisten dankzij een twee jaar oud artikel over Opparizio in een vakblad voor juristen dat hij de subtop van de schilderkunst verzamelde en dat hij bezeten was van de inmiddels overleden Italiaanse meester Tinto. Toen het telefoonnummer in de brochure werd gebeld door een man die zich bekendmaakte als vertegenwoordiger van Louis Opparizio en een afspraak wilde maken voor een besloten bezichtiging van het schilderij, wisten we dat we beet hadden.

Precies op het afgesproken tijdstip arriveerden Opparizio en zijn entourage bij het oude Red Car trolleybusstation, dat nu plaats bood aan enkele vooraanstaande galerieën. Terwijl drie beveiligingsmannen met zonnebril de directe omgeving checkten, gingen de overige twee Gallery Z binnen voordat het groene licht werd gegeven. Pas toen stapte Opparizio uit de verlengde Mercedes.

In de galerie werd Opparizio ontvangen door twee vrouwen die hem ontwapenden met hun glimlach en hun enthousiaste verhalen over kunst en het schilderij dat hij zo meteen te zien zou krijgen. De ene vrouw gaf hem een glas Cristal-champagne om het bijzondere moment te vieren. De andere vrouw gaf hem een dik, dubbelgevouwen pak papieren over de afkomst en het expositieverleden van het schilderij. Omdat hij het glas champagne in zijn andere hand had, kon hij de papieren niet openvouwen. Er werd hem verteld dat hij die later kon lezen en dat ze nu beter naar het schilderij konden gaan kijken, want ze hadden die avond nog een afspraak. Ze gingen hem voor naar de kleine toonzaal, waar het stuk op een antieke schildersezel stond, met een satijnen doek erover. Aan het plafond hing een enkele spot die op het tableau was gericht. De vrouw stelde voor dat hij zelf het schilderij zou onthullen en ze nam zijn champagneglas van hem over. Ze droeg lange handschoenen.

Vol verwachting liep Opparizio naar de ezel en bracht zijn hand omhoog. Voorzichtig trok hij de satijnen doek eraf. En daar, in het midden van het canvas, hing zijn dagvaarding. Verbaasd boog hij zich ernaartoe, bijna alsof hij dacht dat dit bij het werk van de Italiaanse meester hoorde.

'U bent gedagvaard, meneer Opparizio,' zei Jennifer Aronson. 'Het origineel hebt u in uw hand.'

'Ik begrijp het niet,' zei hij, maar hij begreep het wel degelijk.

'En alles, vanaf het moment dat u in uw auto kwam aanrijden, is opgenomen op video,' zei Lorna.

Ze liep naar de muur, gaf een tik op de schakelaar en het hele vertrek baadde in het licht. Ze wees naar de twee camera's aan het plafond. Jennifer hield het champagneglas op alsof ze een toost uitbracht.

'En uw vingerafdrukken hebben we ook, voor als dat nodig is.'

Ze draaide zich om en proostte met een van de camera's.

'Nee,' zei Opparizio.

'Ja,' zei Lorna.

'We zien u in de rechtszaal,' zei Jennifer.

De twee vrouwen verlieten de galerie door de zijdeur, waar een Lincoln met Cisco achter het stuur op hen wachtte. Hun werk zat erop.

Dat was toen, maar dit was nu. Ik zat in de rechtszaal van de edelachtbare Coleman Perry om de dagvaarding, het gerechtelijk bevel voor Opparizio's papieren en de kern van onze zaak te verdedigen. Mijn collega-jurist, Jennifer Aronson, zat naast me aan de tafel van de verdediging, en naast haar zat onze cliënt, Lisa Trammel. Aan de andere tafel zaten Louis Opparizio en zijn twee advocaten, Martin Zimmer en Landon Cross. Andrea Freeman nam vandaag genoegen met een plekje achterin, bij de balustrade. Als de openbaar aanklager van de strafzaak waaruit deze hoorzitting voortkwam was ze wel een geïnteresseerde partij, maar ze hoefde zelf niet in actie te komen. Inspecteur Kurlen was ook in de rechtszaal, hij zat op de derde rij achter de balustrade. Het was me een raadsel waarom hij hier was.

Wie wel in actie moest komen was Opparizio. Hij en zijn advocaten moesten de dagvaarding aanvechten om te voorkomen dat hij bij het proces werd betrokken. Bij het bepalen van hun aanpak had het zinvol geleken om Freeman in te seinen, voor het geval het om misschien ook redenen had om de jury niet met Opparizio te confronteren. Dus hoewel Freeman hier vooral als toeschouwer was, kon ze zich wel in de strijd werpen wanneer ze dat wilde, en wist ze, of ze eraan deelnam of niet, dat de zitting haar een goede gelegenheid bood om een kijkje in de strategie van de verdediging te nemen.

Het was voor het eerst dat ik Opparizio in levenden lijve zag. Hij was een boom van een kerel die op de een of andere manier net zo breed leek als hij groot was. De huid van zijn gezicht stond strak over de schedel gespannen, door cosmetische chirurgie of door jaren van woede. Alleen al aan zijn haar en zijn pak kon je zien dat hij geld had. En voor mij was hij een perfecte kandidaat om aan de jury te tonen, want hij zag er ook uit als iemand die in staat was een moord te plegen, of in ieder geval daartoe de opdracht te geven.

Opparizio's advocaten hadden de rechter verzocht de zitting *in camera* te houden, achter gesloten deuren in de rechterskamer, zodat de onthulde details de pers niet zouden bereiken en ze de jury, die de volgende dag zou worden gekozen, niet zouden beïnvloeden. Maar iedereen in de rechtszaal wist dat de advocaten op dit punt niet uit altruïstische motieven handelden. Een besloten zitting zou de informatie over Opparizio namelijk beschermen tegen iets wat veel belangrijker was dan lekken naar de pers en beïnvloeding van de jury, en dat was de publieke opinie.

Ik verzette me hevig tegen het verzoek om de besloten zitting. Ik stelde dat een dergelijke zet kon leiden tot publieke argwaan jegens het komende proces, wat veel ernstiger was dan een mogelijke beïnvloeding van een jury. Perry, een gekozen rechter, was niet ongevoelig voor wat het publiek dacht. Hij was het met me eens en besliste dat de zitting openbaar zou zijn. Een belangrijke score voor me. Het was heel goed mogelijk dat de winst op dit ene punt de hele zaak van de verdediging zou redden.

Er was niet veel pers in de rechtszaal, maar genoeg voor wat ik in gedachten had. Op de eerste rij van de tribune herkende ik reporters van de *Los Angeles Business Journal* en de *L.A. Times*. Een freelance cameraman die zijn beelden aan alle netwerken verkocht, stond met zijn camera op de verlaten jurybanken. Ik had hem getipt over de zitting en hem gevraagd of hij wilde komen. Ik ging ervan uit dat een paar leden van de schrijvende pers en een enkele tv-camera genoeg druk op Opparizio zouden uitoefenen om hem te kunnen sturen in de richting van de uitkomst die ik in gedachten had.

Nadat het verzoek om de zaak achter gesloten deuren te behandelen was afgewezen, kwam de rechter ter zake.

'Meneer Zimmer, u verzoekt het hof de dagvaarding van Louis Opparizio in de zaak van de staat Californië versus Lisa Trammel ongedaan te maken. Wilt u voor het hof uw zaak uiteenzetten, meneer?'

Zimmer zag eruit als een jurist die van wanten wist en die van zijn vijanden weinig heel liet. Hij stond op om de rechter toe te spreken.

'Het verheugt ons dat we deze zaak aan het hof kunnen voorleggen, edelachtbare. Zelf wil ik me beperken tot de manier waarop mijn cliënt is gedagvaard, en vervolgens zal mijn collega, meneer Cross, zich bezighouden met het andere punt waarvoor we ontheffing vragen.'

Zimmer begon zijn betoog door te stellen dat mijn kantoor zich schuldig had gemaakt aan postfraude met onze valstrik om Opparizio te dagvaarden. Hij zei dat de brochure die zijn cliënt naar de bewuste plek had gelokt een frauduleus instrument was en dat wij, door het met de Amerikaanse posterijen te versturen, een misdrijf hadden gepleegd. Daarom moest alles wat daarop volgde, zoals het uitreiken van de dagvaarding, als onwettig worden beschouwd. Hij stelde voor dat de verdediging voor die daad zou worden gestraft door de dagvaarding van Opparizio, om te getuigen in de zaak, ongedaan te maken.

Ik hoefde niet eens op te staan om te protesteren, wat een goede zaak was, want door simpele bewegingen als opstaan en gaan zitten gingen er nog steeds pijnlijke steken door mijn ribbenkast. De rechter gebaarde met zijn hand dat ik niets hoefde te doen en veegde Zimmers argument rigoureus van tafel door te stellen dat het leuk verzonnen was maar verder belachelijk en weinig steekhoudend.

'Kom op, meneer Zimmer, we zijn volwassen mensen,' zei Perry. 'Hebt u verder nog iets zinnigs te zeggen?'

Zichtbaar geïntimideerd gaf Zimmer het woord aan zijn collega en ging zitten. Landon Cross stond op om de rechter toe te spreken.

'Edelachtbare,' zei hij, 'Louis Opparizio is een man die in onze samenleving aanzien en respect verdient. Hij heeft niets met deze misdaad te maken gehad, hij heeft met het hele komende proces niets te maken en zijn naam en reputatie kunnen worden geschaad wanneer hij erbij betrokken raakt. Nogmaals, als u me toestaat, hij heeft niets met de misdaad te maken gehad, hij weet er niets van en hij wordt nergens van verdacht. Hij heeft ook geen informatie te bieden, noch belastende, noch ontlastende. Hij verzet zich tegen het feit dat de verdediging hem in de getuigenbank wil zetten voor een soort visexpeditie, en hij maakt er bezwaar tegen dat hij in deze zaak wordt gebruikt als afleidingsmanoeuvre. Als meneer Haller wil vissen, moet hij dat maar in een andere vijver doen.'

Cross draaide zich om en wees naar Andrea Freeman.

'Ik kan hieraan toevoegen, edelachtbare, dat de openbaar aanklager me steunt in dit verzoek, om dezelfde redenen die ik u zonet heb genoemd.'

De rechter draaide zich een kwartslag op zijn stoel en keek me aan.

'Meneer Haller, wilt u hierop reageren?'

Ik stond op. Langzaam. In mijn hand had ik het rubberen rechtershamertje en kneedde het met mijn vingers, die eindelijk van het gips waren bevrijd maar nog erg stijf waren.

'Ja, edelachtbare. Ten eerste zou ik willen zeggen dat meneer Cross het bij het rechte eind heeft als hij spreekt over een visexpeditie. Wanneer meneer Opparizio getuigt, als dat doorgang mag vinden, zal er voor een aanzienlijk deel worden gevist. Let wel, niet alleen maar gevist, maar er zal zeker een lijntje in het water liggen. Maar dit zal alleen gebeuren, edelachtbare, omdat meneer Opparizio en zijn team het voor de verdediging zo verdraaid lastig maken om normaal en ongehinderd onderzoek te doen naar de moord op Mitchell Bondurant. Meneer Opparizio en zijn handlangers hebben al onze...'

Zimmer was al opgesprongen om luidkeels te protesteren.

'Edelachtbare! Ik bedoel, echt! Handlangers? De raadsman speelt hier duidelijk een spelletje voor de pers, ten koste van meneer Opparizio. Ik dring er nogmaals op aan dat we de zitting naar uw vertrekken verplaatsen voordat we verdergaan.'

'We blijven waar we zijn,' zei Perry. 'Maar, meneer Haller, ik zie ook nog geen reden om meneer hier te laten getuigen. Wat is zijn connectie met de zaak? Wat kan hij ons te vertellen hebben?'

Ik knikte alsof ik het voor de hand liggende antwoord al klaar had.

'Meneer Opparizio is de oprichter en directeur van een bedrijf dat optreedt als tussenpersoon in onteigeningszaken. Toen het slachtoffer in deze zaak besloot het huis van de beklaagde te onteigenen, is hij naar meneer Opparizio gestapt om hem daartoe opdracht te geven. Dat, edelachtbare, zet meneer Opparizio voor mij in de frontlinie van deze zaak en ik wil hem hier vragen over stellen, want het OM heeft tegenover de pers verklaard dat de onteigening het motief voor de moord is.'

Zimmer was al opgesprongen voordat de rechter kon reageren.

'Dat is een bespottelijke bewering. Het kantoor van meneer Opparizio heeft honderdvijfentachtig werknemers. Het beslaat drie hele verdiepingen. Om...'

'Mensen hun huis afpikken is big business,' onderbrak ik hem.

'Raadsman,' waarschuwde de rechter.

'Meneer Opparizio heeft niets met de onteigening van de beklaagde te maken gehad, afgezien van het feit dat die door zijn kantoor is afgehandeld, tezamen met ongeveer honderdduizend soortgelijke zaken dit jaar,' zei Zimmer.

'Honderdduizend zaken, meneer Zimmer?' vroeg de rechter.

'Dat is juist, edelachtbare. Het kantoor doet gemiddeld tweeduizend onteigeningen per week, en dat al meer dan twee jaar lang. De onteigeningszaak van de beklaagde zat daar ook bij. Meneer Opparizio is niet echt bekend met haar zaak. Het was gewoon een van de vele en heeft nooit zijn bijzondere aandacht gehad.'

De rechter dacht lang en diep na en wekte de indruk dat hij genoeg had gehoord. Ik had gehoopt dat ik mijn troefkaart niet hoefde uit te spelen, zeker niet in het bijzijn van de openbaar aanklager. Maar ik moest ervan uitgaan dat Freeman bekend was met de brief van Bondurant en de waarde ervan.

Ik pakte het dossier dat voor me op tafel lag en sloeg het open. Bovenop lagen de brief en vier kopieën ervan, klaar om uitgedeeld te worden.

'Meneer Haller, ik ben geneigd om...'

'Edelachtbare, als het hof het me toestaat zou ik meneer Opparizio graag willen vragen hoe zijn privésecretaresse heet.'

Dat bracht Perry weer even tot zwijgen en er kwam een verbaasde trek om zijn mond.

'U wilt weten wie zijn secretaresse is?'

'Zijn privésecretaresse, ja.'

'Waarom wilt u dat weten, meneer?'

'Ik verzoek het hof me de vraag toe te staan.'

'Goed dan. Meneer Opparizio? Meneer Haller wil weten hoe uw privésecretaresse heet.'

Opparizio boog zich over de tafel en keek Zimmer aan alsof hij om zijn toestemming verzocht. Zimmer gebaarde dat hij de vraag kon beantwoorden.

'Eh, edelachtbare, eigenlijk heb ik er twee. De ene heet Carmen Esposito en de andere Natalie Lazarra.'

Vervolgens leunde hij weer achterover. De rechter keek me aan. Het was tijd om mijn troef op tafel te leggen.

'Edelachtbare, ik heb hier kopieën van een aangetekende brief die is geschreven door Mitchell Bondurant, het slachtoffer van de moord, en gestuurd aan meneer Opparizio. De brief is ontvangen en er is voor getekend door zijn privésecretaresse Natalie Lazarra. De brief is in mijn bezit gekomen bij de inzage van stukken door het OM. Ik zou graag willen dat meneer Opparizio voor het hof getuigde zodat ik hem vragen kan stellen over deze brief.'

'Laat dan maar eens zien,' zei Perry.

Ik liep weg bij onze tafel om eerst de rechter en daarna Zimmer een kopie van de brief te geven. Op de terugweg liep ik bij Freeman langs en bood haar ook een kopie aan.

'Nee, bedankt. Ik heb hem al.'

Ik knikte, liep terug naar onze tafel en bleef ernaast staan.

'Edelachtbare?' zei Zimmer. 'Kunnen we een korte pauze houden zodat we de brief kunnen bekijken? Wij hebben hem nog niet eerder gezien.'

'Vijftien minuten,' zei Perry.

De rechter stond op van zijn stoel en verdween door de deur naar zijn vertrekken. Ik wachtte om te zien of Opparizio's team naar de gang zou gaan om over de brief te praten. Toen ze dat niet deden, ging ik ook weer zitten. Ik wilde dat ze bang zouden zijn dat ik misschien iets zou horen.

Ik boog me naar Aronson en Trammel.

'Wat zijn ze aan het doen?' fluisterde Aronson. 'Ze moeten toch van het bestaan van die brief afweten?'

'Ik weet zeker dat Freeman hun een kopie heeft gegeven,' zei ik. 'Opparizio doet zich voor als het slimste jongetje van de klas. Straks gaan we zien of hij dat ook werkelijk is.'

'Wat bedoel je?'

'We hebben hem voor het blok gezet. Hij weet dat hij tegen de rechter moet zeggen dat als ik hem naar die brief vraag, hij zich op het vijfde amendement zal beroepen en dat het gerechtelijk bevel daarom van tafel moet. Maar hij weet ook dat als hij zich hier, met de pers erbij, op het vijfde beroept, hij de problemen over zichzelf afroept. Dan verliest hij de schijn van onschuld.'

'Wat denk jij dat hij zal doen?' vroeg Trammel.

'Ik denk dat hij zal proberen het slimste jongetje van de klas uit te hangen.'

Ik schoof mijn stoel achteruit en stond op. Achteloos liep ik achter de tafels langs. Zimmer keek me aan over zijn schouder en boog zich dichter naar zijn cliënt. Uiteindelijk kwam ik bij Freeman, die nog steeds in haar stoel zat.

'Wanneer verschijn jij op het toneel?'

'O, ik weet nog niet of dat wel nodig zal zijn.'

'Ze hadden die brief al, hè? Die hebben ze van jou gekregen.'

Ze haalde haar schouders op maar gaf geen antwoord. Ik keek langs haar heen naar Kurlen op de derde rij.

'Wat doet Kurlen hier?'

'O... misschien hebben we hem nog wel nodig.'

Daar schoot ik niet veel mee op.

'Vorige week, toen je bij me kwam met dat aanbod, was dat omdat je deze brief had gevonden, hè? Je dacht dat je zaak in het honderd zou lopen.'

Ze keek op en glimlachte naar me, maar verder gaf ze niets prijs.

'Wat is er veranderd? Waarom heb je je aanbod ingetrokken?'

Opnieuw gaf ze geen antwoord.

'Je denkt dat hij zich op het vijfde amendement beroept, hè?'

Weer dat schouderophalen.

'Dat zou ik doen,' zei ik. 'Maar hij...?'

'We zullen het snel genoeg weten,' zei ze ontwijkend.

Ik liep terug naar onze tafel en ging zitten. Trammel fluisterde dat ze nog steeds niet begreep wat er gaande was.

'We willen dat Opparizio getuigt tijdens het proces. Hij wil dat niet, maar de rechter zal hem alleen zijn zin geven als hij zich beroept op het vijfde amendement, het recht om te zwijgen, waardoor hij geen belastende verklaringen tegen zichzelf hoeft af te leggen. Als hij dat doet, zijn we er geweest. Hij is onze alternatieve dader. We moeten hem in die getuigenbank zien te krijgen.'

'Denk jij dat hij dat zal doen, zich beroepen op het vijfde?'

'Ik gok van niet. Met de pers erbij staat er voor hem te veel op het spel. Hij legt de laatste hand aan een grote bedrijfsverkoop en weet dat de pers zich op hem zal storten als hij zich probeert te drukken. Ik vermoed dat hij zichzelf slim genoeg acht om te denken dat hij zich er wel uit kan kletsen als hij in de getuigenbank staat. Daar hoop ik op. Dat hij denkt dat hij slimmer is dan wij.'

'Maar als...'

Ze werd onderbroken door de terugkeer van de rechter, die weer in zijn stoel plaatsnam. Hij heropende de zitting en Zimmer vroeg het woord.

'Edelachtbare, ik zou graag in het rechtbankverslag opgenomen willen zien dat mijn cliënt, tegen het advies van zijn raadsman in, me heeft opgedragen ons verzoek tot vernietiging van de dagvaarding in te trekken.'

De rechter knikte en kneep zijn lippen op elkaar. Hij keek Opparizio aan.

'Dus uw cliënt is bereid voor de jury te getuigen?' vroeg hij.

'Ja, edelachtbare,' zei Zimmer. 'Hij heeft die beslissing zelf genomen.'

'Weet u dit zeker, meneer Opparizio? U hebt een hoop ervaring aan uw tafel zitten.'

'Ja, edelachtbare,' zei Opparizio, 'ik weet het zeker.'

'Goed, dan wordt het verzoek vernietigd. Hebben we nog meer zaken te bespreken voordat we morgenochtend met de juryselectie beginnen?'

Perry keek langs de tafels naar Freeman. Het was een teken aan de wand. Hij wist dat er nog iets zou komen. Freeman stond op, met een dossier in haar hand.

'Ja, edelachtbare. Mag ik naar voren komen?'

'Maar natuurlijk, mevrouw Freeman.'

Freeman deed een paar stappen naar voren, maar bleef toen bij Opparizio's tafel staan totdat hij en zijn juristen hun spullen hadden gepakt en zich hadden teruggetrokken. De rechter wachtte geduldig. Uiteindelijk nam ze haar plek achter de tafel in, maar ze bleef staan.

'Laat me raden,' zei Perry. 'U wilt het hebben over de bijgewerkte getuigenlijst van meneer Haller.'

'Ja, edelachtbare, dat is juist. En ik wil ook nog een bewijskwestie aan u voorleggen. Wat wilt u het eerst horen?'

Een bewijskwestie. Opeens wist ik waarom Kurlen in de rechtszaal was.

'Laten we maar beginnen met de getuigenlijst,' zei de rechter. 'Die zag ik aankomen.'

'Ja, edelachtbare. Meneer Haller heeft zijn collega-strafpleiter op de getuigenlijst gezet en ik denk, om te beginnen, dat hij zal moeten kiezen: of mevrouw Aronson zit naast hem aan de tafel van de verdediging, of ze treedt op als getuige. Maar wat veel belangrijker is, mevrouw Aronson heeft de voorbereidende hoorzitting al afgehandeld en enkele andere taken op zich genomen, dus maakt het OM bezwaar tegen deze plotselinge zet om haar gedurende het proces als getuige op te roepen.'

Freeman ging zitten en de rechter keek me aan.

'Een beetje laat in de tweede speelhelft, vindt u niet, meneer Haller?'

Ik stond op.

'Ja, edelachtbare, afgezien van het feit dat dit geen wedstrijd is en dat de vrijheid van mijn cliënt hier in het geding is. De verdediging zou het hof willen verzoeken om ruimdenkend te zijn op dit punt. Mevrouw Aronson is direct betrokken geweest bij de verdediging tegen de onteigeningsprocedure die tegen mijn cliënt loopt en de verdediging is van mening dat het noodzakelijk is dat zij de jury de achtergrond van die procedure uitlegt en hoe de stand van zaken was op het moment van de moord op meneer Bondurant.'

'En nu wilt u haar een dubbele taak geven, als getuige én als collega-strafpleiter? Dat gaat in mijn rechtszaal niet gebeuren, meneer.'

'Edelachtbare, toen ik de naam van mevrouw Aronson op de definitieve getuigenlijst zette, ging ik ervan uit dat mevrouw Freeman me hierop zou aanspreken. De verdediging zal zich dus schikken naar de beslissing van het hof aangaande deze kwestie.'

Perry keek naar Freeman om te zien of ze nog meer argumenten had. Maar ze bleef zwijgen.

'Goed dan,' zei hij. 'U bent uw tweede stoel achter de tafel van de verdediging kwijt, meneer Haller. Ik sta toe dat mevrouw Aronson op de getuigenlijst blijft staan, maar als we morgen de jury gaan kiezen, bent u op uzelf aangewezen. Mevrouw Aronson blijft buiten mijn rechtszaal totdat het haar beurt is om te getuigen.'

'Dank u, edelachtbare,' zei ik. 'En mag ze weer aan tafel komen zitten nadát ze haar getuigenis heeft afgelegd?'

'Dat zie ik niet als een probleem.' Hij richtte zich tot Freeman en vroeg: 'Mevrouw Freeman, u had nog een tweede kwestie die u aan het hof wilde voorleggen?'

Freeman stond weer op. Ik ging zitten, boog me over de tafel en pakte mijn pen om aantekeningen te maken. De beweging veroorzaakte een brandende pijn in mijn borstkas en het had weinig gescheeld of ik had hardop gekreund.

'Edelachtbare, het om wil een bezwaar en een officieel protest van de verdediging, waarvan ik zeker ben dat ze zullen komen, graag voor zijn. Gisteren, aan het eind van de middag, hebben we de DNA-analyse terugge-kregen van een heel klein bloedspoor dat is aangetroffen op een schoen van de gedaagde, gevonden in de garage tijdens de huiszoeking op de dag van de moord.'

Het was alsof ik een stomp in mijn maag kreeg, waardoor de pijn in mijn ribbenkast onmiddellijk naar de achtergrond verdween. Ik wist instinctief dat het hier om iets ging wat alles op zijn kop zou zetten.

'De analyse bevestigt dat het bloed op de schoen afkomstig is van het slachtoffer, Mitchell Bondurant. Voordat de verdediging bezwaar maakt, moet ik het hof vertellen dat de analyse van het bloed is vertraagd door achterstallig werk van het laboratorium en door het feit dat het bloed-monster erg klein was. Dat laatste werd nog verder bemoeilijkt omdat een deel van het monster opzij moest worden gelegd om het af te staan aan de verdediging.'

Ik gooide mijn pen in de lucht. Die viel kletterend op tafel en daarna op de vloer. Ik stond op.

'Edelachtbare, dit is te gek voor woorden. Op de vooravond van de ju-ryselectie? Om daar nu mee te komen? En tjonge, wat ontzettend aardig van het om om een deel van het monster voor ons te bewaren. We rennen straks meteen de deur uit, dan kunnen we het nog gauw laten analyseren voordat morgenochtend de juryselectie begint. Weet u, dit is echt...'

'Ik heb u gehoord, raadsman,' onderbrak de rechter me. 'En ik ben er ook niet blij mee. Mevrouw Freeman, u hebt dit bewijs in uw bezit gehad vanaf het moment dat de zaak aanhangig is maakt. Hoe is het mogelijk dat het pas nu, een dag voor de juryselectie, boven water komt?'

'Edelachtbare,' zei Freeman, 'ik heb alle begrip voor de druk die dit plaatst op de verdediging en het hof. Maar het is niet anders. Ik ben zelf pas op de hoogte van de bevindingen sinds vanochtend acht uur, toen het rapport van het lab op mijn bureau lag. Daarom ben ik nu pas in de gelegenheid om het aan het hof aan te bieden. En wat betreft de reden dat we de uitslag nu pas hebben binnengekregen, nou, dat zijn er diverse. Ik weet zeker dat het hof zich bewust is van de werkachterstand met betrekking tot DNA-analyse in het lab van de universiteit van Californië. Dan hebben we het over duizenden monsters. Nu krijgen moordzaken wel prioriteit, maar dat betekent nog niet dat alle andere monsters op de plank blijven liggen. We hebben ervoor gekozen niet naar een extern lab te gaan, ook al had dat waarschijnlijk een sneller resultaat opgeleverd, vanwege onze bezorgdheid over de geringe afmetingen van het monster. Als er iets misging in een extern lab, zouden we helemaal niet meer in de gelegenheid zijn het bloed te laten analyseren... mede omdat we een deel aan de verdediging moesten afstaan.'

Ik schudde mijn hoofd van frustratie en wachtte op een kans om het woord weer te nemen. Dit zette de zaak inderdaad op zijn kop. Die had tot nu toe in zijn geheel op indirect bewijs berust. Nu had het OM concreet bewijs dat de beklaagde aan de misdaad koppelde.

'Meneer Haller?' zei de rechter. 'Wilt u reageren?'

'Dat wil ik zeker, edelachtbare. Ik denk dat dit de grenzen van de strategie ver overschrijdt en ik geloof geen seconde dat er wat betreft de timing sprake is van overmacht. Ik verzoek het hof het OM mee te delen dat het te laat is voor deze zet. Ik dring erop aan dat dit zogenaamde bewijs als ontoelaatbaar voor het proces wordt beschouwd.'

'En als we het proces uitstellen?' vroeg de rechter. 'Als u de tijd krijgt om de analyse te laten doen en u die gegevens meeneemt?'

'Die gegevens meeneemt? Edelachtbare, dit gaat niet alleen om een eigen analyse van het monster. Dit gaat over het omgooien van onze hele strategie. Het OM probeert een zaak, die op indirect bewijs berustte, op de vooravond van het proces om te zetten in een zaak die op direct, wetenschappelijk bewijs berust. Ik heb niet alleen tijd nodig om die DNA-test te laten doen. Na twee maanden werk moet ik de hele zaak opnieuw overdenken. Dit is absoluut fataal voor ons, edelachtbare, en het komt op geen enkele manier overeen met het basisidee van fair play tussen het OM en de verdediging.'

Freeman wilde reageren, maar de rechter stond dat niet toe. Ik vatte dat op als een goed teken, totdat ik hem zag kijken naar de kalender aan de muur naast het hokje van de parketwacht. Dat betekende dat hij alleen bereid was de opgelopen schade met tijd te compenseren. Hij zou het DNA als bewijs toestaan en me alleen wat extra tijd geven om me aan de nieuwe situatie aan te passen.

Verslagen ging ik achter de tafel zitten. Lisa Trammel boog zich naar me toe en fluisterde op wanhopige toon: 'Mickey, dit kan niet waar zijn. Het is een truc. Het bestaat niet dat zijn bloed op die schoen terecht is gekomen. Je moet me geloven.'

Ik stak mijn hand op om haar tot zwijgen te brengen. Ik hoefde geen woord uit haar mond te geloven, en daar ging het trouwens niet om. De realiteit was dat de zaak was gekanteld. Geen wonder dat Andrea Freeman weer zo vol zelfvertrouwen was.

Opeens herinnerde ik me iets. Ik stond snel weer op. Te snel. Een felle pijnsteek schoot vanuit mijn borstkas naar mijn kruis en ik klapte dubbel boven de tafel.

'Edel... achtbare?'

'Alles in orde met u, meneer Haller?'

Langzaam ging ik rechtop staan.

'Ja, edelachtbare, maar ik wil nog iets toevoegen voor het rechtbankverslag, als dat mag.'

'Ga uw gang.'

'Edelachtbare, de verdediging zet haar vraagtekens bij de bewering van het OM dat de uitslag van de DNA-test pas vanochtend is binnengekomen. Drie weken geleden deed mevrouw Freeman mijn cliënt namelijk een heel aantrekkelijk aanbod voor een schikking en gaf ze mevrouw Trammel vierentwintig uur de tijd om erop in te gaan. Toen...'

'Edelachtbare?' zei Freeman.

'Laat hem uitpraten,' beval de rechter. 'Gaat u verder, meneer Haller.'

Ik voelde geen enkele wroeging over het feit dat ik mijn belofte aan Freeman – dat het aanbod van de schikking tussen ons beiden zou blijven – had geschonden. We vochten nu zonder handschoenen.

'Dank u, edelachtbare. Dus op donderdagavond krijgen we dat aanbod en op vrijdagochtend heeft mevrouw Freeman het om mysterieuze redenen en zonder enige uitleg ingetrokken. Nou, ik denk dat we de reden nu weten, edelachtbare. Ze wist toen al, drie weken geleden, van dit vermeende DNA-bewijs, maar besloot het onder de pet te houden om de verdediging er op de vooravond van het proces mee te overvallen. En ik...'

'Dank u, meneer Haller. Wat hebt u hierop te zeggen, mevrouw Freeman?'

Ik zag de spanning in de huid rondom de ogen van de rechter. Hij had de smoor in. Wat ik had gezegd, klonk in ieder geval alsof het waar zou kunnen zijn.

'Edelachtbare,' zei Freeman verontwaardigd. 'Verder van de waarheid kunnen we nauwelijks afdwalen. Ik heb inspecteur Kurlen meegebracht – hij zit daar op de tribune – die maar al te graag bereid is onder ede te verklaren dat de uitslag van de DNA-test gedurende het weekend op zijn bureau is neergelegd en dat hij de envelop op maandagochtend, kort nadat hij om half acht was binnengekomen, heeft opengemaakt. Vervolgens heeft hij mij gebeld en ben ik met de uitslag naar het gerechtshof gekomen. Het OM heeft niets onder de pet gehouden en ik verzet me ten stelligste tegen deze verdachtmaking van de verdediging.'

De rechter liet zijn blik over de voorste rijen van de tribune gaan, zag Kurlen zitten en keek Freeman weer aan.

'Waarom hebt u dat aanbod eerst gedaan en de volgende ochtend weer ingetrokken?' vroeg hij.

De vraag voor de jackpot. Freeman wekte de indruk dat ze liever niet had dat hij daar verder op inging.

'Edelachtbare, dat besluit berust op interne kwesties die beter niet in een openbare rechtszaal kunnen worden besproken.'

'Ik wil dat u het volgende begrijpt, raadsvrouw. Als u dat bewijs wilt gebruiken, kunt u mijn bezorgdheid maar beter wegnemen, interne kwesties of niet.'

Freeman knikte.

'Ja, edelachtbare. Zoals u weet werkt het OM op het ogenblik onder leiding van een plaatsvervangend procureur nadat meneer Williams is overgeplaatst naar het hoofdkantoor in Washington. Dit heeft geresulteerd in een werksituatie waarin de lijnen van beleid en communicatie niet altijd even duidelijk zijn. Met dit in gedachten moet ik zeggen dat ik op die donderdag de goedkeuring van een supervisor had om meneer Haller dat aanbod te doen. Op vrijdagochtend echter hoorde ik dat een hogere autoriteit binnen het kantoor het aanbod intern had afgekeurd, dus toen heb ik het weer ingetrokken.'

Het was absolute onzin, maar ze had het goed gebracht en ik had er niets tegen in te brengen. Maar toen ze me die vrijdag vertelde dat het aanbod van tafel was, had ik aan haar stem gehoord dat ze iets nieuws had gevonden, iets anders, iets wat niets te maken had met interne communicatie of beleidsvoering.

De rechter nam een beslissing.

'Ik stel de juryselectie tien zittingsdagen uit. Dan heeft de verdediging de tijd om zelf de DNA-test te laten doen, als ze dat wenst. En het geeft haar de tijd om de strategie aan te passen aan de uitkomst ervan. Ik eis van het OM dat het volledige medewerking verleent en dat het biologische materiaal zonder oponthoud aan de verdediging wordt overgedragen. Beide partijen dienen morgen over twee weken klaar te zijn voor de juryselectie. De zitting is verdaagd.'

De rechter stond op en liep snel de rechtszaal uit. Ik keek naar de lege pagina van mijn blocnote. Ik was afgetroefd.

Langzaam begon ik mijn koffertje in te pakken.

'Wat gaan we nu doen?' vroeg Aronson.

'Dat weet ik nog niet,' zei ik.

'Laat die DNA-test doen,' zei Lisa Trammel op dwingende toon. 'Ze hebben het mis. Zijn bloed kán niet op mijn schoen zitten. Dat bestaat niet.'

Ik keek haar aan. Haar bruine ogen fonkelden en de blik was oprecht.

'Maak je geen zorgen. Ik verzin wel iets.'

Het optimisme liet een bittere nasmaak in mijn mond achter. Ik keek naar Freeman. Ze bladerde in een dossier in haar koffertje. Ik liep naar haar toe en ze keek laatdunkend naar me op. Ze was niet geïnteresseerd in mijn nederlaag.

'Zo te zien is alles precies gegaan zoals je het wilde,' zei ik.

Ze liet niets blijken. Ze sloot haar koffertje en liep naar het hekje in de balustrade. Voordat ze het opende, keek ze nog een keer om.

'Je wilde het spel hard spelen, Haller?' zei ze. 'Dan moet je de bal niet alleen goed kunnen gooien, maar ook goed kunnen vangen.'

19

De daaropvolgende twee weken gingen snel voorbij zonder dat we veel opschoten. Ik liet de DNA-test doen door een extern lab – een spoedopdracht die me vierduizend dollar kostte – om de bewering van het OM te checken, en werkte een nieuwe strategie uit, die stelde dat het bewijs wetenschappelijk juist was, maar dat het evengoed kon – hoewel dat op het eerste gezicht niet waarschijnlijk leek – dat mijn cliënt onschuldig was. De klassieke aanpak van de verdediging. Die voegde een extra dimensie toe aan mijn theorie van de alternatieve dader. Ik begon te geloven dat het een kans had en mijn zelfvertrouwen begon toe te nemen. Tegen de tijd dat de uitgestelde juryselectie uiteindelijk begon, had ik er weer zin in en ging ik doelgericht op zoek naar juryleden van wie ik vermoedde dat ze zouden willen luisteren naar het verhaal dat ik voor hen zou bedenken.

Het was op de vierde dag van de selectie dat Freeman opnieuw een konijn uit haar hoge hoed toverde. We hadden de groep bijna compleet en het was een van die zeldzame momenten waarop het OM en de verdediging het eens waren over de samenstelling van de groep, hoewel om verschillende redenen. De groep was goed voorzien van hardwerkende mannen en vrouwen. Huizenbezitters afkomstig uit huishoudens met twee inkomens. Maar er zaten slechts een paar hoger opgeleiden bij en er was niemand met een universitaire graad. Het ging om echte mensen, die moesten werken voor hun brood en die voor mij de ideale samenstelling vormden. Ik mikte op mensen die aan de rand van de slechte economie leefden, mensen die steeds de dreiging van onteigening als een donkere wolk boven hun hoofd voelden hangen en die er moeite mee zouden hebben om een bankier als een sympathiek slachtoffer te zien.

Het OM, aan de andere kant, had ieder potentieel jurylid gedetailleerde vragen over zijn financiën gesteld, want Freeman richtte zich op de harde werkers die iemand die zijn hypotheek niet meer betaalde evenmin als een slachtoffer zouden zien. Het resultaat, op de ochtend van de vierde dag, was een bijna complete groep mensen tegen wie we geen van beiden bezwaar maakten en van wie we allebei meenden dat we ze als onze 'strijders voor het recht' konden inzetten.

De ommekeer kwam toen rechter Perry halverwege de ochtend een korte pauze aankondigde. Freeman stond onmiddellijk op en vroeg de rechter of we tijdens de pauze naar de raadkamer konden gaan om overleg te plegen over een nieuwe bewijskwestie die zich had aangediend. En ze vroeg of inspecteur Kurlen daarbij ook aanwezig mocht zijn. Perry ging akkoord en verlengde de pauze tot een half uur. Ik volgde de rechter, de notulist en Freeman naar de raadkamer. Kurlen kwam als laatste achter ons aan. Hij had een grote papieren envelop in zijn hand, zag ik, met rode bewijstape erop. Er zat iets diks en zwaars in. Dat de envelop van papier was zei al genoeg. Biologisch bewijs werd altijd in papier verpakt. Plastic bewijszakken hielden lucht en vocht vast en die konden de biologische samenstelling schaden. Dus ik wist dat Freeman van plan was nog een DNA-bom voor mijn voeten te laten vallen.

'Daar gaan we weer,' mompelde ik toen ik de raadkamer binnenkwam.

De rechter liep om zijn bureau heen en nam erachter plaats, met zijn rug naar het raam dat uitzicht bood op het zuidelijke heuvelland van Sherman Oaks. Freeman en ik gingen naast elkaar op de stoelen tegenover het bureau zitten. Kurlen trok een stoel bij de tafel en de notulist nam plaats op een kruk rechts van de rechter. Haar stenoapparaat stond op een driepoot voor haar.

'We zijn nu *on the record*,' zei de rechter. 'Mevrouw Freeman?'

'Edelachtbare, ik heb met spoed om dit gesprek met u en de verdediging verzocht omdat ik ervan uitga dat meneer Haller weer moord en brand zal schreeuwen als hij hoort wat ik te zeggen heb en wat ik wil laten zien.'

'Laat het dan maar gauw zien,' zei Perry.

Freeman knikte naar Kurlen, die de rode tape van de envelop begon te trekken. Ik zei niets. Ik zag dat Kurlens rechterhand in een gummihandschoen was gehuld.

'Het OM is in het bezit gekomen van het moordwapen,' zei Freeman op zakelijke toon. 'We zijn van plan het als bewijs te presenteren en het voor de verdediging toegankelijk te maken voor onderzoek.'

Kurlen opende de envelop, stak zijn hand erin en haalde er een hamer uit. Het was een klauwhamer met een kop van geborsteld staal en een rond slagvlak. De steel, van sequoiahout, had een zwarte rubberen greep. Ik zag de kleine inkeping bovenaan op het slagvlak, op twaalf uur, en wist dat die hoogstwaarschijnlijk overeen zou komen met de afdrukken in de schedel die tijdens de autopsie waren vastgelegd.

Nijdig stond ik op en liep weg van het bureau.

'O, kom op,' viel ik uit. 'Dit meen je toch niet, hè?'

Ik keek naar de boekenplanken met Perry's wetboeken aan de andere kant van de kamer, zette verontwaardigd mijn handen in mijn zij en draaide me om naar het bureau.

'Edelachtbare, mijn excuses voor de grove taal, maar dit is echt bullshit. Ze kan dit niet nog een keer doen. Na – wat? – vier dagen juryselectie en een dag voor de openingspleidooien. En nu komt ze hiermee? We hebben de jury bijna compleet en morgen gaan we waarschijnlijk beginnen, en nu tovert ze opeens het vermeende moordwapen uit haar hoge hoed?'

De rechter leunde achterover in zijn stoel alsof hij zich van de hamer in Kurlens hand wilde distantiëren.

'Ik hoop voor u dat u een goed en overtuigend verhaal voor me hebt, mevrouw Freeman,' zei hij.

'Dat heb ik, edelachtbare. Ik kon dit pas vanochtend melden en ik ben natuurlijk graag bereid uit te leggen waarom ik...'

'U hebt dit toegestaan!' onderbrak ik haar, en ik richtte mijn wijsvinger op de rechter.

'Neem me niet kwalijk, meneer Haller, maar waag het niet naar me te wijzen,' zei hij met ingehouden woede.

'Sorry, edelachtbare, maar dit is úw schuld. U bent meegegaan met dat bullshit DNA-verhaal en nu denkt ze dat ze...'

'Neem me niet kwalijk, meneer, maar u kunt beter heel goed op uw tellen passen. U bent nog maar vijf seconden van de strafcel hiernaast verwijderd. U wijst niet naar een rechter en u spreekt hem niet toe zoals u nu doet. Hebt u dat begrepen?'

Ik draaide me weer om naar de boekenplanken en haalde diep adem. Ik wist dat ik iets uit deze aanvaring moest halen. Ik moest straks de raadkamer uit komen in de wetenschap dat de rechter vond dat hij me iets schuldig was.

'Ik heb het begrepen,' zei ik uiteindelijk.

'Goed,' zei Perry. 'Kom dan terug en ga zitten. Laten we aanhoren wat mevrouw Freeman en inspecteur Kurlen ons te vertellen hebben, en dat kan maar beter een goed verhaal zijn.'

Met tegenzin, als een nukkig kind, liep ik terug en plofte op mijn stoel.

'Mevrouw Freeman, we zijn er klaar voor.'

'Ja, edelachtbare. Het wapen is afgelopen maandag, aan het eind van de middag, bij ons afgeleverd. Een tuin...'

'Fraai is dat!' zei ik. 'Ik wist het wel. Dus je wacht drie dagen terwijl de juryselectie gewoon doorgaat voordat je besluit...'

'Meneer Haller!' blafte de rechter. 'Mijn geduld begint op te raken. Ik wens geen interrupties meer. Gaat u door, mevrouw Freeman. Alstublieft.'

'Natuurlijk, edelachtbare. Zoals ik al zei hebben we dit maandagmiddag op Bureau Van Nuys van de politie van L.A. binnengekregen. Het lijkt me beter dat inspecteur Kurlen het bewaringstraject met u doorneemt.'

Perry gebaarde naar de politieman dat hij zijn gang kon gaan.

'Wat er is gebeurd is het volgende: een tuinman, aan het werk in een tuin in Dickens Street, bij Kester Avenue, vond het die ochtend, in een struik aan de voorkant van het huis van zijn opdrachtgever. Het betreft de straat die achter WestLand National langs loopt, op twee blokken afstand van de achteruitgang. De tuinman die de hamer vond komt zelf uit Gardenia, en hij wist niets over de moord. Hij ging ervan uit dat de hamer van zijn opdrachtgever was, dus heeft hij hem op de veranda neergelegd. De eigenaar van het huis, ene Donald Meyers, zag de hamer pas toen hij die middag om een uur of vijf van zijn werk thuiskwam. De vondst verbaasde hem, want hij zag dat het niet zijn hamer was. Hij had echter wel in de krant over de moord op Bondurant gelezen, en in minstens één artikel stond vermeld dat het moordwapen mogelijk een hamer was en dat die nog niet was gevonden. Hij belde de tuinman op, hoorde diens verhaal over de vondst van de hamer en belde daarna de politie.'

'Goed, u hebt ons nu verteld hoe de hamer in uw bezit is gekomen,' zei Perry, 'maar nog niet waarom het drie dagen heeft geduurd voordat wij ervan horen.'

Freeman knikte. Ze had hierop gerekend en nam het woord.

'Edelachtbare, we moesten ons er eerst van vergewissen wat we in handen hadden en of het object het juiste traject had afgelegd. Daarna hebben we het onmiddellijk overgedragen aan de forensische dienst voor onderzoek en we hebben gistermiddag pas na de zitting de rapporten van het lab binnengekregen.'

'En wat hadden die rapporten te melden?'

'De enige vingerafdrukken op het wapen waren afkomstig van...'

'Momentje,' zei ik, waarmee ik opnieuw de toorn van de rechter riskeerde. 'Kunnen we het niet gewoon over "de hamer" hebben? Als het in het rechtbankverslag "het wapen" wordt genoemd, is dat nogal suggestief.'

'Best,' zei Freeman voordat de rechter kon reageren. 'De hamer. De enige vingerafdrukken op de hámer waren afkomstig van meneer Meyers en zijn tuinman, Antonio Ladera. Er zijn echter twee dingen die de hamer direct aan de zaak linken. Een kleine hoeveelheid bloed op de steel is door een DNA-test overtuigend als dat van Mitchell Bondurant geïdentificeerd. We hebben deze test laten doen door een extern lab na het protest van de verdediging over de trage gang van zaken bij de vorige test. De hamer is ook afgestaan aan de patholoog-anatoom voor vergelijking met het wondpatroon op de schedel van het slachtoffer. Ook hier hebben we een match. Meneer Haller, u mag het de hamer of het stuk gereedschap noemen of wat u maar wilt. Voor mij is dit het moordwapen. En ik heb deze keer kopieën van de labrapporten voor u meegebracht.'

Ze pakte de envelop, haalde er twee met een paperclip aan elkaar bevestigde blaadjes papier uit en gaf die met een tevreden glimlach aan mij.

'Tjonge, wat aardig van je,' zei ik sarcastisch. 'Hartelijk bedankt.'

'O, en dit heb ik ook nog.'

Ze stak haar hand weer in de envelop, haalde er twee foto's van achttien bij vierentwintig centimeter uit, gaf er een aan de rechter en een aan mij. Het was een foto van de werkbank met daarachter een plaat gaatjesboard met haakjes waaraan het gereedschap hing. Ik wist dat het de werkbank in Lisa Trammels garage was. Ik was er zelf geweest.

'Dit is een foto die in de garage van Lisa Trammel is gemaakt. De opname is van de dag van de moord, van tijdens de huiszoeking met een door het hof getekend huiszoekingsbevel. Wat opvalt is dat er op het board één stuk gereedschap ontbreekt. De open ruimte die daardoor ontstaat, komt overeen met de afmetingen van een klauwhamer.'

'Dit is waanzin.'

'De forensische dienst heeft de gevonden hamer geïdentificeerd als een model Craftsman vervaardigd door Sears. Deze specifieke hamer is niet los te koop. Die maakt deel uit van een tweehonderdnegenendertigdelige Carpenter's gereedschapsset. Aan de hand van deze foto hebben we meer dan honderd stukken gereedschap uit die set geïdentificeerd. Maar geen klauwhamer. Die is er niet, omdat Lisa Trammel die in een heg heeft gegooid nadat ze van de plaats delict was weggelopen.'

Ik dacht koortsachtig na. Zelfs met een verdediging gebaseerd op de theorie dat de beklaagde in de val was gelokt, bestond er de wet van de eindigheid der ontkenning. Een ontlastende verklaring voor de druppel bloed op de schoen was nog wel te leveren. Maar van tafel vegen dat je cliënt eigenaar was en dus kon worden gelinkt aan het moordwapen, was veel moeilijker. Met elk stuk bewijs dat werd onthuld namen onze kansen exponentieel af. Voor de tweede keer in drie weken had de verdediging een harde dreun te verduren gekregen en ik wist bijna niet wat ik moest zeggen. De rechter keek me aan. Dit was het moment om te reageren, maar ik had geen waardig antwoord.

'Dit is belastend bewijs dat we niet kunnen negeren, meneer Haller,' drong hij aan. 'Hebt u er iets op te zeggen?'

Dat had ik niet, maar ik stond op van het canvas voordat hij tot tien had geteld.

'Edelachtbare, dit zogenaamde bewijs, dat opnieuw heel toevallig uit de lucht komt vallen, had aan het hof en de verdediging gemeld moeten worden zodra het bestaan ervan bekend werd. Niet drie dagen later, zelfs geen dag later. Al was het maar om de verdediging in staat te stellen om het bewijs te inspecteren, het zelf te laten onderzoeken en de uitkomst te vergelijken met die van het OM. Het heeft – hoe lang? – drie maanden onopgemerkt in het groen gelegen? En hup, opeens hebben we DNA dat het wapen aan het slachtoffer linkt? Dit stinkt een uur in de wind, edelachtbare. En bovendien is het veel te laat. De trein is al vertrokken. Waarschijnlijk moeten we morgenochtend al onze openingspleidooien houden. Het OM heeft de hele week de tijd gehad om te bedenken hoe ze de hamer in hun openingspleidooi kunnen passen. En ik, wat kan ik nu nog doen?'

'Was u van plan uw pleidooi vooraf te houden, of pas in de verdedigingsfase?' vroeg de rechter.

'Ik had het voor morgen gepland,' loog ik. 'Ik heb het al geschreven. Maar dit is ook informatie die ik had kunnen gebruiken tijdens de selectie van de jury, die we nu al voor negentig procent hebben gekozen. Edelachtbare, deze hele manier van doen... Kijk, wat ik zeker weet is dat het OM vijf weken geleden knap wanhopig was. Mevrouw Freeman kwam naar míjn kantoor toe om mijn cliënt een schikking aan te bieden. Of ze het wil toegeven of niet, ze kneep 'm en ging akkoord met alles wat ik wenste. En dan, opeens, is er het DNA op de schoen. Nu, wonder boven wonder, duikt de hamer opeens op en praat er natuurlijk niemand meer over een schikking. Het is allemaal zo toevallig dat ik er mijn vraagtekens bij zet. Maar alleen al de misleidende manier waarop het is gedaan zou voldoende moeten zijn om dit bewijs als ontoelaatbaar te beschouwen.'

'Edelachtbare,' zei Freeman zodra ik uitgepraat was, 'mag ik reageren op meneer Hallers beschuldiging dat ik mis...'

'Dat is niet nodig, mevrouw Freeman. Zoals ik net al zei is dit bewijs dat we niet kunnen negeren. Het wordt op een ongelegen moment gepresenteerd, maar we mogen het de jury niet onthouden. Ik zal het toestaan, maar ik ga de verdediging opnieuw meer tijd geven om zich erop voor te bereiden. We gaan nu terug naar de rechtszaal om de juryselectie af te ronden. Daarna geef ik de leden een lang weekend vrij en laat ik ze maandag terugkomen voor de openingspleidooien en de aanvang van het proces. Dat geeft u drie dagen extra om uw pleidooi voor te bereiden, meneer Haller. Dat zou genoeg moeten zijn. In de tussentijd kan uw team, onder wie dat jonge talent dat u op mijn oude faculteit hebt gerekruteerd, zich bezighouden met het onderzoek van de hamer en al het andere wat u ermee wilt doen.'

Ik schudde mijn hoofd. Het was niet genoeg. Ik verloor snel terrein.

'Edelachtbare, ik verzoek om uitstel van het proces terwijl ik deze kwestie voorleg aan het hof van beroep.'

'Dat kunt u doen, meneer Haller. Dat recht hebt u. Maar het betekent geen uitstel van het proces. Maandag beginnen we.'

Hij gaf me een net zichtbaar hoofdknikje dat ik als een dreigement opvatte. Als ik zijn beslissing voorlegde aan het hof van beroep, zou hij dat gedurende de rest van het proces niet vergeten.

'Hebben we verder nog iets te bespreken?' vroeg Perry.

'Ik niet,' zei Freeman.

'Meneer Haller?'

Ik schudde mijn hoofd, want mijn stem weigerde dienst.

'Goed, dan gaan we terug en ronden we de juryselectie af.'

Lisa Trammel zat bezorgd op me te wachten achter de tafel van de verdediging.

'Wat is er gebeurd?' vroeg ze op dwingende fluistertoon.

'We hebben weer een trap onder onze reet gekregen, dát is er gebeurd. Nu zijn we er echt geweest.'

'Wat bedoel je?'

'Ik bedoel dat ze die klotehamer hebben gevonden die jij in de bosjes hebt gegooid nadat je Mitchell Bondurant had vermoord.'

'Dat is krankzinnig. Ik...'

'Nee, jij bent krankzinnig. Ze kunnen hem zowel aan Bondurant als aan jou linken. Dat ding hing verdomme boven je werkbank. Ik begrijp niet hoe je zo stom hebt kunnen zijn, maar dat doet er nu niet meer toe. Dat je die verdomde schoenen hebt bewaard stelt hiermee vergeleken niks voor. Ik moet nu een manier bedenken om een deal met Freeman te sluiten, terwijl er voor haar geen enkele reden is voor een deal. Ze heeft de zaak al in haar zak, dus waarom zou ze?'

Lisa bracht haar hand omhoog, greep de revers van mijn jasje vast en trok me naar zich toe. Ze fluisterde tussen van woede samengeknepen kaken.

'Moet je jezelf horen. Hoe ik zo stom heb kunnen zijn? Dat is de vraag en het antwoord is dat ik dat niet ben geweest. Je weet heel goed dat ik niet dom ben. Ik heb je vanaf de eerste dag verteld dat ik in de val ben gelokt. Ze willen me opbergen en daarom doen ze dit. Maar ik heb het niet gedaan. Je hebt al die tijd gelijk gehad. Louis Opparizio. Hij wilde Mitchell Bondurant kwijt en hij laat mij ervoor opdraaien. Bondurant heeft hem die brief gestuurd. Daarmee is alles begonnen. Ik heb niet...'

Ze stopte met praten toen de tranen haar in de ogen schoten. Ik legde mijn hand op de hare, om haar te kalmeren en haar hand voorzichtig los te maken van de revers van mijn jasje. Ik was me ervan bewust dat de juryleden op de tribune plaatsnamen en wilde niet dat ze een aanvaring tussen advocaat en cliënt zagen.

'Ik heb dit niet gedaan,' zei ze. 'Hoor je me? Ik wil geen deal. Ik ga niet iets bekennen wat ik niet heb gedaan. En als dit het beste is wat je kunt, wil ik een andere advocaat.'

Mijn blik ging van haar naar de rechtersstoel. Rechter Perry zat naar ons te kijken.

'Bent u klaar om door te gaan, meneer Haller?'

Ik keek mijn cliënt nog eens aan en keek weer naar de rechter.

'Ja, edelachtbare. Ik ben klaar.'

20

We voelden ons alsof we in de kleedkamer van het verliezende team zaten, hoewel de wedstrijd nog gespeeld moest worden. Het was zondagmiddag, achttien uur voor de openingspleidooien voor de jury, en ik had mijn team samengeroepen om de nederlaag met mij te verwerken. Het was een bittere pil voordat het proces zelfs maar was begonnen.

'Ik begrijp het niet,' zei Aronson, waarmee ze een eind maakte aan de doodse stilte in mijn kantoor. 'Je zei dat we de hypothese van onschuld nodig hadden. Een alternatieve dader. Met Opparizio hebben we die. We kunnen hem in stelling brengen. Wat is het probleem?'

Ik keek naar Cisco Wojciechowski. We waren met z'n drieën. Ik in korte broek en een t-shirt. Cisco in zijn motoroutfit: een legergroen t-shirt zonder mouwen en een zwarte spijkerbroek. En Aronson was gekleed voor een dag op het gerechtshof. Ze wist nog niet dat we er op zondag zo bij liepen.

'Het probleem is dat we Opparizio niet bij de zaak kunnen betrekken,' zei ik.

'Maar hij heeft zijn verzoek om niet te hoeven getuigen ingetrokken,' protesteerde Aronson.

'Dat maakt niet uit. Het proces concentreert zich nu op het bewijs dat het om tegen Trammel heeft. Het gaat niet meer om wie de moord nog meer gepleegd kan hebben. Wie misschien wat heeft gedaan, telt niet meer. Ik kan Opparizio in de getuigenbank zetten als deskundige met betrekking tot Trammels onteigening of de onteigeningsepidemie die heerst. Maar het zal me niet lukken om van hem een alternatieve verdachte te maken. Dat zal de rechter niet toestaan, tenzij ik de relevantie kan aantonen. Maar dat kan ik niet, ondanks alles wat we hebben gedaan. We missen nog steeds dat ene wat we nodig hebben om Opparizio aan de haak te slaan en binnen te halen.'

Maar Aronson weigerde op te geven.

'Het veertiende amendement stelt dat Trammel ongehinderd in de gelegenheid moet zijn om een complete verdediging te voeren. Een complete verdediging omvat ook een alternatieve theorie.'

Dus ze kende de grondwet uit haar hoofd. Ze was boekenslim, maar onervaren.

'Californië versus Hall, 1986. Zoek op.'

Ik wees naar haar laptop, die geopend op de hoek van mijn bureau stond. Ze boog zich voorover en begon te typen.

'Weet je welke paragraaf?'

'Probeer eenenveertig.'

Ze typte het in, kreeg de uitspraak op haar scherm en begon te lezen. Ik keek naar Cisco, die geen idee had wat we aan het doen waren.

'Lees het voor,' zei ik. 'Het relevante deel.'

'Eh... "Bewijs dat een andere persoon een motief of de gelegenheid had de genoemde misdaad te plegen, of dat hij in een al dan niet directe relatie met het slachtoffer of de plaats delict stond, is onvoldoende om de vereiste gerede twijfel te doen rijzen. Bewijs van een alternatieve aansprakelijke partij is alleen relevant en toelaatbaar als het de alternatieve partij in direct verband met de feitelijk gepleegde daad brengt..." Oké, dus we zijn de lul.'

Ik knikte.

'Als we Opparizio of een van zijn kleerkasten niet in die parkeergarage kunnen plaatsen, zijn we inderdaad de lul.'

'Die brief doet dat niet?' vroeg Cisco.

'Nee,' zei ik. 'Uitgesloten. Freeman laat me alle hoeken van de rechtszaal zien als ik zeg dat de brief een causaal verband legt. Die geeft Opparizio een motief, dat wel. Maar hij linkt hem niet direct aan de misdaad.'

'Shit.'

'Zeg dat wel. Op dit moment hebben we niks. Dus we hebben geen verdediging. Het OM heeft het DNA en de hamer, dus daar kunnen ze een flinke tik mee uitdelen. En dat bedoel ik niet grappig.'

'Ons labrapport zegt dat er geen biologisch verband tussen de hamer en Lisa is,' zei Aronson. 'En ik heb een deskundige van Craftsman die zal getuigen dat het onmogelijk te zeggen is of de hamer van het OM afkomstig is uit Lisa's gereedschapsset. Bovendien weten we dat de garagedeur niet op slot was. Dus zelfs al is het haar hamer, dan kan iedereen die hebben meegenomen. Net zoals iedereen dat bloed op die schoen kan hebben gesmeerd.'

'Ja, ja, dat weet ik allemaal al. Maar het is niet genoeg als we zeggen wat er gebeurd kan zijn. We zullen moeten zeggen wat er gebeurd ís, en dat moeten we aantonen. Kunnen we dat niet, dan krijgen we geen poot aan de grond. Opparizio is de sleutel. We moeten in staat zijn hem door de mangel te halen zonder dat Freeman bij elke vraag opstaat en zegt: "Wat is de relevantie?"'

Aronson gaf het nog steeds niet op.

'Er moet iets zijn,' zei ze.

'Er is altijd iets. We hebben het alleen nog niet gevonden.'

Ik draaide mijn stoel totdat ik Cisco recht aankeek. Hij fronste zijn wenkbrauwen en knikte. Hij wist wat ik ging zeggen.

'Ik vertrouw op jou, man,' zei ik. 'Je moet iets voor me vinden. Freeman heeft ongeveer een week nodig om de zaak van het om uiteen te zetten. Zo veel tijd heb je dus. Maar als ik morgen opsta en de bal aan het rollen breng door te zeggen dat ik ga bewijzen dat iemand anders het heeft gedaan, zal ik over de brug moeten komen.'

'Ik begin opnieuw,' zei Cisco. 'Vanaf de basis. Ik zal iets voor je vinden. Jij doet morgen wat je nodig vindt.'

Ik knikte, meer om hem te bedanken dan dat ik er vertrouwen in had dat hij werkelijk iets zou vinden. Want ik geloofde niet dat er iets te vinden wás. Ik zat met een schuldige cliënt en het recht zou zijn loop hebben. Einde verhaal.

Ik keek naar het bureaublad. Ik had de rapporten en de foto's van de plaats delict erop uitgespreid. Ik pakte de achttien bij vierentwintig met het attachékoffertje van het slachtoffer, dat open op de betonnen vloer van de parkeergarage lag. Dit was het wat me vanaf het eerste begin had geïntrigeerd, dat me de hoop had gegeven dat mijn cliënt het misschien niet had gedaan. Tenminste, tot de laatste twee beslissingen van de rechter over het nieuwe bewijs.

'Nog steeds geen rapport over de inhoud van het koffertje, en of er iets ontbreekt?' vroeg ik.

'Er is niks binnengekomen,' zei Aronson.

Zij had de opdracht al het materiaal van de inzage van stukken te bekijken en te beoordelen zodra het binnenkwam.

'Dus het koffertje van die man ligt wijd open op de grond en niemand neemt de moeite om te kijken of er iets ontbreekt?'

'Ze hebben een lijst van de inhoud gemaakt. Die hebben we. Maar daarop staat niet vermeld wat er misschien nog meer in had moeten zitten. Kurlen geeft weinig prijs. Die gaat ons heus niet aan een opening helpen.'

'O nee? Nou, als ik hem in de getuigenbank heb gehad, zal hij de rechtszaal uit lopen alsof iemand dat koffertje in zíjn opening heeft gepropt.'

Aronson bloosde. Ik wendde me weer tot mijn onderzoeksmedewerker.

'Cisco, het koffertje. De lijst van de inhoud hebben we. Ga met Bondurants secretaresse praten. Zoek uit of er iets uit is gehaald.'

'Dat heb ik al geprobeerd. Ze wil me niet te woord staan.'

'Probeer het nog een keer. Laat haar je spierballen zien. Verleid haar desnoods.'

Hij spande zijn armspieren. Aronson bleef blozen. Ik stond op.

'Ik ga naar huis, aan mijn pleidooi werken.'

'Weet je zeker dat je het morgen wilt houden?' vroeg Aronson. 'Als je wacht tot volgende week, tot wij aan de beurt zijn, weet je tenminste of Cisco iets heeft kunnen vinden.'

Ik schudde mijn hoofd.

'De rechter heeft me het weekend gegeven omdat ik zei dat ik mijn pleidooi aan het begin van het proces wil houden. Als ik daarop terugkom, zal hij me verwijten dat ik de vrijdag verloren heb laten gaan. Hij houdt me al in de gaten omdat ik in de raadkamer tegen hem ben uitgevallen.'

Ik liep om mijn bureau heen en gaf de foto van het koffertje aan Cisco.

'Sluit alles goed af als jullie straks weggaan.'

Geen Rojas op zondag. Ik reed zelf in de Lincoln naar huis. Er was weinig verkeer en ik schoot goed op, ook nadat ik een tussenstop had gemaakt aan de voet van Laurel Canyon, om in een Italiaans tentje bij de markt een pizza te halen. Toen ik thuiskwam, nam ik niet de moeite om de grote Lincoln naast mijn andere auto in de garage te zetten. Ik parkeerde bij de veranda, sloot de auto af en liep de treden op. Pas toen ik de veranda op kwam, zag ik dat er iemand op me zat te wachten.

Helaas was het niet Maggie McFurie. Het was een man die ik nooit eerder had gezien, die in een van de regisseursstoeltjes in de achterste hoek zat. Hij had een tenger postuur, zag er wat verlopen uit en had stoppels van een week op zijn wangen. Zijn ogen waren gesloten en zijn hoofd hing achterover. Hij zat te slapen.

Over mijn veiligheid maakte ik me geen zorgen. Hij was alleen en had geen zwarte handschoenen aan. Desondanks stak ik voorzichtig de sleutel in het slot en opende de deur zonder geluid te maken. Ik ging naar binnen, deed de deur geruisloos achter me dicht en zette de pizzadoos op het aanrecht in de keuken. Vervolgens liep ik door naar de grote inloopkast in de slaapkamer. Van de bovenste plank – te hoog voor mijn dochter om erbij te kunnen – pakte ik het houten kistje met de Colt Woodsman die ik van mijn vader had geërfd. Het wapen had een tragisch bestaan achter de rug en ik hoopte dat er geen nieuw hoofdstuk aan zou worden toegevoegd. Ik schoof een vol magazijn in de kolf en liep terug naar de voordeur.

Op de veranda pakte ik het andere regisseursstoeltje en zette het tegenover de slapende man. Pas toen ik zat, met het pistool achteloos op schoot, strekte ik mijn been en tikte met mijn voet tegen zijn knie.

Hij schrok wakker, keek met grote, verwilderde ogen om zich heen totdat hij eerst mijn gezicht en daarna het pistool zag.

'Ho, rustig aan, man!'

'Nee, jij doet rustig aan. Wie ben je en wat kom je doen?'

Ik richtte het pistool niet op hem. Ik hield het vriendelijk. Hij stak zijn handen op in een gebaar van overgave.

'Meneer Haller? Ik ben het, man, Jeff. Jeff Trammel. We hebben elkaar over de telefoon gesproken, weet u nog?'

Ik bleef hem even aankijken en besefte dat ik hem niet herkende omdat ik nooit een foto van hem had gezien. De keren dat ik bij Lisa Trammel thuis was geweest hadden er nergens ingelijste foto's van hem gehangen. Ze had zijn beeld uit het huis verbannen nadat hij ervoor had gekozen het lijfelijk te verlaten.

En nu zat hij tegenover me. Met een gejaagde blik in zijn ogen en een verlopen uiterlijk. Ik vermoedde dat ik wist waar hij op uit was.

'Hoe wist je waar ik woonde? Wie heeft je gezegd dat je hiernaartoe moest komen?'

'Niemand heeft me iets gezegd. Ik ben gewoon gekomen. Ik heb uw naam opgezocht op de website van de Orde van Advocaten. Er stond geen kantooradres bij, en dit was het contactadres. Ik ben hiernaartoe gekomen en toen ik zag dat het een woonhuis was, nam ik aan dat u hier woonde. Ik had geen andere bedoelingen. Ik wilde alleen even met u praten.'

'Je had me kunnen bellen.'

'Mijn telefoon had geen beltegoed meer. Ik moet een andere kopen.'

Ik besloot Jeff Trammel aan een kleine test te onderwerpen.

'Toen je me de vorige keer belde, waar was je toen?'

Hij haalde zijn schouders op alsof het nu niet meer uitmaakte dat hij die informatie gaf.

'In Rosarito. Daar heb ik een tijdje gewoond.'

Hij loog. Cisco had het gesprek getraceerd. Ik had het nummer van het toestel en de zendmast van de locatie waar hij vandaan had gebeld. Het gesprek was afkomstig van Venice Beach, meer dan driehonderd kilometer van Rosarito Beach in Mexico.

'Waar wilde je me over spreken?'

'Ik kan u helpen, man.'

'Me helpen? Hoe dan?'

'Ik heb Lisa gesproken. Ze vertelde me over de hamer die ze hadden gevonden. Die is niet van haar... van ons, bedoel ik. Ik kan u vertellen waar de onze is. Ik kan u er zo naartoe brengen.'

'Oké, en waar is dat?'

Hij knikte, draaide zijn hoofd naar rechts en keek naar de stad die onder ons lag. Het altijd aanwezige geruis van het verkeer was ook hier te horen.

'Nou, daar gaat het dus om, meneer Haller. Want ik heb geld nodig. Ik wil terug naar Mexico. Het leven is daar niet duur, maar ik heb wat nodig om een nieuwe start te maken, begrijpt u?'

'En hoeveel denk je nodig te hebben voor die nieuwe start?'

Hij draaide zijn hoofd om en keek me aan, want ik sprak nu zijn taal.

'Tienduizend, man, meer niet. Jullie krijgen al dat filmgeld, dus zo veel is dat niet. Als u me tienduizend geeft, geef ik u de hamer.'

'En daarmee is de kous af?'

'Ja, man, dan bent u van me af.'

'En voor Lisa getuigen tijdens het proces, waar we het over hebben gehad, hoe denk je daarover?'

Hij schudde zijn hoofd.

'Nee, dat kan ik niet doen. Getuigen is niks voor mij. Maar ik kan u met andere dingen helpen, u weet wel, zoals die hamer. Herb zei dat die hamer hun belangrijkste bewijs is en dat is gelul, want ik weet waar de echte hamer is.'

'Dus je hebt er ook met Herb Dahl over gepraat.'

Ik zag aan de grimas op zijn gezicht dat hij zich had versproken. Het was niet de bedoeling geweest dat hij Dahls naam noemde.

'Eh, nee, nee, Lisa zei dat hij dat had gezegd. Ik ken die man niet eens.'

'Laat me je iets vragen, Jeff. Hoe weet ik dat het om de echte hamer gaat en niet om een of andere vervanging die jij met Lisa en Herb hebt bekokstoofd?'

'Omdat ik het zeg. Ik weet dat het de echte is. Ik ben degene die hem heeft achtergelaten waar hij nu is. Ik!'

'Maar je wilt niet getuigen, dus ik krijg alleen een hamer, niet het verhaal erachter. Weet je wat "fungibel" is, Jeff?'

'Fun... eh, nee.'

'Dat betekent "onderling verwisselbaar". Voor de wet is een voorwerp fungibel wanneer het kan worden vervangen door een identiek voorwerp.

En daar hebben we nu mee te maken, Jeff. Jouw hamer is waardeloos voor me zonder het bijbehorende verhaal. En als je een verhaal hébt, zul je moeten getuigen. Als je dat niet wilt, heb ik niks aan die hamer.'

'O...'

Hij leek diep teleurgesteld.

'Waar is de hamer, Jeff?'

'Dat zeg ik niet. Die hamer is het enige wat ik heb.'

'Ik betaal je er geen cent voor, Jeff. Zelfs als ik geloofde dat er een hamer bestond – de echte hamer – zou ik er geen cent voor geven. Zo werkt het bij ons niet. Dus denk er nog eens goed over na en laat me weten wat je wilt, oké?'

'Oké.'

'En nu wegwezen.'

Met het pistool langs mijn zij ging ik het huis binnen en deed de deur op de knip. Ik pakte de autosleutels van de pizzadoos en haastte me naar de achterdeur. Weer buiten sloop ik langs het huis naar de houten schuttingdeur die op straat uitkwam. Ik opende de deur op een kier en keek of ik Jeff Trammel zag.

Ik zag hem niet, maar ik hoorde wel een auto die werd gestart. Ik wachtte en kort daarna reed er een auto voorbij. Ik liep de straat op en keek of ik het nummerbord kon zien, maar ik was te laat. De auto schoot de heuvel af. Het was een blauwe sedan, maar ik spande me zo in om de nummerplaat te zien dat ik vergat naar het merk en het model te kijken. Zodra de auto de hoek om reed, rende ik over straat naar mijn eigen auto.

Als ik hem wilde volgen, moest ik op tijd onder aan de heuvel zijn om te zien of hij linksaf of rechtsaf Laurel Canyon Boulevard op reed. Anders had ik vijftig procent kans dat ik hem kwijt was.

Maar ik redde het niet. Tegen de tijd dat de Lincoln door de scherpe bochten voor de kruising van Laurel Canyon vloog, was de blauwe sedan nergens meer te zien. Ik minderde vaart voor het stoplicht en aarzelde geen moment toen het op groen sprong. Ik sloeg rechts af, naar het noorden richting de Valley. Cisco had Trammels telefoontje naar Venice getraceerd, maar al het andere in deze zaak speelde zich in de Valley af, dus reed ik die kant op.

Het was een eenbaansweg die door Hollywood Hills voerde. Daarna werd het een tweebaansweg die heuvelafwaarts naar de Valley leidde. Maar Trammel zag ik niet meer en algauw begreep ik dat ik de verkeerde kant had gekozen. Venice. Ik had in zuidelijke richting moeten afslaan.

Aangezien ik geen liefhebber was van koude of opgewarmde pizza ging ik iets eten bij de Daily Grill op de hoek van Laurel en Ventura. Ik zette de Lincoln in de ondergrondse garage en was al op weg naar de lift toen ik merkte dat de Woodsman nog steeds achter mijn broekband zat. Geen goede zaak. Ik liep terug naar de auto, legde het pistool onder de stoel en controleerde of alle portieren op slot zaten.

Het was nog vroeg maar desondanks al druk in het restaurant. In plaats van op een tafeltje te wachten ging ik aan de bar zitten en bestelde een ijsthee en een kippenpasteitje. Daarna klapte ik mijn telefoon open en belde mijn cliënt. Ze nam meteen op.

'Lisa, je spreekt met je advocaat. Heb jij je man naar me toe gestuurd?'

'Nou, ik heb gezegd dat hij met je moest gaan praten, ja.'

'Was dat jouw idee of dat van Herb Dahl?'

'Het mijne. Tenminste, Herb was er wel bij, maar ik heb het bedacht. Heb je hem gesproken?'

'Ja.'

'En heeft hij je bij de hamer gebracht?'

'Nee. Daar wilde hij tienduizend dollar voor hebben.'

Het bleef stil, maar ik zei niets en wachtte.

'Mickey, zo veel geld is dat toch niet als we daarmee het bewijs van het OM ongedaan maken?'

'Je betaalt niet voor bewijs, Lisa. Als je dat doet, ga je voor schut. Waar woont je man tegenwoordig?'

'Dat wilde hij niet zeggen.'

'Heb je hem zelf gesproken?'

'Ja, hij was hier. Hij zag eruit als een landloper.'

'Ik moet hem zien te vinden, dan kan ik hem dagvaarden. Heb je enig idee...?'

'Hij getuigt niet. Dat heeft hij gezegd. Wat er ook gebeurt. Hij wil alleen geld en wil me zien lijden. Zelfs zijn eigen kind interesseert hem niet. Hij vroeg niet eens of hij hem mocht zien toen hij langskwam.'

Mijn eten werd voor me neergezet en de barkeeper schonk mijn ijsthee bij. Ik pakte mijn vork en prikte een paar gaatjes in het deeg, om de warmte te laten ontsnappen. Ik had nog minstens tien minuten de tijd voordat de ragout genoeg was afgekoeld om die te kunnen eten.

'Lisa, luister, want dit is belangrijk. Heb je enig idee waar hij zou kunnen wonen of logeren?'

'Nee. Hij zei dat hij uit Mexico was overgekomen.'

'Dat liegt hij. Hij is al die tijd hier geweest.'

Dat leek haar te verbazen.

'Hoe weet je dat?'

'Telefoongegevens. Hoor eens, dat doet er niet toe. Als hij je belt of bij je langskomt, hoor hem uit over waar hij verblijft. Beloof hem geld of wat je maar wilt, als we maar een adres krijgen. Als ik hem in de getuigenbank kan krijgen, moet hij ons wel over de hamer vertellen.'

'Ik zal het proberen.'

'Niet proberen, Lisa. Dóé het. Het is jouw leven dat hier op het spel staat.'

'Oké, oké.'

'Nou, heeft hij, toen je hem sprak, misschien een hint gegeven over waar die hamer zou kunnen zijn?'

'Niet echt. Hij zei alleen: "Weet je nog dat ik de hamer in de auto had liggen wanneer ik ophaaldienst had?" Toen hij bij die dealer werkte, moest hij soms auto's terughalen bij klanten die niet meer betaalden. Dat deden ze om beurten. Ik geloof dat hij dan die hamer bij zich had om zichzelf te verdedigen, of om een ruitje van een auto in te slaan, of zoiets.'

'Dus hij zei dat hij de hamer van jouw gereedschapsset in de garage in zijn auto had liggen?'

'Ja, dat zei hij. In de BMW. Maar die auto hebben ze teruggehaald toen hij die had achtergelaten en ervandoor was gegaan.'

Ik knikte. Ik kon Cisco erop zetten, kijken of we bevestigd konden krijgen dat er een hamer was gevonden in de kofferbak van de BMW die door Jeff Trammel was achtergelaten.

'Oké, Lisa, wie waren Jeffs vrienden? Hier in de stad.'

'Dat weet ik niet. Hij had een paar vrienden van zijn werk, maar die kwamen nooit bij ons thuis. We hadden niet veel vrienden.'

'En die mensen van zijn werk, heb je daar namen van?'

'Nee, ik geloof het niet.'

'Lisa, je helpt niet mee.'

'Sorry. Ik kan niemand bedenken. Ik mocht zijn vrienden niet zo. Ik heb tegen hem gezegd dat hij ze niet moest meebrengen.'

Ik schudde mijn hoofd en dacht na over mezelf. Wie waren míjn vrienden buiten die van mijn werk? En zou Maggie dit soort vragen over mij kunnen beantwoorden?

'Goed, Lisa, ik weet voorlopig genoeg. Ik wil dat je je op morgen concentreert. Denk aan wat we hebben afgesproken. Over hoe je je moet gedragen tegenover de jury. Daar hangt een hoop van af.'

'Dat weet ik. Ik ben er klaar voor.'

Mooi, dacht ik. Ik wou dat ik hetzelfde kon zeggen.

21

Rechter Perry was blijkbaar van plan de verloren tijd van de afgelopen vrijdag goed te maken, want op maandagochtend beperkte hij de tijdsduur van de openingspleidooien tot een half uur voor ieder. Deze beslissing nam hij ondanks het feit dat zowel de openbaar aanklager als de verdediging er het hele weekend aan had gewerkt en de eerder afgesproken tijd een uur was geweest. Eerlijk gezegd kwam deze halvering me wel goed uit. Ik betwijfelde zelfs of ik tien minuten kon vol praten. Want hoe meer je als verdediging zegt, hoe meer het OM in zijn slotpleidooi heeft om zich op te richten. Minder is altijd meer als je aan de kant van de verdediging staat. Maar de nietsontziende beslissing van de rechter gaf ons ook iets om over na te denken. Hij stuurde ons een boodschap. Hij maakte ons duidelijk dat het zíjn rechtszaal was en dat híj bepaalde hoe het proces zou verlopen. Wij waren slechts op bezoek en hadden ons te gedragen.

Freeman beet het spits af en zoals altijd verloor ik de jury geen seconde uit het oog terwijl de openbaar aanklager aan het woord was. Ik luisterde aandachtig en was klaar om op elk moment bezwaar te maken, maar ik keek niet één keer haar kant op. Ik wilde zien hoe Freeman het deed in de ogen van de juryleden. Ik wilde weten of mijn vermoedens over hen zich later zouden uitbetalen.

Freeman sprak duidelijk en helder. Zonder dramatiek, zonder beklemtoning. Een nuchtere, zakelijke opsomming.

'We zijn hier vandaag om één reden,' zei ze, nadat ze midden in de open ruimte tegenover de jurybanken was gaan staan. 'We zijn hier vanwege de woede van één persoon. Eén persoon die de behoefte had om haar frustratie, voortkomend uit haar eigen falen, op een ander af te reageren.'

Natuurlijk nam ze ruim de tijd om de juryleden te waarschuwen voor wat ze de rookgordijnen en de spiegels van de verdediging noemde. Vol vertrouwen in haar eigen zaak probeerde ze de mijne alvast onderuit te halen.

'De verdediging zal proberen u een hele waslijst aan zaken te verkopen.

Drama's en complottheorieën. Dit is een belangrijke moordzaak, maar het verhaal erachter is in feite heel simpel. Laat u niets wijsmaken. Let goed op. Luister aandachtig. Overtuig uzelf ervan dat alles wat hier vandaag wordt gezegd tijdens het proces door bewijs wordt bevestigd. Echt bewijs.

Het gaat hier om een goed voorbereide misdaad. De dader kende de dagelijkse gewoonten van Mitchell Bondurant. De dader heeft Mitchell Bondurant gestalkt. De dader heeft Mitchell Bondurant opgewacht en heeft toen hard en meedogenloos toegeslagen. Die dader is Lisa Trammel en tijdens dit proces zal het recht over haar beslissen.'

Freeman wees beschuldigend naar mijn cliënt. Lisa keek haar aan zonder met haar ogen te knipperen, zoals ik haar had opgedragen.

Ik concentreerde me op jurylid nummer drie, die op de voorste rij van de tribune zat. Leander Lee Furlong junior was mijn troefkaart. Hij was mijn geheime wapen, het jurylid van wie ik erop rekende dat hij gedurende het hele proces onze kant zou kiezen. Ook al hield hij er de hele rest van de jury mee op.

Ongeveer een half uur voor de juryselectie was begonnen had de griffier me de lijst met de tachtig namen van de eerste reeks kandidaten gegeven. Ik had de lijst doorgegeven aan mijn onderzoeksmedewerker, die de gang op was gelopen, zijn laptop had geopend en ermee aan de slag was gegaan.

Het internet biedt vele wegen om onderzoek te doen naar de achtergrond van potentiële juryleden, zeker wanneer het proces handelt over financiële transacties zoals onteigening. Iedere kandidaat moest vooraf een formulier invullen en een paar basale vragen beantwoorden. Hebt u of heeft uw naaste familie te maken gehad met onteigening? Is uw auto ooit teruggevorderd vanwege een betalingsachterstand? Hebt u ooit faillissement aangevraagd? Dat was een selectiemethode. Iedereen die een van deze vragen met 'ja' had beantwoord werd door de rechter of de openbaar aanklager naar huis gestuurd. Want iemand die hier zelf mee te maken had gehad, zou bevooroordeeld zijn en niet in staat het bewijs op een eerlijke manier te interpreteren.

Maar deze selectiemethode was heel algemeen, met grijze gebieden en ruimte om tussen de regels te lezen. Hier begon Cisco's taak. Tegen de tijd dat de rechter de eerste groep van twaalf kandidaten op de jurybanken liet plaatsnemen om hun vragenlijst met hen door te nemen, was Cisco terug met achtergrondinformatie over zeventien van de tachtig kandidaten. Ik was op zoek naar mensen die slechte ervaringen met banken hadden, of die misschien zelfs grieven jegens banken en overheidsinstellingen koesterden. Onder de zeventien bevonden zich kandidaten die in hun vragenlijst hadden gelogen over faillissementen en in beslag genomen auto's, kandidaten die banken hadden aangeklaagd, kandidaten als Leander Furlong.

Leander Lee Furlong junior was de negenentwintigjarige assistent-manager van Ralph's Supermarket in Chatsworth. Op de vraag over onteigening had hij ontkennend geantwoord. Cisco's digitale achtergrondonderzoek ging echter vrij diep en hij maakte ook gebruik van enkele landelijke databanken. Zo kwam hij terecht bij een aankondiging uit 1994, van de openbare verkoop van een onteigend huis in Nashville, Tennessee, waarbij Leander Lee Furlong als eigenaar stond vermeld. De eiser in deze zaak was de First National Bank of Tennessee.

De naam leek redelijk uniek en de twee moesten bijna wel familie van elkaar zijn. Mijn toekomstige jurylid was dertien geweest ten tijde van de onteigening. Ik ging ervan uit dat het zijn vader was die zijn huis aan de bank was kwijtgeraakt. En Leander Lee Furlong junior had dit verzwegen op zijn vragenlijst.

Toen de juryselectie meer dan twee dagen aan de gang was, wachtte ik gespannen op het moment dat Furlong willekeurig zou worden uitgekozen voor ondervraging door de rechter en de twee juristen van het OM en de verdediging. In de tussentijd ontdeed ik me van een handvol mogelijk interessante kandidaten en maakte ik gebruik van mijn recht op wraking om zo veel mogelijk lege plaatsen op de jurybanken te creëren.

Uiteindelijk, op de ochtend van de vierde dag, was Furlongs nummer aan de beurt en werd hij opgeroepen voor ondervraging. Toen ik hem hoorde praten met zijn zuidelijke accent, wist ik dat ik de juiste man had. Hij moest wel wrok koesteren jegens de bank die zijn ouders hun huis had afgenomen. En hij had dit verzwegen om in de jury te komen.

Furlong doorstond de vragen van de rechter en de openbaar aanklager met vlag en wimpel, gaf de juiste antwoorden en presenteerde zich als een godvrezende, hardwerkende man die er ouderwetse normen en waarden en een open manier van denken op nahield. Toen het mijn beurt was, deed ik het rustig aan en stelde hem een paar algemene vragen, maar ik besloot met een instinker. Ik moest weten wat voor vlees ik in de kuip had. Ik vroeg hem of hij vond dat er moest worden neergekeken op mensen die waren onteigend, of dat het mogelijk was dat er legitieme redenen waren dat mensen hun hypotheek soms niet konden betalen. Furlong antwoordde dat elk geval op zichzelf stond en dat het fout zou zijn om de mensen die werden onteigend over één kam te scheren.

Een paar minuten en een paar vragen later gaf Freeman hem het groene licht en deed ik hetzelfde. Hij zat in de jury. Nu moest ik alleen maar hopen dat zijn familiegeschiedenis niet door het OM werd ontdekt. Als dat gebeurde, zou hij sneller uit de jury worden verwijderd dan een kat uit een viswinkel.

Was het onethisch van me of overtrad ik de regels door Furlongs geheim voor het hof te verzwijgen? Het hangt ervan af hoe je het woord 'naaste' definieert, zoals in naaste familie. Wat bepaalt wie je naaste familie is en of dat begrip in de loop van je leven ook kan veranderen? Op Furlongs formulier stond dat hij getrouwd was en een zoontje had. Zijn vrouw en kind waren nu zijn naaste familie. Misschien was zijn vader niet eens meer in leven. De vraag was geweest: hebt u of heeft uw naaste familie te maken gehad met onteigening? Het woord 'ooit' kwam in de vraag niet voor.

Dat was dus een grijs gebied, en ik voelde me niet verplicht het OM erop te wijzen dat op die vraag een vaag antwoord mogelijk was. Freeman had dezelfde lijst met namen en bovendien kon ze rekenen op de hulp van het OM en de politie van L.A. Iemand van een van die twee bureaucratieën was toch zeker wel net zo slim als mijn onderzoeksmedewerker? Ze moesten het zelf maar uitzoeken. Deden ze dat niet, dan was dat hun beslissing.

Ik observeerde Furlong terwijl Freeman een voor een de bouwstenen van haar zaak opnoemde: het moordwapen, de ooggetuige, het bloed op de schoen van de gedaagde en het feit dat de gedaagde de bank voor de moord had bestookt met haar woede. Furlong steunde met beide ellebogen op de armleuningen van zijn stoel en zijn handen vormden een driehoek, met de vingertoppen tegen elkaar, die zijn mond aan het zicht onttrok. Alsof hij zich probeerde te verstoppen en over zijn handen heen naar haar gluurde. Het was die houding die me vertelde dat ik hem juist had ingeschat. Hij was mijn wapen, dat was zeker.

Freeman begon door haar materiaal heen te raken en gaf een korte samenvatting van hoe al het bewijs tezamen een vonnis van schuldig boven gerede twijfel zou rechtvaardigen. Dit was duidelijk het deel van haar openingspleidooi waarin ze had geknipt om die in de verkorte tijd te kunnen houden. Ze wist dat ze alles nog eens kon overdoen in haar slotpleidooi, dus ze sloeg een hoop over en ging meteen door met haar conclusie.

'Dames en heren, het bloed zal spreken,' zei ze. 'Volg het bewijs en het zal u bij Lisa Trammel brengen. Zij heeft Mitchell Bondurant om het leven gebracht. Ze heeft hem alles afgenomen wat hij had. En het is nu het moment dat ze zich daarvoor voor het hof zal moeten verantwoorden.'

Ze bedankte de jury en liep terug naar haar plaats. Nu was het mijn beurt. Ik liet mijn handen onder de tafel zakken en controleerde of de rits van mijn broek dicht zat. Je hoeft maar één keer met een open gulp voor een jury te staan en je vergeet het nooit meer.

Ik stond op en ging op de plek staan waar Freeman zojuist had gestaan. Opnieuw probeerde ik niet te laten merken dat mijn verwondingen nog steeds niet helemaal waren genezen. En ik begon.

'Dames en heren, ik wil ons eerst aan u voorstellen. Mijn naam is Michael Haller. Ik ben de advocaat van de gedaagde. Het is mijn taak Lisa Trammel tegen deze zeer ernstige beschuldigingen te verdedigen. Onze grondwet garandeert ons dat iedereen die in dit land van een misdaad wordt beschuldigd recht heeft op een volwaardige, krachtdadige verdediging, en dat is precies wat ik van plan ben gedurende de loop van dit proces te doen. Mocht ik daarbij op sommigen van u hard overkomen, dan wil ik me daar bij voorbaat voor verontschuldigen. Maar ik vraag u wel Lisa mijn daden niet aan te rekenen, alstublieft.'

Ik draaide me om naar de tafel van de verdediging en hield mijn hand op alsof ik Trammel welkom heette op de zitting.

'Lisa, zou je even willen gaan staan, alsjeblieft?'

Trammel stond op, draaide zich een kwartslag om, naar de jury, en liet haar blik over de twaalf gezichten gaan. Ze zag er vastberaden en ongebroken uit. Precies zoals ik haar had opgedragen.

'En dit is Lisa Trammel, de gedaagde. Mevrouw Freeman wil u doen geloven dat zij deze misdaad heeft gepleegd. Ze is één meter achtenvijftig lang, weegt vierenvijftig kilo schoon aan de haak en ze is onderwijzeres. Dank je, Lisa. Je kunt weer gaan zitten.'

Trammel ging zitten, ik wendde me weer tot de jury en keek de leden een voor een aan toen ik mijn pleidooi vervolgde.

'We zijn het met mevrouw Freeman eens dat het hier gaat om een brute, gewelddadige, koelbloedige misdaad. Niemand had Mitchell Bondurant het leven mogen benemen en degene die dit heeft gedaan zal zich daarvoor moeten verantwoorden. Maar we mogen niet te snel oordelen over wie deze dader is. En dat is precies wat het bewijs zal doen. De onderzoekers in deze zaak hebben een stukje van het beeld gezien en iemand die daarin paste. Maar het totaalbeeld is hun ontgaan. De echte moordenaar is hun ontgaan.'

Ik hoorde Freemans stem achter me.

'Edelachtbare, mogen we even met u overleggen, alstublieft?'

Perry fronste zijn wenkbrauwen, maar gebaarde dat we mochten komen. Ik volgde Freeman naar de zijkant van de rechtersstoel en formuleerde alvast een reactie op het bezwaar waarvan ik wist dat het zou komen. De rechter zette de ruisventilator aan zodat de juryleden niet konden horen wat we zeiden en we staken de koppen bij elkaar.

'Edelachtbare,' begon Freeman, 'ik hou er niet van een openingspleidooi te onderbreken, maar dit klínkt niet als een openingspleidooi. Wordt er van de verdediging niet verwacht dat ze ons melding maakt van hoe ze de zaak gaat aanpakken en over wat voor ontlastende bewijzen ze beschikt, of mag ze zich beperken tot algemeenheden over een of andere mysterieuze moordenaar die aan ieders aandacht is ontsnapt?'

De rechter keek me aan, wachtend op een reactie. Ik keek op mijn horloge.

'Edelachtbare, ik maak bezwaar tegen dit bezwaar. Ik heb nog geen vijf minuten van mijn half uur gebruikt en ik krijg nu al het verwijt dat ik nog niks op de kaart heb gezet? Kom op, edelachtbare, ze probeert me alleen maar te storen terwijl ik de jury toespreek, en ik verzoek u dringend haar een interruptieverbod voor de duur van mijn pleidooi te geven, om te voorkomen dat ze bezwaren blijft maken.'

'Ik denk dat hij gelijk heeft, mevrouw Freeman,' zei de rechter. 'Het is veel te vroeg om bezwaar te maken. Dus ik leg u een interruptieverbod op en grijp zelf wel in als het nodig is. En nu gaat u achter uw tafel zitten en u houdt u koest.'

Hij zette de ventilator uit en reed zijn stoel terug naar het midden van de rechtersbank. Freeman en ik namen onze positie weer in.

'Zoals ik zei voordat ik werd onderbroken bestaat er een totaalbeeld van de zaak, en de verdediging zal u dat beeld laten zien. De openbaar aanklager wil u doen geloven dat het hier gaat om een simpele wraakactie. Maar een moordzaak is nooit simpel, en als je tijdens het onderzoek of in je beschuldiging de kortste weg neemt, zie je bepaalde zaken over het hoofd. Zoals de moordenaar. Lisa Trammel kende Mitchell Bondurant niet eens. Ze had hem nog nooit ontmoet. Ze had geen motief om hem te vermoorden, want het motief dat de openbaar aanklager u zal noemen, klopt niet. Zij zal zeggen dat ze Mitchell Bondurant heeft vermoord omdat hij van plan was haar haar huis af te nemen. De waarheid is echter dat het hem niet zou lukken haar haar huis af te nemen en wij zullen dat bewijzen. Een motief is als het roer van een schip. Neem het roer weg en de wind stuurt het schip alle kanten op. Dat is de zaak die het om hier aan u voorlegt. Gewoon heel veel wind.'

Ik stak mijn handen in mijn zakken en keek naar mijn schoenen. Ik telde in gedachten tot drie en toen ik mijn hoofd weer oprichtte, keek ik Furlong recht aan.

'Waar het in deze zaak werkelijk om gaat, is geld. Het gaat om de epidemie van onteigeningen die ons land teistert. Dit was geen simpele wraakactie. Dit was de harteloze, berekende moord op iemand die dreigde de corruptie van onze banken en hun onteigeningsbureaus openbaar te maken. Dit gaat over geld, over degenen die het hebben en die tot alles bereid zijn om er geen afstand van te hoeven doen... zelfs tot moord.'

Ik zweeg weer even, veranderde van houding en liet mijn blik langs de andere juryleden gaan. Ik stopte bij een vrouwelijk jurylid, Esther Marks, en bleef haar aankijken. Ik wist dat ze een alleenstaande moeder was en dat ze als bedrijfsleider in een kledingzaak werkte. Ze verdiende waarschijnlijk minder dan mannen die hetzelfde werk deden en ik schatte haar in als iemand die misschien sympathiek tegenover mijn cliënt zou staan.

'Lisa Trammel moet opdraaien voor een moord die ze niet heeft gepleegd. Zij is de zondebok. Ze heeft geprotesteerd tegen de harteloze, frauduleuze onteigeningspraktijken van de bank. Ze heeft zich tegen hen verzet en dat heeft haar een straatverbod opgeleverd. Dezelfde dingen die haar in de ogen van gemakzuchtige rechercheurs tot een goede verdachte maken, hebben haar voor het OM tot de perfecte zondebok gemaakt. En dat gaan wij u bewijzen.'

Alle ogen waren op me gericht. Ik had hun volle aandacht.

'De zaak van het OM zal niet standhouden,' zei ik. 'We gaan die centimeter voor centimeter ontmantelen. De voorwaarde om mijn cliënt schuldig te achten is dat u tot de unanieme beslissing van schuldig boven gerede twijfel komt. Ik druk u op het hart vooral goed op te letten en zelf na te denken. Als u dat doet, garandeer ik u dat op meer gerede twijfel zult stuiten dan nodig is. En daarna blijft er nog maar één vraag over. Waarom? Waarom wordt deze vrouw beschuldigd van deze misdaad? Waarom moet zij dit doormaken?'

Ik liet nog een laatste stilte vallen, knikte en bedankte de jury voor zijn aandacht. Snel liep ik terug naar mijn tafel en ging zitten. Lisa boog zich opzij en legde haar hand op mijn onderarm alsof ze me wilde bedanken omdat ik het voor haar had opgenomen. Het was een van onze ingestudeerde handelingen. Ik wist dat het toneel was, maar toch voelde het goed.

De rechter schorste de zitting voor vijftien minuten voordat we aan de verklaringen zouden beginnen. Terwijl de rechtszaal leegstroomde, bleef ik achter de tafel van de verdediging zitten. Mijn openingspleidooi had me op scherp gezet. Het woord zou de eerstkomende dagen aan het OM zijn, maar Freeman wist nu dat ze nog lang niet van me af was.

'Bedankt, Mickey,' zei Lisa Trammel toen ze opstond om met Herb Dahl, die haar kwam ophalen, naar de gang te gaan.

Ik keek eerst hem en daarna haar aan.

'Wacht nog maar even met bedanken,' zei ik.

22

Na de pauze kwam Andrea Freeman uit de startblokken met wat ik de decorgetuigen van het OM noemde. Hun verklaringen waren vaak dramatisch, maar raakten niet aan de schuld of onschuld van de gedaagde. Ze waren min of meer bedoeld als vormgeving van de zaak van het OM, een etalage waarin het bewijs later zou worden uitgestald.

De eerste getuige was een bankreceptioniste die Riki Sanchez heette. Zij was degene die het lichaam van het slachtoffer in de parkeergarage had gevonden. De functie van haar verklaring was dat die een indicatie gaf van het tijdstip van de dood en dat op de jury werd overgebracht hoe een moord een gewone burger kan schokken.

Sanchez kwam vanuit Santa Clarita Valley naar haar werk en hield een strikte ochtendroutine aan. Ze verklaarde dat ze meestal om 8.45 uur de parkeergarage van het bankgebouw in reed, wat haar tien minuten gaf om een parkeerplek te vinden, via de personeelsingang naar binnen te gaan en om 8.55 uur achter haar bureau plaats te nemen en haar voorbereidingen te treffen voor de bank om 9.00 uur zijn deuren opende voor het publiek.

Ze vertelde dat ze op de dag van de moord haar normale routine had gevolgd en dat ze een niet toegewezen parkeerplek op ongeveer tien auto's afstand van die van Mitchell Bondurant had gevonden. Nadat ze was uitgestapt en de auto had afgesloten, was ze op weg gegaan naar de doorgang die de garage met het bankgebouw verbond. Dat was het moment geweest waarop ze het lichaam zag liggen. Haar aandacht was eerst getrokken door de gemorste koffie en het geopende koffertje, en daarna pas door Mitchell Bondurant, die er op zijn buik en bebloed achter lag.

Sanchez was naast hem neergehurkt om te voelen of hij nog leefde, had haar telefoon uit haar tas gehaald en had het alarmnummer gebeld.

Het komt zelden voor dat de verdediging punten kan scoren bij een decorgetuige. Hun verklaring is meestal voorgekookt en draagt zelden iets bij aan de vraag over schuld of onschuld. Maar dat kun je nooit zeker weten. Toen het tijd was voor het kruisverhoor stond ik op en stelde een paar vragen om te zien of het misschien iets zou opleveren.

'Welnu, mevrouw Sanchez, u zei zojuist dat u er 's morgens een strak schema op nahoudt, maar van een schema is niet echt sprake meer zodra u de parkeergarage binnenrijdt, is dat juist?'

'Ik begrijp niet helemaal wat u bedoelt.'

'Wat ik bedoel is dat u geen eigen parkeerplek hebt, dus vanaf dat moment is er geen sprake meer van een schema. Als u in de garage bent moet u op zoek naar een plek, nietwaar?'

'Nou, ja, min of meer. Maar de bank is dan nog niet open en er is altijd genoeg ruimte. Ik rij meestal door naar de eerste verdieping en zoek een plek in het deel waar ik die dag ook stond.'

'Oké. Bent u in het verleden meneer Bondurant wel eens tegengekomen toen u 's morgens binnenkwam?'

'Nee, hij was er meestal eerder dan ik.'

'En op de dag dat u het stoffelijk overschot van meneer Bondurant vond, waar zag u toen de beklaagde, Lisa Trammel, in de garage?'

Ze aarzelde alsof het een strikvraag was. Dat was het ook.

'Ik heb... ik bedoel, ik heb haar niet gezien.'

'Dank u, mevrouw Sanchez.'

De volgende getuige was de telefoniste van 911, het alarmnummer, die om 8.52 uur de melding van Sanchez had aangenomen. Ze heette LeShonda Gaines en haar verklaring was voornamelijk bedoeld om het geluidsbandje met Sanchez' telefoontje te introduceren. Het afspelen van het bandje was een overdreven dramatische en onnodige manoeuvre, maar de rechter had het toegestaan nadat ik er al voor het proces bezwaar tegen had gemaakt. Freeman speelde het veertig seconden durende tapeje af nadat ze de rechter, alle juryleden en de verdediging een geprinte transcriptie had gegeven.

Gaines: Negen-een-een, in wat voor spoedsituatie bevindt u zich?
Sanchez: Er ligt hier een man. Volgens mij is hij dood. Hij zit onder het bloed en beweegt niet.
Gaines: Wat is uw naam, mevrouw?
Sanchez: Riki Sanchez. Ik ben in de parkeergarage van WestLand National in Sherman Oaks.
(stilte)
Gaines: Is dat de vestiging op Ventura Boulevard?
Sanchez: Ja. Stuurt u iemand?
Gaines: De politie en de ambulancedienst zijn gewaarschuwd.

Sanchez: Ik denk dat hij al dood is. Er ligt veel bloed op de grond.

Gaines: Weet u wie hij is?

Sanchez: Volgens mij is het meneer Bondurant, maar zeker weet ik het niet. Moet ik hem omdraaien?

Gaines: Nee, wacht u liever totdat de politie komt. Bent u in gevaar, mevrouw Sanchez?

(stilte)

Sanchez: Eh, nee, dat geloof ik niet. Ik zie hier verder niemand.

Gaines: Oké, wacht op de politie en houd de lijn open.

Ik nam niet de moeite om vragen te stellen tijdens het kruisverhoor. Er viel hier voor de verdediging niets te halen.

Freeman lanceerde haar eerste truc nadat ze Gaines had laten gaan. Ik had verwacht dat ze zou doorgaan met de eerste politieman ter plekke. Om hem te laten verklaren hoe hij de plaats delict had aangetroffen en had veiliggesteld, om vervolgens de foto's van de plaats delict aan de jury te laten zien. Maar in plaats daarvan riep ze Margo Schafer op, de ooggetuige die Trammel in de buurt van de plaats delict had gezien. Ik begreep onmiddellijk welke strategie Freeman volgde. In plaats van de juryleden te laten lunchen met de foto's van de plaats delict in gedachten wilde ze hen confronteren met het eerste aha-moment van het proces. De eerste verklaring die Trammel met de misdaad verbond.

Het was goed bedacht, maar Freeman wist niet wat ík over haar getuige wist. Ik hoopte alleen dat ik haar nog voor de lunch kon verhoren.

Schafer was een bleke, tengere vrouw die een nerveuze indruk maakte toen ze in de getuigenbank plaatsnam. Ze moest de microfoon, waarin Gaines zojuist had gepraat, een stuk omlaag buigen.

Op Freemans eerste, directe vragen antwoordde Schafer dat ze kassier bij de bank was, een herintreder nadat ze vier jaar voor haar gezin had gezorgd. Ze had niet de ambitie om carrière te maken binnen de bank. Ze hield van de verantwoordelijkheid die haar functie met zich meebracht en van het contact met het publiek.

Na een paar meer persoonlijke vragen, bedoeld om een band tussen Schafer en de jury te creëren, schoof Freeman door naar de kern van de getuigenis en vroeg ze Schafer naar de ochtend van de moord.

'Ik was laat,' zei Schafer. 'Ik hoor om negen uur achter mijn loket te zitten. Ik moet eerst mijn kas uit de kluis halen en die laten uitschrijven. Dus ik kom meestal een kwartier eerder. Maar die ochtend zat het verkeer vast op Ventura Boulevard door een aanrijding en was ik erg laat.'

'Weet u nog hoeveel minuten u precies te laat was, mevrouw Schafer?' vroeg Freeman.

'Ja, precies tien minuten. Ik zat alsmaar op mijn dashboardklokje te kijken. Ik was precies tien minuten achter op mijn schema.'

'Oké, en toen u in de buurt van de bank was, zag u toen iets wat afweek van het gebruikelijke, of iets wat u zorgen baarde?'

'Ja, dat klopt.'

'En wat was dat?'

'Ik zag Lisa Trammel, op de stoep, weglopen van de bank.'

Ik stond op om bezwaar te maken en zei dat de getuige onmogelijk kon weten waar de persoon van wie zij beweerde dat het Trammel was, vandaan kwam. De rechter gaf me gelijk.

'In welke richting liep mevrouw Trammel?' vroeg Freeman.

'In oostelijke richting.'

'En waar bevond ze zich ten opzichte van de bank?'

'Een half huizenblok ten oosten van de bank, en ze liep in oostelijke richting.'

'Dus ze liep weg van de bank, is dat juist?'

'Ja, dat klopt.'

'En hoe groot was de afstand tussen u beiden toen u haar zag?'

'Ik reed in westelijke richting op Ventura, op de linkerbaan, zodat ik verderop kon afslaan en meteen de parkeergarage van de bank in kon rijden. Dus ze was drie rijbanen van me vandaan.'

'Maar u had uw ogen op de weg gericht, toch?'

'Nee, want ik stond bij het stoplicht toen ik haar zag.'

'En de hoek waaruit u haar zag, was dat een rechte hoek?'

'Ja, ze liep aan de overkant.'

'En hoe kwam het dat u deze vrouw herkende als de gedaagde, Lisa Trammel?'

'Omdat haar foto in de personeelskantine en de kluis hing. En ongeveer drie maanden geleden was de foto aan alle medewerkers van de bank getoond.'

'Waarom was dat?'

'Omdat de rechter haar een straatverbod had opgelegd. Ze mocht niet binnen een straal van dertig meter van de bank komen. Ze hadden ons de foto laten zien en we moesten het onmiddellijk aan onze superieuren melden als we haar in de directe omgeving van de bank signaleerden.'

'Kunt u de jury vertellen hoe laat het was toen u Lisa Trammel in oostelijke richting op de stoep zag lopen?'

'Ja, dat weet ik nog precies, omdat ik zelf te laat was. Het was vijf voor negen.'

'Dus om 8.55 uur zag u Lisa Trammel in oostelijke richting weglopen van het bankgebouw, is dat juist?'

'Ja, dat is juist.'

Freeman stelde nog een paar vragen bedoeld om de jury in te peperen dat Lisa Trammel zich een paar minuten na het telefoontje naar het alarmnummer op slechts een half huizenblok afstand van de bank bevond. Toen ze uiteindelijk klaar was met de getuige, was het half twaalf en vroeg de rechter of ik vroeg wilde lunchen en daarna mijn kruisverhoor wilde doen.

'Edelachtbare, ik denk dat ik dit binnen een half uur kan afronden. Dus ik doe het liever nu. Ik ben er klaar voor.'

'Zoals u wilt, meneer Haller. Ga uw gang.'

Ik stond op en liep naar de lessenaar die in de ruimte tussen de tafel van het om en de getuigenbank was neergezet. Ik had mijn blocnote en twee platen karton bij me. Ik had de platen met de te tonen kanten op elkaar gelegd, zodat niemand kon zien wat erop stond. Ik zette ze tegen de poot van de lessenaar aan.

'Goedemorgen, mevrouw Schafer.'

'Goedemorgen.'

'U zei in uw verklaring dat u te laat was vanwege een verkeersongeluk, is dat juist?'

'Ja.'

'Bent u tijdens uw rit naar uw werk langs de plek van het ongeluk gekomen?'

'Ja, het was iets ten westen van Van Nuys Boulevard. Toen ik er eenmaal langs was, schoten we wat beter op.'

'Aan welke kant van Ventura was het?'

'Dat was het nu juist. Het was op de rijbanen in oostelijke richting, maar iedereen aan mijn kant minderde vaart om ernaar te kijken.'

Ik maakte een aantekening op mijn blocnote en veranderde van koers.

'Mevrouw Schafer, het viel me op dat de openbaar aanklager u niet heeft gevraagd of mevrouw Trammel een hamer bij zich had toen u haar zag lopen. U hebt geen hamer gezien, hè?'

'Nee, dat is juist. Maar ze had wel een winkeltas bij zich, die meer dan groot genoeg was om er een hamer in te vervoeren.'

Het was voor het eerst dat ik iets over een winkeltas hoorde. In de inzage van stukken was die niet genoemd. Schafer, de o zo behulpzame ooggetuige, introduceerde nieuw bewijs. Althans, dat dacht ik.

'Een winkeltas? Hebt u deze winkeltas genoemd tijdens uw gesprekken met de politie of daarna met de openbaar aanklager?'

Daar moest Schafer even over nadenken.

'Dat weet ik niet zeker. Misschien niet.'

'Dus voor zover u zich kunt herinneren heeft de politie u niet eens gevraagd of de gedaagde iets in haar handen had?'

'Ik denk dat dat juist is.'

Ik wist niet wat dit te betekenen had, en óf het wel iets te betekenen had. Maar ik besloot de winkeltas even te laten rusten en opnieuw van koers te veranderen. Het is altijd beter als je getuige niet weet welke kant je op wilt.

'Mevrouw Schafer, toen u een paar minuten geleden zei dat u zich op drie rijbanen afstand bevond van de stoep waar u de beklaagde meende te zien lopen, hebt u een rekenfoutje gemaakt, is het niet?'

Deze tweede plotselinge verandering van onderwerp bracht haar even van haar stuk.

'Eh... nee, dat geloof ik niet.'

'Op welke hoogte van Ventura reed u toen u haar zag?'

'Bij Cedros Avenue.'

'Er zijn daar twee rijbanen in oostelijke richting, nietwaar?'

'Ja.'

'Plus één om af te slaan naar Cedros, toch?'

'Ja, dat klopt. Dat zijn er drie.'

'En de parkeerhaven naast de stoep?'

Ze trok een gezicht alsof ze wilde zeggen: ach, kom op, zeg.

'Dat is geen rijbaan.'

'Misschien niet, maar het is wel een extra ruimte tussen u en de vrouw van wie u beweert dat het Lisa Trammel was, waar of niet?'

'Als u dat zegt. Ik vind het nogal muggenzifterig.'

'O ja? Ik denk dat ik gewoon accuraat ben, denkt u ook niet?'

'Ik denk dat de meeste mensen zouden zeggen dat de afstand tussen haar en mij drie rijbanen was.'

'Nou, die parkeerhaven, zoals die wordt genoemd, is minstens zo breed als de lengte van een auto, en waarschijnlijk nog een stuk breder.'

'Oké, als u het zegt. Noem het een vierde rijbaan. Mijn fout.'

Ze gaf het met tegenzin, bijna mokkend toe en ik was ervan overtuigd dat de jury zag wie hier de echte muggenzifter was.

'Dus dan zegt u nu dat de afstand tussen u en degene van wie u beweert dat het mevrouw Trammel was minstens vier rijbanen was, en niet drie, zoals u eerder hebt verklaard. Is dat juist?'

'Ja. Ik zei al, mijn fout.'

Ik maakte een aantekening op mijn blocnote. Die had niets te betekenen, maar ik hoopte dat de juryleden zouden denken dat ik een soort score bijhield. Daarna bukte ik me naar de kartonnen platen, haalde ze van elkaar en koos er een uit.

'Edelachtbare, ik wil de getuige graag een foto laten zien van de locatie waar we het over hebben.'

'Heeft de openbaar aanklager die al gezien?'

'Edelachtbare, de foto stond op de cd met bewijsmateriaal die ik tijdens de inzage van stukken aan het OM heb overhandigd. Ik heb de opgeplakte foto niet aan mevrouw Freeman laten zien en daar heeft ze ook niet om gevraagd.'

Freeman maakte geen bezwaar en de rechter zei dat ik kon doorgaan, nadat hij de eerste foto als bewijsstuk IA van de verdediging had genoteerd. Ik had in de open ruimte tussen de jurybanken en de getuigenbank een opklapbare schildersezel laten neerzetten. De openbaar aanklager zou gebruikmaken van de overheadprojector voor het tonen van haar bewijsmateriaal en dat zou ik later ook doen, maar ik wilde deze demonstratie op de ouderwetse manier doen. Ik zette de foto op de ezel en liep terug naar de lessenaar.

'Mevrouw Schafer, herkent u de foto die ik u hier laat zien?'

Het was een luchtfoto, tachtig bij honderdtwintig centimeter groot, van het genoemde, twee huizenblokken lange deel van Ventura Boulevard. Bullocks had de opname van Google Earth gehaald en het enige wat wij hadden hoeven doen was hem uitvergroten en opplakken.

'Ja. Zo te zien is het een bovenaanzicht van Ventura Boulevard, en je kunt de bank en de kruising met Cedros Avenue erop zien.'

'Ja, een luchtfoto. Wilt u alstublieft naar de ezel gaan en met de viltstift op de foto de plek aangeven waar u Lisa Trammel meent te hebben gezien?'

Schafer keek naar de rechter alsof ze op zijn toestemming wachtte. Perry knikte en ze kwam de getuigenbank uit. Ze pakte de zwarte viltstift uit het bakje van de ezel en tekende een rondje op de stoep, op een half huizenblok afstand van de ingang van de bank.

'Dank u, mevrouw Schafer. En wilt u nu voor de jury aangeven waar uw auto zich bevond toen u uit het zijraampje keek en Lisa Trammel meende te zien?'

Ze tekende een rondje in de middelste rijbaan op minstens drie autolengtes afstand van het kruispunt.

'Dank u, mevrouw Schafer. U mag nu teruggaan naar de getuigenbank.'
Schafer legde de viltstift in het bakje en liep terug naar haar plaats.
'Hoeveel auto's stonden er voor u bij het stoplicht, zou u zeggen?'
'Minstens twee, misschien drie.'
'En in de baan om voor te sorteren, meteen links van u, stonden daar auto's te wachten om af te slaan?'
Ze had deze vraag zien aankomen en liet zich niet foppen.
'Nee, ik had vrij zicht op de stoep aan de overkant.'
'Dus het was spitsuur en u beweert dat er geen enkele auto in die baan stond te wachten?'
'Niet naast me, maar ik stond twee of drie auto's van het stoplicht. Misschien stonden er wel een paar auto's te wachten, maar niet direct naast me.'
Ik vroeg de rechter of ik de tweede foto mocht laten zien, bewijsstuk 1B, en hij zei dat ik mijn gang kon gaan. Ook dit was een uitvergrote foto, maar nu vanuit een laag standpunt. Cisco had hem genomen vanuit het zijraampje van een auto die in de middelste baan van Ventura Avenue bij Cedros Avenue stond, op een maandagochtend ongeveer een maand na de moord, om 8.55 uur. De tijdsaanduiding stond in de rechter onderhoek van de foto.
Toen ik weer achter de lessenaar stond, vroeg ik Schafer of ze wilde beschrijven wat ze op de foto zag.
'Het is een foto van hetzelfde blok, maar nu vanaf de grond genomen. Daar heb je Danny's Deli. We gaan daar wel eens lunchen.'
'Ja, en weet u of je bij Danny's ook kunt ontbijten?'
'Ja, dat kan.'
'Hebt u er wel eens ontbeten?'
Freeman stond op om bezwaar te maken.
'Edelachtbare, ik kan me nauwelijks voorstellen dat dit iets met de verklaring van deze getuige of met de andere elementen in deze zaak te maken kan hebben.'
Perry keek me aan.
'Edelachtbare, als u me nog heel even de tijd geeft, zal de relevantie snel duidelijk zijn.'
'Goed dan, maar zet er een beetje vaart achter.'
Ik richtte me weer tot Schafer.
'Hebt u wel eens ontbeten bij Danny's, mevrouw Schafer?'
'Nee, ontbeten niet.'
'Maar u weet dat het een populair tentje is om te ontbijten, toch?'

'Ik zou het echt niet weten.'

Het was niet het antwoord dat ik wilde horen, maar toch schoot ik er wel iets mee op. Dit was de eerste keer dat Schafer ontwijkend reageerde, dat ze het voor de hand liggende antwoord doelbewust ontweek. Als er juryleden waren die dit opmerkten, zouden ze haar niet langer zien als een onpartijdige getuige, maar als iemand die weigerde af te wijken van de lijn die het OM voor haar had uitgestippeld.

'Laat me u dan het volgende vragen: welke andere winkels in dit blok zijn vóór negen uur 's morgens open?'

'De meeste winkels zijn dan nog niet open. Dat is ook op de foto te zien.'

'Wat zou er dan de oorzaak zijn dat elke parkeerplek met een parkeermeter door een auto wordt bezet? Zouden het auto's van de klanten van Danny's kunnen zijn?'

Freeman maakte weer bezwaar en zei dat de getuige niet gekwalificeerd was om die vraag te beantwoorden. De rechter was het ermee eens, kende het bezwaar toe en zei dat ik moest doorgaan.

'Op die maandagochtend, om vijf voor negen, toen u over een afstand van vier rijbanen mevrouw Trammel meende te zien, hoeveel auto's stonden er toen voor het eethuisje en langs de stoeprand geparkeerd, weet u dat nog?'

'Nee, dat weet ik niet meer.'

'Toch hebt u zo-even verklaard, en ik kan het laten teruglezen als u wilt, dat u vrij zicht op Lisa Trammel had. Dus u verklaart dat er geen auto's in de parkeerhavens stonden?'

'Er kunnen een paar auto's hebben gestaan, maar ik kon haar duidelijk zien.'

'En de rijbanen ertussenin, die waren ook vrij?'

'Ja, ik kon haar goed zien.'

'U zei dat u te laat was omdat het verkeer in westelijke richting niet opschoot vanwege dat ongeluk. Klopt dat?'

'Ja.'

'Een ongeluk op de rijbanen in oostelijke richting?'

'Ja.'

'Als het ongeluk op de andere rijbanen u al tien minuten oponthoud opleverde, hoe erg moet het oponthoud voor het verkeer in oostelijke richting dan niet zijn geweest?'

'Dat kan ik me niet herinneren.'

Het perfecte antwoord. Althans, voor mij. Een huichelachtige getuige levert de tegenpartij altijd punten op.

'Is het niet zo, mevrouw Schafer, dat u over twee rijbanen vol opgehouden verkeer plus een goed gevulde parkeerhaven moest kijken om de gedaagde op de stoep te zien lopen?'

'Het enige wat ik weet is dat ik haar heb gezien. Ze liep daar.'

'En u hebt zelfs kunnen zien dat ze een grote winkeltas bij zich had, is dat juist?'

'Dat klopt.'

'Wat voor winkeltas was dat?'

'Zo'n stevige, met hengsels, die je in de warenhuizen krijgt.'

'Wat voor kleur had die tas?'

'Die was rood.'

'En kon u zien of er iets in zat?'

'Nee, dat kon ik niet zien.'

'Hield ze die tas voor zich of naast zich?'

'Naast zich. Met één hand.'

'U schijnt die winkeltas erg goed gezien te hebben. Keek u naar de tas of naar het gezicht van de vrouw die hem droeg?'

'Ik had de tijd om naar allebei te kijken.'

Ik schudde mijn hoofd en raadpleegde mijn aantekeningen.

'Mevrouw Schafer, weet u hoe lang mevrouw Trammel is?'

Ik keerde me om naar mijn cliënt en gebaarde haar op te staan. Eigenlijk had ik de rechter eerst om toestemming moeten vragen, maar ik begon op stoom te komen en had geen zin in verkeersdrempels. Perry zei niets.

'Ik heb geen idee,' zei Schafer.

'Zou het u verbazen als u wist dat ze maar één achtenvijftig was?'

Ik knikte naar Lisa en ze ging weer zitten.

'Nee, dat zou me niet echt verbazen, denk ik.'

'Eén achtenvijftig, en toch valt ze u op achter vier rijbanen vol auto's.'

Zoals ik had verwacht maakte Freeman bezwaar. Perry kende het toe, maar ook zonder antwoord was het punt gescoord. Ik keek op mijn horloge, zag dat het twee minuten voor twaalf was en vuurde mijn laatste torpedo af.

'Mevrouw Schafer, wilt u de foto nog eens bekijken en me aanwijzen waar u de beklaagde op de stoep ziet lopen?'

Alle ogen waren op de foto gericht. Door de auto's in de parkeerhavens waren de voetgangers op de foto onherkenbaar. Freeman sprong op en maakte bezwaar door te stellen dat de verdediging de getuige en het hof probeerde te misleiden. Perry riep ons naar zich toe. Toen we naast de rechtersstoel stonden, keek hij me streng aan.

'Meneer Haller, staat de beklaagde op de foto, ja of nee?'

'Nee, edelachtbare.'

'In dat geval probeert u een truc met de getuige uit te halen. Dat laat ik in mijn rechtszaal niet gebeuren. Berg die foto op.'

'Edelachtbare, ik probeer met niemand een truc uit te halen. Ze kan toch gewoon zeggen dat de gedaagde niet op de foto staat? Maar ze kan de voetgangers achter al dat verkeer niet goed zien en ik probeer dat alleen duidelijk te maken voor...'

'Het kan me niet schelen wat u probeert te doen. Haal die foto weg, en als u nog eens probeert zoiets uit te halen, krijgt u een officiële berisping wegens minachting van het hof. Is dat duidelijk?'

'Ja, meneer.'

'Edelachtbare,' zei Freeman, 'het moet de jury worden verteld dat de beklaagde niet op de foto staat.'

'Akkoord. U mag teruggaan.'

Op de terugweg naar de lessenaar haalde ik de foto van de ezel.

'Dames en heren van de jury,' zei de rechter, 'houd in gedachten dat de beklaagde niet te zien is op de foto die de verdediging u heeft getoond.'

Ik vond het best, deze instructie. Ik had bereikt wat ik wilde. Alleen al het feit dat de jury moest worden verteld dat Lisa niet op de foto stond, bevestigde hoe moeilijk het was om iemand op de stoep te zien en te herkennen.

De rechter maande me door te gaan met mijn kruisverhoor en ik boog me naar de microfoon.

'Ik heb verder geen vragen.'

Ik ging zitten en legde de foto's op de vloer onder de tafel. Ze hadden me een goede dienst bewezen. Het had me een aanvaring met de rechter gekost, maar dat was het me wel waard. Dat is het altijd waard als je twijfel wilt zaaien.

23

Lisa Trammel was opgetogen over mijn kruisverhoor van Margo Schafer. Zelfs Herb Dahl kwam me feliciteren toen de zitting werd geschorst voor de lunch. Ik zei dat ze vooral niet te vroeg moesten juichen. Het proces was nog maar net begonnen en het was doodsimpel om ooggetuigen als Schafer af te serveren. Er stonden ons nog veel moeilijker getuigen en zwaardere zittingsdagen te wachten. Daar konden ze op rekenen.

'Dat kan me niet schelen,' zei Lisa. 'Je deed het geweldig en die leugenachtige bitch heeft haar verdiende loon gekregen.'

Het venijn droop van haar stem toen ze dit zei, wat me even aan het denken zette voordat ik reageerde.

'De openbaar aanklager krijgt na de lunch nog een kans om de geloofwaardigheid van haar getuige te herstellen.'

'En dan hak jij haar weer in mootjes in je kruisverhoor.'

'Nou, dat valt nog te bezien. Het is niet mijn taak om mensen in mootjes te hakken...'

'Ga je met ons mee lunchen, Mickey?'

Ze sloeg haar arm om Dahls middel terwijl ze het zei, wat voor mij bevestigde wat ik al had vermoed, namelijk dat ze meer dan alleen zakelijk contact met hem had.

'Je kunt hier in de buurt nergens behoorlijk eten,' vervolgde ze. 'We gaan naar Ventura Boulevard om te kijken of daar iets is. Misschien gaan we wel naar Danny's Deli.'

'Bedankt voor de uitnodiging, maar nee. Ik moet terug naar kantoor om met mijn teamleden te overleggen. Ze kunnen niet in de rechtszaal zijn omdat ze dat niet mogen. Ze zijn daar aan het werk en ik moet weten hoe de zaken ervoor staan.'

Lisa keek me aan alsof ze me niet geloofde. Dat kon me niet schelen. Ik vertegenwoordigde haar in de rechtszaal. Dat betekende nog niet dat ik met haar moest lunchen, en al helemaal niet met de man van wie ik nog steeds zeker wist dat hij van plan was haar op te lichten, ongeacht het romantische tintje dat hij er nu aan gaf... als het dat tenminste was. Ik liep alleen het gerechtshof uit en wandelde terug naar mijn kantoor in de Victory Building.

Lorna was al naar de concurrent geweest, de veel betere Jerry's Famous Deli in Studio City, om broodjes met kalkoenfilet en koolsla te halen. Ik at aan mijn bureau en vertelde Cisco en Bullocks wat er die ochtend in de rechtszaal was gebeurd. Ondanks mijn bedenkingen over mijn cliënt was ik best tevreden over mijn kruisverhoor van Schafer. Ik bedankte Bullocks voor de opgeplakte foto's en zei dat ze indruk op de jury hadden gemaakt. Er gaat niets boven visuele hulpmiddelen wanneer je twijfel wilt zaaien over de geloofwaardigheid van een ooggetuige.

Toen ik klaar was met mijn verhaal vroeg ik wat zij intussen hadden gedaan. Cisco zei dat hij nog steeds bezig was met het opnieuw doorspitten van het politieonderzoek, op zoek naar fouten en veronderstellingen van de betreffende rechercheurs, om Kurlen er tijdens het kruisverhoor mee onder vuur te kunnen nemen.

'Oké, ik heb alle munitie nodig die je kunt vinden,' zei ik. 'Bullocks, wat ben jij aan het doen?'

'Ik ben bijna de hele ochtend bezig geweest met het dossier van Trammels onteigeningszaak. Ik wil een waterdicht verhaal hebben als ik aan de beurt ben.'

'Goed, maar ik denk dat je nog wel even de tijd hebt. Ik schat in dat de verdediging niet voor volgende week aan de beurt komt. Freeman wekt de indruk dat ze de vaart erin wil houden, maar ze heeft een hoop getuigen op haar lijst staan en volgens mij is dat geen rookgordijn.'

Openbaar aanklagers en strafpleiters maakten hun getuigenlijst vaak onnodig lang om de tegenpartij te laten raden wie ze wel of niet zouden oproepen en wiens getuigenis werkelijk van belang voor de zaak was. Zo te zien had Freeman zich niet schuldig gemaakt aan dat soort flauwiteiten. Haar lijst zag er beknopt uit en alle namen erop hadden iets met de zaak te maken.

Ik doopte mijn broodje in de *Thousand Islands*-dressing die zich onder in de papieren wikkel had verzameld. Aronson wees naar een van de opgeplakte foto's die ik uit de rechtszaal had meegenomen. Het was de foto met het lage perspectief, die ik had gebruikt in een poging Margo Schafer om de tuin te leiden.

'Was dat niet riskant? Stel dat Freeman geen bezwaar had gemaakt.'

'Ik wist van tevoren dat ze bezwaar zou maken. En anders had de rechter het wel gedaan. Ze houden er niet van als je getuigen op die manier probeert te bedotten.'

'Oké, maar dan zou de jury hebben geweten dat je hebt gelogen.'

'Ik loog niet. Ik heb de getuige een vraag gesteld. Ik vroeg of ze me op de foto kon aanwijzen waar ze Lisa zag. Ik heb niet gezegd dat Lisa erop stond. Als ze de kans had gekregen om te antwoorden, zou ze nee hebben gezegd. Dat is alles.'

Aronson fronste haar wenkbrauwen.

'Denk aan wat ik heb gezegd, Bullocks. Laat je geweten erbuiten. Het gaat hard tegen hard in dit proces. Ik zaag aan Freemans stoelpoten en zij aan de mijne. Misschien is ze me al aan het misleiden en weet ik dat zelf nog niet. Ik heb een risico genomen en ben door de rechter op de vingers getikt. Maar iedereen in de jury zat naar die foto te kijken toen de rechter ons bij zich riep, en ze zaten stuk voor stuk te denken hoe moeilijk het voor Margo Schafer geweest moet zijn om te kunnen zien wat zij beweert te hebben gezien. Zo werkt het. Het is kil en meedogenloos. Meestal win je er niks mee, maar soms ook wel.'

'Dat weet ik,' zei ze afkeurend. 'Maar daarom hoef ik het nog niet leuk te vinden.'

'Nee, dat hoeft niet.'

24

Freeman verbaasde me weer toen ze Margo Schafer na de lunch niet opnieuw naar de getuigenbank riep om te proberen de schade die ik met mijn kruisverhoor had aangericht, te herstellen. Ik ging ervan uit dat ze iets anders had gepland, voor later, om Schafers getuigenis te rehabiliteren. Maar in plaats van Schafer riep ze brigadier David Covington van de politie van Los Angeles op, de eerste politieman die na Riki Sanchez' telefoontje naar het alarmnummer op de plaats delict in WestLand National arriveerde.

Covington was een veteraan, een doorgewinterde getuige voor het OM. Op de precieze maar tegelijkertijd eigenaardige manier van iemand die meer lijken heeft gezien en getuigenissen erover heeft afgelegd dan hij zich kan herinneren, vertelde hij hoe hij op de plaats delict was gearriveerd en had vastgesteld dat het slachtoffer een onnatuurlijke dood was gestorven. Hij had de ingang van de parkeergarage afgesloten, Riki Sanchez en mogelijke andere ooggetuigen apart gezet en had vervolgens de plaats delict afgezet.

Dankzij Covingtons getuigenis konden de foto's van de plaats delict als bewijs worden gepresenteerd en in al hun bloederige glorie op de twee grote flatscreen beeldschermen worden getoond. Meer dan welke verklaring van Covington ook werd de moord nu zichtbaar gemaakt, wat een vereiste voor een veroordeling was.

Ik had een half succesje met de foto's geboekt tijdens het gebekvecht voorafgaande aan het proces. Ik had bezwaar gemaakt tegen de presentatie ervan, vooral omdat de openbaar aanklager van plan was ze als vergrotingen van één bij één meter op ezels tegenover de jurybanken neer te zetten. Met als argument dat ze een vooroordeel jegens mijn cliënt opriepen. Foto's van echte slachtoffers van een moord zijn altijd schokkend en roepen heftige emoties op. En het zit in de menselijke aard om degene die ervoor verantwoordelijk is hard te willen straffen. Foto's kunnen er gemakkelijk voor zorgen dat de jury zich tegen de gedaagde keert, ongeacht het bewijs dat de gedaagde met de misdaad verbindt. Perry koos voor het compromis. Hij beperkte het aantal foto's dat het OM mocht laten zien tot vier en zei tegen Freeman dat ze de beeldschermen moest gebruiken, waardoor het formaat van de foto's werd verkleind. Ik had dus een paar puntjes gewonnen, maar ik wist dat de beslissing van de rechter weinig zou veranderen aan de reactie van de juryleden. Het bleef een overwinning voor de openbaar aanklager.

Freeman koos vier foto's met veel bloed en de meest dramatische beeldhoek waarin Bondurant, op zijn buik op de betonnen vloer van de parkeergarage, was vastgelegd.

Tijdens mijn kruisverhoor concentreerde ik me op een van de foto's en probeerde ik de jury te laten denken aan andere zaken dan alleen de dood die gewroken moest worden. De beste manier om dat te doen is door vragen op te roepen. Als ze na het kruisverhoor bleven zitten met vragen zonder antwoorden, had ik mijn werk goed gedaan.

Met toestemming van de rechter en met behulp van de afstandsbediening klikte ik drie foto's weg en was er nog maar één op de monitor te zien.

'Brigadier Covington, ik wil u vragen uw aandacht te richten op de foto op de monitor. Bewijsstuk 3 van het OM, dacht ik. Kunt u me vertellen wat u op de voorgrond ziet?'

'Ja, een geopend attachékoffertje.'

'Oké, en zoals het daar ligt hebt u het aangetroffen toen u op de plaats delict arriveerde?'

'Ja, dat is juist.'

'Dus het lag al open, zoals we hier zien?'

'Ja.'

'Oké, en hebt u bij de getuigen of andere aanwezigen geïnformeerd of zij het koffertje misschien hadden geopend nadat het slachtoffer was gevonden?'

'Ik heb het gevraagd aan de vrouw die het alarmnummer had gebeld, en ze zei dat ze dat niet had gedaan. Verder ging mijn onderzoek niet. Dat heb ik aan de recherche overgelaten.'

'Goed, en u hebt hier verklaard dat u gedurende uw hele politieloopbaan, tweeëntwintig jaar lang, bij de patrouilledienst hebt gewerkt, nietwaar?'

'Ja, dat klopt.'

'Dus u hebt al op heel wat telefoontjes naar het alarmnummer gereageerd?'

'Ja.'

'Wat betekende het geopende koffertje voor u toen u het zag?'

'Niet veel, eerlijk gezegd. Het maakte deel uit van de plaats delict, meer niet.'

'Dacht u, met al uw ervaring, niet dat het hier misschien om een roofmoord ging?'

'Nee, niet echt. Maar ik ben geen rechercheur.'

'Als roof geen motief voor deze misdaad was, waarom zou de moordenaar volgens u dan de tijd nemen om het koffertje van het slachtoffer te openen?'

Freeman greep in voordat Covington kon antwoorden. Ze zei dat de vraag buiten het expertise- en ervaringsgebied van de getuige viel.

'Brigadier Covington heeft zijn hele loopbaan bij de patrouilledienst gewerkt,' zei ze. 'Hij is geen rechercheur. Hij heeft nooit onderzoek gedaan naar een beroving.'

De rechter knikte.

'Ik ben geneigd het met mevrouw Freeman eens te zijn, meneer Haller.'

'Edelachtbare, brigadier Covington heeft misschien nooit bij de recherche gewerkt, maar het lijkt me terecht om te zeggen dat hij op talloze meldingen van berovingen heeft gereageerd en ter plekke eerste onderzoeken heeft gedaan. Ik denk dat hij een vraag over zijn eerste indrukken van een plaats delict heel goed kan beantwoorden.'

'Toch ken ik het bezwaar toe. Stel uw volgende vraag.'

Ik incasseerde de nederlaag en bekeek de aantekeningen die ik voor mijn verhoor van Covington had gemaakt. Ik had er alle vertrouwen in dat ik bij de juryleden enige twijfel over een eventuele beroving en het motief van de moord had gezaaid, maar ik vond het nog niet genoeg. Ik koos voor de bluf en ging nog een stapje verder.

'Brigadier, toen u in reactie op de melding op de plaats delict was aangekomen en die had bekeken, hebt u toen om bijstand van rechercheurs, een politiearts en forensische deskundigen gevraagd?'

'Ja, ik heb contact opgenomen met de meldkamer, bevestigd dat het om een moord ging en het gebruikelijke onderzoeksteam van Bureau Van Nuys laten komen.'

'En u had de supervisie van de plaats delict totdat al deze mensen arriveerden?'

'Ja, zo werkt het. Vervolgens heb ik de plaats delict overgedragen aan het onderzoeksteam. Aan inspecteur Kurlen, om precies te zijn.'

'Oké, en toen u dat deed, hebt u het toen met inspecteur Kurlen of een van de andere politiebeambten gehad over de mogelijkheid dat het hier mogelijk ging om een moord als gevolg van een poging tot beroving?'

'Nee.'

'Weet u dat zeker, brigadier?'

'Heel zeker.'

Ik schreef iets op mijn blocnote. Een krabbel zonder enige betekenis, alleen bedoeld voor de jury.

'Ik heb verder geen vragen.'

Covington mocht gaan en zijn plaats werd ingenomen door een van de ziekenbroeders die op de melding waren af gekomen en die de dood van het slachtoffer had vastgesteld toen hij op de plaats delict arriveerde. Freeman was binnen vijf minuten met hem klaar, want ze had hem alleen opgeroepen om de dood van het slachtoffer te bevestigen. Ik had niets te winnen bij een kruisverhoor.

De volgende getuige was Nathan Bondurant, de broer van het slachtoffer. Hij was opgeroepen om de identiteit van het slachtoffer te bevestigen, ook een vereiste om tot een veroordeling te komen. Maar Freeman gebruikte hem ook om bij de juryleden emoties op te roepen, zoals ze dat ook met de foto's van de plaats delict had gedaan. Met de tranen in zijn ogen beschreef hij hoe hij door de rechercheurs naar het mortuarium was gebracht en daar het stoffelijk overschot van zijn jongere broer had geïdentificeerd. Freeman vroeg hem wanneer hij zijn broer voor het laatst had gezien, wat een nieuwe golf van emoties teweegbracht toen hij verklaarde dat ze een week voor de moord samen naar een basketbalwedstrijd van de Lakers waren geweest.

Het was een vuistregel dat je een huilende getuige met rust liet. Een kruisverhoor van een dierbare van het slachtoffer levert meestal niets op, maar Freeman had een deur geopend en ik besloot naar binnen te gaan. Ik liep hiermee wel het risico dat ik door de jury als harteloos zou worden gezien als ik te ver ging met mijn vragen aan het onthutste familielid.

'Meneer Bondurant, het verlies van u en van uw familie spijt me heel erg. Ik heb alleen een paar korte vragen voor u. U zei zonet dat u een week voor deze gruwelijke moord met uw broer naar een wedstrijd van de Lakers was geweest. Waarover hebt u tijdens dat uitje met hem gesproken?'

'O, over allerlei dingen. Dat kan ik me nu niet precies herinneren.'

'Alleen over sport en de Lakers?'

'Nee, natuurlijk niet. We waren broers. We praatten altijd over allerlei zaken. Hij vroeg hoe het met mijn kinderen ging. Ik vroeg hem of hij al een nieuwe vriendin had. Dat soort dingen.'

'Had hij een nieuwe vriendin?'

'Nee, op dat moment niet. Hij had het te druk met zijn werk, zei hij.'

'Wat zei hij nog meer over zijn werk?'

'Alleen dat hij het druk had. Hij stond aan het hoofd van de afdeling hypotheken en ze maakten een slechte tijd door. Veel onteigeningen en dat soort zaken. Hij ging er niet echt op door.'

'Heeft hij het met u ook gehad over zijn eigen vastgoed, en hoe het ervoor stond?'

Freeman maakte bezwaar en zei dat de vraag niet relevant was. Ik vroeg om overleg met de rechter en kreeg mijn zin. Toen we de rechtersstoel waren genaderd stelde ik dat ik de jury niet alleen al had ingelicht over het feit dat ik de zaak van het OM zou aanvechten, maar dat een alternatieve theorie over de misdaad eveneens deel uitmaakte van de zaak van de verdediging.

'Dit is die alternatieve theorie, edelachtbare. Dat Bondurant financieel in de problemen zat en dat zijn pogingen om eruit te komen hebben bijgedragen aan zijn dood. Ik vind dat ik de ruimte zou moeten krijgen dit voor te leggen aan alle getuigen die het OM tegenover de jury zet.'

'Edelachtbare,' pareerde Freeman, 'alleen omdat de raadsman zegt dat iets relevant is, betekent nog niet dat het dat ook is. De broer van het slachtoffer is niet op de hoogte van Mitchell Bondurants financiële situatie of zijn investeringen.'

'Als dat het geval is, edelachtbare, dan kan Nathan Bondurant dat zeggen en laat ik het erbij.'

'Goed dan. Bezwaar afgewezen. U kunt uw vraag stellen, meneer Haller.'

Terug achter de lessenaar stelde ik de getuige de vraag opnieuw.

'Hij was er vrij kort over en ging niet op de details in,' antwoordde de getuige.

'Wat zei hij precies?'

'Alleen dat al zijn vastgoedinvesteringen op hun kop stonden. Hij zei niet om hoeveel vastgoed of hoeveel geld het ging. Dat was het enige wat hij zei.'

'Wat bedoelde hij toen hij zei dat ze "op hun kop stonden"?'

'Dat de lasten hoger waren dan de waarde.'

'Zei hij ook dat hij probeerde het te verkopen?'

'Hij kón het niet verkopen, zei hij, niet zonder een flinke veer te laten.'

'Dank u, meneer Bondurant. Ik heb verder geen vragen.'

Freeman besloot haar reeks minder belangrijke getuigen met het oproepen van Gladys Pickett, die zich in de getuigenbank bekendmaakte als hoofdkassier van WestLand Nationals hoofdkantoor in Sherman Oaks. Nadat Freeman haar had gevraagd wat haar taken bij de bank waren, kwam ze meteen ter zake.

'Voor hoeveel mensen bent u verantwoordelijk als hoofdkassier van de bank, mevrouw Pickett?'

'Een stuk of veertig.'

'En een van die mensen is een kassier die Margo Schafer heet?'

'Ja, Margo is een van mijn kassiers.'

'Ik wil graag met u teruggaan naar de ochtend van de moord op Mitchell Bondurant. Toen Margo Schafer die ochtend haar kas kwam halen, was ze toen van streek?'

'Ja, zeker.'

'Zou u de jury willen vertellen wat de oorzaak daarvan was, alstublieft?'

'Ze kwam bij me en vertelde dat ze Lisa Trammel op straat had gezien, op nog geen half huizenblok afstand van de bank. Ze liep op de stoep, weg van de bank.'

'En waarom was dit een reden voor haar paniek?'

'Nou, Lisa Trammels foto hing in de personeelskantine en in de kluis, en we hadden instructies gekregen om het aan onze superieuren te melden als we haar hadden gezien.'

'Weet u ook waarom die instructies waren uitgevaardigd?'

'Ja, de bank had een straatverbod voor haar toegekend gekregen om haar uit de buurt van het bankgebouw te houden.'

'Kunt u de jury vertellen hoe laat het was toen Margo Schafer u vertelde dat ze mevrouw Trammel in de buurt van de bank had gezien?'

'Ja, zodra ze binnenkwam. Het was het eerste wat ze zei.'

'Houdt u bij hoe laat de kassiers op het werk arriveren?'

'Er wordt op een lijst genoteerd hoe laat de kassiers hun kas uitgereikt krijgen.'

'Dan komen ze in de kluis hun kas ophalen en daarna gaan ze naar hun werkplek?'

'Ja, dat klopt.'

'Hoe laat kwam Margo Schafer op die bewuste dag binnen om haar kas op te halen?'

'Het was negen over negen. Ze was de laatste. Ze was te laat.'

'En toen vertelde ze u dat ze Lisa Trammel had gezien?'

'Ja, dat is juist.'

'Wist u op dat moment dat Mitchell Bondurant vermoord in de parkeergarage van de bank lag?'

'Nee. Niemand wist het nog, want Riki Sanchez moest daar blijven totdat de politie kwam en ze haar verklaring hadden opgenomen. We wisten geen van allen wat er gaande was.'

'Dus het idee dat Margo Schafer het verhaal over Lisa Trammel uit haar duim gezogen zou hebben nadát ze van de moord op meneer Bondurant had gehoord, is volgens u niet mogelijk. Is dat correct?'

'Correct. Ze vertelde dat ze haar had gezien voordat zij of ik of wie dan ook in de bank het nieuws over meneer Bondurant had gehoord.'

'Hoe laat was het toen u het nieuws over de moord op meneer Bondurant hoorde en u besloot de informatie van Margo Schafer vertellen maken?'

'Dat was pas een half uur later. Toen ik het nieuws hoorde, vond ik dat de politie moest weten dat deze vrouw in de buurt van de bank was gezien.'

'Dank u, mevrouw Pickett. Ik heb verder geen vragen.'

Het was de hardste klap die Freeman tot nu toe had uitgedeeld. Pickett had ongeveer alles ongedaan gemaakt wat ik met Schafer in de getuigenbank had bereikt. Nu moest ik beslissen of ik het zou laten rusten of dat ik het risico nam dat ik het nog erger maakte.

Ik besloot mijn verlies te nemen en te wachten op een nieuwe kans. Ze zeggen dat je nooit vragen moet stellen waar je zelf niet het antwoord op weet. Die regel ging hier op. Pickett had geweigerd met mijn onderzoeksmedewerker te praten. Freeman had misschien wel een val gezet met nog een extra stukje informatie waar ik met een slecht gekozen vraag over kon struikelen.

'Ik heb geen vragen voor deze getuige,' zei ik vanaf mijn plek aan de tafel van de verdediging.

Rechter Perry zei dat Pickett mocht vertrekken en schorste de zitting voor een theepauze van vijftien minuten. Toen de mensen opstonden om de rechtszaal te verlaten, boog mijn cliënt zich naar me toe.

'Waarom heb je haar niks gevraagd?' fluisterde ze.

'Wie? Pickett? Ik wilde het niet erger maken door de verkeerde vragen te stellen.'

'Dat meen je toch niet, hè? Je had haar in mootjes moeten hakken, net zoals je dat met Schafer hebt gedaan.'

'Het grote verschil is dat ik met Schafer iets had om mee te werken. Dat heb ik met Pickett niet, en proberen iemand in de val te lokken zonder goed plan, kan alleen maar op een ramp uitdraaien. Daarom heb ik haar met rust gelaten.'

Ik zag haar ogen donkerder worden van boosheid.

'Nou, dan had je een plan moeten bedenken.'

Het klonk bijna sissend, alsof ze zich verbeet.

'Luister, Lisa. Ik ben je advocaat en ik beslis of...'

'Laat maar. Ik moet weg.'

Ze stond op en haastte zich door het hekje naar de uitgang van de rechtszaal. Ik keek naar Freeman om te zien of ze iets had opgevangen van dit meningsverschil tussen advocaat en cliënt. Er lag een alwetende glimlach om haar mond, wat bevestigde dat dit het geval was.

Ik besloot op de gang te gaan kijken om te zien waarom mijn cliënt er zo overhaast vandoor was gegaan. Toen ik de rechtszaal uit kwam werd mijn aandacht onmiddellijk getrokken door een groep fotografen bij een van de banken die tussen de diverse rechtszalen tegen de muur staan. De camera's waren gericht op Lisa, die in een innige omarming met haar zoontje Tyler op de bank zat. Het jongetje zag eruit alsof hij zich buitengewoon slecht op zijn gemak voelde.

'Jezus christus,' fluisterde ik.

Ik zag Lisa's zus op een paar meter afstand van de groep staan en liep naar haar toe.

'Wat moet dit voorstellen, Jodi? Ze weet dat de rechter heeft verboden dat haar zoontje in de rechtszaal komt zitten.'

'Ja, dat weet ik. Maar hij komt niet in de rechtszaal. Hij had een halve dag vrij van school en ze wilde dat ik met hem langskwam. Volgens mij denkt ze dat als de pers haar met Ty ziet, dat goed is voor de zaak.'

'Ja, nou, de pers heeft hier weinig te vertellen. Doe dit niet nog eens. Het kan me niet schelen wat ze zegt, maar kom niet met hem naar het gerechtshof.'

Ik keek of ik Herb Dahl ergens zag. Dit idee moest wel uit zijn koker komen en ik wilde hem dezelfde boodschap meegeven. Maar de aalgladde Hollywood-man was nergens te bekennen. Hij was waarschijnlijk slim genoeg om uit mijn buurt te blijven.

Ik liep terug naar de rechtszaal. Ik had nog tien minuten pauze over en besloot die te gebruiken om te mokken over het feit dat ik werkte voor een cliënt die ik niet mocht en aan wie ik een oprechte hekel begon te krijgen.

25

Na de pauze begon Freeman aan wat ik de grondleggersfase van de zaak van het OM noem. De technisch rechercheurs. Hun getuigenissen bouwden het toneel waarop de leider van het onderzoek, inspecteur Howard Kurlen, later zou schitteren.

De eerste grondlegger was rechercheur William Abbott, die, nadat hij op de plaats delict was gearriveerd, verantwoordelijk was voor de documentatie van hoe het slachtoffer was aangetroffen en het transport naar de Forensische Dienst, waar de autopsie zou plaatsvinden.

In zijn getuigenis vertelde hij over zijn observaties van de plaats delict, de hoofdwonden van het slachtoffer en de persoonlijke bezittingen die op of rondom het stoffelijk overschot waren aangetroffen. Hieronder vielen Bondurants portefeuille, zijn horloge, wisselgeld en een geldclip met honderddrieëntachtig dollar in bankbiljetten. Daarnaast was er het kassabonnetje van de Joe's Joe-koffieshop, dat de rechercheurs had geholpen met het vaststellen van het tijdstip van overlijden.

Net als Covington was Abbott heel nuchter en zakelijk tijdens zijn getuigenis. Het was voor hem heel gewoon om op de plaats delict van een geweldsmisdaad te zijn. Toen het mijn beurt was om hem vragen te stellen, ging ik hier dieper op in.

'Meneer Abbott, hoe lang werkt u al als technisch rechercheur?'

'Dit is mijn negenentwintigste jaar.'

'Al die tijd in L.A. County?'

'Dat is juist.'

'Op hoeveel plaatsen delict bent u in die periode geweest, schat u?'

'O jee, een paar duizend, vermoed ik. Veel in ieder geval.'

'Dat geloof ik graag. En ik neem aan dat het dan vaak om geweldsmisdaden ging?'

'Dat hoort bij mijn werk.'

'En deze plaats delict? U hebt de verwondingen van het slachtoffer bekeken en gefotografeerd, is dat juist?'

'Ja, dat heb ik gedaan. Het maakt deel uit van het protocol dat we volgen voordat het stoffelijk overschot wordt afgevoerd.'

'U hebt voor u liggen het rapport van de plaats delict dat voor het proces tot het bewijs van het OM is toegelaten. Zou u voor de jury de tweede alinea van de samenvatting willen voorlezen?'

Abbott sloeg een bladzijde van het rapport om en vond de gevraagde alinea.

'"Op de kruin van het hoofd bevinden zich drie afzonderlijke inslagwonden die door geweld zijn toegebracht en veel schade hebben aangericht. De ligging van het stoffelijk overschot wijst erop dat het slachtoffer onmiddellijk, al voor het op de grond viel, het bewustzijn had verloren." In die context heb ik vervolgens het woord "overkill" gebruikt.'

'Ja, en daar ben ik nieuwsgierig naar. Wat bedoelde u met "overkill" in uw samenvatting?'

'Dat het er voor mij uitzag dat elk van deze inslagwonden afzonderlijk voldoende was om de klus te klaren. Het slachtoffer was buiten bewustzijn en vermoedelijk zelfs al dood voordat het de grond raakte. Als gevolg van de eerste klap. Dit zou erop wijzen dat de twee andere inslagwonden zijn toegebracht toen hij op zijn buik op de grond lag. Dat noem ik overkill. Iemand moet heel erg boos op hem zijn geweest, tenminste, zo zie ik het.'

Abbott dacht waarschijnlijk dat hij slim was door me het antwoord te geven dat ik het minst graag wilde horen. Freeman dacht dat waarschijnlijk ook. Maar ze hadden het mis.

'Dus u stelt in uw samenvatting dat u bij deze moord een zekere emotionele betrokkenheid hebt bespeurd, is dat juist?'

'Ja, dat dacht ik.'

'Wat hebt u voor opleiding als het om moordonderzoek gaat?'

'Nou, ik heb dertig jaar geleden, voordat ik bij de politie ging werken, een opleiding van een half jaar gedaan. En we gaan een paar keer per jaar op cursus, om de nieuwste onderzoekstechnieken en zo te leren.'

'Specifiek voor moordonderzoek?'

'Niet alles, maar het meeste wel.'

'Wordt er in moordonderzoek niet van uitgegaan dat overkill erop wijst dat het slachtoffer zijn of haar moordenaar kende? Dat er een persoonlijke band was tussen beiden?'

'Eh...'

Eindelijk had Freeman het door. Ze stond op, maakte bezwaar, zei dat Abbott geen rechercheur Moordzaken was en dat hij de expertise niet had om de vraag te beantwoorden. Ik hoefde er niet tegen in te gaan. De rechter stak zijn hand op om me het zwijgen op te leggen en zei tegen Freeman dat ik Abbott in deze richting had gestuurd zonder dat het OM er bezwaar tegen had gehad. De getuige had verteld over zijn ervaring en opleiding zonder dat Freeman een kik had gegeven.

'U hebt gegokt, mevrouw Freeman. U dacht dat de getuigenis in uw voordeel zou werken. Nu ze dat niet doet, kunt u niet terugkrabbelen. De getuige zal de vraag beantwoorden.'

'Ga uw gang, meneer Abbott,' zei ik.

Abbott rekte tijd door de rechtbankstenograaf te vragen of ze de vraag nog eens kon oplezen. Daarna moest de rechter hem opnieuw aansporen om te antwoorden.

'Het wordt gezegd,' zei hij uiteindelijk.

'Wat wordt er gezegd?' vroeg ik. 'Wat bedoelt u?'

'Wanneer je een misdaad met veel geweld hebt, moet er rekening mee worden gehouden dat het slachtoffer zijn aanvaller, zijn moordenaar, persoonlijk kende.'

'En als u het hebt over een misdaad met veel geweld, bedoelt u over-kill?'

'Die kan er deel van uitmaken, ja.'

'Dank u, meneer Abbott. En hoe zit het met de andere observaties die u op de plaats delict hebt gedaan? Hebt u zich een mening gevormd over de hoeveelheid kracht die nodig was om meneer Bondurant drie keer hard boven op zijn hoofd te slaan?'

Freeman maakte weer bezwaar en stelde dat Abbott geen patholoog-anatoom was en dus niet de expertise had om de vraag te beantwoorden. Deze keer kende Perry het bezwaar toe en gunde hij haar een kleine overwinning.

Ik besloot me te beperken tot wat ik had gekregen en er blij mee te zijn.

'Ik heb verder geen vragen,' zei ik.

De volgende getuige was Paul Roberts, het hoofd van het uit drie man bestaande forensische team dat de plaats delict had onderzocht. Zijn getuigenis was minder interessant dan die van Abbott omdat Freeman hem weinig ruimte gaf. Hij sprak alleen over de gevolgde procedure en wat er op de plaats delict was gevonden wat later door het forensisch lab was onderzocht. In mijn kruisverhoor kreeg ik de gelegenheid om het ontbreken van concreet bewijs in het voordeel van mijn cliënt te gebruiken.

'Kunt u de jury vertellen waar op de plaats delict de vingerafdrukken zijn gevonden die later aan de beklaagde zijn gekoppeld?'

'Er zijn geen vingerafdrukken gevonden.'

'Kunt u de jury dan vertellen welke bloedmonsters er op de plaats delict zijn gevonden van het bloed van de beklaagde?'

'Die zijn niet gevonden.'

'O, en hoe zit het dan met haren en vezels? Hebt u haren en vezels gevonden die de beklaagde in verband brengen met de plaats delict?'

'Nee, dat hebben we niet.'

Ik liep een paar meter weg van de lessenaar alsof ik mijn verbazing van me af moest zetten en ging toen weer terug.

'Meneer Haller,' zei de rechter, 'maak er geen show van.'

'Dank u, edelachtbare,' zei Freeman.

'Ik had het niet tegen u, mevrouw Freeman.'

Ik bleef de jury lang aankijken voordat ik mijn volgende en laatste vraag stelde.

'Samengevat, meneer, hebben u en uw team in de parkeergarage ook maar een enkel spoortje bewijs gevonden dat bevestigt dat Lisa Trammel op de plaats delict is geweest?'

'In de parkeergarage? Nee, dat hebben we niet.'

'Dank u. Dan heb ik verder geen vragen.'

Ik wist dat Freeman in de tweede ronde hard kon terugslaan door Roberts te vragen naar de hamer met Bondurants bloed erop, of naar de schoen met hetzelfde bloed erop, die was gevonden in de garage van mijn cliënt. Hij was bij beide onderzoeken aanwezig geweest. Maar ik vermoedde dat ze dat niet zou doen. Ze had de bewijsvoering van haar zaak goed voorbereid, tot aan het allerlaatste bewijsstuk, en als ze dat nu veranderde zou ze haar zaak uit het ritme halen en zou ze de kracht en de impact van het moment dat ze alles samenbracht misschien in gevaar brengen. Ze was te slim om zo'n risico te nemen. Ze zou nu haar wonden likken in de wetenschap dat ze later in het proces de knock-out zou uitdelen.

'Mevrouw Freeman, tweede ronde?' vroeg de rechter toen ik weer achter mijn tafel zat.

'Nee, edelachtbare. Geen tweede ronde.'

'De getuige mag gaan.'

Ik had Freemans getuigenlijst aan de binnenkant van de omslag van mijn dossier geniet en dat lag voor me op tafel. Ik zette een streep door de namen van Abbott en Roberts en keek wie er nog over waren. De eerste procesdag was nog niet eens afgelopen en ze had al een flinke deuk in de rij namen geslagen. Ik bekeek de overige namen en bedacht dat inspecteur Kurlen de meest voor de hand liggende volgende getuige was. Maar dit vormde een klein probleem voor de openbaar aanklager. Ik keek op mijn horloge. Het was vijf voor half vijf en het was gebruikelijk dat de zitting om vijf uur eindigde. Als Freeman Kurlen nu in de getuigenbank zette, zou ze nog maar net begonnen zijn als de zitting werd geschorst. Het was mogelijk dat ze Kurlen kon sturen in de richting van een onthulling waar de juryleden thuis over konden nadenken, maar dan zou ze waarschijnlijk moeten schuiven in de volgorde van de getuigenis, en ik vermoedde opnieuw dat ze dat niet zou doen.

Ik bekeek de lijst om te zien of ze een zwever had, iemand van wie het niet zo veel uitmaakte wanneer hij precies getuigde. Ik zag er geen een op de lijst staan, keek naar de openbaar aanklager aan de andere kant van het middenpad en vroeg me af wat ze zou doen.

'Mevrouw Freeman,' drong de rechter aan, 'uw volgende getuige, alstublieft.'

Freeman stond op en richtte het woord tot de rechter.

'Edelachtbare, het ligt in de verwachting dat de getuige die ik als volgende had gepland een lange getuigenis zal afleggen, zowel aan mij als tijdens het kruisverhoor, vermoed ik. Ik zou het hof toestemming willen vragen om deze getuige pas morgenochtend op te roepen, zodat de jury er geen hinder van ondervindt dat we de getuigenis moeten afbreken.'

De rechter keek langs Freemans hoofd naar de klok aan de muur achter in de rechtszaal. Toen schudde hij langzaam zijn hoofd.

'Nee,' zei hij. 'Nee, dat gaan we niet doen. We hebben nog ruim een half uur de tijd en die gaan we gebruiken. Roep uw volgende getuige op, mevrouw Freeman.'

'Ja, edelachtbare,' zei Freeman. 'Het OM roept Gilbert Modesto op.'

Ik had het mis gehad met de zwever. Modesto was hoofd van de beveiliging van WestLand National, maar Freeman meende blijkbaar dat ze zijn getuigenis in haar zaak kon inpassen en dat die minder gevoelig was voor onderbrekingen.

Nadat hij de eed had afgelegd en in de getuigenbank had plaatsgenomen gaf Modesto een overzicht van zijn ervaring in ordehandhaving en zijn huidige taken bij WestLand National. Vervolgens vroeg Freeman wat hij meteen na de moord op Mitchell Bondurant had gedaan.

'Toen ik hoorde dat het om Mitch ging, heb ik meteen het dreigementendossier gelicht en het aan de politie gegeven,' zei hij.

'Wat is dat, het dreigementendossier?' vroeg Freeman.

'Dat is het dossier dat we bijhouden van alle dreigementen, per post of per e-mail, die tegen de bank of het bankpersoneel worden geuit. Het bevat ook notities van dreigementen van andere aard, per telefoon, via derden of aan de politie. We hanteren een protocol voor het afwegen van de ernst van de dreigementen en houden een namenlijst van de bedreigers bij, dat soort dingen.'

'Hoe bekend bent u zelf met het dreigementendossier?'

'Heel goed. Ik bestudeer het regelmatig. Dat hoort bij mijn werk.'

'Hoeveel namen stonden er in het dossier op de ochtend van de moord op Mitchell Bondurant?'

'Ik heb ze niet geteld, maar ik zou zeggen enkele tientallen.'

'En die werden allemaal gezien als serieuze bedreigingen voor de bank en zijn personeel?'

'Nee, maar we hanteren de regel dat alle dreigementen worden opgenomen in het dossier. Ongeacht hoe serieus ze zijn, alles wordt meegeteld. Dus het merendeel ervan wordt niet als serieus beschouwd en gezien als afkomstig van iemand die alleen stoom af wil blazen of die flink de smoor in heeft.'

'En als het om de ernst van het dreigement gaat, wie stond er die ochtend dan boven aan uw lijst met namen?'

'De beklaagde, Lisa Trammel.'

Freeman pauzeerde voor het effect. Ik keek naar de juryleden. Vrijwel alle ogen waren op mijn cliënt gericht.

'Waarom was dat, meneer Modesto? Had ze een specifiek dreigement tegen de bank of iemand van het personeel geuit?'

'Nee, dat niet. Maar ze was met de bank verwikkeld in een onteigeningsstrijd en het was ons bekend dat ze voor de deur van de bank had geprotesteerd totdat onze advocaten er met een tijdelijk straatverbod een eind aan maakten. Het waren haar daden die als een dreiging werden beschouwd en zo te zien hebben we daarin gelijk gekregen.'

Ik sprong overeind, maakte bezwaar en vroeg de rechter het laatste deel van Modesto's antwoord te schrappen omdat het beschuldigend en onbewezen was. De rechter was het met me eens en zei tegen Modesto dat hij zulke meningen voor zich moest houden.

'Weet u, meneer Modesto,' zei Freeman, 'of Lisa Trammel ook directe dreigementen tegen iemand van het bankpersoneel in het algemeen of tegen Mitchell Bondurant in het bijzonder heeft geuit?'

Regel nummer één was dat je moest proberen alle zwakke punten in je voordeel te gebruiken. Freeman stelde nu mijn vragen, beroofde me van de kans die met de nodige verontwaardiging te omkleden.

'Nee, dat niet. Maar wij moesten de ernst van de dreigementen beoordelen en hadden daarbij het gevoel dat ze iemand was die we maar beter in de gaten konden houden.'

'Dank u, meneer Modesto. Aan wie van de politie van L.A. hebt u het dossier gegeven?'

'Aan inspecteur Kurlen, die de leiding van het onderzoek had. Ik ben rechtstreeks naar hem toe gestapt.'

'En bent u later die dag nog in de gelegenheid geweest om met inspecteur Kurlen te praten?'

'Nou, we hebben elkaar in de loop van het onderzoek een paar keer gesproken. Hij had vragen over de beveiligingscamera's in de parkeergarage en enkele andere dingen.'

'Hebt u een tweede keer contact met hem opgenomen?'

'Ja, toen mij bekend werd dat een van onze personeelsleden, een kassier, aan haar supervisor had gemeld dat ze Lisa Trammel die ochtend in de buurt van de bank had gezien. Ik vond dat de politie dat moest weten, dus heb ik inspecteur Kurlen gebeld en een afspraak voor hem gemaakt om met de kassier te praten.'

'En die kassier was Margo Schafer?'

'Ja, dat is juist.'

Freeman beëindigde haar verhoor en droeg de getuige over aan mij. Ik besloot het kort te houden, een paar zaadjes van twijfel te zaaien en later terug te komen om ze te oogsten.

'Meneer Modesto, was u, als hoofd van de beveiliging van WestLand, op de hoogte van de onteigeningsprocedure die de bank tegen Lisa Trammel voerde?'

Modesto schudde zijn hoofd alsof het hem speet.

'Nee, dat was een juridische zaak en daarom niet mijn werkterrein.'

'Dus toen u het dossier, met Lisa Trammels naam boven aan de lijst, aan inspecteur Kurlen gaf, wist u niet dat er een grote kans bestond dat ze haar huis zou kwijtraken, is dat juist?'

'Ja, dat klopt.'

'En u zou het ook niet hebben geweten dat de bank op het punt stond de uitvoering van die onteigening over te dragen aan een kantoor dat niet terugdeinsde voor frauduleuze praktijken. Is dat...?'

'Bezwaar!' riep Freeman. 'Veronderstellingen zijn geen bewijs.'

'Toegewezen,' zei Perry. 'Meneer Haller, pas op uw tellen.'

'Ja, edelachtbare. Meneer Modesto, toen u het dreigementendossier aan inspecteur Kurlen gaf, hebt u toen speciaal de aandacht gevestigd op Lisa Trammels naam, of hebt hem gewoon het dossier gegeven en de rest aan hem overgelaten?'

'Ik heb tegen hem gezegd dat ze boven aan onze lijst stond.'

'Heeft hij u gevraagd waarom dat was?'

'Dat kan ik me niet herinneren. Ik weet alleen nog dat ik het tegen hem heb gezegd, maar niet of ik dat uit mezelf deed of omdat hij het me vroeg.'

'En op het moment dat u tegen inspecteur Kurlen zei dat Lisa mogelijk een dreiging vormde, had u geen idee van de fase waarin de onteigeningsprocedure tegen haar zich bevond. Is dat juist?'

'Ja, dat klopt.'

'Dus inspecteur Kurlen had die informatie evenmin. Klopt dat ook?'

'Ik kan niet voor inspecteur Kurlen spreken. Dat zult u aan hem moeten vragen.'

'Maak u geen zorgen, dat zal ik zeker doen. Ik heb op dit moment verder geen vragen.'

Terwijl ik terugliep naar onze tafel keek ik naar de klok aan de muur. Het was vijf voor vijf en ik wist dat we klaar waren voor vandaag. Het voeren van een proces vergde altijd zo veel voorbereiding. Het einde van de eerste dag ging meestal gepaard met een golf van vermoeidheid. Ik voelde dat die nu toesloeg.

De rechter drukte de juryleden op het hart dat ze zich open moesten opstellen tegenover hetgeen ze vandaag hadden gehoord en gezien. Hij zei dat ze persverslagen over het proces moesten vermijden en dat ze de zaak niet met elkaar of met anderen mochten bespreken. Daarna stuurde hij de jury naar huis.

Mijn cliënt vertrok met Herb Dahl, die naar het gerechtshof was teruggekomen, en ik liep achter Freeman aan het hekje door.

'Leuk begin,' zei ik tegen haar.

'Je deed het zelf ook niet slecht.'

'Nou, we weten allebei dat je aan het begin van het proces het fruit moet plukken dat het laagst hangt. Dan is dat weg en hebben we de ruimte om er stevig tegenaan te gaan.'

'Ja, en dat gaan we doen, er stevig tegenaan. Veel succes, Haller.'

Op de gang scheidden onze wegen zich. Freeman liep de trap af naar het kantoor van het OM terwijl ik de lift naar beneden nam en terugwandelde naar mijn kantoor. Het maakte niet uit hoe moe ik was. Ik had werk te doen. Kurlen zou morgen hoogstwaarschijnlijk de hele dag in de getuigenbank staan. Daar moest ik me op voorbereiden.

26

'Het OM roept inspecteur Howard Kurlen op.'

Andrea Freeman stond achter haar tafel maar draaide zich om toen de politieman door het middenpad naar voren liep. Onder zijn arm had hij twee dikke, blauwe, ingebonden dossiers die de 'moordboeken' worden genoemd. Hij opende het hekje en liep naar de getuigenbank. Zo te zien voelde hij zich op zijn gemak. Dit was voor hem dagelijkse kost. Hij legde de moordboeken op de plank aan de voorkant van de getuigenbank en stak zijn hand op om de eed af te leggen. Op dat moment wierp hij me een zijdelingse blik toe. Uiterlijk was Kurlen cool, kalm en beheerst, maar we hadden dit spelletje eerder gespeeld en hij moest zich wel afvragen wat ik deze keer voor hem in petto had.

Kurlen droeg een goed gesneden donkerblauw pak en een helderoranje stropdas. Rechercheurs zien er altijd op hun best uit als ze moeten getuigen. Toen viel me iets op. Ik zag geen grijs in Kurlens haar. Hij liep tegen de zestig en zijn haar vertoonde geen spoortje grijs. Hij had het geverfd voor de tv-camera's.

IJdelheid. Ik vroeg me meteen af of ik daar gebruik van kon maken als ik hem mijn vragen stelde.

Nadat hem de eed was afgenomen nam Kurlen plaats en maakte het zich gemakkelijk. Hij zou daar waarschijnlijk de hele dag zitten, en misschien nog wel langer. Hij schonk een glas water in uit de karaf die de parketwacht voor hem had neergezet, nam een slokje en keek Freeman aan. Hij was er klaar voor.

'Goedemorgen, inspecteur Kurlen. Ik zou vanochtend graag willen beginnen met het verzoek of u de jury iets over uw ervaring en arbeidsverleden wilt vertellen.'

'Met alle plezier,' zei Kurlen met een vriendelijke glimlach. 'Ik ben zesenvijftig jaar en ik ben vierentwintig jaar geleden bij de politie van Los Angeles komen werken nadat ik tien jaar bij de marine was geweest. Ik heb de afgelopen negen jaar als rechercheur Moordzaken bij Bureau Van

Nuys gewerkt. Daarvoor heb ik drie jaar gezeten bij Moordzaken van bureau Foothill.'

'Aan hoeveel moordonderzoeken hebt u meegewerkt?'

'Deze zaak is mijn eenenzestigste moordonderzoek. Ik heb als rechercheur ook andere misdaden onderzocht – beroving, inbraak en autodiefstal – in de zes jaar voordat ik bij Moordzaken begon.'

Freeman stond achter de lessenaar. Ze sloeg een bladzijde van haar blocnote om en leek klaar om ter zake te komen.

'Inspecteur, laten we beginnen op de ochtend van de moord op Mitchell Bondurant. Kunt u ons door de eerste stadia van de zaak begeleiden?'

Dat 'ons' was slim gekozen, want het suggereerde dat de jury en de openbaar aanklager aan dezelfde kant stonden. Ik twijfelde geen moment aan Freemans vakmanschap en wist dat ze vandaag, met haar belangrijkste politieman in de getuigenbank, op haar scherpst zou zijn. Ze wist dat als ik Kurlen kon beschadigen, haar hele zaak misschien op losse schroeven kwam te staan.

'Ik zat achter mijn bureau en het was ongeveer kwart over negen toen de brigadier naar mij en mijn partner Cynthia Longstreth toe kwam en zei dat er in de parkeergarage van het hoofdkantoor van WestLand National op Ventura Boulevard een moord was gepleegd. Rechercheur Longstreth en ik zijn er onmiddellijk naartoe gegaan.'

'Naar de plaats delict?'

'Ja, onmiddellijk. We arriveerden daar om negen uur dertig en namen de plaats delict over.'

'Wat hield dat in?'

'Nou, de eerste prioriteit is het veiligstellen van de sporen en het bewijs. Agenten hadden de plaats delict al afgezet en hielden de mensen op een afstand. Toen we zeker wisten dat we alles naar behoren hadden gedaan, hebben we de taken verdeeld. Mijn partner bleef daar om het sporenonderzoek te begeleiden en ik ben alvast gaan praten met de getuigen die door de patrouilledienst apart waren gehouden.'

'Rechercheur Longstreth is minder ervaren dan u bent, is het niet?'

'Ja. Ze werkt nu drie jaar met me samen op Moordzaken.'

'Waarom hebt u het minst ervaren lid van uw team belast met de uiterst belangrijke taak van het toezicht houden op de plaats delict?'

'Dat heb ik gedaan omdat ik wist dat de mensen van de technische recherche en het mortuarium allemaal veteranen met vele dienstjaren waren en dat Cynthia dus in goede handen was.'

Freeman stelde Kurlen vervolgens een reeks vragen over zijn eerste gesprekken met de getuigen, te beginnen met Riki Sanchez, die het slachtoffer had gevonden en het alarmnummer had gebeld. Kurlen maakte een ontspannen indruk en antwoordde bijna achteloos. De term die zich aan me opdrong was dat hij 'charmant' was.

Ik hield niet van charmante getuigen, maar ik moest mijn tijd uitzitten. Ik wist dat het misschien wel tot het eind van de dag zou duren voordat ik de kans kreeg om Kurlen het vuur aan de schenen te leggen. Ik hoopte alleen dat niet de voltallige jury verliefd op hem was geworden voor het zover was.

Freeman was slim genoeg om te weten dat je de aandacht van een jury niet alleen met charme vasthoudt. Uiteindelijk rondde ze haar vragen over de plaats delict af en begon ze over Lisa Trammel.

'Inspecteur, was er een moment tijdens het onderzoek dat de naam van de gedaagde u werd genoemd?'

'Ja, dat moment was er. Het hoofd van de beveiligingsdienst van de bank kwam naar de parkeergarage en vroeg of hij mij of mijn partner kon spreken. Ik heb even met hem gepraat en ben toen met hem meegegaan naar zijn kantoor, waar we de beelden van de beveiligingscamera's bij de in- en uitgang van de garage en bij de liften hebben bekeken.'

'En heeft dat u aanwijzingen voor het onderzoek opgeleverd?'

'In eerste instantie niet. Ik heb niemand met een slagwapen gezien, noch iemand die zich omstreeks de tijd van de moord, ervoor of erna, verdacht gedroeg. Niemand die de garage uit vluchtte. Geen verdachte voertuigen die de garage in of uit reden. Natuurlijk zouden we later nog alle kentekennummers controleren. Maar bij een eerste bezichtiging van de beelden was er niets wat ons verder hielp, en de feitelijke moord was natuurlijk niet door een camera vastgelegd. Wat ook iets was wat de dader van de moord geweten moet hebben.'

Ik stond op en maakte bezwaar tegen Kurlens laatste opmerking. De rechter ging akkoord, liet die uit het verslag schrappen en zei tegen de jury dat die de opmerking moest negeren.

'Inspecteur,' drong Freeman aan, 'u zou ons vertellen wanneer de naam Lisa Trammel voor het eerst in het onderzoek opdook.'

'Ja, juist. Nou, meneer Modesto, het hoofd van de beveiliging van de bank, kwam naar me toe met een dossier. Een dreigementendossier, zoals hij het noemde. Hij gaf het aan me en het bevatte een aantal namen, waaronder die van de beklaagde. Vervolgens, kort daarna, belde meneer Modesto me op om te vertellen dat Lisa Trammel, een van degenen die werden genoemd in het dossier, die ochtend in de nabije omgeving van de bank was gesignaleerd.'

'De beklaagde. En op die manier dook haar naam in uw onderzoek op?'
'Dat is juist.'
'Wat hebt u met deze informatie gedaan, inspecteur?'
'Ik ben eerst teruggegaan naar de plaats delict. Daar heb ik mijn partner opdracht gegeven te gaan praten met de getuige die Lisa Trammel in de buurt van de bank had gezien. Het was belangrijk dat die informatie werd bevestigd en dat we de details te weten kwamen. Vervolgens heb ik de namen in het dossier en de aard van de dreigementen doorgenomen.'
'Bent u toen al tot een conclusie gekomen?'
'Ik meende niet dat een van de vermelde personen onze speciale aandacht verdiende op grond van de aard van hun dreigement en hun geschil met de bank. Desondanks zouden we ze allemaal grondig doorlichten. Lisa Trammel trok echter wel de aandacht aangezien me door meneer Modesto was verteld dat ze omstreeks het tijdstip van de moord in de onmiddellijke omgeving van de bank was gezien.'
'Dus het tijdstip en de geografische nabijheid van Lisa Trammel vormden de basis van die gedachte?'
'Ja, want die nabijheid kon in dit geval toegang betekenen. De plaats delict wekte de indruk dat iemand het slachtoffer had opgewacht. Hij had een eigen parkeerplek en zijn naam stond op de muur. Meteen naast die parkeerplek was een brede, betonnen steunpilaar. Onze aanvankelijke theorie was dat de dader zich achter die pilaar had verstopt en had gewacht tot meneer Bondurant zijn auto op zijn plek had geparkeerd. Er was inmiddels gebleken dat hij de eerste keer op zijn hoofd was geslagen door iemand die achter hem stond, op het moment dat hij uit zijn auto stapte.'
'Dank u, inspecteur.'
Freeman stelde haar getuige eerst nog enkele vragen over de plaats delict voordat hun aandacht zich weer op Lisa Trammel richtte.
'Was het zo dat uw partner op een zeker moment terugkeerde op de plaats delict om verslag te doen van haar gesprek met de bankemployee die beweerde dat ze Lisa Trammel in de buurt van de bank had gezien?'
'Ja, dat is juist. Mijn partner en ik meenden dat de identificatie door de getuige solide was. We bespraken de gegevens uit het dreigementendossier en vonden dat we zo snel mogelijk met Lisa Trammel moesten gaan praten.'
'Maar inspecteur, u zat midden in het onderzoek van de plaats delict en u had een dossier vol namen van mensen die dreigementen tegen de bank hadden geuit. Vanwaar de urgentie om met Lisa Trammel te gaan praten?'

Kurlen leunde achterover in de getuigenbank en nam de houding van de alwetende veteraan aan.

'Nou, er waren een paar dingen die ons het gevoel gaven dat we met mevrouw Trammel haast moesten maken. Ten eerste ging haar geschil met de bank over de onteigening van haar huis. Dat plaatste het geschil bij de afdeling Hypotheken. Het slachtoffer, meneer Bondurant, was adjunct-directeur en direct verantwoordelijke van die afdeling. Dus dat was een verband. Daar kwam nog bij, wat veel belangrijker was...'

'Als ik u even mag onderbreken, inspecteur. U noemt dat een verband. Wist u of het slachtoffer en mevrouw Trammel elkaar kenden?'

'Op dat moment niet, nee. We wisten alleen dat mevrouw Trammel publiekelijk had geprotesteerd tegen de onteigening en dat de onteigeningsprocedure in gang was gezet door meneer Bondurant, het slachtoffer. Maar we wisten op dat moment niet of deze twee mensen elkaar kenden of dat ze elkaar ooit hadden ontmoet.'

Het was een slimme zet om de zwakke punten van haar zaak aan de jury voor te leggen voordat ik dat zou doen. Dat maakte het voor de verdediging moeilijker om in de aanval te gaan.

'Goed dan, inspecteur,' zei Freeman. 'Ik onderbrak u op het moment dat u ons een tweede reden wilde geven om zo snel mogelijk met mevrouw Trammel te gaan praten.'

'Wat ik wilde uitleggen is dat een moordonderzoek een open gebeuren is. Je moet zorgvuldig en behoedzaam handelen, maar tegelijkertijd moet je je ook door de zaak laten leiden. Doe je dat niet, dan kan het bewijs in gevaar komen en kunnen er misschien meer slachtoffers vallen. We waren aangekomen op een punt in het onderzoek waarop het ons van belang leek contact op te nemen met Lisa Trammel. We konden niet langer wachten. We mochten haar niet de tijd geven het bewijsmateriaal te vernietigen of misschien andere mensen kwaad te doen. We moesten in actie komen.'

Ik keek naar de jury. Kurlen gaf een van zijn beste optredens ooit. Alle ogen op de jurybanken waren op hem gericht. Als Clegg McReynolds de zaak ging verfilmen, kon Kurlen zichzelf spelen.

'Wat hebt u toen gedaan, inspecteur?'

'We hebben de gegevens van Lisa Trammels rijbewijs opgevraagd, kregen haar adres in Woodland Hills en zijn naar haar huis gereden.'

'Wie bleef er op de plaats delict achter?'

'Meer dan voldoende mensen. Onze coördinator en alle mensen van de Forensische Dienst. Die hadden nog veel werk te doen en we moesten toch wachten tot ze klaar waren. Dat wij naar Lisa Trammel gingen, heeft het onderzoek of de plaats delict op geen enkele manier benadeeld.'

'Uw coördinator? Wie is dat?'

'Een hoofdinspecteur van Moordzaken. Jack Newsome. Hij was de supervisor op de plaats delict.'

'Aha. En wat gebeurde er toen u bij mevrouw Trammels huis aankwam? Was ze thuis?'

'Ja. We klopten op de deur en ze deed open.'

'Kunt u ons vertellen wat er daarna gebeurde?'

'We legitimeerden ons en zeiden dat we bezig waren met een politieonderzoek. We zeiden niet wat voor onderzoek, alleen dat het een ernstige misdaad betrof. We vroegen of we mochten binnenkomen om haar een paar vragen te stellen. Dat vond ze goed, dus gingen we naar binnen.'

Ik voelde een trilling in mijn broekzak en wist dat er een sms was binnengekomen op mijn mobiele telefoon. Ik haalde het toestel uit mijn zak en hield het onder de tafel om te voorkomen dat de rechter het zag. De sms was van Cisco.

MOET JE SPREKEN, JE IETS LATEN ZIEN.

Ik sms'te een antwoord en we kwamen tot een kort digitaal gesprek.

HEB JE DE BRIEF GECHECKT?

NEE, IETS ANDERS. BEN NOG BEZIG MET DE BRIEF.

DAN NA DE ZITTING. IK HEB DIE BRIEF NODIG.

Ik stopte de telefoon in mijn broekzak en richtte mijn aandacht weer op Freemans getuigenverhoor. De brief in kwestie had ik de vorige middag tussen de post in mijn postbus gevonden. Het was een anonieme brief, maar als Cisco de inhoud kon bevestigen, zou ik een nieuw wapen hebben. Een heel krachtig wapen.

'Hoe gedroeg mevrouw Trammel zich toen ze jullie binnenliet?' vroeg Freeman.

'Ze maakte een redelijk kalme indruk,' zei Kurlen. 'Ze leek niet bijzonder nieuwsgierig naar de reden van onze komst, of naar de misdaad die we hadden genoemd. Het leek haar allemaal niet veel te interesseren.'

'Waar hebben u en uw partner haar gesproken?'

'Ze nam ons mee naar de keuken en nodigde ons uit aan de keukentafel plaats te nemen. Ze vroeg of we koffie of water wilden, maar we hebben allebei bedankt.'

'En toen hebt u haar uw vragen gesteld?'

'Ja. De eerste vraag was of ze de hele ochtend thuis was geweest. Ze zei dat ze alleen haar zoontje naar school had gebracht, in Sherman Oaks, om acht uur 's morgens, maar verder was ze de hele ochtend thuis geweest. Ik heb gevraagd of ze op weg naar huis nog ergens een tussenstop heeft gemaakt, en dat ontkende ze.'

'Wat maakte u daaruit op?'

'Nou, dat er iemand moest liegen. We hadden een getuige die haar even voor negen uur in de buurt van de bank had gezien. Dus iemand had zich vergist of iemand sprak niet de waarheid.'

'Wat hebt u toen gedaan?'

'Ik heb haar gevraagd of ze bereid was mee te gaan naar het bureau om te worden verhoord en om enkele foto's te bekijken. Ze ging akkoord en toen hebben we haar naar Van Nuys gebracht.'

'Hebt u haar eerst gewezen op haar constitutionele recht om te zwijgen zonder de aanwezigheid van een advocaat?'

'Nee, want ze was op dat moment nog geen verdachte. Ze was gewoon iemand voor wie we belangstelling hadden omdat we haar naam waren tegengekomen. Ik vond het nog niet nodig om haar op haar rechten te wijzen voordat we die grens waren gepasseerd. En zover waren we nog lang niet. We zaten met een discrepantie tussen wat zij ons had verteld en wat een getuige had beweerd. We moesten dat eerst ophelderen voordat we haar als verdachte konden aanmerken.'

Freeman flikte het weer. Ze dekte de gaten af voordat ik erin kon duiken. Het was frustrerend, maar ik kon er niets aan veranderen. Ik was druk aan het schrijven en maakte aantekeningen voor vragen die ik later aan Kurlen wilde stellen, vragen die Freeman níet had voorzien.

Freeman stuurde Kurlen behendig terug naar Bureau Van Nuys en de verhoorkamer waarin hij mijn cliënt had laten plaatsnemen. Ze deed dit om de videobeelden van het gesprek te kunnen introduceren. Die werden voor de jury afgespeeld op de twee grote beeldschermen die aan het plafond hingen. Aronson had al voor het proces bezwaar gemaakt tegen het vertonen van de beelden, maar zonder succes. Rechter Perry stond ze toe. We konden in hoger beroep gaan, maar het was nog maar de vraag of dat iets zou opleveren. Ik moest het doen met de huidige situatie. Ik moest een manier zien te bedenken om de jury ervan te overtuigen dat deze aanpak oneerlijk was, dat het een val was waar mijn nietsvermoedende cliënt in was gelopen.

De beelden waren opgenomen vanuit een hoog standpunt en wat dat betreft scoorde de verdediging al meteen een punt, want Howard Kurlen was een grote man en Lisa Trammel was klein. Zoals hij tegenover Trammel aan tafel zat wekte Kurlen de indruk dat hij probeerde haar onder druk te zetten, haar de hoek in te willen drijven, of misschien zelfs probeerde haar bang te maken. Dit was goed. Dit zou een thema worden voor de vragen die ik hem tijdens mijn kruisverhoor zou stellen.

Het geluid was helder en van goede kwaliteit. Ondanks mijn bezwaar hadden zowel de juryleden als alle andere belanghebbenden van het proces een transcriptie van het gesprek uitgereikt gekregen. Ik had bezwaar gemaakt omdat ik niet wilde dat de juryleden meelazen. Ik wilde dat ze keken. Ik wilde dat ze zagen hoe de grote man de kleine vrouw intimideerde. Er viel hier sympathie te winnen, maar niet met de woorden op papier.

Kurlen begon heel ontspannen, noemde de namen van degenen die in de kamer aanwezig waren en vroeg Trammel of ze vrijwillig aan het gesprek deelnam. Mijn cliënt bevestigde dit, maar de sombere beelden en het hoge camerastandpunt spraken dit tegen. Ze zag eruit alsof ze al in de gevangenis zat.

'Wilt u ons om te beginnen vertellen wat u vandaag allemaal hebt gedaan?' vroeg Kurlen.

'Vanaf hoe laat?' antwoordde Trammel.

'Laten we zeggen vanaf het moment dat u opstond.'

Trammel beschreef haar ochtendroutine van wakker worden en haar zoontje voorbereiden voor zijn schooldag, en vervolgens had ze hem naar school gebracht. Het jongetje zat op een privéschool en de rit ernaartoe duurde twintig tot veertig minuten, afhankelijk van het verkeer. Nadat ze hem had afgezet, was ze op de terugweg ergens gestopt om een beker koffie te kopen, en daarna was ze naar huis gereden.

'Toen we bij u thuis waren zei u dat u geen tussenstops had gemaakt. Nu zegt u dat u bent gestopt om koffie te kopen?'

'Dat ben ik vergeten, denk ik.'

'Waar was dat?'

'Bij Joe's Joe, op Ventura.'

'Weet u nog of u een grote of een kleine beker hebt gekocht?

'Een grote. Ik drink veel koffie.'

Kurlen, als doorgewinterde verhoorder, sloeg een andere weg in om zijn prooi van de wijs te brengen.

'Bent u vanochtend bij WestLand National geweest?'

'Nee. Gaat het daarover?'

'Dus als iemand zegt dat u daar bent gezien, dan liegt hij?'

'Ja. Wie heeft dat gezegd? Ik heb het straatverbod niet overtreden. U moet...'

'Kent u Mitchell Bondurant?'

'Of ik hem ken? Nee. Ik heb van hem gehoord. Ik weet wie hij is. Maar ik kén hem niet.'

'Hebt u hem vandaag gezien?'

Trammel aarzelde en daarmee benadeelde ze zichzelf. Op de video kon je de radertjes in haar hoofd zien draaien. Ze overwoog of ze de waarheid zou vertellen. Ik keek naar de jury. Ik zag niet één gezicht dat niet naar de beeldschermen keek.

'Ja, ik heb hem gezien.'

'Maar u zei zonet dat u niet in de buurt van WestLand bent geweest.'

'Dat is ook zo. Hoor eens, ik weet niet wie u heeft verteld dat ze me bij de bank hebben gezien. Als hij het was, dan liegt hij. Ik ben er niet geweest. Ik heb hem gezien, ja, maar dat was in de koffieshop, niet bij...'

'Waarom hebt u dat niet gezegd toen wc vanochtend bij u thuis waren?'

'Wat gezegd? Dat hebt u me niet gevraagd.'

'Hebt u zich vanochtend omgekleed?'

'Wat?'

'Hebt u vanochtend, nadat u was thuisgekomen, andere kleren aangetrokken?'

'Hoor eens, wat moet dit voorstellen? Jullie vragen me mee te komen om iets te bespreken en nu blijkt het een soort valstrik te zijn. Ik heb het verbod niet overtreden. Ik heb...'

'Hebt u Mitchell Bondurant aangevallen?'

'Wat?'

Kurlen zei niets. Hij bleef Trammel aankijken toen haar mond een volmaakt ronde O vormde. Ik keek naar de juryleden. Alle ogen waren op de twee beeldschermen gericht. Ik hoopte dat ze hetzelfde zagen als ik. De oprechte schrik op het gezicht van mijn cliënt.

'Is dat... is Mitchell Bondurant aangevallen? Is alles in orde met hem?'

'Nee. Sterker nog, hij is dood. En dit lijkt me een goed moment om u op uw rechten te wijzen.'

Kurlen las Trammel haar rechten voor, waarop Trammel de toverwoorden zei, de slimste vier woorden die ooit uit haar mond waren gekomen.

'Ik wil mijn advocaat.'

Dat was het einde van het gesprek en de video besloot met Kurlen die Trammel arresteerde op verdenking van moord. En hiermee besloot

Freeman het getuigenverhoor van Kurlen. Ze verbaasde me toen ze opeens zei dat ze klaar was met de getuige en terugliep naar haar tafel. Ze moest het doorzoeken van het huis van mijn cliënt nog aan de jury voorleggen. En de vondst van de hamer. Maar blijkbaar was ze niet van plan Kurlen hiervoor te gebruiken.

Het was kwart voor twaalf en de rechter schorste de zitting voor een vroege lunch. Dat gaf me een uur en vijftien minuten voor mijn laatste voorbereidingen voor het verhoor van Kurlen. Opnieuw zouden Freeman en ik ons kunstje voor de jury doen.

27

Ik liep naar de lessenaar met twee dikke dossiers en mijn ouwe trouwe blocnote. De dossiers hadden niet direct iets met mijn kruisverhoor te maken, maar ik hoopte dat ze hun nut zouden bewijzen als rekwisieten. Ik nam de tijd om alles netjes op de lessenaar te rangschikken. Ik wilde Kurlen uit zijn evenwicht brengen. Ik wilde hem intimideren op de manier waarop hij mijn cliënt had geïntimideerd. Ik wilde dribbelen, dansen en schijnbewegingen maken, toeslaan met links als hij mijn rechter verwachtte, en er dan pijlsnel vandoor gaan.

Freeman had het slim gespeeld door de getuigenissen van Kurlen en zijn partner uit elkaar te halen. Het ontnam mij de kans om alleen via Kurlen een gerichte aanval op de zaak van het OM te doen. Ik moest hem nu onder handen nemen en zijn partner Longstreth pas veel later. Proceschoreografie was een van Freemans sterke punten en dat liet ze hier blijken.

'Als u er klaar voor bent, meneer Haller...' drong de rechter aan.

'Ja, edelachtbare. Ik moest even mijn aantekeningen op volgorde leggen. Goedemiddag, inspecteur Kurlen. Ik zou graag allereerst terug willen gaan naar de plaats delict. Hebt u...?'

'Wat u maar wilt.'

'Juist, dank u. Hoe lang waren u en uw partner op de plaats delict voordat u de jacht op Lisa Trammel opende?'

'Nou, zo zou ik het niet noemen, dat we de jacht op haar openden. We...'

'Omdat ze nog geen verdachte was?'

'Dat is een van de redenen.'

'Ze was alleen iemand die de belangstelling van de politie genoot. Noemt u het liever zo?'

'Ja. Dat klopt.'

'Hoe lang waren u en uw partner op de plaats delict voordat u samen op zoek ging naar de vrouw die niet als verdachte werd gezien en die alleen de belangstelling van de politie genoot?'

Kurlen raadpleegde zijn aantekeningen.

'Mijn partner en ik arriveerden om negen uur zevenentwintig op de plaats delict en we – een van ons of wij allebei – zijn daar gebleven totdat we samen om tien uur negenendertig zijn weggegaan.'

'Dat is... een uur en twaalf minuten. U bent dus maar tweeënzeventig minuten op de plaats delict geweest voordat u het nodig vond om een vrouw op te pakken die nergens van werd verdacht. Zie ik dat goed?'

'Dat is één manier om het te bekijken.'

'Hoe ziet u het dan, inspecteur?'

'Ten eerste doet het verlaten van de plaats delict niet ter zake aangezien die werd beheerd en beveiligd door de coördinator van Moordzaken. Bovendien waren er nog diverse mensen van de Forensische Dienst aan het werk. Onze taak lag niet op de plaats delict. Het was onze taak om aanwijzingen te volgen naar waar die ons zouden brengen, en op dat moment voerden die ons naar Lisa Trammel. Ze was nog geen verdachte toen we haar thuis gingen opzoeken, maar dat werd ze toen ze gedurende ons gesprek inconsistente en tegenstrijdige verklaringen begon af te leggen.'

'U hebt het nu over het verhoor op Bureau Van Nuys?'

'Ja, dat is juist.'

'Oké, en waaruit bestonden die inconsistente en tegenstrijdige verklaringen?'

'Toen we bij haar thuis waren zei ze dat ze geen tussenstops had gemaakt nadat ze haar kind naar school had gebracht. Vervolgens herinnert ze zich op het bureau ineens dat ze een beker koffie heeft gekocht en dat ze het slachtoffer daar heeft gezien. Ze zei dat ze niet in de buurt van de bank was geweest, maar wij hadden een getuige die haar op een half huizenblok afstand van de bank had gezien. Dat laatste was doorslaggevend.'

Ik glimlachte en schudde mijn hoofd alsof ik met een simpele van geest te maken had.

'Inspecteur, u maakt zeker een grapje, hè?'

Voor het eerst keek Kurlen me met een geïrriteerde blik aan. Dat was precies wat ik wilde. Als zijn reactie als arrogant werd gezien, beloofde dat veel voor als ik hem straks ging vernederen.

'Nee, ik maak geen grapje,' zei Kurlen. 'Ik neem mijn werk heel serieus.'

Ik vroeg de rechter of ik een deel van de opnamen van Trammels verhoor nog eens mocht afspelen. Nadat Perry toestemming had gegeven, spoelde ik de tape snel vooruit en hield mijn blik gericht op de tijdsvermelding in de rechter onderhoek. Ik drukte op tijd op de knop en de jury kon op normale snelheid zien dat Trammel ontkende dat ze in de buurt van WestLand National was geweest.

'*Bent u vanochtend bij WestLand National geweest?*'
'*Nee. Gaat het daarover?*'
'*Dus als iemand zegt dat u daar bent gezien, dan liegt hij?*'
'*Ja. Wie heeft dat gezegd? Ik heb het straatverbod niet overtreden. U moet...*'
'*Kent u Mitchell Bondurant?*'
'*Of ik hem ken? Nee. Ik heb van hem gehoord. Ik weet wie hij is. Maar ik kén hem niet.*'
'*Hebt u hem vandaag gezien?*'
'*Ja, ik heb hem gezien.*'
'*Maar u zei zonet dat u niet in de buurt van WestLand bent geweest.*'
'*Dat is ook zo. Hoor eens, ik weet niet wie u heeft verteld dat ze me bij de bank hebben gezien. Als hij het was, dan liegt hij. Ik ben er niet geweest. Ik heb hem gezien, ja, maar dat was in de koffieshop, niet bij...*'
'*Waarom hebt u dat niet gezegd toen we vanochtend bij u thuis waren?*'
'*Wat gezegd? Dat hebt u me niet gevraagd.*'
Ik stopte de video en keek Kurlen aan.
'Inspecteur, waar is het precies dat Lisa Trammel zichzelf tegenspreekt?'
'Op het moment dat ze zegt dat ze niet in de buurt van de bank is geweest en onze getuige zegt dat dat wel zo is.'
'Er bestaat dus een contradictie tussen twee verklaringen van twee verschillende personen, maar Lisa Trammel spreekt zichzelf niet tegen, of wel soms?'
'Dan hebt u het puur over woordbetekenis.'
'Zou u de vraag willen beantwoorden, inspecteur?'
'Ja, goed dan, het is een contradictie tussen twee verklaringen.'
Kurlen beschouwde dit onderscheid blijkbaar als onbelangrijk, maar ik hoopte dat de jury dat niet zou doen.
'Is het niet zo, inspecteur, dat Lisa Trammel zichzelf nooit heeft tegengesproken met haar verklaring dat ze op de dag van de moord niet in de buurt van de bank was geweest?'
'Dat zou ik niet weten. Ik ben niet op de hoogte van wat ze sindsdien allemaal heeft gezegd.'
Het was een flauw, nietszeggend antwoord, maar ik vond het prima.
'Goed dan. Heeft ze, voor zover u weet, inspecteur, haar allereerste verklaring aan u, dat ze niet in de buurt van de bank was geweest, ooit tegengesproken?'
'Nee.'

'Dank u, inspecteur.'

Ik vroeg de rechter of ik nog een stukje van de video mocht afspelen en kreeg toestemming. Ik ging terug naar een moment in het eerste deel van het verhoor en zette het beeld stil. Vervolgens vroeg ik de rechter of ik op het andere beeldscherm een van de foto's van de plaats delict mocht laten zien. De rechter gaf me het groene licht.

De foto die ik liet zien was genomen met een groothoeklens en vrijwel de hele plaats delict stond erop: Bondurants stoffelijk overschot, zijn auto, het geopende attachékoffertje en de gevallen koffiebeker.

'Inspecteur, laten we beginnen met de foto, bewijsstuk 3 van het OM. Kunt u voor ons beschrijven wat u op de voorgrond ziet?'

'Het koffertje of het stoffelijk overschot, bedoelt u?'

'Wat ziet u nog meer, inspecteur?'

'We zien de gemorste koffie en links het markeringsvlaggetje waar het weefselfragment is gevonden, later geïdentificeerd als afkomstig van de schedel van het slachtoffer. Op de foto kun je dat niet zien.'

Ik vroeg de rechter het laatste deel van het antwoord, over het weefselfragment, te schrappen omdat het geen antwoord op de vraag was. De rechter was het er niet mee eens en liet het staan. Ik accepteerde het en probeerde het opnieuw.

'Inspecteur, kunt u lezen wat er op de koffiebeker staat?'

'Ja, daar staat Joe's Joe. Dat is een luxekoffieshop op ongeveer vier blokken afstand van de bank.'

'Heel goed, inspecteur. Uw ogen zijn beter dan de mijne.'

'Misschien omdat de mijne naar de waarheid zoeken.'

Ik keek naar de rechter en spreidde mijn armen als een honkbalcoach die een volmaakt goede bal uit gegeven hoort worden. Maar voordat ik verbaal kon reageren, stortte de rechter zich al op Kurlen.

'Inspecteur!' blafte Perry. 'U weet wel beter.'

'Neem me niet kwalijk, edelachtbare,' zei Kurlen schuldbewust, terwijl hij mij recht bleef aankijken. 'Op de een of andere manier schijnt meneer Haller altijd het slechtste in me boven te brengen.'

'Dat is geen excuus. Nog zo'n opmerking en u krijgt serieuze problemen met me.'

'Het zal niet meer gebeuren, edelachtbare. Dat beloof ik u.'

'De jury krijgt de opdracht de opmerking van de getuige te negeren. Meneer Haller, ga door en handel dit onderwerp af.'

'Dank u, edelachtbare. Ik zal mijn best doen. Inspecteur, toen u tweeënzeventig minuten op de plaats delict was voordat u met mevrouw Trammel ging praten, hebt u toen vastgesteld van wie die koffiebeker was?'

'Nou, we hebben later ontdekt...'

'Nee, nee, nee, ik heb u niet gevraagd wat u later hebt ontdekt, inspecteur. Ik vroeg u naar die eerste tweeënzeventig minuten op de plaats delict. Wist u, gedurende die tijd, vóórdat u naar mevrouw Trammels huis in Woodland Hills reed, van wie die koffiebeker was?'

'Nee, dat hadden we nog niet vastgesteld.'

'Oké, dus u wist niet wie die koffie op de plaats delict had laten vallen.'

'Bezwaar,' zei Freeman. 'Vraag gesteld en beantwoord.'

Het was een zinloos bezwaar, maar ze moest toch iets proberen om me uit mijn ritme te halen.

'Ik sta de vraag toe,' zei de rechter voordat ik kon reageren. 'U mag de vraag beantwoorden, inspecteur. Wist u wie die beker koffie op de plaats delict had laten vallen?'

'Op dat moment niet.'

Ik liep naar de dvd-speler en startte de opnamen bij het beeld dat ik had stilgezet. De beelden kwamen uit het eerste deel van het verhoor, toen Trammel vertelde wat ze op de ochtend van de moord had gedaan.

'*... nu zegt u dat u bent gestopt om koffie te kopen?*'

'*Dat ben ik vergeten, denk ik.*'

'*Waar was dat?*'

'*Bij Joe's Joe. Op Ventura.*'

'*Weet u nog of u een grote of een kleine beker hebt gekocht?*'

'*Een grote. Ik drink veel koffie.*'

Ik stopte de beelden.

'Vertel me eens, inspecteur, waarom vroeg u of ze bij Joe's Joe een grote of een kleine koffie had gekocht?'

'Je werpt een zo groot mogelijk net uit en probeert zo veel mogelijk details te verzamelen.'

'Niet omdat u geloofde dat de koffiebeker op de plaats delict van Lisa Trammel zou kunnen zijn?'

'Dat behoorde op dat moment tot de mogelijkheden.'

'Beschouwde u dit als een van de bekentenissen van Lisa Trammel?'

'Ik beschouwde het als een punt van belang in het gesprek. Ik zou het geen bekentenis willen noemen.'

'Maar later tijdens hetzelfde verhoor vertelde ze u dat ze het slachtoffer in de koffieshop had gezien. Is dat correct?'

'Correct.'

'Heeft dat uw mening over de koffiebeker op de plaats delict dan niet veranderd?'

'Het was aanvullende informatie waarover nog nagedacht moest worden. Het was nog vroeg in het onderzoek. We hadden geen onafhankelijke informatie dat het slachtoffer in de koffieshop was gezien. We hadden alleen de verklaring van deze ene persoon, maar die kwam niet overeen met de verklaring van de getuige die we al hadden gesproken. Kortom, we hadden Lisa Trammel die beweerde dat ze Mitchell Bondurant in de koffieshop had gezien, maar dat maakte het niet tot een feit. We moesten dat nog laten bevestigen. En later hebben we dat gedaan.'

'Maar bent u het dan niet met me eens dat wat u in het begin van het verhoor als een inconsistentie beschouwde later overeen bleek te komen met de feiten?'

'Alleen in dit ene geval.'

Kurlen gaf me niets cadeau. Hij wist dat ik hem naar de rand van de afgrond probeerde te drijven. Het was zijn taak om er niet in te vallen.

'En bent u het ook niet met me eens, inspecteur, dat uiteindelijk het enige inconsistente in Lisa Trammels verhoor was dat zij had gezegd dat ze niet in de buurt van de bank was geweest en dat u een ooggetuige had die beweerde dat ze haar had gezien?'

'Het is altijd gemakkelijk om terug te kijken als alle informatie bekend is. Maar die ene inconsistentie was en is heel belangrijk. We hebben een betrouwbare getuige die haar rond het tijdstip van de moord in de buurt van de plaats delict heeft gezien. Daaraan is sinds dat eerste verhoor niets veranderd.'

'Een betrouwbare getuige. Na één kort gesprekje met Margo Schafer wordt ze meteen tot betrouwbare getuige gebombardeerd?'

Ik had de juiste mix van woede en verbazing in mijn stem gelegd. Freeman maakte bezwaar, zei dat ik de getuige intimideerde omdat ik de antwoorden die ik wilde horen niet kreeg. De rechter wees het bezwaar af, maar het was haar er alleen om te doen dat ze haar boodschap aan de jury overbracht... het idee dat het niet ging zoals ik wilde. Maar zo ging het juist wel.

'Het eerste gesprek met Margo Schafer was weliswaar kort,' zei Kurlen, 'maar ze is daarna nog diverse keren door diverse rechercheurs verhoord. Aan haar observaties van die dag is helemaal niets veranderd. Ik geloof dat ze heeft gezien wat ze beweert te hebben gezien.'

'Dat is leuk voor u, inspecteur,' zei ik. 'Maar laten we teruggaan naar de koffiebeker. Was er een moment dat u duidelijkheid had over wiens beker en gemorste koffie op de plaats delict was aangetroffen?'

'Ja. We vonden een kassabonnetje van Joe's Joe in de zak van het slachtoffer, voor een grote beker koffie die hij die ochtend om 8.21 uur had ge-kocht. Toen we dat eenmaal hadden, geloofden we dat de koffiebeker op de plaats delict van hem was geweest. Dit werd later bevestigd door de analyse van de vingerafdrukken. Hij is met de beker in zijn hand uit de auto gestapt en heeft hem laten vallen toen hij door iemand achter hem op zijn hoofd werd geslagen.'

Ik knikte, om de jury duidelijk te maken dat ik de antwoorden kreeg waar ik op uit was geweest.

'Hoe laat was het toen het kassabonnetje in de zak van het slachtoffer werd gevonden?'

Kurlen raadpleegde zijn aantekeningen maar vond het antwoord niet.

'Dat weet ik niet precies, want het werd gevonden door de onderzoeker van de Forensische Dienst, die de opdracht had de zakken van het slacht-offer te doorzoeken en alle persoonlijke bezittingen veilig te stellen. Het moet gebeurd zijn voordat het stoffelijk overschot naar het mortuarium werd afgevoerd.'

'Maar nádat u en uw partner waren weggegaan om Lisa Trammel te in-timideren.'

'We hebben mevrouw Trammel niet geïntimideerd, maar het moet in-derdaad gevonden zijn nadat we waren weggegaan om met haar te gaan praten.'

'Heeft de onderzoeker van het mortuarium u gebeld om de vondst van het bonnetje u te melden?'

'Nee.'

'Was het voor of nadat u Lisa Trammel op verdenking van moord had gearresteerd dat u op de hoogte werd gebracht van de vondst van het bon-netje?'

'Erna. Maar er was ander bewijs dat de arrestatie...'

'Dank u, inspecteur. Geeft u alleen antwoord op de vraag die ik u stel, als u zo goed wilt zijn.'

'Ik vind het niet erg om de waarheid te vertellen.'

'Mooi. Daar zijn we hier voor. Want bent u het niet met me eens dat u Lisa Trammel had gearresteerd op grond van inconsistente en tegenstrij-dige verklaringen die later wel degelijk consistent en niet in tegenspraak met het bewijs en de feiten van de zaak bleken te zijn?'

Kurlen antwoordde alsof hij op de automatische piloot stond.

'We hadden een ooggetuige die haar rond het tijdstip van de misdaad in de buurt van de plaats delict had gezien.'

'En dat was het enige wat u had, waar of niet?'

'Er was ander bewijs dat haar in verband bracht met de moord. We hebben haar hamer en...'

'Ik heb het over het moment van arrestatie!' barstte ik uit. 'Geef alleen antwoord op de vraag die ik u stel, inspecteur!'

'Hé,' riep de rechter. 'Het is in mijn rechtszaal maar één persoon toegestaan zijn stem te verheffen, en dat bent u niet, meneer Haller.'

'Mijn excuses, edelachtbare. Wilt u de getuige alstublieft opdragen alleen de vragen te beantwoorden die hem worden gesteld en niet die hem níét worden gesteld?'

'Beschouw de getuige als geïnstrueerd. Gaat u door, meneer Haller.'

Ik wachtte even om tot mezelf te komen en liet mijn blik langs de juryleden gaan. Ik zocht naar reacties van begrip, maar ik zag ze niet. Ook niet bij Furlong, die niet eens mijn kant op keek. Ik wendde me weer tot Kurlen.

'U had het net over de hamer. De hamer van de beklaagde. Dat was bewijs waarover u niet beschikte op het moment van de arrestatie. Is dat juist?'

'Ja, dat is correct.'

'Is het niet zo dat u, toen u de arrestatie eenmaal had verricht en besefte dat de inconsistente verklaringen waar u op vertrouwde helemaal niet zo inconsistent bleken te zijn, op zoek bent gegaan naar bewijs dat in uw theorie over de zaak paste?'

'Nee, dat is niet waar. We hadden de ooggetuige, maar voor het overige traden we de zaak met open blik tegemoet. We werkten niet met oogkleppen op. Ik had de beschuldigingen jegens de beklaagde met alle plezier laten vallen. Maar het onderzoek liep nog en het bewijs dat begon binnen te komen en door ons werd geëvalueerd sprak niet in het voordeel van de beklaagde.'

'En daarnaast had u ook een motief, nietwaar?'

'Het slachtoffer was bezig het huis van de beklaagde te onteigenen. Als motief lijkt me dat redelijk sterk.'

'Maar u was niet op de hoogte van de details van die onteigening, alleen dat die gaande was. Klopt dat?'

'Ja, en ook dat haar een tijdelijk straatverbod was opgelegd.'

'Wilt u daarmee zeggen dat het straatverbod op zich een motief was om Mitchell Bondurant te vermoorden?'

'Nee, dat wil ik niet zeggen en dat bedoel ik ook niet. Ik zeg alleen dat het deel uitmaakte van het totaalbeeld.'

'Een totaalbeeld dat op dat moment berustte op overhaaste conclusies, nietwaar, inspecteur?'

Freeman sprong op, maakte bezwaar en de rechter kende het toe. Dat gaf niet, want ik was niet geïnteresseerd in Kurlens antwoord op de vraag. Ik wilde alleen dat de vraag in het hoofd van de juryleden zou blijven hangen.

Ik keek naar de klok aan de muur achter in de rechtszaal en zag dat het half vier was. Ik zei tegen de rechter dat ik van plan was met mijn kruisverhoor een andere weg in te slaan en dat het misschien een goed moment voor de theepauze was. De rechter ging akkoord en schorste de zitting voor vijftien minuten.

Ik ging achter de tafel van de verdediging zitten, waar mijn cliënt zich naar me toe boog, haar hand op mijn onderarm legde en er hard in kneep.

'Je doet het fantastisch,' fluisterde ze.

'Dat valt nog te bezien. We zijn er nog lang niet.'

Ze schoof haar stoel achteruit en stond op.

'Ga je mee koffiedrinken?' vroeg ze.

'Nee, ik moet iemand bellen. Ga jij maar. En denk erom, geen woord tegen de pers. Je praat met niemand.'

'Ja, ik weet het, Mickey. Loslippigheid is uit den boze.'

'Precies.'

Ze liep weg van de tafel en ik keek haar na toen ze naar de deur van de rechtszaal liep. Haar eeuwige metgezel, Herb Dahl, zag ik nergens.

Ik haalde mijn telefoon tevoorschijn en belde Cisco's mobiele nummer. Hij antwoordde onmiddellijk.

'Ik heb weinig tijd, Cisco. En ik heb die brief nodig.'

'Die heb je.'

'Hoe bedoel je? Is het bevestigd?'

'Hartstikke rechtsgeldig.'

'Wees maar blij dat ik je aan de telefoon heb.'

'Hoezo, baas?'

'Anders zou ik je hebben gezoend.'

'Eh... dat is niet echt nodig.'

28

Ik gebruikte de laatste minuten van de pauze om het tweede deel van Kurlens kruisverhoor voor te bereiden. Cisco's nieuws zou het hele proces op zijn kop zetten. Hoe ik de nieuwe informatie aan Kurlen bracht, zou bepalend kunnen zijn voor de rest van het proces. Zodra iedereen in de rechtszaal was teruggekeerd, ging ik achter de lessenaar staan en was ik klaar voor de start. Ik had nog één onderwerp op mijn agenda staan voordat ik aan de brief kon beginnen.

'Inspecteur Kurlen, laten we teruggaan naar de foto van de plaats delict, die u op het beeldscherm ziet. Hebt u vastgesteld wie de eigenaar is van het koffertje dat geopend naast het stoffelijk overschot van het slachtoffer is aangetroffen?'

'Ja, het bevatte eigendommen van het slachtoffer en zijn initialen zijn in het koperen plaatje van een van de sluitingen gegraveerd. Het was dus van hem.'

'En toen u op de plaats delict arriveerde en het koffertje geopend naast het stoffelijk overschot aantrof, wat was toen uw eerste indruk?'

'Die had ik niet. Ik probeer voor alles open te staan, zeker in het begin van een zaak.'

'Dacht u dat het geopende koffertje erop kon wijzen dat beroving het motief van de moord was?'

'Dat was een van de vele mogelijkheden, ja.'

'Dacht u: hier ligt een dode bankier en naast hem ligt een geopend attachékoffertje. Ik vraag me af waar de moordenaar op uit was.'

'Dat was een van de scenario's waarmee ik rekening moest houden. Maar zoals ik al zei was...'

'Dank u, inspecteur.'

Freeman maakte bezwaar en zei dat ik de getuige niet de tijd gaf om de vraag volledig te beantwoorden. De rechter was het ermee eens en liet Kurlen zijn antwoord afmaken.

'Ik wilde alleen zeggen dat de mogelijkheid dat het hier om een beroving ging slechts een van de vele scenario's was. Dat het koffertje geopend was, kon net zo goed een truc zijn om ons te doen geloven dat het om een beroving ging terwijl dat niet het geval was.'

Ik ging door alsof er niets was gebeurd.

'Hebt u vastgesteld wat er uit het koffertje is meegenomen?'

'Voor zover we toen wisten en nu weten, is er niets uit meegenomen. Maar er bestond geen lijst van wat erin had moeten zitten. We hebben meneer Bondurants secretaresse gevraagd zijn dossiers en zijn werkspullen te bekijken om te zien of er iets ontbrak, een van de dossiers of iets anders, maar ze kon niets ontdekken.'

'Hebt u dan een verklaring voor het feit dat het koffertje geopend was?'

'Zoals ik al zei kan het geopend zijn achtergelaten om ons te misleiden. Maar we geloven ook dat er een kans bestaat dat het vanzelf is opengesprongen toen het tijdens de aanval op de betonnen vloer viel.'

Ik zette mijn verbaasde gezicht op.

'En hoe bent u op dat idee gekomen, meneer?'

'De sloten functioneerden niet goed. Er hoefde maar weinig te gebeuren of ze sprongen open. We hebben een experiment met het koffertje gedaan en daaruit bleek dat het een van de drie keer opensprong als we het van een meter hoogte of meer op een harde ondergrond lieten vallen.'

Ik knikte en deed alsof ik deze informatie voor het eerst hoorde, ook al had ik die allang tijdens de inzage van stukken in een van de politierapporten gelezen.

'Dus wat u zegt is dat er een kans van een op drie was dat het koffertje uit zichzelf is opengesprongen toen meneer Bondurant het liet vallen.'

'Dat is juist.'

'En u noemt dat een goede kans?'

'Een redelijk goede kans.'

'Maar er was natuurlijk een veel grotere kans dat het koffertje níét op die manier is opengegaan, waar of niet?'

'Zo kunt u het ook zien.'

'Er is een grotere kans dat iemand het koffertje heeft geopend, nietwaar?'

'Nogmaals, zo kunt u het ook zien. Maar we hadden vastgesteld dat er niets uit het koffertje ontbrak, dus er was geen aanwijsbare reden om het te openen, tenzij om ons te misleiden. Onze voorlopige theorie is dat het is opengesprongen toen het op de grond viel.'

'Is het u opgevallen, inspecteur, als u naar de foto van de plaats delict kijkt, dat niets van de inhoud van het koffertje eruit is gevallen en op de betonnen vloer terecht is gekomen?'

'Dat is juist.'

'Hebt u een inventarislijst van de inhoud van het koffertje, die u ons kunt voorlezen?'

Het kostte Kurlen enige tijd de lijst te vinden, maar uiteindelijk las hij hem aan de jury voor. De inhoud van het koffertje had bestaan uit zes dossiers, vijf pennen, een iPad, een calculator, een adresboekje en twee nieuwe notitieboekjes.

'Toen u uw tests met het koffertje deed, om te zien of het opensprong als het de grond raakte, had het toen dezelfde inhoud?'

'Ja, precies dezelfde.'

'En de keren dat het koffertje opensprong, hoe vaak bleef de inhoud erin zitten?'

'Niet elke keer, maar de meeste keren wel. Dus het kan zo gebeurd zijn.'

'Dat was de wetenschappelijke conclusie van uw wetenschappelijke experiment, inspecteur?'

'De tests zijn in het lab gedaan. Het was mijn experiment niet.'

Met mijn pen en zwierige polsbewegingen maakte ik enkele aantekeningen op mijn blocnote. Toen begon ik aan het belangrijkste deel van mijn kruisverhoor.

'Inspecteur,' zei ik, 'u hebt ons eerder vandaag verteld dat u het dreigementendossier van WestLand National had ontvangen en dat dit informatie over de beklaagde bevatte. Hebt u de andere namen in het dossier ook gecheckt?'

'We hebben het hele dossier diverse keren doorgenomen en hebben wat vervolgonderzoek gedaan. Maar toen er bewijzen tegen de beklaagde begonnen binnen te komen, zagen we daar steeds minder de noodzaak van in.'

'Waarom zou u zich uitsloven als u uw verdachte al had, bedoelt u dat?'

'Zo zou ik het niet willen zeggen. Ons onderzoek is grondig en tijdrovend geweest.'

'Omvatte dit grondige en tijdrovende onderzoek ook het volgen van aanwijzingen die níét in de richting van Lisa Trammel als hoofdverdachte leidden?'

'Natuurlijk. Dat is onze taak.'

'Hebt u meneer Bondurants werk bekeken en gezocht naar aanwijzingen die geen verband met Lisa Trammel hielden?'

'Ja, dat hebben we gedaan.'

'U hebt verklaard dat u onderzoek hebt gedaan naar de dreigementen die tegen het slachtoffer zijn geuit. Hebt u ook onderzoek gedaan naar dreigementen die het slachtoffer mogelijk tegen anderen heeft geuit?'

'Dat het slachtoffer iemand anders bedreigde? Nee, niet dat ik me kan herinneren.'

Ik vroeg het hof toestemming om de getuige bewijsstuk 2 van de verdediging te overhandigen. Daarna gaf ik kopieën aan alle andere belanghebbenden. Freeman maakte bezwaar, maar dat was alleen voor de vorm. Het onderwerp van Bondurants schriftelijke klacht aan Louis Opparizio hadden we al in de voorbereidende fase van het proces behandeld. Perry stond de brief toe, al was het misschien alleen maar om de zaak een beetje recht te trekken aangezien hij de hamer en het DNA van het OM ook had toegestaan. Hij wees Freemans bezwaar af en zei dat ik kon doorgaan.

'Inspecteur Kurlen, wat u daar in uw hand hebt is een brief, verzonden per aangetekende post, van Mitchell Bondurant, het slachtoffer, aan Louis Opparizio, directeur van ALOFT, een contractant van WestLand National. Zou u deze brief aan de jury willen voorlezen, alstublieft?'

Kurlen bleef lange tijd naar het blaadje papier in zijn hand staren voordat hij begon voor te lezen.

'"Beste Louis, aangehecht vind je een schrijven van ene Michael Haller, de advocaat van de huiseigenaar van een van de onteigeningszaken die je voor WestLand doet. Haar naam is Lisa Trammel en het kredietnummer is nul-vier-nul-negen-zeven-een-negen. In zijn brief uit meneer Haller de beschuldiging dat uit het dossier is gebleken dat er tijdens de afhandeling van de zaak frauduleuze acties hebben plaatsgevonden. Je zult zien dat hij die specificeert en dat het allemaal acties zijn die door ALOFT zijn verricht. Zoals je weet en we al eens eerder hebben besproken, is dit niet de eerste keer dat er klachten zijn. Deze nieuwe aantijgingen, als ze waar zijn, hebben WestLand in een kwetsbare positie gebracht, zeker wanneer we de recente interesse van de overheid voor deze sector van de hypotheekbusiness in aanmerking nemen. Tenzij we tot een soort toezegging en regeling hierover komen, zal ik de raad van bestuur adviseren het contract met jouw bureau te ontbinden en alle lopende zaken te cancelen. Ook zullen we dan verplicht zijn bij de daarvoor aangewezen autoriteiten een RVA in te dienen. Neem alsjeblieft zo spoedig mogelijk contact met me op om de zaak verder te bespreken."'

Kurlen hield de brief voor me op alsof hij er klaar mee was. Ik negeerde het aanbod.

'Dank u, inspecteur. In de brief wordt gesproken over een RVA. Weet u wat dat is?'

'Rapportage verdachte activiteiten. Banken zijn verplicht die in te dienen bij de Federale Handelscommissie als ze op dergelijke activiteiten stuiten.'

'Hebt u de brief, die u daar in uw hand hebt, eerder gezien?'

'Ja.'

'Wanneer?'

'Toen we het werk van het slachtoffer bekeken. Toen ben ik de brief tegengekomen.'

'Kunt u me een datum geven?'

'Geen precieze datum. Ik zou zeggen dat het onderzoek een week of twee liep toen ik me bewust werd van het bestaan van deze brief.'

'Dat zou dus geweest zijn twee weken nadat Lisa Trammel was gearresteerd op verdenking van moord. Hebt u uw onderzoek aangepast nadat u op de brief was gestuit en bent u misschien met Louis Opparizio gaan praten?'

'Ik heb op een zeker moment laten informeren en kreeg te horen dat meneer Opparizio een geldig alibi voor het tijdstip van de moord had. Daar heb ik het bij gelaten.'

'En de mensen die voor Opparizio werken? Hadden die ook allemaal een geldig alibi?'

'Dat weet ik niet.'

'Dat weet u niet?'

'Nee. Ik ben er niet op doorgegaan omdat er volgens mij sprake was van een zakelijk meningsverschil dat ik niet als een geldig motief voor een moord zag. Ik zie deze brief niet als een dreigement.'

'Vond u het niet vreemd dat het slachtoffer, in deze tijd van snelle, digitale communicatie, ervoor koos een aangetekende brief te schrijven in plaats van een e-mail, een sms of een fax te sturen?'

'Niet echt. We hebben afschriften van diverse andere aangetekende brieven gevonden. Het lijkt de gebruikelijke manier van zakendoen en er een administratie van bij te houden.'

Ik knikte. Dat klonk niet onredelijk.

'Weet u of meneer Bondurant de RVA met betrekking tot Louis Opparizio of zijn bureau ook werkelijk heeft doorgezet?'

'Ik heb het nagevraagd bij de Federale Handelscommissie. Dat heeft hij niet gedaan.'

'En hebt u ook bij andere overheidsdiensten geïnformeerd of er onderzoek werd gedaan naar Louis Opparizio of zijn kantoor?'

'Voor zover we dat konden. Er was niets te vinden.'

'Voor zover u dat kon... Dus u beschouwde dit als een doodlopend spoor, is dat juist?'

'Ja.'

'Dus u hebt geïnformeerd bij de FHC en u hebt een alibi nagetrokken, maar daarna geloofde u het wel. U had al een verdachte, de zaak tegen haar leek simpel en alle stukjes vielen op hun plaats, nietwaar?'

'Een moordzaak is nooit simpel. Je moet grondig zijn. Je mag geen steen onomgekeerd laten.'

'En hoe zit het met de Amerikaanse Geheime Dienst? Hebt u die steen onomgekeerd gelaten?'

'De Geheime Dienst? Ik geloof niet dat ik begrijp wat u bedoelt.'

'Hebt u tijdens dit onderzoek contact gehad met de Amerikaanse Geheime Dienst?'

'Nee.'

'En met het departement van justitie in Los Angeles?'

'Nee. Maar ik kan niet spreken voor mijn partner en de andere collega's die aan de zaak werken.'

Een goed antwoord, maar niet goed genoeg. Vanuit mijn ooghoek zag ik dat Freeman naar het puntje van haar stoel was geschoven, klaar om op te springen en bezwaar te maken tegen de vragen die ik ging stellen.

'Inspecteur Kurlen, weet u wat een federale targetbrief is?'

Freeman stond al voordat Kurlen kon reageren. Ze maakte bezwaar en vroeg de rechter of we naar hem toe mochten komen.

'Ik denk dat we beter naar de raadkamer kunnen gaan,' zei Perry. 'De jury en de parketwachten blijven waar ze zijn terwijl wij ons even terugtrekken voor overleg. Mevrouw Freeman, meneer Haller, kom mee.'

Ik haalde een brief met een aangehechte envelop uit een van de dossiers en volgde Freeman naar de deur die naar de rechtersvertrekken leidde. Ik was ervan overtuigd dat ik óf op het punt stond de zaak in het voordeel van de verdediging te keren, óf dat ik de gevangenis in ging voor minachting van het hof.

29

Rechter Perry was geen gelukkig mens. Hij nam niet eens de moeite om achter zijn bureau te gaan zitten. Zodra we in zijn kamer waren, draaide hij zich naar me om en sloeg zijn armen over elkaar. Hij keek me streng aan terwijl we wachtten tot de rechtbanknotulist zat en haar apparaat had aangezet.

'Oké, meneer Haller. Ik heb zo het vermoeden dat mevrouw Freeman bezwaar maakt omdat dit voor het eerst is dat ze iets hoort over de Geheime Dienst, het departement van justitie en een federale targetbrief en wat al die dingen wel of niet met deze zaak te maken hebben. Zelf maak ik bezwaar omdat ik, als ik het me goed herinner, de federale overheid niet eerder in deze zaak heb horen noemen en ik niet van plan ben u toe te staan een federaal vistochtje ten overstaan van de jury te maken. Dus als u iets hebt, wil ik daar nu het bewijs van zien en wil ik van u horen waarom mevrouw Freeman hier niets van weet.'

'Dank u, edelachtbare,' zei Freeman verontwaardigd, en met haar handen in haar zij.

Ik probeerde de spanning iets te laten afnemen door achteloos weg te lopen uit ons dicht bijeen staande groepje en bij het raam te gaan staan dat uitzicht bood op de Santa Monica Mountains. Ik zag de huizen die op de helling waren gebouwd. Ze zagen eruit als luciferdoosjes die bij de eerstvolgende aardbeving naar beneden zouden rollen. Ik wist wat het was om je aan de rand van de afgrond vast te klemmen.

'Edelachtbare, mijn kantoor heeft met de post een anonieme, ongeadresseerde envelop ontvangen met daarin een kopie van een federale targetbrief gericht aan Louis Opparizio en ALOFT. In de brief wordt hem verteld dat hij en zijn bureau het onderwerp waren van een officieel onderzoek naar frauduleuze onteigeningspraktijken in opdracht van banken die het werk aan hem uitbesteedden.'

Ik hield de brief en de envelop op.

'Ik heb de brief hier. De datum is van twee weken voor de moord en van acht dagen nadat Bondurant zich schriftelijk had beklaagd bij Opparizio.'

'Wanneer hebt u deze zogenaamd anonieme envelop ontvangen?' vroeg Freeman met een stem waar het ongeloof van afdroop.

'Gisteren, in mijn postbus, maar hij is pas gisteravond opengemaakt. Als de openbaar aanklager het niet gelooft, laat ik mijn officemanager naar het gerechtshof komen en kunt u haar alles vragen wat u wilt. Zij is degene die de post ophaalt.'

'Laat zien,' commandeerde de rechter.

Ik gaf de brief en de envelop aan Perry. Freeman kwam naast hem staan om mee te lezen. Het was een korte brief en hij gaf hem terug zodra hij hem had gelezen, zonder Freeman te vragen of zij al klaar was.

'U had dit vanochtend aan mij moeten melden,' zei de rechter. 'En u had de openbaar aanklager op zijn minst een kopie moeten verstrekken en haar moeten vertellen dat u van plan was de brief als bewijs te introduceren.'

'Edelachtbare, dat zou ik hebben gedaan, maar zoals u kunt zien is het een fotokopie die we met de post hebben ontvangen. Ik ben eerder om de tuin geleid. Wij allemaal, neem ik aan. Ik moest de brief laten verifiëren en me ervan overtuigen dat die rechtsgeldig was voordat ik het aan iemand vertelde. Ik kreeg de bevestiging nog geen uur geleden binnen, tijdens de middagpauze.'

'Door welke bron is de authenticiteit bevestigd?' vroeg Freeman voordat de rechter het kon doen.

'Die gegevens heb ik nog niet. Mijn onderzoeksmedewerker heeft alleen gezegd dat de FBI de brief als rechtsgeldig beschouwt. Als u meer gedetailleerde informatie wilt, kan ik hem ook naar het gerechtshof laten komen.'

'Dat zal waarschijnlijk niet nodig zijn, want ik weet zeker dat mevrouw Freeman haar eigen verificatie zal laten doen. Maar dat u tijdens het kruisverhoor ineens met die brief komt, gaat alle perken te buiten, meneer Haller. U had het hof vanochtend moeten vertellen dat u iets met de post had ontvangen, dat u bezig was met de verificatie en dat u van plan was het als bewijs te introduceren. U hebt het OM én het hof voor het blok gezet.'

'Mijn excuses daarvoor, edelachtbare. Het is echt mijn bedoeling geweest het volgens het boekje te doen. Ik neem aan ik onbewust mijn gedrag heb aangepast, aangezien het OM mij tot nu toe al twee keer voor het blok heeft gezet, met plotseling opduikend bewijs en vragen over de timing en het traject van de bewijsvoering.'

Perry keek me met een strakke blik aan, maar ik wist dat hij begreep wat ik bedoelde. Ik geloofde uiteindelijk dat hij een eerlijk mens was en dat hij ook eerlijk zou beslissen. Hij wist dat de brief rechtsgeldig was en van groot belang voor de verdediging. Als hij een faire beslissing nam, zou hij me de brief toekennen. Freeman zag hetzelfde als ik en probeerde hem nog de andere kant op te sturen.

'Edelachtbare, het is kwart over vier. Ik verzoek het hof de zitting voor vandaag te schorsen zodat het OM zich over het nieuwe materiaal kan buigen en er morgenochtend behoorlijk voorbereid op kan reageren.'

Perry schudde zijn hoofd.

'Ik verspil niet graag zittingsuren,' zei hij.

'Ik ook niet, meneer de rechter,' antwoordde Freeman. 'Maar het is duidelijk dat ik, zoals u zonet zei, voor het blok sta. De raadsman had deze informatie vanochtend moeten melden. U kunt het toch niet goed vinden dat hij er gewoon mee doorgaat zonder het OM de kans te geven zich adequaat voor te bereiden, de echtheid te laten bevestigen en de context van de nieuwe informatie in onze zaak te passen. Vijfenveertig minuten, edelachtbare, dat is alles wat ik vraag. Die zouden het OM toch gegund moeten worden.'

De rechter keek me aan om te zien of ik er iets tegen in te brengen had. Ik spreidde mijn armen.

'Het maakt mij niet uit, edelachtbare. Ze kan van mij alle tijd van de wereld krijgen, maar dat verandert niks aan het feit dat er tegen Opparizio een federaal onderzoek liep, en loopt, in verband met de manier waarop hij zijn werk voor WestLand en andere banken deed. Dat maakt het slachtoffer in deze zaak tot een potentiële getuige tegen hem... de brief die we eerder hebben behandeld maakt dat duidelijk. De politie en het OM hebben dit aspect van de zaak compleet genegeerd en nu wil mevrouw Freeman mij als boodschapper de schuld geven van hun eigen slordigheid...'

'Oké, meneer Haller, u staat hier niet voor de jury,' onderbrak Perry me. 'Ik begrijp uw standpunt. Ik ga de zitting voor vandaag schorsen, maar morgenochtend om negen uur gaan we ermee aan de slag, dus dan verwacht ik dat iedereen goed voorbereid is en dat we niet weer worden geplaagd door onderbrekingen.'

'Dank u, edelachtbare,' zei Freeman.

'En nu gaan we terug naar de rechtszaal,' zei Perry.

En dat deden we.

Mijn cliënt klemde zich stevig aan mijn arm vast toen we het gerechtshof verlieten. Ze wilde weten wat ik nog meer over het federale onderzoek wist. Herb Dahl liep als een jong hondje achter ons aan. Ik zei er liever niet te veel over als ze allebei in de buurt waren.

'Hoor eens, ik weet nog niet wat het allemaal te betekenen heeft, Lisa. Daarom heeft de rechter de zitting vandaag vroeg geschorst. Dan kunnen de verdediging en het OM ermee aan de slag. Dus je zult me even met rust moeten laten en mij en mijn team ons werk laten doen.'

'Maar dit kan het zijn, hè, Mickey?'

'Wat bedoel je met "dit"?'

'Het bewijs dat aantoont dat ik het niet ben geweest... dat mijn onschuld bewijst!'

Ik bleef staan en draaide me naar haar om. Haar ogen zochten op mijn gezicht naar spoortjes van bevestiging. Er zat iets in haar wanhoop wat me voor het eerst het idee gaf dat er echt werd geprobeerd haar te laten opdraaien voor de moord op Bondurant.

Maar dat was niets voor mij, geloven in de onschuld van mijn cliënt.

'Hoor eens, Lisa, ik hoop dat het de jury duidelijk zal laten zien dat er een alternatief scenario bestaat, een sterke mogelijkheid met zowel een motief als de gelegenheid. Maar je moet even gas terugnemen en er rekening mee houden dat het misschien helemaal niks bewijst. Ik verwacht dat het OM morgen zal proberen de brief aan te vechten, zodat de jury hem niet te zien krijgt. Daar moeten we rekening mee houden, én met de kans dat we misschien zonder brief zullen moeten doorgaan. Dus ik heb een hoop werk...'

'Dat kunnen ze niet doen! Het is bewijs.'

'Lisa, ze kunnen alles aanvechten wat ze willen. En de rechter zal uiteindelijk beslissen. De positieve kant is dat we iets van hem te goed hebben. We hebben zelfs twee dingen van hem te goed, voor de hamer en het DNA die zomaar uit de lucht zijn komen vallen. Dus ik heb goede hoop dat hij het bewijs zal toelaten. Daarom moet je me nu de ruimte geven. Ik moet terug naar kantoor en ermee aan de slag.'

Ze bracht haar hand omhoog, streek mijn das glad en trok de revers van mijn jasje recht.

'Oké, ik begrijp het. Jij gaat doen wat je moet doen, maar bel me vanavond, oké? Ik wil weten hoe we ervoor staan voordat ik naar bed ga.'

'Als ik tijd heb, Lisa, en als ik niet te moe ben, zal ik je bellen.'

Ik keek over haar schouder naar Dahl, die nog geen meter achter haar stond. Het was bizar, maar ik moest zelfs een beroep op hem doen.

'Herb, jij past op haar. Breng haar naar huis, dan kan ik aan het werk gaan.'

'Komt voor elkaar,' zei hij. 'Maak je geen zorgen.'

Juist, maak je geen zorgen. Ik had een hele rechtszaak om me zorgen over te maken, en zonder het te willen maakte ik me ook zorgen om mijn cliënt, omdat ik haar met hem meestuurde. Was Dahl oprecht of was Lisa alleen een investering voor hem? Ik keek ze na toen ze samen over het plein naar de parkeergarage liepen. Vervolgens liep ik langs de bibliotheek, in noordelijke richting naar mijn kantoor. Ik was waarschijnlijk meer opgewonden dan Lisa door de mogelijkheid die me ineens in de schoot was geworpen. Ik had het alleen niet laten merken. Je laat nooit je kaarten zien voordat je opponent de zijne op tafel heeft gelegd.

Toen ik terugkwam op kantoor, gierde de adrenaline nog steeds door mijn lijf. Adrenaline in de meest pure vorm, van het soort dat je voelt als je kansen opeens keren. Cisco en Bullocks wachtten me op toen ik binnenkwam. Ze begonnen allebei tegelijk te praten en ik stak mijn handen op om ze het zwijgen op te leggen.

'Wacht, wacht,' zei ik. 'Eén tegelijk en ik eerst. Perry heeft de zitting vroeg verdaagd zodat het OM zich op de targetbrief kan storten. We moeten morgen voorbereid zijn op een harde tegenaanval, want ik wil die brief aan de jury voorleggen. Dus Cisco, jij eerst, wat heb je voor me? Vertel me alles over die brief.'

Mijn nieuwe energie, die ik van het gerechtshof had meegebracht, voerde ons naar mijn kantoor, waar ik achter mijn bureau ging zitten. Mijn bureaustoel was warm, dus ik nam aan dat er iemand in had gezeten.

'Oké,' zei Cisco. 'We hebben de bevestiging dat de brief rechtsgeldig is. Het departement van justitie wilde ons niet te woord staan, maar ik kwam te weten dat de agent van de Geheime Dienst die in de brief wordt genoemd, Charles Vasquez, deelneemt aan een taakgroep van de FBI die alle vormen van hypotheekfraude in het zuidelijke deel van Californië onderzoekt. Weet je nog dat alle grote banken de onteigeningen vorig jaar tijdelijk opschortten en dat iedereen in het Congres zei dat er een onderzoek zou komen?'

'Ja, ik was even bang dat ik werkloos zou worden. Niet zo lang daarna begonnen de banken weer met onteigenen.'

'Ja, nou, een van de onderzoeken die van de grond kwamen was hier. De taakgroep werd samengesteld door Lattimore.'

Reggie Lattimore was de districtsprocureur. Ik kende hem van jaren geleden, toen hij nog strafpleiter was. Later koos hij voor de andere kant, werd federaal procureur en kwamen hij en ik in verschillende banen om de aarde terecht. Ik probeerde altijd uit de buurt van het federaal gerechtshof te blijven, maar van tijd tot tijd kwam ik hem tegen in een lunchroom in de stad.

'Oké, hij zal niet met ons willen praten. En Vasquez?'

'Dat heb ik al geprobeerd. Ik kreeg hem aan de lijn, maar zodra hij begreep waar het over ging had hij geen commentaar. Ik heb hem nog een tweede keer gebeld, maar toen heeft hij de verbinding verbroken. Als we hem willen spreken, zullen we hem moeten dagvaarden, denk ik.'

Ik wist uit ervaring dat proberen een federaal agent te dagvaarden net zoiets was als vissen zonder haak aan je lijn. Als ze niet gedagvaard willen worden, zijn ze in staat zich daaraan te onttrekken.

'Misschien is dat niet nodig,' zei ik. 'De rechter zei vanmiddag dat het OM de brief ook zal willen verifiëren. Ik vermoed dat ze of Lattimore of Vasquez zal optrommelen en dat ze een van de twee in de getuigenbank zal zetten voordat wij het kunnen doen. Dan kan ze proberen het gegeven naar haar hand te zetten.'

'Ze zal niet willen dat ze dit op haar bord krijgt als wíj aan de beurt zijn,' zei Aronson, als het doorgewinterde procesbeest dat ze niet was. 'En de beste manier om zich daartegen te wapenen is dat ze Vasquez zelf als getuige oproept.'

'Wat weten we over deze taakgroep?' vroeg ik.

'Er zit niemand in die ik ken,' zei Cisco. 'Maar ik ken wel iemand die er dicht genoeg in de buurt zit om te weten wat er gaande is. De taakgroep is vooral een politiek instrument. De gedachte erachter is dat er zo veel wordt gefraudeerd dat ze bijna altijd raak zullen schieten, de voorpagina's halen en zo de indruk wekken dat er vanaf hun kant iets aan het gedonder wordt gedaan. Opparizio is het perfecte doelwit: rijk, arrogant en Republikein. Ik weet niet wat ze al tegen hem hebben, want ze zijn nog maar net begonnen, dus erg diep zal het niet gaan.'

'Maakt niet uit,' zei ik. 'De targetbrief is het enige wat we nodig hebben. Hierdoor krijgt Bondurants brief een veel dreigender karakter.'

'Denken jullie echt dat het zo is gebeurd, of gebruiken we dit toeval alleen om de aandacht van de jury af te leiden?' vroeg Aronson.

Ze was blijven staan, ook toen Cisco en ik waren gaan zitten. Er zat een zekere symboliek in. Alsof ze, door niet te gaan zitten terwijl we dit bespraken, zich van ons distantieerde en weigerde haar ziel aan de duivel te verkopen.

'Dat doet er niet toe, Bullocks,' zei ik. 'We hebben maar één taak en dat is het woord "onschuldig" op het scorebord. Hoe we dat bereiken...'

Ik hoefde het verhaal niet af te maken. Ik kon aan haar gezicht zien dat ze nog steeds moeite had met de praktijklessen die ze na haar rechtenstudie kreeg. Ik wendde me weer tot Cisco.

'Wie heeft de brief naar ons gelekt?'

'Dat weet ik niet,' zei hij. 'Ik betwijfel of het Vasquez was. Hij klonk veel te verbaasd en te gespannen aan de telefoon. Ik denk dat het iemand van justitie was.'

Daar was ik het mee eens.

'Misschien Lattimore zelf. Als het ons lukt Opparizio in de getuigenbank te krijgen, zou de FBI wel eens garen kunnen spinnen bij zijn verklaring onder ede.'

Cisco knikte. Het behoorde tot de mogelijkheden. Ik ging door.

'Cisco,' zei ik, 'in je sms, toen ik in de rechtszaal zat, zei je dat er iets anders was wat je me moest vertellen.'

'Je moest laten zien. We kunnen ernaartoe rijden als we hier klaar zijn.'

'Waar naartoe?'

'Ik laat het je liever zien.'

Aan de manier waarop zijn gezicht een fractie verstrakte kon ik zien dat hij het liever niet wilde zeggen waar Bullocks bij was. Het maakte geen verschil dat ze als teamlid ons vertrouwen had. Ik begreep de boodschap en wendde me tot haar.

'Bullocks, wat wilde je zeggen toen ik zonet binnenkwam?'

'Eh, o, alleen iets over mijn getuigenis. Maar dat heeft nog wel een paar dagen de tijd. Laten we ons maar liever op morgen concentreren.'

'Weet je het zeker? Ik heb nu ook tijd om het met je door te nemen.'

'Nee, ga maar met Cisco mee. Misschien kunnen we het morgen doen.'

Ik merkte dat iets uit ons eerdere gesprek haar dwarszat. Ik liet het rusten en stond op uit mijn bureaustoel. Ik leefde tot op zekere hoogte met haar mee, maar meer ook niet. Van idealisme heb je meer last dan plezier in ons vak.

30

Ik zat achter het stuur van de Lincoln, want Cisco was op de motor naar zijn werk gekomen. Hij had gezegd dat ik Van Nuys Boulevard in noordelijke richting moest nemen.

'Gaat dit over Lisa's man?' vroeg ik. 'Heb je hem gevonden?'

'Eh, nee, het is iets anders. Het gaat over die twee gasten in je parkeergarage, baas.'

'Die me in elkaar hebben geramd? Heb je ze aan Opparizio gelinkt?'

'Ja en nee. Het gaat over die twee, maar er bestaat geen link met Opparizio.'

'Wie heeft ze verdomme dan op me af gestuurd?'

'Herb Dahl.'

'Wat? Je neemt me in de maling.'

'Was het maar waar.'

Ik keek mijn onderzoeksmedewerker van opzij aan. Ik vertrouwde hem volledig, maar ik kon geen logische reden bedenken waarom Dahl die twee beulen op me af zou sturen. We hadden een aanvaring over de filmrechten en het geld gehad, maar wat schoot hij ermee op als hij mijn ribben liet breken en mijn ballen liet afdraaien? Op het moment van de afranseling had ik nog maar net ontdekt dat Dahl een deal met McReynolds had gesloten. Ik was al te grazen genomen voordat ik er zelfs maar tegen had geprotesteerd.

'Leg het me uit, Cisco.'

'Dat kan ik nu nog niet doen. Daarom zitten we in de auto.'

'Vertel me dan wat er gaande is. Ik zit midden in een proces.'

'Oké. Je vertelde me dat je Dahl niet vertrouwde en dat ik hem moest doorlichten. Dat heb ik gedaan. Ik heb een paar van mijn jongens ook opdracht gegeven een oogje op hem te houden.'

'En met "jouw jongens" bedoel je Saints?'

'Dat klopt.'

Ooit, lang voordat hij met Lorna was getrouwd, was Cisco lid van de

Road Saints, een motorclub die het midden hield tussen de Hells Angels en die clowns op wielen van de Shriners. Hij was erin geslaagd zonder strafblad zijn lidmaatschap te beëindigen en onderhield nog steeds contacten met leden van de club. Lange tijd had ik dat zelf ook gedaan, door als een soort huisadvocaat op te treden en verkeersboetes of aanklachten wegens ordeverstoring en drugsbezit voor hen af te handelen. In die tijd had ik Cisco leren kennen. Hij deed onderzoek voor de club, meestal in verband met beveiligingskwesties, en begon ook voor mij te werken als ik strafzaken had. De rest was bekend.

In de loop der jaren had Cisco meer dan eens een beroep op de Saints gedaan om mij te helpen. Hij had mijn gezin zelfs voor mogelijk kwaad behoed toen ik aan de zaak van Louis Roulet werkte. Dus was het voor mij geen verrassing dat hij ze opnieuw had ingeschakeld, maar wel dat hij het niet nodig had gevonden me daarover in te lichten.

'Waarom heb je niks gezegd?'

'Ik wilde de zaken niet nodeloos ingewikkeld voor je maken. Jij hebt je handen vol aan het proces. Dus hou ik me bezig met de twee vuillakken die hebben geprobeerd je te slopen.'

Met 'slopen' bedoelde hij niet alleen het pak slaag dat ik had gehad. Hij had me erbuiten gehouden omdat hij wist dat de psychologische schade van een pak slaag soms groter is dan de lichamelijke. Hij wilde niet dat ik werd afgeleid en voortdurend de neiging had achterom te kijken.

'Oké, ik snap het,' zei ik.

Cisco bracht zijn hand naar de binnenzak van zijn zwartleren motorvest en haalde er een dubbelgevouwen foto uit. Hij gaf die aan mij en ik wachtte tot we bij het rode stoplicht op Roscoe stonden voordat ik ernaar keek. Ik vouwde de foto open en zag drie mannen bij een auto staan: Herb Dahl, en de twee beulen met hun zwarte handschoenen, die me heel vakkundig tegen de grond hadden geslagen in de parkeergarage bij de Victory Building.

'Herken je ze?' vroeg Cisco.

'Ja, ze zijn het,' zei ik, en ik voelde mijn woede opstijgen tot in mijn keel. 'Die verdomde Dahl. Ik maak hem dood.'

'Misschien. Sla hier links af. We gaan naar de speelplaats.'

Ik keek over mijn schouder en stuurde snel naar links toen het licht op groen sprong en ik een gaatje zag. We reden nu naar het westen en ik moest mijn zonneklep omlaag doen vanwege de laagstaande zon. Met speelplaats bedoelde hij het terrein en het clubhuis van de Saints, bij de brouwerij aan de andere kant van de 405 Freeway. Het was lang geleden dat ik er was geweest.

'Wanneer is die foto genomen?' vroeg ik.

'Toen je in het ziekenhuis lag. Ze wisten niet...'

'Heb je hem al die tijd bij je gehouden?'

'Relax. Ik had niet dagelijks contact met mijn jongens, oké? Bovendien wisten ze niet dat ze jou naar het leven hadden gestaan. Ze zagen Dahl met die twee gasten, hebben een paar foto's gemaakt, maar hebben die niet aan me laten zien omdat het meer dan een maand heeft geduurd voordat ze ze hebben afgedrukt. Dat was niet zo slim, ik weet het, maar die jongens zijn geen profs. En ze zijn nogal lui. Ik had er bovenop moeten zitten. Dus als je iemand de schuld wilt geven, moet je bij mij zijn. Ik heb de foto pas gisteravond voor het eerst gezien. En mijn jongens vertelden me nog iets anders, iets wat ze niet op foto hebben, maar ze hebben gezien dat Dahl die twee gasten allebei een pak geld gaf. Dus het lijkt me duidelijk. Hij heeft ze opdracht gegeven je verrot te slaan, Mick.'

'De schoft.'

Ik werd overvallen door hetzelfde gevoel van machteloosheid dat ik had gehad toen een van mijn twee belagers mijn armen op mijn rug had gedraaid en ze vasthield terwijl de andere zich met zijn door leer beschermde vuisten uitleefde op mijn maagstreek. Ik merkte dat ik begon te transpireren. Gevolgd door een kloppende fantoompijn in mijn ribbenkast en testikels.

'Als ik ooit de kans krijg om...'

Ik stopte met praten en keek Cisco van opzij aan. Er lag een flauwe glimlach om zijn mond.

'Zijn we daarom op pad? Hebben jullie die twee gasten in het clubhuis?'

Hij zei niets maar de glimlach bleef om zijn mond spelen.

'Cisco, ik zit midden in een proces en nu kom jij me vertellen dat de man die probeert mijn cliënt uit te kleden dezelfde is als degene die me bont en blauw heeft laten slaan? Ik heb hier geen tijd voor, man. Ik heb meer dan genoeg...'

'Ze willen praten.'

Mijn protest verstomde meteen toen ik dat hoorde.

'Heb jij ze al uitgehoord?'

'Nee. We hebben op jou gewacht. We vonden dat we jou de primeur moesten geven.'

Zonder nog iets te zeggen en met mijn gedachten bij wat me te wachten stond reed ik door. Kort daarna stopten we bij het braakliggende terrein rechts van de brouwerij. Toen Cisco uitstapte om het hek te openen, kwam de zure stank van de brouwerij onmiddellijk de auto binnenstromen.

Het terrein was afgezet met een hek van draadgaas met een spiraal van prikkeldraad erbovenop. Het clubhuis, van gemetselde cementblokken, in het midden van het kale, dorre terrein, zag er armoedig uit in vergelijking met de glimmende motoren die ervoor stonden geparkeerd. Alleen Harleys en Triumphs. Geen Japanse rijstraketten voor deze jongens.

We gingen het clubhuis binnen, lieten onze ogen wennen aan het schemerige licht en toen liep Cisco naar de zelfbedieningsbar waar twee mannen met leren vesten op een kruk zaten.

'Zijn jullie er klaar voor?' vroeg Cisco.

De twee mannen draaiden zich om en lieten zich van hun kruk glijden. Ze waren allebei minstens één meter negentig en wogen om en nabij de honderdvijftig kilo. Zij zouden ervoor zorgen dat de andere twee ons vertelden wat we wilden weten. Cisco stelde ze aan me voor als Tommy Guns en Bam Bam.

'Ze zijn achter,' zei Tommy Guns.

De twee mannen namen ons mee door de gang achter de bar. Ze waren zo breed dat ze achter elkaar moesten lopen. Aan beide kanten van de gang waren deuren. Bam Bam opende de middelste deur aan de rechterkant en we kwamen terecht in een raamloze kamer met zwarte muren en een zwart plafond waaraan een kale gloeilamp hing. In het schemerige licht zag ik dat er tekeningen op de muren stonden. Van mannen met baarden en lang haar. Ik bevond me in een soort kapel waar de omgekomen Saints werden herdacht. Het eerste wat ik dacht was dat ik midden in *Pulp Fiction* zat. En het tweede was dat ik hier niet wilde zijn. De twee mannen lagen op de grond, vastgebonden, met de armen achter de rug en de polsen en enkels aan elkaar. Ze hadden allebei een zwarte zak over hun hoofd.

Bam Bam bukte zich en trok de zakken van hun hoofd. De twee mannen reageerden onmiddellijk met gekreun en angstige geluiden.

'Ho even,' zei ik. 'Cisco, ik mag hier helemaal niet zijn. Je brengt me...'

'Zijn ze het?' vroeg Cisco zonder te wachten tot ik uitgepraat was. 'Kijk goed. Je kunt je geen fout permitteren.'

'Ik? Mijn fout? Ik heb je niet gevraagd dit te doen.'

'Rustig aan. Je bent hier nu, dus kijk. Zijn ze het?'

'Jezus christus!'

Beide mannen waren gekneveld met grijze plastic tape die helemaal om hun hoofd was gewikkeld. De gezichten werden nog meer vervormd door de zwellingen en bloeduitstortingen rondom de ogen. Ze waren flink toegetakeld. De gelaatstrekken kwamen niet overeen met wat ik me herinnerde van de afranseling in de parkeergarage van de Victory Building, en ook niet met de foto die Cisco me zo-even in de auto had laten zien. Ik hurkte neer om beter te kunnen kijken. Beide mannen keken met doodsangst in de ogen naar me op.

'Ik kan het niet met zekerheid zeggen,' zei ik.

'Het is ja of nee, Mick.'

'Ja, maar ze scheten geen zeven kleuren en waren niet gekneveld toen ze mij in elkaar ramden.'

'Haal de tape van hun mond,' commandeerde Cisco.

Bam Bam kwam naar voren, liet zijn knipmes openspringen en sneed met een ruwe beweging de tape om het hoofd van de eerste man door. Toen hij die lostrok, nam hij een deel van zijn nekhaar mee. De man slaakte een kreet van pijn.

'Kop dicht, verdomme!' riep Tommy Guns.

De tweede man had zijn lesje geleerd. Hij gaf geen kik toen de tape van zijn hoofd werd gerukt. Bam Bam gooide de stukken tape opzij en ging achter de mannen staan. Hij pakte van beiden het strakgespannen touw tussen de polsen en de enkels en draaide ze een kwartslag, zodat ik hun gezicht beter kon zien.

'Maak ons alsjeblieft niet dood,' zei de ene man, met een stem die schor was van wanhoop. 'Het was niet persoonlijk bedoeld. We werden ervoor betaald. We hadden je dood kunnen maken, maar dat hebben we niet gedaan.'

Ik herkende hem meteen als degene die in de parkeergarage steeds het woord had gevoerd.

'Ze zijn het,' zei ik, en ik wees ze een voor een aan. 'Hij was de prater en die andere deed het aftuigen. Wie zijn het?'

Cisco knikte alsof de bevestiging slechts een formaliteit was.

'Het zijn broers. De prater heet Joey Mack. En de beul heet – hoe verzin je het – Angel Mack.'

'Luister nou, we wisten niet eens waarom we het moesten doen,' riep de prater. 'Alsjeblieft. We hebben een fout gemaakt. We...'

'Dat kun je verdomme wel zeggen dat jullie een fout hebben gemaakt,' beet Cisco hem toe, met de toorn van God in zijn stem. 'En daar gaan jullie nu voor boeten. Wie wil er eerst?'

De beul begon zachtjes te huilen. Cisco liep naar de tafel, waarop diverse gereedschappen, wapens en een rol tape lagen uitgestald. Hij koos voor een pijpsleutel en een nijptang en draaide zich om. Ik meende en hoopte dat het bluf was. Als dat zo was, dan speelde hij zijn rol op Oscar-niveau.

Ik legde mijn hand op zijn schouder alsof ik probeerde hem tegen te houden. Ik hoefde niets te zeggen; de boodschap was duidelijk. Laat mij het eerst proberen.

Ik nam de pijpsleutel van Cisco over en hurkte als een honkbalcatcher voor de twee gevangenen neer. Ik woog de zware pijpsleutel in mijn hand, alsof ik vertrouwd wilde raken met het gewicht, voordat ik begon te praten.

'Wie heeft jullie opdracht gegeven mij in elkaar te slaan?'

De prater gaf onmiddellijk antwoord. Hij nam niemand meer in bescherming, alleen nog zichzelf en zijn broer.

'Een kerel die Dahl heet. We moesten je flink raken maar niet vermoorden. Je kunt dit niet doen, man.'

'Ik denk dat we alles kunnen doen wat we willen. Waar kennen jullie Dahl van?'

'We kenden hem niet. We hadden een gemeenschappelijke kennis.'

'En wie was dat?'

Geen antwoord. Ik hoefde niet lang te wachten voordat Bam Bam een demonstratie gaf van zijn specialiteit, zich bukte en beide mannen een paar snoeiharde kaakslagen gaf. De prater spuugde bloed toen hij me de naam gaf.

'Jerry Castille.'

'En wie is Jerry Castille?'

'Hoor eens, je mag dit aan niemand vertellen.'

'Je bent niet in een positie om mij te vertellen wat ik wel of niet mag. Wie is Jerry Castille?'

'De zaakgelastigde van de Westkust.'

Ik wachtte op meer, maar er kwam niets.

'Ik heb niet de hele avond de tijd, man. Zaakgelastigde van de Westkust waarvan?'

De man met het bebloede gezicht knikte alsof hij begreep dat er maar één manier bestond om hier weg te komen.

'Van een bepaalde organisatie aan de Oostkust. Vat je het nou?'

Ik keek om naar Cisco. Had Herb Dahl banden met de georganiseerde misdaad aan de Oostkust? Dat leek wel heel vergezocht.

'Nee, volgens mij vat jíj het niet,' zei ik. 'Ik ben advocaat. Ik wil een direct antwoord. Welke organisatie? Je krijgt vijf seconden en dan...'

'Hij werkt voor Joey Giordano uit Brooklyn, ben je nou tevreden? Nu is ons doodvonnis getekend. Dus je kunt verder doodvallen.'

Hij boog zijn hoofd achteruit en spuugde bloed naar me. Ik had mijn jasje en das op kantoor gelaten. Ik keek omlaag naar mijn witte shirt en zag een bloedvlek die niet helemaal afgedekt zou worden door mijn das.

'Dit is een handgemaakt shirt met monogram, stomme klootzak.'

Opeens stond Tommy Guns tussen ons in en hoorde ik de droge klap van een vuist die een gezicht raakte, maar ik kon niets zien door Tommy's brede rug. Toen hij opzij stapte, zag ik dat de prater een paar tanden uitspuugde.

'Handgemaakt shirt met monogram, man,' zei Tommy Guns, alsof dat voldoende was om zijn gewelddaad te verklaren.

Ik stond op.

'Oké, laat ze gaan,' zei ik.

Cisco en de twee Saints keken me verbaasd aan.

'Laat ze gaan,' zei ik nog een keer.

'Weet je het zeker?' vroeg Cisco. 'Die rennen natuurlijk meteen terug naar die Castille om te zeggen dat wij het weten.'

Ik keek neer op de twee mannen op de vloer en schudde mijn hoofd.

'Nee, dat doen ze niet. Als ze hem vertellen dat ze hebben gepraat, worden ze waarschijnlijk alsnog vermoord. Dus laat ze gaan en dan doen we alsof er niks is gebeurd. Ze houden zich heus wel gedeisd totdat hun blauwe plekken verdwenen zijn. En daarmee is de zaak afgedaan.'

Ik boog me weer naar de twee toe.

'Dat is toch zo, hè?'

'Ja,' zei de prater, die al een zwelling zo groot als een knikker op zijn bovenlip had.

Ik wendde me tot zijn broer.

'En jij? Ik wil het van jullie allebei horen.'

'Ja, ja, oké,' zei de broer.

Ik keek Cisco aan. We waren hier klaar. Hij gaf de opdracht.

'Oké, Guns, luister. Je wacht tot het donker is. Jullie houden ze hier en als het donker is, trek je een zak over hun kop en je dropt ze ergens. Jullie zetten ze af en laten ze verder met rust, begrepen?'

'Ja, ik heb het begrepen.'

Arme Tommy Guns. Hij zag er teleurgesteld uit.

Ik wierp nog een laatste blik op de twee bebloede mannen op de vloer. En zij keken mij aan. Het gevoel dat ik het leven van beiden in mijn hand had gehad trok als een elektrische schok door me heen. Cisco tikte me op de schouder, ik liep achter hem aan de kamer uit en deed de deur achter me dicht. Toen we op de gang waren, pakte ik Cisco's arm vast en dwong hem te blijven staan.

'Dat had je niet moeten doen. Je had me niet hiernaartoe moeten brengen.'

'Dat meen je toch niet, hè? Dat moest ik juist wel doen.'

'Waar heb je het over? Waarom?'

'Omdat ze iets met jou hadden gedaan. Diep binnen in je. Je was iets kwijtgeraakt, Mick, en als je dat niet terugkreeg, zou dat geen goeie zaak zijn, voor jou niet en voor de mensen om je heen ook niet.'

Ik bleef hem lange tijd aankijken en uiteindelijk knikte ik.

'Ik heb het terug.'

'Mooi. Dan hebben we het er nooit meer over. Wil je me nu terugbrengen naar kantoor, zodat ik mijn motor kan ophalen?'

'Ja, dat zal nog wel lukken.'

31

Alleen in de auto nadat ik Cisco had afgezet dacht ik aan de wetten van het land en die van de straat, en de verschillen ertussen. Ik was in vele rechtszalen geweest, waar ik erop had gestaan dat de wetten van het land eerlijk en juist werden toegepast. Die termen, eerlijk en juist, waren niet van toepassing op waar ik zojuist, in de zwarte kamer, getuige van was geweest.

Toch deed het me weinig. Cisco had gelijk gehad. Ik moest mezelf eerst weer goed in de hand hebben voordat ik in de rechtszaal – en daarbuiten – voor iemand iets kon betekenen. Ik voelde me herboren zoals ik hier achter het stuur zat. Ik deed alle raampjes van de Lincoln open en liet de koele avondlucht door de auto waaien toen ik via Laurel Canyon naar huis reed.

Deze keer had Maggie haar sleutel gebruikt. Ze was al binnen toen ik thuiskwam, wat een onverwachte maar aangename verrassing was. De deur van de koelkast stond open en ze boog zich voorover om erin te kijken.

'Ik kwam eigenlijk voor de enorme voorraad eten die je altijd insloeg voordat je aan een proces begon. Dan zag je koelkast eruit alsof er een halve supermarkt in zat. Wat is er gebeurd? Er staat niks in.'

Ik gooide mijn sleutels op tafel. Ze was vanuit haar werk eerst naar huis geweest om zich om te kleden. Ze droeg een versleten spijkerbroek, een linnen hemd en sandalen met hoge kurkhakken. Ze wist dat ik van die outfit hield.

'Ik ben er deze keer niet aan toegekomen, denk ik.'

'Hm, had ik het maar geweten. Dan was ik misschien ergens anders naartoe gegaan op mijn enige avond met een oppas.'

Ze glimlachte minzaam naar me. Ik begreep niet waarom we niet meer bij elkaar woonden.

'We kunnen wat bij Dan's gaan eten?'

'Dan Tana's? Ik dacht dat je daar alleen kwam als je een zaak had gewonnen. Ben je de huid al aan het verkopen voordat je de beer hebt geschoten, Haller?'

'Nee, nog lang niet. Maar als ik er alleen kwam na een gewonnen zaak, zou ik zelden iets goeds te eten krijgen.'

Ze richtte haar wijsvinger op me en glimlachte. Het was allemaal spel en dat wisten we allebei. Ze deed de deur van de koelkast dicht, kwam naar me toe en liep langs me heen zonder me zelfs maar op mijn wang te kussen.

'Dan Tana's is tot laat open,' zei ze.

Ik keek haar na toen ze door de gang naar de slaapkamer liep. Net voordat ze achter de deur verdween, trok ze het linnen hemd over haar hoofd.

Wat we deden kon je niet echt de liefde bedrijven noemen. Ik werd nog steeds beheerst door wat ik in die zwarte kamer van de Saints had gezien en gevoeld. Noem het achtergebleven agressie, of de ontlading van de machteloze woede die ik had gevoeld. Wat het ook was, het werkte door in alles wat ik met haar deed. Ik was veel te hardhandig, lag te duwen en te trekken, beet op haar lip, deed haar armen omhoog en klemde mijn handen om haar polsen. Ik 'bezat' haar en wist waardoor het kwam terwijl ik het deed. Eerst ging Maggie erin mee. Het was nieuw voor haar en waarschijnlijk vond ze het wel spannend. Maar algauw sloeg haar nieuwsgierigheid om in bezorgdheid, keerde ze haar gezicht van me af en probeerde ze haar armen los te wringen. Ik klemde mijn handen nog steviger om haar polsen. Na een tijdje zag ik dat de tranen in haar ogen stonden.

'Wat is er?' fluisterde ik in haar oor, en ik drukte mijn neus hard in haar haar.

'Kom nou maar,' zei ze.

Onmiddellijk voelde ik alle agressie en wellust uit me wegstromen. Door die woorden en de tranen in haar ogen kon ik het opeens niet meer. Ik maakte me van haar los en rolde van haar af. Ik legde mijn onderarm over mijn ogen maar wist dat ze naar me keek.

'Wat nou?'

'Wat is er vanavond met je aan de hand? Heeft dit met Andrea te maken? Reageer je op mij af wat er in de rechtszaal gebeurt, is dat het?'

Ik voelde dat ze opstond.

'Maggie, natuurlijk niet. De zaak heeft er niks mee te maken.'

'Wat dan wel?'

Maar de badkamerdeur ging al dicht voordat ik kon antwoorden, en meteen daarna hoorde ik het geruis van de douche, wat een eind aan ons gesprek maakte.

'Dat vertel ik je tijdens het eten,' zei ik, ook al wist ik dat ze me niet kon horen.

Dan Tana's was afgeladen, maar Christian kwam op ons af en loodste ons naar een box in de linker achterhoek. Maggie en ik hadden amper met elkaar gesproken tijdens de vijftien minuten lange rit naar West-Hollywood. Ik had twee keer geprobeerd een gesprek te beginnen, met een losse opmerking over onze dochter, maar Maggie had niets teruggezegd en ik had verder niet aangedrongen. Ik zou het in het restaurant nog wel een keer proberen.

We bestelden allebei de Steak Helen met pasta. Alfredo voor Maggie en Bolognese voor mij. Maggie nam er een glas Italiaanse rode wijn bij en ik een flesje mineraalwater. Nadat de ober was weggelopen, reikte ik over de tafel en legde mijn hand op haar pols, heel licht deze keer.

'Het spijt me, Maggie. Laten we opnieuw beginnen.'

Ze trok haar hand onder de mijne vandaan.

'Toch ben je me een verklaring schuldig, Haller. Dat had niks met vrijen te maken. Ik weet niet wat je bezielde. Zo hoor je met niemand om te gaan, en zeker niet met mij.'

'Maggie, overdrijf je niet een beetje? In het begin vond je het best leuk, geef het maar toe.'

'Totdat je me pijn begon te doen.'

'Dat spijt me. Ik wil je geen pijn doen, nooit.'

'En doe niet alsof het niks voorstelt. Als je wilt dat ik ooit nog bij je langskom, kun je me maar beter vertellen wat er met je aan de hand is.'

Ik schudde mijn hoofd en liet mijn blik door het propvolle restaurant gaan. De Lakers speelden op de tv boven de bar die het restaurant in tweeën deelde. De klanten stonden drie rijen dik achter degenen die zo gelukkig waren geweest een barkruk te bemachtigen. De ober kwam onze drankjes brengen, wat me nog wat extra tijd gaf. Maar zodra hij was weggelopen, zat Maggie weer boven op me.

'Vertel op, Michael, anders laat ik mijn eten inpakken en neem ik een taxi naar huis.'

Ik nam een slok water en keek haar aan.

'Het heeft niks met het gerechtshof of met Andrea Freeman te maken, en ook niet met iemand anders die je kent, oké?'

'Nee, niks oké. Vertel op, waarmee dan wel?'

Ik zette mijn glas neer, sloeg mijn armen over elkaar en steunde op de tafel.

'Cisco heeft de twee mannen gevonden die me hebben mishandeld.'

'Waar? Wie zijn het?'

'Dat doet er niet toe. Hij heeft niet de politie gebeld en heeft ze niet aangegeven.'

'Bedoel je dat hij ze gewoon heeft laten lopen?'

Ik lachte en schudde mijn hoofd.

'Nee, hij heeft ze vastgehouden. Hij en twee van zijn oude vrienden van de Saints. In hun clubhuis. Voor mij. Om met ze te doen wat ik wilde. Alles wat ik maar wilde. Hij zei dat ik daar behoefte aan had.'

Ze boog zich over het geruite tafelkleed en legde haar hand op mijn arm.

'Haller, wat heb je met ze gedaan?'

Ik bleef haar even aankijken.

'Niks. Ik heb ze uitgehoord en heb tegen Cisco gezegd dat hij ze moest laten gaan. Ik weet nu voor wie ze werken.'

'Voor wie?'

'Dat hou ik voor mezelf. Het doet er niet toe. Maar zal ik je eens wat vertellen, Maggie? Toen ik in het ziekenhuis lag te wachten op het nieuws of ze mijn ene afgedraaide bal zouden kunnen redden, kon ik aan niks anders denken dan de gruwelijke, gewelddadige beelden die ik voor me zag, van mezelf, die wraak nam op die twee. Martelingen in Jeroen Bosch-stijl. Middeleeuws. Het enige wat ik wilde was ze heel erg veel pijn doen. En toen ik er de kans voor kreeg – en geloof me, daarna zouden ze gewoon van de aardbodem verdwenen zijn – heb ik die laten lopen. En zonet, toen ik met jou in bed lag...'

Ze leunde achterover op de bank en staarde in de verte met een mengeling van droefheid en afkeer op haar gezicht.

'Ik ben aardig gestoord, hè?'

'Ik wou dat je het me niet had verteld.'

'Als openbaar aanklager, bedoel je?'

'Onder andere.'

'Nou, jij was degene die ernaar bleef vragen. Misschien had ik een ander verhaal moeten verzinnen, over dat ik boos was op Andrea Freeman. Dat zou je minder erg hebben gevonden, hè? Als het over iets tussen mannen en vrouwen was gegaan, zou je het wel hebben begrepen.'

Ze keek me aan.

'Doe niet zo belerend.'

'Sorry.'

We zaten zwijgend tegenover elkaar en keken naar de drukte bij de bar.

Drinkende, gelukkige mensen. Tenminste, zo te zien. Obers in smoking die af en aan liepen tussen de bezette tafeltjes.

Toen ons eten werd gebracht, had ik niet veel trek meer, ook al lag de beste biefstuk van de stad op mijn bord.

'Mag ik er nog één laatste ding over vragen?' vroeg Maggie.

Ik haalde mijn schouders op. Het had weinig zin om er meer over te zeggen, maar desondanks knikte ik.

'Ga je gang.'

'Hoe kun je zeker weten dat Cisco en zijn maten die twee echt laten gaan?'

Ik sneed een stukje van mijn biefstuk en er droop bloed op mijn bord. Ze hadden hem te kort gebakken. Ik keek op naar Maggie.

'Helemaal zeker weten kan ik dat niet.'

Ik richtte mijn aandacht weer op mijn biefstuk toen ik vanuit mijn ooghoek zag dat Maggie de ober wenkte.

'Wil je dit voor me inpakken om mee te nemen terwijl ik voor de deur een taxi aanhoud? En het me buiten komen brengen?'

'Natuurlijk. Onmiddellijk.'

Hij haastte zich weg met haar bord.

'Maggie...' zei ik.

'Ik heb gewoon even tijd nodig om over alles na te denken.'

Ze schoof de box uit.

'Ik kan je thuisbrengen.'

'Nee, ik red me wel.'

Ze bleef naast de tafel staan en opende haar tas.

'Niet nodig. Dat regel ik wel.'

'Weet je het zeker?'

'Ja. En als je geen taxi ziet, kijk dan bij de Palm. Daar staat er meestal wel een.'

'Oké, bedankt.'

Ze liep weg om buiten op haar eten te wachten. Ik schoof mijn bord van me af en keek naar het halfvolle glas wijn dat ze had laten staan. Vijf minuten later zat ik er nog steeds naar te kijken toen Maggie opeens naast de box stond met een papieren meeneemzak in haar hand.

'Ze moesten een taxi bellen,' zei ze. 'Hij zal er zo wel zijn.'

Ze pakte het wijnglas en nam een slokje.

'Laten we er na je proces over praten,' zei ze.

'Oké.'

Ze zette het glas neer, boog zich naar me toe en kuste me op de wang.

Toen liep ze weg. Ik bleef nog een tijdje zitten om na te denken. Misschien had die laatste kus me wel het leven gered.

32

Deze keer ging rechter Perry in de raadkamer wel achter zijn bureau zitten. Het was vijf over negen op woensdagochtend en ik was daar met Andrea Freeman en de rechtbanknotulist. Voordat het proces werd voortgezet was de rechter akkoord gegaan met Freemans verzoek om nog één bespreking zonder publiek. Perry wachtte terwijl we plaatsnamen en totdat de vingers van de notulist op de toetsen van haar stenoapparaat rustten.

'Goed, we zijn hier voor de zaak Californië versus Trammel,' zei hij. 'Mevrouw Freeman, u hebt om deze bijeenkomst verzocht. Hopelijk gaat u me niet vertellen dat u meer tijd nodig hebt om te kunnen anticiperen op de federale targetbrief?'

Freeman schoof naar het puntje van haar stoel.

'Nee, edelachtbare, helemaal niet. Want er valt niets te anticiperen. De kwestie is grondig doorgelicht, maar de uitkomst van wat de federale diensten nu werkelijk aan het doen zijn heeft mij niet overtuigd. Volgens mij is het duidelijk wat meneer Haller probeert te doen, namelijk het proces een doolhof in sturen door middel van kwesties die voor een oordeel van de jury over deze zaak volstrekt irrelevant zijn.'

Ik schraapte mijn keel, maar de rechter was me voor.

'We hebben de kwestie van de alternatieve schuldige al voor het proces behandeld, mevrouw Freeman. Ik geef de verdediging de ruimte om deze mogelijkheid ter sprake te brengen. Als u dat wilt verhinderen, zult u met meer moeten komen. Dat het u niet bevalt dat meneer Haller de weg van de targetbrief bewandelt, maakt het nog niet irrelevant.'

'Dat begrijp ik, edelachtbare. Maar wat...'

'Neem me niet kwalijk,' zei ik, 'maar mag ik ook nog iets zeggen? Ik wil graag reageren op de insinuatie dat ik probeer het proces...'

'Laat mevrouw Freeman even uitpraten en dan krijgt u alle gelegenheid, meneer Haller. Dat beloof ik u. Mevrouw Freeman?'

'Dank u, edelachtbare. Wat ik probeer duidelijk te maken is dat een federale targetbrief in feite niet zo veel voorstelt. Er wordt alleen in bevestigd dat er een onderzoek loopt. Het is geen beschuldiging. Het is niet eens een verdenking. Het betekent niet dat ze iets hebben gevonden of iets zullen vinden. Het is voor de federale diensten alleen een middel om te zeggen: "Hé, we hebben iets gehoord en daar gaan we naar kijken." Maar in de handen van meneer Haller zal het voor de jury worden uitgesponnen tot een reusachtig doemscenario, gericht op iemand die niet eens terechtstaat. Lisa Trammel is degene die hier terechtstaat, en dit hele gedoe over een federale targetbrief heeft in de verste verte niets te maken met de kwestie die hier werkelijk ter discussie staat. Daarom vraag ik u meneer Haller te verbieden inspecteur Kurlen meer vragen over dit onderwerp te stellen.'

De rechter leunde achterover en hield zijn handen in een driehoek voor zijn borst, met de vingertoppen tegen elkaar. Daarna draaide hij zijn bureaustoel mijn kant op. Eindelijk was ik aan de beurt.

'Edelachtbare, als ik in uw positie zou verkeren, denk ik dat ik de openbaar aanklager zou vragen, gezien het feit dat ze beweert de brief en de herkomst grondig te hebben onderzocht, of de zaak van de onteigeningsfraude in Zuid-Californië is voorgelegd aan een zittende federale *grand jury*. Vervolgens zou ik haar vragen hoe ze tot de conclusie is gekomen dat de federale targetbrief "niet zo veel voorstelt" voorstelt. Want ik geloof niet dat het hof een erg juiste voorstelling van zaken krijgt wat betreft de betekenis van deze brief en de mogelijke invloed ervan op onze zaak.'

De rechter draaide zijn stoel naar Freeman en maakte zijn ene wijsvinger los van de andere om die op haar te richten.

'Wat hebt u daarop te zeggen, mevrouw Freeman? Is die grand jury er?'

'Edelachtbare, uw vraag brengt me in een moeilijke positie. Grand jury's werken in het geheim en...'

'We zijn hier als vrienden onder elkaar, mevrouw Freeman,' zei de rechter op strenge toon. 'Is er een grand jury of niet?'

Ze aarzelde nog even en knikte toen.

'Er is een grand jury, edelachtbare, maar die heeft nog geen enkele getuigenis met betrekking tot Louis Opparizio gehoord. Zoals ik al zei is een targetbrief niets meer dan een mededeling dat er een onderzoek loopt. Het is informatie uit de tweede hand, edelachtbare, en die past niet in de uitzonderingsgevallen die haar toelaatbaar zouden maken voor het proces. Hoewel de brief is ondertekend door de procureur-generaal van dit district, is het een agent van de Geheime Dienst die het onderzoek is gestart. Deze agent zit beneden in mijn kantoor te wachten. Als het hof het wenst, kan hij binnen tien minuten hier zijn om te bevestigen wat ik zojuist heb gezegd. Namelijk dat meneer Haller bezig is een rookgordijn op te trekken. Op het tijdstip van meneer Bondurants dood liep er nog geen onderzoek en was er geen verband tussen de twee en was er alleen de brief die Bondurant aan Opparizio had geschreven.'

Dat was een grove fout. Door bekend te maken dat Vasquez, de agent van de Geheime Dienst die de targetbrief had geschreven in het gebouw was, had Freeman de rechter in een lastige positie gebracht. Dat de agent in de buurt en beschikbaar was, maakte het voor de rechter een stuk moeilijker om de kwestie te negeren. Ik greep in voordat de rechter iets kon zeggen.

'Rechter Perry? Ik stel voor dat de openbaar aanklager, aangezien ze zegt dat de federale agent die de brief heeft geschreven zich hier in het gerechtshof bevindt, ze hem in de getuigenbank zet om alles te ontkrachten wat ik inspecteur Kurlen tijdens het kruisverhoor laat verklaren. Als mevrouw Freeman er zo zeker van is dat de agent zal bevestigen dat de targetbrief die hij zelf heeft geschreven niks voorstelt, laat hem dat dan maar tegen de jury zeggen. Laat hem al mijn argumenten maar onderuithalen. Ik moet het hof er ook aan herinneren dat we deze weg al zijn ingeslagen. Ik heb Kurlen gisteren naar de brief gevraagd. Als we nu naar de rechtszaal teruggaan en er niks meer over zeggen, of als we de jury opdracht geven de geluide bel ineens uit hun geheugen te verbannen, dan schaden we onze gezamenlijke zaak misschien meer dan wanneer we de kwestie gewoon afhandelen.'

Perry antwoordde zonder te aarzelen.

'Ik ben geneigd het met u eens te zijn, meneer Haller. Ik vind het geen prettig idee om een jury naar huis te sturen en de hele avond te laten nadenken over een mysterieuze brief, om die vervolgens de volgende ochtend onder hun neus vandaan te trekken.'

'Edelachtbare,' zei Freeman snel, 'mag ik er nog één ding over zeggen?'

'Nee, dat lijkt me niet nodig. We moeten ophouden met onze tijd te verspillen en doorgaan met het proces.'

'Maar edelachtbare, er is nog één belangrijk punt dat het hof niet eens in overweging heeft genomen.'

De rechter keek haar geërgerd aan.

'En dat is, mevrouw Freeman? Mijn geduld begint op te raken.'

'Als u de getuigenis over de targetbrief gericht aan de sleutelgetuige van de verdediging toelaat, maakt dat de eerdere beslissing van deze getuige om af te zien van het recht om te zwijgen op grond van het vijfde amendement, een stuk gecompliceerder. Louis Opparizio en zijn raadsman zullen die beslissing, als de targetbrief als bewijs wordt geïntroduceerd en openlijk zal worden besproken, misschien willen heroverwegen. Met als gevolg dat meneer Haller zijn verdediging misschien uitsluitend baseert op de verklaring van een sleutelgetuige, of stroman, zo u wilt, die zal weigeren te getuigen. Ik wil nu graag vastgelegd hebben dat als meneer Haller het spel zo wil spelen, hij ook de consequenties moet aanvaarden. Als meneer Opparizio volgende week besluit dat het beter voor hem is dat hij niet getuigt en vraagt om een nieuwe hoorzitting over de dagvaarding, wil ik niet dat de verdediging het hof jankend vraagt of het allemaal nog een keer over mag. Er wordt niks overgedaan, edelachtbare.'

De rechter knikte, was het met haar eens.

'Anders is het vergelijkbaar met de man die zijn beide ouders vermoordt en het hof om genade vraagt omdat hij wees is. Ik ga hierin mee, meneer Haller. U bent gewaarschuwd, als u het op deze manier wilt doen, moet u ook bereid zijn de consequenties te aanvaarden.'

'Dat begrijp ik, edelachtbare,' zei ik. 'En ik zal ervoor zorgen dat mijn cliënt het ook begrijpt. Ik heb nog een laatste opmerking, en die is dat ik er bezwaar tegen maak dat de openbaar aanklager Louis Opparizio als stroman bestempelt. Dat is hij niet en dat zullen we bewijzen.'

'Nou,' zei de rechter, 'daar krijgt u nu in ieder geval de gelegenheid voor. Maar genoeg tijd verspild. We gaan naar de rechtszaal.'

Ik liep achter Freeman aan de raadkamer uit en Perry bleef achter om zijn rechterskleed aan te trekken. Ik had een of andere verwensing van Freeman verwacht, maar ze deed het tegenovergestelde.

'Knap gespeeld, raadsman,' zei ze.

'O, bedankt, denk ik.'

'Wie heeft je die brief gestuurd, denk je?'

'Ik wou dat ik het wist.'

'Heeft de FBI je benaderd? Die zullen volgens mij wel willen weten wie er gevoelige en vertrouwelijke informatie naar het publiek lekt.'

'Niemand heeft nog iets gezegd. Misschien heeft de FBI het zelf wel gelekt. Als ik Opparizio in de getuigenbank krijg, kunnen ze hem aan zijn verklaring houden. Dus misschien ben ik wel een instrument van de federale overheid. Heb je daar ooit aan gedacht?'

De suggestie bracht haar even tot staan. Glimlachend liep ik haar voorbij.

Toen we de rechtszaal binnenkwamen, zag ik Herb Dahl op de eerste rij achter de tafel van de verdediging zitten. Ik weerstond de neiging hem over het hekje te trekken en met zijn gezicht op de granieten vloer te beuken. Freeman en ik namen onze plaats achter onze respectievelijke tafels in en ik vertelde mijn cliënt op fluistertoon wat er in de raadkamer was voorgevallen. De rechter kwam binnen en liet de jury komen.

Het laatste ontbrekende stukje van het beeld werd ingevuld door inspecteur Kurlen, die weer in de getuigenbank plaatsnam. Ik pakte mijn dossiers en mijn blocnote en liep naar de lessenaar. Er leek wel een week verstreken te zijn sinds mijn kruisverhoor werd onderbroken, hoewel het nog geen dag was. Ik deed alsof er nog geen minuut was verstreken.

'Welnu, inspecteur Kurlen, toen we gisteren ophielden had ik u net gevraagd of u wist wat een targetbrief was. Kunt u die vraag nu beantwoorden?'

'Ik heb begrepen dat wanneer een federale overheidsdienst informatie wil inwinnen over een persoon of bedrijf, ze soms een brief versturen waarin die persoon of dat bedrijf wordt verteld dat ze met hem of hen willen praten. Een soort brief in de trant van "Kom naar ons kantoor, dan praten we erover en kunnen we eventuele misverstanden uit de weg ruimen."'

'En dat is alles?'

'Ik ben geen federaal agent.'

'Maar denkt u dat het een serieuze zaak is wanneer je van de federale overheid een brief krijgt waarin staat dat je het onderwerp van een onderzoek bent?'

'Dat zou kunnen. Ik denk dat het afhangt van het vergrijp dat ze willen onderzoeken.'

Ik vroeg de rechter of ik de getuige een document mocht overhandigen. Freeman maakte bezwaar, voor het rechtbankverslag, wegens irrelevantie. De rechter wees het af zonder er commentaar op te geven, en zei dat ik mijn gang kon gaan.

Nadat ik het document aan Kurlen had gegeven, liep ik terug naar de lessenaar en vroeg de rechter het document als bewijsstuk 3 van de verdediging te noteren. Daarna vroeg ik Kurlen de brief voor te lezen.

'"Geachte heer Opparizio, hierbij delen we u mede..."'

'Wacht,' onderbrak ik hem. 'Wilt u eerst voorlezen en beschrijven wat er boven aan de brief staat? Het briefhoofd?'

'"Departement van Justitie, Los Angeles" staat er, met een plaatje van een adelaar aan de ene kant en de Amerikaanse vlag aan de andere kant. Zal ik nu de brief voorlezen?'

'Ja, alstublieft.'

'"Geachte heer Opparizio, hierbij delen we u mede dat A. Louis Opparizio Financial Technologies – beter bekend als ALOFT – alsmede u als persoon, de belangstelling hebben van een uit verschillende diensten samengestelde taakgroep die onderzoek doet naar alle vormen van hypotheekfraude in Zuid-Californië. Het doel van deze brief is er bij u op aan te dringen geen documenten of andere werkmaterialen van uw bureau te verplaatsen of te vernietigen. Indien u een gesprek over dit onderzoek wenst en bereid bent mee te werken met de leden van de taakgroep, aarzel dan niet om contact met ons op te nemen, of laat uw juridisch adviseur contact opnemen met mij of met Charles Vasquez van de Amerikaanse Geheime Dienst, die in het ALOFT-onderzoek is aangesteld als uw zaakagent. We zullen al het mogelijke doen om u te benaderen voor een gesprek over deze kwestie. Indien u niet wenst mee te werken, dan kunt u erop rekenen dat u binnenkort zult worden benaderd door agenten van de taakgroep. Ik wijs u er nogmaals op dat u geen documenten of andere werkmaterialen uit uw kantoren en andere werkruimten mag verwijderen of vernietigen. Doet u dat wel, na ontvangst van deze brief, dan maakt u zich schuldig aan een zwaar misdrijf tegen de Verenigde Staten van Amerika. Hoogachtend, Reginald Lattimore, procureur-generaal, Los Angeles." Dat is het, afgezien van alle telefoonnummers die eronder staan.'

Er ging een golf van zacht gemompel door de rechtszaal. Ik was er redelijk zeker van dat de meeste gewone burgers niet wisten van het bestaan van een federale targetbrief. Dit was de nieuwe ordehandhaving. Ik wist ook zeker dat deze zogenaamde taakgroep bestond bij de gratie van de agenten die enkele overheidsdiensten hadden afgestaan, en dat ze geen eigen budget hadden. In plaats van kostbare, tijdrovende onderzoeken joegen ze hier en daar mensen de stuipen op het lijf in de hoop dat ze zichzelf kwamen melden en om genade zouden smeken. De opzet was heel simpel: pluk het fruit dat het laagst hangt, scoor een paar krantenkoppen en dan is het wel weer genoeg. Iemand als Opparizio zou met de originele aangetekende brief waarschijnlijk zijn gat afvegen. Maar dat kon me niet schelen. Voor mij was de brief een middel om mijn cliënt uit de gevangenis te houden.

'Dank u, inspecteur Kurlen. Kunt u ons nu vertellen wanneer de brief is gedateerd?'

Kurlen keek op zijn kopie voordat hij antwoord gaf.

'De datum is 18 januari van dit jaar.'

'En hebt u deze brief vóór vandaag al eens eerder gezien, inspecteur?'

'Nee, waarom zou ik? Die heeft niets te maken met...'

'De getuige omzeilt de vraag,' zei ik snel. 'Edelachtbare, ik vraag alleen of hij de brief al dan niet eerder heeft gezien.'

De rechter droeg Kurlen op alleen antwoord te geven op de vraag die ik had gesteld.

'Ik heb deze brief vóór gistermiddag nooit eerder gezien.'

'Dank u, inspecteur. Laten we nu teruggaan naar de andere brief, die u gisteren op mijn verzoek hebt voorgelezen, die van het slachtoffer, Mitchell Bondurant, aan dezelfde Louis Opparizio die in de federale targetbrief wordt genoemd. Hebt u die brief bij de hand?'

'Als u een momentje hebt...'

'Natuurlijk.'

Kurlen zocht in zijn map met papieren, haalde de brief eruit en hield hem op.

'Goed. Kunt u ons de datum op díé brief geven, alstublieft?'

'De datum is 10 januari van dit jaar.'

'En deze brief is per aangetekende post door meneer Opparizio ontvangen, is dat juist?'

'Hij is aangetekend verstuurd. Ik kan niet zeggen of meneer Opparizio de brief ook werkelijk heeft ontvangen, of zelfs maar heeft gezien. Zo te zien heeft er iemand anders voor de ontvangst getekend.'

'Maar ongeacht wie ervoor heeft getekend, het staat vast dat de brief op 10 januari is verstuurd. Is dat correct?'

'Ja, volgens mij is dat correct.'

'En de tweede brief, waar we het nu over hebben, de targetbrief van een agent van de Geheime Dienst, is ook per aangetekende post verzonden, nietwaar?'

'Dat is juist.'

'Dus de datum van verzending, 18 januari, staat ook vast.'

'Correct.'

'Laten we dan eens kijken of ik het goed zie. Meneer Bondurant stuurt Louis Opparizio een aangetekende brief waarin hij dreigt de vermeende frauduleuze praktijken van diens bureau openbaar te maken, en acht dagen later stuurt een federale taakgroep meneer Opparizio, eveneens per aangetekende post, een brief waarin hem wordt meegedeeld dat er onderzoek naar hem wordt gedaan wegens onteigeningsfraude. Heb ik de volgorde goed, inspecteur Kurlen?'

'Voor zover ik weet wel, ja.'

'En dan, nog geen twee weken later, wordt meneer Bondurant op brute wijze vermoord in de parkeergarage van WestLand. Is dat juist?'

'Ja.'

Ik wachtte en wreef over mijn kin alsof ik diep nadacht. Ik wilde dit goed tot de jury laten doordringen. Het liefst had ik de juryleden een voor een aangekeken, maar dan zou ik verraden wat voor spel ik speelde. Dus hield ik mijn pose van de denker aan.

'Inspecteur, u hebt eerder getuigd over uw schat aan ervaring als rechercheur Moordzaken. Is dat correct?'

'Ik heb een hoop ervaring, ja.'

'Zou u, hypothetisch gesproken, toen niet hebben willen weten wat u nu weet?'

Kurlen knipperde met zijn ogen alsof hij in verwarring was gebracht, hoewel hij heel goed wist wat ik aan het doen was en welke richting ik was ingeslagen.

'Ik geloof niet dat ik de vraag begrijp,' zei hij.

'Dan zal ik die anders stellen. Zou het voor u goed zijn geweest als u op de eerste dag van uw moordonderzoek beide brieven in handen had gehad?'

'Natuurlijk, waarom niet? Ik zou op de eerste dag blij zijn met al het bewijs en alle informatie die ik kon krijgen. Maar zo is het niet gegaan.'

'Als u, hypothetisch gesproken, had geweten dat uw slachtoffer, Mitchell Bondurant, iemand een brief had gestuurd waarin hij dreigde diens criminele gedrag openbaar te maken, slechts acht dagen voordat die persoon te horen kreeg dat hij het doelwit van een strafrechtelijk onderzoek was, zou dat de richting van uw moordonderzoek dan niet voor een belangrijk deel hebben bepaald?'

'Dat is moeilijk te zeggen.'

Nu keek ik wel naar de jury. Kurlen probeerde zich eruit te draaien, weigerde toe te geven wat ieder weldenkend mens allang dacht. Je hoefde geen politie-inspecteur te zijn om dat te kunnen begrijpen.

'Moeilijk te zeggen. Wilt u beweren dat het, als u deze informatie en beide brieven op de dag van de moord had gehad, nog maar de vraag was geweest of u die als een belangrijke aanwijzing had gezien?'

'Ik zeg alleen dat we toen alle details nog niet kenden en dat het daarom moeilijk te zeggen is of het spoor al dan niet belangrijk genoeg was voor gericht onderzoek. Maar samenvattend geldt dat alle aanwijzingen zijn onderzocht, zo simpel is het.'

'Zo simpel is het, en toch hebt u aan deze invalshoek in uw onderzoek geen enkele aandacht besteed, is dat niet zo?'

'Ik had deze brief niet. Waar had ik onderzoek naar moeten doen?'

'U had de brief van het slachtoffer en daar hebt u niks mee gedaan, of wel soms?'

'Dat is absoluut niet waar. Ik heb de brief beoordeeld en vastgesteld dat die niets met de moord te maken had.'

'Is het niet zo dat u toen al uw vermeende dader had en niet van plan was van gedachten te veranderen of af te wijken van dat pad?'

'Nee, dat is niet waar. Absoluut niet waar.'

Ik bleef Kurlen lange tijd aankijken en hoopte dat de walging op mijn gezicht voor iedereen goed te zien was.

'Ik heb op dit moment verder geen vragen,' zei ik uiteindelijk.

33

Freeman hield Kurlen nog een kwartier in de getuigenbank in haar tweede ronde en deed haar uiterste best Kurlens aanpak van het onderzoek weer wat op te hemelen. Toen ze klaar was, zag ik af van een tweede kans om hem in het nauw te drijven, want ik was ervan overtuigd dat ik op punten al voorstond met Kurlen. Ik had geprobeerd aan te tonen dat het politieonderzoek had geleden aan tunnelvisie, en geloofde dat ik daar aardig in was geslaagd.

Freeman vond het blijkbaar nodig om de kwestie van de federale targetbrief zo snel mogelijk op een zijspoor te dirigeren. Haar volgende getuige was Charles Vasquez van de Geheime Dienst. Vierentwintig uur geleden had ze waarschijnlijk nog nooit van de man gehoord en nu had hij een plaats gekregen in haar zorgvuldig georkestreerde parade van getuigen en bewijs. Ik had bezwaar kunnen maken tegen zijn getuigenis, omdat ik niet in de gelegenheid was geweest mijn vragen voor Vasquez voor te bereiden, maar ik vermoedde dat rechter Perry me dit niet in dank zou afnemen. Ik besloot eerst te kijken wat de man te zeggen had voordat ik zover zou gaan.

Vasquez was een jaar of veertig, had een licht getinte huidskleur en donker haar. Tijdens de inleiding vertelde hij dat hij bij de DEA had gewerkt voordat hij bij de Geheime Dienst terecht was gekomen. Hij had zich met drugsdealers en valsemunters beziggehouden voordat hij was toegewezen aan de taakgroep Onteigeningsfraude. De groep bestond uit elf man, vertelde hij, een supervisor en tien agenten afkomstig van de Geheime Dienst, de FBI, de Postale Recherche en de Belastingdienst. Een assistent-procureur hield toezicht op hun werk, maar de agenten, die in paren optraden, werkten grotendeels autonoom en waren vrij in de keuze van hun doelwitten.

'Agent Vasquez,' begon Freeman, 'op 18 januari van dit jaar hebt u een zogenaamde targetbrief, ondertekend door procureur-generaal Reginald Lattimore, laten sturen aan ene Louis Opparizio. Herinnert u zich dat?'

'Ja, dat weet ik nog.'

'Kunt u, voordat we verder ingaan op deze specifieke brief, de jury vertellen wat een targetbrief precies is?'

'Het is een middel dat we gebruiken om verdachten en daders uit hun hol te roken.'

'Op welke manier?'

'We laten de betrokkenen weten dat we hun zaken, hun aanpak en hun praktijken onder de loep nemen. In een targetbrief wordt de betrokkene altijd uitgenodigd zich bij ons te melden om zijn doen en laten met onze agenten te bespreken. Het merendeel van de ontvangers van de brief doet dat ook. Soms leidt dat tot een vervolgonderzoek en soms tot een strafzaak. Het is een nuttig instrument, want onderzoeken kosten een hoop geld. We hebben zelf geen budget. Dus als alleen een brief resulteert in een aanklacht, een getuige die meewerkt of een aanwijzing die leidt tot een aanklacht, doen we goede zaken.'

'En wat bracht u er in het geval van Louis Opparizio toe hem een targetbrief te sturen?'

'Nou, mijn partner en ik waren bekend met zijn naam, omdat die al vaker was opgedoken in andere zaken waaraan we hadden gewerkt. Niet noodzakelijk in negatieve zin, maar alleen omdat Opparizio's bureau een soort – zoals wij het noemen – onteigeningsfabriek is. Ze handelen daar al het papierwerk en de procedures af voor de grote banken die in Zuid-Californië actief zijn. In die hoedanigheid waren we het bureau, ALOFT, al heel wat keren tegengekomen en waren er ook wel eens klachten over de werkwijze van het bureau geweest. Daarom besloten mijn partner en ik dit bureau eens wat beter te bekijken. We hebben hem die brief gestuurd om te zien hoe hij zou reageren.'

'Dus die brief was alleen bedoeld om te vissen naar een reactie?'

'Het was meer dan alleen vissen. Zoals ik al zei steeg er flink wat rook op van dat bureau. Wij waren op zoek naar vuur en soms kan de reactie die we op een targetbrief krijgen ons vertellen wat onze volgende zet moet zijn.'

'Beschikte u over enig bewijs van onwettig handelen van Louis Opparizio of zijn bureau toen u opdracht gaf hem die brief te sturen?'

'Op dat moment niet, nee.'

'Wat gebeurde er nadat u de brief had verstuurd?'

'Niets, tot nu toe.'

'Heeft Louis Opparizio op de brief gereageerd?'

'We ontvingen een schrijven van een advocaat die zei dat meneer Opparizio het onderzoek verwelkomde omdat het hem in de gelegenheid stelde te laten zien dat zijn bureau brandschoon was.'

'Bent u daarop ingegaan en hebt u inderdaad onderzoek gedaan naar meneer Opparizio en zijn kantoor?'

'Nee, daar hebben we nog geen tijd voor gehad. Er lopen nog een paar andere onderzoeken waar we meer van verwachten.'

Freeman raadpleegde haar aantekeningen voordat ze afrondde.

'Nog een laatste vraag, agent Vasquez, wordt er op dit moment door uw taakgroep onderzoek gedaan naar Louis Opparizio of ALOFT?'

'Officieel niet. Maar het staat nog wel op de agenda.'

'Dus het antwoord is nee?'

'Dat is juist.'

'Dank u, agent Vasquez.'

Freeman ging zitten. Ze straalde en was zichtbaar ingenomen met de antwoorden van de agent. Ik stond op en liep met mijn blocnote naar de lessenaar. Ik had tijdens Freemans verhoor een paar vragen opgeschreven.

'Agent Vasquez, beweert u tegenover de jury dat iemand die niet op uw targetbrief reageert door zich meteen te melden en te bekennen, onschuldig moet zijn aan misstanden van welke aard ook?'

'Nee, dat beweer ik niet.'

'Beschouwt u Louis Opparizio als onschuldig omdat hij nog niet heeft gereageerd?'

'Nee, dat zeg ik niet.'

'Is het uw gewoonte dat u targetbrieven stuurt aan mensen van wie u gelooft dat ze onschuldig zijn aan criminele activiteiten?'

'Nee.'

'Wat is dan de drempel, agent Vasquez? Wat moet iemand doen voordat hij een targetbrief tegemoet kan zien?'

'Het komt er in principe op neer dat wanneer iemand onze aandacht trekt, we eerst informatie over die persoon inwinnen en dan beslissen of hij voor een brief in aanmerking komt. We sturen ze niet zomaar aan iedereen. We weten wat we doen.'

'Hebt u of uw partner, of iemand anders van de taakgroep, contact gehad met Mitchell Bondurant over de praktijken van ALOFT?'

'Nee, niemand van ons heeft contact met hem gehad.'

'Was hij iemand met wie u in dit geval contact had wíllen hebben?'

Freeman maakte bezwaar, zei dat de vraagstelling te vaag was. De rechter kende het bezwaar toe. Ik besloot de vraag onbeantwoord aan de jury mee te geven.

'Dank u, agent Vasquez.'

Freeman ging na Vasquez door met haar geplande stoet van getuigen en riep de tuinman op die de hamer op anderhalf huizenblok afstand van de plaats delict in een struik had gevonden. Zijn getuigenis was kort, weinig spectaculair en op zichzelf oninteressant, totdat die later zou worden gekoppeld aan die van de Forensische Dienst. Ik scoorde een half puntje door de tuinman te laten toegeven dat hij meer dan tien keer bij die struik bezig was geweest voordat hij de hamer had gevonden. De mogelijkheid dat de hamer daar misschien lang na de moord was neergelegd, was een zaadje van twijfel voor de jury.

Na de tuinman was het de beurt aan de eigenaar van het huis en de agent die de hamer naar het forensisch lab had gebracht, beiden om het traject van de bewijslast te bevestigen. Ik nam niet eens de moeite om de twee aan een kruisverhoor te onderwerpen. Ik was niet van plan het traject aan te vechten, noch de stelling dat de hamer het moordwapen was. Sterker nog, ik ging er niet alleen mee akkoord dat dit het wapen was waarmee Mitchell Bondurant was vermoord, maar ook met de stelling dat de hamer van Lisa Trammel was.

Dat leek een onverwachte zet, maar het was de enige manier om de theorie van de verdediging, dat Lisa in de val was gelokt, hard te maken. De suggestie van Jeff Trammel, dat de hamer in de kofferbak van de BMW had gelegen toen hij die had achtergelaten en naar Mexico was gevlucht, had niets opgeleverd. Het was Cisco gelukt de auto te traceren, want die was nog steeds in gebruik bij de dealer waar Jeff Trammel had gewerkt. Er was echter geen hamer in gevonden, en de man die verantwoordelijk was voor het wagenpark had gezegd dat ze die ook nooit waren tegengekomen. Dus deed ik Jeff Trammels verhaal af als een poging om geld te verdienen aan informatie die zijn ex-vrouw zogenaamd zou moeten helpen.

Na de getuigenissen over het moordwapen was het lunchtijd en zoals hij al vaker had gedaan schorste de rechter de zitting om kwart voor twaalf. Ik wendde me tot mijn cliënt en nodigde haar uit met me te gaan lunchen.

'En Herb dan?' vroeg ze. 'Ik had beloofd dat ik met hem zou gaan lunchen.'

'Dan gaat Herb toch ook mee?'

'Echt?'

'Natuurlijk, waarom niet?'

'Ik dacht dat jullie... laat maar, ik zal het tegen hem zeggen.'

'Oké. We gaan met mijn auto.'

Ik liet ons door Rojas ophalen en we reden van Van Nuys naar de Hamlet bij Ventura. Het eettentje was daar al enkele tientallen jaren en hoewel het enigszins in aanzien was gestegen sinds het was begonnen als Hamburger Hamlet, was het eten er nog hetzelfde. Omdat de rechter ons vroeg had laten gaan, waren we de middagdrukte voor en konden we meteen in een box plaatsnemen.

'Geweldige tent,' zei Dahl. 'Maar ik ben hier al jaren niet geweest.'

Ik zat tegenover Dahl en mijn cliënt. Ik reageerde niet op zijn opmerking. Ik was aan het nadenken over hoe ik het spel zou spelen.

We bestelden meteen, want ondanks de vroege middagpauze hadden we niet al te veel tijd. Ons gesprek ging over het proces en hoe Lisa vond dat het liep. Tot nu toe was ze tevreden.

'Je weet van elke getuige iets in mijn voordeel los te krijgen,' zei ze. 'Knap vind ik dat.'

'Maar de vraag blijft of ik genoeg loskrijg,' antwoordde ik. 'We bevinden ons op een berghelling die per getuige steiler zal worden. Kennen jullie de *Boléro*? Een klassiek muziekstuk. Gecomponeerd door Ravel, geloof ik.'

Lisa keek me niet-begrijpend aan.

'Bo Derek in *Ten*,' zei Dahl. 'Fantastisch!'

'Precies. Waar het om gaat is het volgende: het is een lang muziekstuk, van ongeveer vijftien minuten, schat ik, dat heel zacht begint, met maar een paar instrumenten, en dat zich langzaam opbouwt en toewerkt naar een crescendo, een grote finale waarin alle instrumenten van het orkest samenkomen. Ondertussen gebeurt met de emoties van de luisteraars hetzelfde, ook die nemen toe en bewegen zich naar een hoogtepunt, totdat alles op hetzelfde moment samenkomt. Nou, dat is wat de openbaar aanklager aan het doen is. Ze werkt ergens naartoe. Haar beste argumenten moeten nog komen en die zullen naar het eind toe steeds sterker worden, totdat ze samen met het tromgeroffel, de strijkers en de blazers de grote finale vormen. Begrijp je dat, Lisa?'

Ze knikte, met tegenzin.

'Ik wil je niet ontmoedigen. Je bent nu enthousiast en vol hoop en rechtvaardigheidsgevoel, en ik zou graag willen dat dat zo blijft. Want de jury ziet dat en het helpt ons net zo veel als alles wat ik daar sta te doen. Maar hou vooral in gedachten dat de helling steeds steiler zal worden. Al haar wetenschappelijke bewijs moet nog komen en jury's houden van wetenschappelijk bewijs, want dat biedt ze een uitweg, een manier om de druk van hun schouders weg te nemen. Mensen denken dat het leuk is om in een jury te zitten. Je krijgt vrij van je werk, je zit op de eerste rij bij een interessante zaak, een levensecht drama dat zich voor je eigen ogen afspeelt in plaats van op tv. Maar uiteindelijk is er het moment dat ze zich moeten terugtrekken en met elkaar tot een beslissing moeten komen. Ze moeten beslissen over het leven van een ander. En geloof me, er zijn maar weinig mensen die dat willen. Het wetenschappelijk bewijs maakt dat gemakkelijker. Ze denken: nou, het DNA komt overeen dus het zal wel kloppen. We achten de verdachte schuldig. Begrijp je? Dat staat ons nog te wachten, Lisa, en ik wil niet dat je te vroeg juicht.'

Dahl legde in een galant gebaar zijn hand op haar onderarm, die op het tafelblad rustte. Hij gaf er een bemoedigend kneepje in.

'Maar wat gaan wij dan aan dat DNA doen?' vroeg Trammel.

'Niks,' zei ik. 'Er valt niks aan te doen. Voordat het proces begon heb ik je verteld dat ik het door onze eigen mensen heb laten testen en dat die tot dezelfde conclusie kwamen. Dat DNA is rechtsgeldig.'

Ze had haar ogen neergeslagen, was ontmoedigd, en ik zag de eerste traantjes komen, wat precies was wat ik wilde. De serveerster had dit moment gekozen om ons eten te komen brengen. Ik wachtte tot ze was weggelopen voordat ik verderging.

'Kop op, Lisa. Het DNA is maar aankleding.'

In verwarring gebracht keek ze naar me op.

'En je zei zonet dat het rechtsgeldig was.'

'Dat is het ook. Maar dat betekent nog niet dat er geen verklaring voor is. Laat het DNA maar aan mij over. Zoals je net al zei is het mijn taak om twijfel te zaaien met elk stukje van de puzzel zoals zij die presenteren. Vervolgens hopen we dat wanneer alle stukjes op hun plaats liggen en zij de afbeelding ophoudt voor de jury, die zaadjes van twijfel zijn uitgegroeid tot iets wat de afbeelding heeft veranderd. Als we dat voor elkaar krijgen, zitten we gebakken.'

'Wat bedoel je?'

'Dan gaan we naar huis, naar het strand, en laten we ons bruin bakken.'

Ik glimlachte naar haar en zij glimlachte terug. Haar tranen hadden een ravage gemaakt van de make-up die ze die ochtend zo zorgvuldig had aangebracht.

Tijdens de rest van de lunch praatten we over onbelangrijke zaken en werd er door mijn cliënt en haar liefje vooral gemopperd op de tekortkomingen van het rechtssysteem. Het was gebruikelijk dat cliënten dat deden. Ze kennen de wet niet maar ze weten me altijd meteen te vertellen wat er allemaal aan mankeert. Ik wachtte tot Lisa het laatste hapje van haar salade in haar mond had gestoken.

'Lisa, je mascara is daarna een beetje uitgelopen. Het is heel belangrijk dat je er straks weer sterk en beheerst uitziet. Ga even naar het toilet en werk je make-up bij, wil je?'

'Kan ik dat niet zo meteen op het gerechtshof doen?'

'Nee, want misschien komen we juryleden of mensen van de pers tegen als we naar binnen gaan. Je weet nooit wie je tegenkomt. En ik wil niet dat iemand denkt dat je in de lunchpauze hebt zitten huilen, oké? Daarom wil ik dat je het nu doet. Daarna bel ik Rojas om ons op te halen.'

'Het kan even duren.'

Ik keek op mijn horloge.

'Oké, neem de tijd. Ik bel Rojas pas als je terug bent.'

Dahl stond op zodat ze de box uit kon schuiven. Toen waren we samen over. Ik schoof mijn bord opzij en zette mijn ellebogen op het tafelblad. Ik hield mijn handen gevouwen voor mijn mond, als een pokerspeler die probeert een deel van zijn gezicht achter zijn kaarten te verbergen. Een goed advocaat moest heel overtuigend kunnen zijn. En het was nu tijd om Herb Dahl ervan te overtuigen dat zijn aanwezigheid niet langer gewenst was.

'Nou, Herb, het is je tijd... tijd om op te stappen.'

Hij glimlachte vaag, alsof hij het niet begreep.

'Hoe bedoel je? We zijn toch samen binnengekomen?'

'Nee, ik bedoel op te stappen uit de zaak. En uit Lisa's buurt te blijven. Het is tijd dat je weggaat.'

Hij bleef me niet-begrijpend aankijken.

'Ik ga niet weg. Lisa en ik... we hebben iets met elkaar. En ik heb een hoop geld in dit gedoe gestoken.'

'Nou, je geld ben je kwijt. En wat Lisa betreft, dat is allemaal poppenkast en daar komt nu een eind aan.'

Ik bracht mijn hand naar de binnenzak van mijn jasje en haalde de foto van Herb met de gebroeders Mack eruit, die Cisco me had gegeven. Ik schoof de foto over de tafel naar hem toe. Hij wierp er een korte blik op en begon opgelaten te lachen.

'Oké, ik speel het spel mee. Wie zijn dit?'

'De gebroeders Mack. De mannen die jij hebt betaald om mij in elkaar te slaan.'

Hij schudde zijn hoofd en keek over zijn schouder naar het gangetje met de toiletten. Toen keek hij mij weer aan.

'Sorry, Mickey, maar ik weet niet waar je het over hebt. Ik denk dat je vergeet dat jij en ik een filmdeal hebben gesloten. Een deal die tot stand is gekomen op een manier waar de Orde van Advocaten zeker in geïnteresseerd zal zijn, maar afgezien daarvan...'

'Bedreig je me, Dahl? Want als je dat doet, maak je een grove fout.'

'Nee, ik bedreig je niet. Ik probeer alleen te weten te komen waar je deze onzin vandaan hebt.'

'Die heb ik uit een kamer met zwarte muren, waar ik een interessant gesprek met de gebroeders Mack heb gehad.'

Dahl vouwde de foto op en gaf hem aan me terug.

'Die twee? Ze vroegen me de weg, dat is alles.'

'Aha, de weg. Weet je zeker dat ze je niet om geld vroegen? Want daar hebben we ook foto's van.'

'Misschien heb ik ze wel een paar dollar gegeven. Ze vroegen om hulp en het leken me aardige jongens.'

Nu moest ik glimlachen.

'Je bent me er een, Herb, weet je dat? Maar ik heb hún verhaal gehoord, dus laten we ophouden met deze onzin en onze kaarten op tafel leggen.'

Hij haalde zijn schouders op.

'Wat je wilt, het is jouw show. Wat spelen we?'

'We spelen wat ik zonet zei. Jij gaat weg, Herb. Je zegt Lisa vaarwel, je zegt de filmdeal vaarwel en je zegt je geld vaarwel.'

'Dat zijn een hoop vaarwellen. Wat krijg ik ervoor terug?'

'Je blijft uit de gevangenis, dat krijg je ervoor terug.'

Hij schudde zijn hoofd en keek weer over zijn schouder.

'Zo werkt het niet, Mick. Want zie je, het was mijn geld niet. Het kwam niet van mij.'

'Van wie kwam het dan wel? Van Jerry Castille?'

Zijn ogen werden heel even een fractie groter en daarna keek hij me weer aan. De naam had doel getroffen als een onzichtbare stomp in zijn maag. Hij wist nu dat de Macks uit de school hadden geklapt.

'Ja, ik weet alles van Jerry, en ook van Joey in New York. Tuig houdt zich niet aan erecodes, Herb. De Macks zingen het hoogste lied, alsof ze Sonny en Cher zijn. "I've Got You, Babe" zingen ze. Dus ik heb je keurig ingepakt, met een grote strik erop, en als jij niet vandaag uit Lisa's leven verdwijnt, en uit het mijne, lever ik je als pakketje af bij het OM, waar mijn ex-vrouw, die heel boos was over alle verwondingen die ik door jouw toedoen heb opgelopen, toevallig openbaar aanklager is.

Ik denk dat ze je, in een enkele ochtend tijd, meteen doorschuift naar een grand jury en dat jij, klootzak, eraan gaat voor zware mishandeling met ELL. Dat staat voor ernstig lichamelijk letsel. Dat is een zogenaamde verzwaarde aanklacht die je nog eens drie jaar extra zal opleveren. En ik, als slachtoffer, zal daarop staan. Voor mijn afgedraaide bal. Dus al met al kun je rekenen op minimaal vier jaar cel, Herb. En er is nog iets wat je moet weten. Ze houden in Soledad niet van mannen met vredestekens om hun nek.'

Dahl zette zijn ellebogen op tafel en boog zich naar voren. Voor het eerst zag ik iets van bezorgdheid in zijn ogen.

'Je hebt verdomme geen idee waar je mee bezig bent. Je weet niet met wie je te maken hebt.'

'Luister, klootzak – mag ik je klootzak noemen? – het interesseert me geen reet met wie ik te maken heb. Ik heb het nu tegen jou, en ik wil dat jij uit mijn zaak en uit mijn leven verdwijnt...'

'Nee, nee, je begrijpt het niet. Ik kan je helpen. Denk je nu echt dat je weet hoe deze zaak in elkaar steekt? Geloof me, je weet helemaal niks. Maar ik kan je wijzer maken, Haller. Ik kan je helpen hier goed uit te komen.'

Ik leunde achterover en legde mijn arm op de beklede rugleuning van de bank. Ik was verbaasd. Ik maakte een wuivend handgebaar, vanuit de pols, alsof ik mijn tijd zat te verspillen.

'Goed dan, maak me maar wijzer.'

'Denk je nu echt dat ik zomaar ben komen opdraven om te zeggen: "Hé, zullen we een film maken?" Stomme hufter. Ik ben gestuurd. Al voordat Bondurant werd vermoord was ik aan het aanpappen met Lisa. Denk je dat dat toeval was?'

'Gestuurd door wie?'

'Wie denk je?'

Ik staarde hem aan en voelde hoe alle facetten van de zaak van plaats veranderden, alsof ze werden meegenomen door een rivierstroom. De hypothese van onschuld was helemaal geen hypothese. Die was echt.

'Opparizio.'

Hij knikte kort om het te bevestigen. En op dat moment zag ik Lisa, die onze kant op kwam lopen, met keurig opgemaakte ogen voor de middagzitting. Ik keek Dahl weer aan. Ik had hem heel wat vragen te stellen, maar daar hadden we nu geen tijd voor.

'Vanavond zeven uur. Kom naar mijn kantoor. Alleen. Dan kun je me over Opparizio vertellen. En al het andere... of ik geef je aan.'

'Eén ding... ik ben niet van plan te getuigen. Nooit.'

'Zeven uur.'

'Ik zou met Lisa gaan eten.'

'Ja, nou, dat is dan jammer. Bedenk maar iets. Zorg dat je er bent. En nu gaan we.'

Ik schoof naar de zijkant van de bank toen Lisa kwam aanlopen. Ik haalde mijn telefoon tevoorschijn en belde Rojas.

'We zijn klaar,' zei ik. 'Haal ons op.'

34

Toen de zitting weer was geopend riep het OM rechercheur Cynthia Longstreth naar de getuigenbank. Door Kurlens partner als haar volgende getuige te kiezen bevestigde Freeman wat ik al had vermoed: haar versie van
de *Boléro* zou met het wetenschappelijke bewijs een hoogtepunt bereiken. Het was slim gespeeld. Eindigen met wat niet ontkend of in twijfel getrokken kan worden. Schets het onderzoek met Kurlen en Longstreth en
laat alles samenkomen met het forensisch bewijs. Ze zou haar zaak waarschijnlijk afronden met de patholoog-anatoom en het DNA-bewijs. Een
mooie, compacte presentatie.

Rechercheur Longstreth zag er minder stug en stoer uit dan toen ik
haar op de eerste dag van de zaak op Bureau Van Nuys had gezien. Om te
beginnen had ze een jurk aan die haar meer op een schooljuffrouw dan op
een rechercheur deed lijken. Ik had dit soort transformaties vaker meegemaakt en had er altijd moeite mee gehad. Of het nu werd opgedragen door
de openbaar aanklager of dat de getuige het zelf verzon, ik had meer dan
eens tegenover een vrouwelijke getuige van de politie gestaan die zich had
getransformeerd tot een zachte verschijning om de jury te behagen. Maar
ik had er nooit iets over tegen de rechter gezegd, of tegen iemand anders,
want dan werd je algauw als seksist op de vingers getikt.

Meestal zat er dus niets anders op dan het slikken en je mond houden.

Freeman gebruikte Longstreth om het tweede deel van het onderzoek
te schetsen. Haar getuigenis zou vooral handelen over het doorzoeken
van Trammels huis en wat dat had opgeleverd. Ik verwachtte geen verrassingen. Nadat Freeman de getuige had laten vertellen wie ze was en wat
haar functie was, kwam ze meteen ter zake.

'Hebt u van een rechter een huiszoekingsbevel gekregen voor het doorzoeken van Lisa Trammels huis?' vroeg Freeman.

'Ja, dat is juist.'

'Hoe gaat dat in zijn werk? Wat moet u doen voordat een rechter zo'n
bevel uitvaardigt?'

'Je dient een verzoek in met een verklaring van gerede twijfel, dat wil zeggen een opsomming van het bewijs en de feiten die de noodzaak van een huiszoeking onderschrijven. Dat heb ik gedaan, met behulp van de verklaring van de ooggetuige die de verdachte in de omgeving van de bank had gezien en de inconsistente verklaringen van de verdachte zelf tijdens het verhoor. Het bevel werd toegekend en getekend door rechter Companioni en vervolgens zijn we naar het huis in Woodland Hills gegaan.'

'Wie zijn "we", rechercheur?'

'Mijn partner, inspecteur Kurlen en ik, en we hadden een man die video-opnamen maakte en een team van de Forensische Dienst meegenomen om alles wat we eventueel zouden vinden vast te leggen en in te nemen.'

'Dus de hele huiszoeking staat op video?'

'Nou, ik zou niet zeggen dat de héle huiszoeking erop staat. Mijn partner en ik zijn ieder onze eigen weg gegaan, om sneller te kunnen werken. En we hadden maar één cameraman, die ons natuurlijk niet tegelijk kon filmen. Dus elke keer wanneer we iets vonden waarvan we dachten dat het van belang voor het onderzoek kon zijn, hebben we hem erbij geroepen.'

'Ik begrijp het. En hebt u deze video vandaag meegebracht?'

'Ja. Die zit al in de recorder en is klaar om afgespeeld te worden.'

'Geweldig.'

De jury werd vervolgens getrakteerd op een anderhalf uur durende video met commentaar van Longstreth. De camera volgde de politiemensen toen ze bij het huis arriveerden en er eerst een rondje omheen liepen voordat ze naar binnen gingen. Toen de achtertuin in beeld werd gebracht, vestigde Longstreth de aandacht van de jury op een kruidentuintje, afgezet met een paar spoorbielzen en met onlangs omgewoelde aarde erin. Het was wat grote filmmakers een voorbode zouden noemen. De betekenis zou later, als ze aan de garage begonnen, duidelijk worden.

Het kostte me moeite me op de getuigenis te concentreren. Dahl had alles op zijn kop gezet met zijn onthulling van de connectie met Opparizio. Ik bleef maar denken aan het mogelijke scenario en wat die voor de zaak kon betekenen. Ik wilde dat de zitting afgelopen was en dat het snel zeven uur zou zijn.

De video liet zien hoe de voordeur werd geopend zonder schade aan te richten, met gebruik van Lisa Trammels huissleutel. Eenmaal binnen ging het team aan het werk, heel systematisch en op een manier waaruit veel ervaring sprak. De afvoerputjes van de douche en het bad werden op bloedsporen onderzocht. De wasmachine en droger eveneens. Het langst duurde echter het doorzoeken van de kasten, waar elke schoen en elk kledingstuk zorgvuldig werd onderzocht op bloedsporen, met behulp van chemische stoffen en speciaal licht.

Uiteindelijk volgde de camera Longstreth toen ze via een zijdeur het huis verliet en over een stoepje naar een andere deur liep. Deze deur was niet op slot, ze ging de garage binnen en de camera volgde haar. Hier zette Freeman de video stil. Als een volleerd Hollywood-regisseur had ze de spanning opgebouwd en nu zat de kijker op het puntje van zijn stoel.

'Wat in de garage werd gevonden zou voor de rest van het onderzoek heel belangrijk worden, is dat juist, rechercheur?'

'Ja, dat klopt.'

'En wat hebt u gevonden?'

'Nou, het ging ons in zekere zin meer om wat we níét hebben gevonden.'

'Kunt u uitleggen wat u daarmee bedoelt?'

'Ja. Tegen de muur achter in de garage stond een werkbank. Die was voorzien van een flinke hoeveelheid gereedschap. Het merendeel daarvan hing aan haken aan het gaatjesboard tegen de achtermuur boven de werkbank. Op het gaatjesboard was afgetekend wat waar moest hangen. Alles leek zijn eigen plaats te hebben.'

'Oké. Kunt u dat aan ons laten zien?'

De video werd weer gestart en even later kwam de close-up van de werkbank in beeld. Op dat moment zette Freeman de video weer stil.

'Goed, dit is dus de werkbank?'

'Ja.'

'We zien de gereedschappen aan de haken hangen. Ontbreekt er iets?'

'Ja, de hamer ontbreekt.'

Freeman vroeg de rechter of Longstreth uit de getuigenbank mocht komen en met het laserpijltje op het gaatjesboard mocht aanwijzen waar de hamer hoorde te hangen. De rechter vond het goed. Longstreth wees de plek op beide beeldschermen aan en nam weer plaats in de getuigenbank.

'Dus op het board was aangegeven dat de hamer daar moest hangen, rechercheur?'

'Ja, dat klopt.'

'En de hamer ontbrak.'

'Die is niet gevonden, niet in de garage, noch in het huis.'

'En hebt u op een zeker moment kunnen vaststellen van welke fabrikant en welk model de gereedschappen aan het gaatjesboard waren?'

'Ja, met behulp van de gereedschappen die er nog wel waren hebben we kunnen vaststellen dat het ging om gereedschap van het merk Craftsman van een specifieke serie. Het was een tweehonderdnegenendertigdelige set die de Carpenters Tool Package wordt genoemd.'

'Was de hamer van deze set ook los te koop?'

'Nee, alleen samen met de rest van de hele set.'

'En deze hamer ontbrak in de gereedschapsset in Lisa Trammels garage.'

'Dat is juist.'

'Is het ook juist dat gedurende het onderzoek de politie op een zeker moment werd geattendeerd op een hamer die in de nabije omgeving van de plaats van de moord op Mitchell Bondurant was aangetroffen?'

'Ja, een hamer die was gevonden door een tuinman, in een struik op anderhalf huizenblok afstand van de parkeergarage waar de moord was gepleegd.'

'Hebt u deze hamer onderzocht?'

'Ik heb er even naar gekeken voordat ik hem overdroeg aan het lab voor analyse.'

'Wat voor hamer was het?'

'Een klauwhamer.'

'En weet u wie de fabrikant van de hamer was?'

'De fabrikant was Sears Craftsman.'

Freeman zweeg alsof ze van de jury een collectief happen naar adem had verwacht, terwijl iedereen in de rechtszaal allang wist wat er zou komen. Ze liep naar haar tafel, opende een bruine bewijszak en haalde er een hamer in een doorzichtige plastic zak uit. Met de hamer langs haar zij liep ze terug naar de lessenaar.

'Edelachtbare, mag ik de getuige een bewijsstuk laten zien?'

'Dat mag u.'

Ze liep met de hamer naar Longstreth en gaf die aan haar.

'Rechercheur, wilt u de hamer die u in uw hand hebt voor ons identificeren?'

'Dit is de hamer die is gevonden en aan mij is overgedragen. Mijn initialen en dienstnummer staan op de bewijszak.'

Freeman nam de hamer weer van haar over en vroeg of die genoteerd mocht worden als bewijsstuk van het OM. Rechter Perry keurde het goed. Nadat ze de hamer had teruggebracht naar haar tafel, ging Freeman weer achter de lessenaar staan en vervolgde haar verhoor.

'U zei zonet dat u de hamer hebt overgedragen aan het forensisch lab voor onderzoek, is dat juist?'

'Ja, dat klopt.'

'En daar hebt u na enige tijd een forensisch rapport van ontvangen, neem ik aan.'

'Ja, en dat heb ik hier.'

'Wat waren de bevindingen?'

'Twee dingen die van belang waren. Het ene was dat de hamer exclusief was vervaardigd voor de Craftsman Carpenter's Tool Package.'

'Dezelfde set die in de garage van de beklaagde was aangetroffen?'

'Ja.'

'Maar zonder de hamer?'

'Dat is juist.'

'En de tweede bevinding?'

'Ze hadden bloed op de hamersteel gevonden.'

'Ook al had hij wekenlang in de bosjes gelegen voordat hij werd gevonden?'

Ik stond op en maakte bezwaar, stelde dat door niemand was getuigd en door niets was bewezen hoe lang de hamer precies in die struik had gelegen.

'Edelachtbare,' reageerde Freeman, 'de hamer is pas enkele weken na de moord gevonden. Het lijkt redelijk om aan te nemen dat hij al die tijd in de struik heeft gelegen.'

Voordat de rechter een vonnis kon vellen pareerde ik snel.

'Nogmaals, edelachtbare, het OM heeft niet door bewijs, noch door een getuigenis aangetoond dat de hamer al die tijd in die struik heeft gelegen. De man die hem heeft gevonden heeft zelfs verklaard dat hij sinds de dag van de moord minstens tien keer in de buurt van die struik aan het werk is geweest en daar niets heeft gezien vóór de ochtend dat hij de hamer daadwerkelijk heeft gevonden. Die kan daar de avond ervoor zijn neergelegd...'

'Bezwaar, edelachtbare!' riep Freeman. 'De raadsman gebruikt zijn bezwaar om de visie van de verdediging door te drukken, omdat hij weet dat...'

'Genoeg!' viel de rechter uit. 'En dat geldt voor u beiden! Ik ken het bezwaar toe. Mevrouw Freeman, formuleer uw vraag anders, zonder de indruk te wekken dat sommige feiten bewezen zouden zijn.'

Freeman keek naar haar aantekeningen, in een poging te kalmeren.

'Rechercheur, zag u het bloed op de hamer toen die aan u werd overgedragen?'

'Nee.'

'Hoeveel bloed zát er eigenlijk op?'

'Het werd in het rapport beschreven als een bloedspoor. Een geringe hoeveelheid onder de bovenste rand van de rubberen greep om de houten steel.'

'Oké. En wat hebt u gedaan nadat u het rapport had ontvangen?'

'Ik heb het bloedmonster laten testen in een extern DNA-laboratorium in Santa Monica.'

'Waarom hebt u het niet gewoon naar het regionale forensisch lab van Cal State gestuurd? Is dat niet de normale procedure?'

'Ja, dat is waar, maar we wilden er een beetje vaart achter zetten. Ons budget was toereikend om het te doen en we wilden zo snel mogelijk de uitslag. Ik heb die laten verifiëren door ons eigen lab.'

Freeman liet een stilte vallen en vroeg de rechter toen toestemming om het rapport als bewijsstuk van het OM in te dienen. Ik maakte geen bezwaar en de rechter ging akkoord. Daarna veranderde Freeman van koers en liet ze de onthulling betreffende het DNA over aan de getuige-deskundige die ze aan het eind van de uiteenzetting van haar zaak zou oproepen.

'Laten we teruggaan naar de garage, rechercheur. Zijn daar nog meer belangwekkende zaken gevonden?'

Ik maakte weer bezwaar, deze keer tegen de vorm van de vraag, die suggereerde dat er al meer belangwekkende zaken waren gevonden, wat niet door de getuige was aangetoond. Het was wat flauw, maar ik deed het toch, want de aanvaring over het vorige bezwaar had Freeman uit haar ritme gehaald. Ik wilde dat blijven doen. De rechter zei dat ze de vraag anders moest formuleren en dat deed ze.

'Rechercheur, u hebt ons zonet verteld wat u niet in de garage hebt aangetroffen. De hamer. Kunt u ons vertellen wat u wel hebt gevonden?'

Freeman draaide zich naar me om nadat ze de vraag had gesteld, alsof ze mij om goedkeuring vroeg. Ik knikte en glimlachte naar haar. Alleen al het feit dat ze me erbij betrok gaf aan dat mijn laatste twee bezwaren doel hadden getroffen.

'We vonden een paar tuinschoenen, en een test met luminol toonde aan dat er bloed op had gezeten.'

'Luminol is een vloeistof die bloed zichtbaar maakt in ultraviolet licht. Klopt dat?'

'Ja, dat is juist. Het wordt gebruikt om weggeveegd of afgespoeld bloed te lokaliseren.'

'Waar werd het bloedspoor precies gevonden?'

'Op de veter van de linkerschoen.'

'Waarom werd er juist op deze schoenen een luminoltest gedaan?'

'Ten eerste is het gebruikelijk om als je naar bloedsporen zoekt, tests te doen op alle schoenen en kleding. Er was bloed op de plaats delict aangetroffen, dus dan ga je uit van de veronderstelling dat er op de dader mogelijk ook bloed is gespat. Ten tweede hadden we geconstateerd dat er recent in de achtertuin was gewerkt. Er was aarde omgewoeld, en toch waren de schoenen brandschoon.'

'Goed, maar is het niet normaal dat iemand zijn schoenen schoonmaakt voordat hij zijn huis binnengaat?'

'Dat misschien wel, maar we bevonden ons niet in het huis. We waren in de garage en de schoenen zaten in een doos en op de bodem ervan vonden we losse aarde en gruis, vermoedelijk afkomstig uit de tuin, en toch waren de schoenen heel schoon. Dat trok onze aandacht.'

Freeman spoelde de video door naar het punt waarop de schoenen in beeld kwamen. Ze stonden netjes naast elkaar in een Coca-Cola-doos, op een plank onder de werkbank. Niet verstopt of op een andere manier aan het oog onttrokken. Gewoon op de plek waar ze waarschijnlijk altijd werden opgeborgen.

'Dit zijn de betreffende schoenen?'

'Ja. Op de video is te zien dat een van de technisch rechercheurs ze in bewijszakken doet.'

'Dus u zegt dat het feit dat ze schoon waren en in een vuile doos waren opgeborgen ze verdacht maakte?'

Ik maakte bezwaar, zei dat de getuige een antwoord werd ingegeven. Het punt werd me toegekend, maar de boodschap was doorgedrongen tot de jury. Freeman ging door.

'Wat bracht u op het idee dat de schoenen van Lisa Trammel waren?'

'Omdat ze vrij klein waren, duidelijk damesschoenen, en omdat we in het huis een ingelijste foto hadden gevonden met daarop Lisa Trammel die in de tuin aan het werk was. Op de foto had ze die schoenen aan.'

'Dank u, rechercheur. Wat is er vervolgens gebeurd met de schoenen en met het bloedvlekje op een van de veters dat tijdens een eerdere test aan het licht was gekomen?'

'De schoenveter is naar het regionaal forensisch lab van Cal State gestuurd voor een DNA-test.'

'Waarom deze keer niet naar een extern lab?'

'Het bloedmonster was heel klein. We wilden niet het risico lopen dat het in een extern lab verloren zou gaan. Mijn partner en ik zijn het persoonlijk gaan afleveren bij Cal State. Tezamen met een paar monsters ter vergelijking.'

'Monsters ter vergelijking... wat houdt dat in?'

'Bloedmonsters van het slachtoffer, die in een aparte zending naar het lab zijn gestuurd om ze te kunnen vergelijken met het bloed dat op de schoenveter is gevonden.'

'Waarom in een aparte zending?'

'Om het risico van verontreiniging van het bewijsmateriaal te vermijden.'

'Dank u, rechercheur Longstreth. Ik heb op het moment verder geen vragen.'

De rechter schorste de zitting voor de theepauze voordat ik aan mijn kruisverhoor zou beginnen. Mijn cliënt, zich onbewust van de ware opzet van mijn uitnodiging voor de lunch eerder die middag, vroeg of ik met haar en Dahl koffie ging drinken. Ik bedankte en zei dat ik mijn vragen voor het kruisverhoor moest uitschrijven. In werkelijkheid had ik die allang klaar. Hoewel ik vóór het proces had verwacht dat Freeman de introductie van de hamer als bewijs en de getuigenissen over de schoenen en het doorzoeken van Lisa's huis aan Kurlen zou overlaten, was ik er niettemin klaar voor, want Freemans eerste ronde was precies zo gegaan als ik had verwacht.

In plaats daarvan gebruikte ik de pauze om Cisco te bellen en hem in te lichten over onze afspraak met Dahl om zeven uur. Ik zei dat hij het moest doorgeven aan Bullocks en dat hij Tommy Guns en Bam Bam voor de deur van de Victory Building moest neerzetten voor onze beveiliging. Ik wist niet in hoeverre we Dahl konden vertrouwen en wilde op alles voorbereid zijn.

35

Na de pauze nam rechercheur Longstreth weer plaats in de getuigenbank en gaf de rechter het woord aan mij. Ik besteedde geen tijd aan inleidende beschietingen en stootte meteen door naar de punten die ik aan de jury wilde overbrengen. Ik begon met de omgeving van WestLand, waar de politie op de dag van de moord buurtonderzoek had gedaan. Waaronder het huis en mogelijk ook de tuin waar later de hamer was gevonden.

'Rechercheur,' zei ik, 'vond u het niet verontrustend dat de hamer zo lang na de moord werd gevonden, en tegelijkertijd zo dicht in de buurt van de plaats delict, op een plek binnen de grenzen van het gebied waar intensief buurtonderzoek was gedaan?'

'Nee, niet echt. Nadat de hamer was gevonden ben ik ernaartoe gereden en heb ik de vegetatie aan de voorkant van het huis bekeken. De struiken waren groot en heel dicht. Het verbaasde me niet en ik vond het ook niet verontrustend dat de hamer daar al die tijd had gelegen. Sterker nog, ik denk dat we geluk hebben gehad dat die überhaupt is gevonden.'

Goed antwoord. Ik begon te begrijpen waarom Freeman de getuigenissen tussen Kurlen en Longstreth had verdeeld. Longstreth deed het verdomd goed in de getuigenbank, misschien zelfs beter dan haar doorgewinterde partner. Ik ging verder. Een van de regels van het spel is dat je snel doorloopt als je een fout hebt gemaakt. Maak het niet erger door er te lang bij te blijven stilstaan.

'Oké, laten we nu naar het huis in Woodland Hills gaan. Rechercheur, bent u het niet met me eens dat de huiszoeking een complete flop was?'

'Een flop? Nee, zo zou ik het niet willen noemen. Ik...'

'Hebt u bebloede kleding van de gedaagde gevonden?'

'Nee.'

'Hebt u bloed van het slachtoffer in de afvoerputjes van de douche en het bad gevonden?'

'Nee.'

'En in de wasmachine?'

'Nee, ook niet.'

'Welke bewijs heeft het OM gedurende dit proces ingebracht dat afkomstig is uit het huis van het slachtoffer? Dan heb ik het niet over de garage. Alleen het huis.'

Longstreth zweeg geruime tijd om een interne inventaris op te maken. Uiteindelijk schudde ze haar hoofd.

'Ik kan op dit moment niets bedenken. Maar dat betekent nog niet dat de huiszoeking een flop was. Soms is het net zo zinvol als je geen bewijs vindt dan wanneer je het wel vindt.'

Ik wachtte even. Ze daagde me uit. Ze wilde dat ik haar vroeg dit uit te leggen. Maar als ik dat deed, kon ik niet voorzien welke kant het op zou gaan. Ik besloot een stapje terug te doen, niet in het aas te bijten en verder te gaan.

'Oké, maar de echte jackpot – het bewijs dat u wel hebt gevonden – bevond zich in de garage, nietwaar? Het bewijs dat gedurende dit proces is ingebracht of nog ingebracht zal worden.'

'Dat denk ik wel, ja.'

'En dan hebben we het over de schoen met het bloed erop en een gereedschapsset waaruit een hamer ontbreekt. Is dat correct?'

'Dat is correct.'

'Zie ik nog iets over het hoofd?'

'Dat denk ik niet.'

'Oké, dan wil ik u graag iets op onze twee beeldschermen laten zien.'

Ik pakte de afstandsbediening die Freeman op de lessenaar had laten liggen. Ik spoelde de tape terug, hield mijn blik op de achteruitdraaiende beelden gericht, passeerde het punt dat ik zocht, spoelde weer vooruit en zette het beeld stil op de plek die ik zocht.

'Goed, kunt u de jury vertellen wat er op dit moment in de video gebeurt?'

Ik drukte op de afspeelknop en de beelden op de twee schermen kwamen weer in beweging. We zagen Longstreth, die met een van de technisch rechercheurs over het stoepje naar de deur van de garage liep.

'Eh, dit is het moment waarop we de garage binnengaan,' zei Longstreth.

Daarna kwam haar stem van de video-opname.

'Misschien moeten we Kurlen de sleutel gaan vragen,' zei ze.

Maar op de video pakte haar hand, beschermd door een gummihandschoen, de deurknop vast en draaide die om.

'Laat maar, de deur is open.'

Ik liet de video doorlopen tot Longstreth en de technisch rechercheur de garage waren binnengegaan en het licht hadden aangedaan. Toen zette ik het beeld weer stil.

'Was dit de eerste keer dat u de garage binnenging, rechercheur?'

'Ja.'

'Ik zie hier dat u het licht aandoet. Was iemand van het huiszoekings-team al vóór u in de garage geweest?'

'Nee.'

Ik spoelde de beelden langzaam terug naar het moment waarop ze de deur opende en naar binnen ging. Toen startte ik ze weer en stelde mijn volgende vraag.

'Ik zie dat u geen sleutel gebruikt om de deur te openen, rechercheur. Waarom niet?'

'Ik probeerde de deurknop, zoals u kunt zien, en de deur bleek niet op slot te zitten.'

'Weet u waarom dat was?'

'Nee, alleen dat hij niet op slot zat.'

'Was er iemand thuis toen u en het team arriveerden?'

'Nee, niemand.'

'En de deur van het huis zat wel op slot, is dat juist?'

'Ja. Mevrouw Trammel had die op slot gedraaid toen ze met ons mee-ging naar Bureau Van Nuys.'

'Deed ze dat uit zichzelf of moest u haar daarop wijzen?'

'Nee, dat deed ze uit zichzelf.'

'Dus ze sloot wel het huis af, maar de garagedeur niet. Is dat correct?'

'Dat zou later blijken, ja.'

'We kunnen dus zeggen dat de garagedeur niet op slot was toen u en de anderen met het huiszoekingsbevel bij het huis arriveerden. Is dat cor-rect?'

'Ja.'

'Wat inhoudt dat iemand de garage had kunnen binnengaan terwijl de huiseigenaar, Lisa Trammel, zich op het politiebureau bevond. Is dat cor-rect?'

'Ja, dat is mogelijk.'

'Trouwens, toen u en inspecteur Kurlen die ochtend met mevrouw Trammel het huis verlieten, hebt u toen een agent bij het huis neergezet, als bewaker, om erop te letten dat er in het huis geen sporen werden ge-wist of dingen werden weggenomen?'

'Nee, dat hebben we niet gedaan.'

'Zou dat niet zorgvuldig geweest zijn, aangezien het huis bewijsmateriaal voor uw moordonderzoek kon bevatten?'

'Ze was op dat moment nog geen verdachte. Alleen iemand met wie we op het bureau wilden praten.'

Ik moest bijna glimlachen, en Longstreth ook. Ze had de val die ik voor haar had gezet heel handig omzeild. Ze was echt goed.

'Ah, juist,' zei ik. 'Geen verdachte. Dus hoe lang denkt u dat die deur niet afgesloten is geweest, zodat iemand de garage had kunnen binnengaan?'

'Dat kan ik onmogelijk zeggen. Ik weet om te beginnen al niet vanaf welk moment de deur niet afgesloten was. Misschien deed ze die wel nooit op slot.'

Ik knikte en onderstreepte haar antwoord met een pauze.

'Hebt u of inspecteur Kurlen iemand van het technisch team opdracht gegeven de garagedeur op vingerafdrukken te controleren?'

'Nee, dat hebben we niet gedaan.'

'Waarom niet, rechercheur?'

'Dat leek ons niet nodig. We kwamen het huis alleen doorzoeken en beschouwden het niet als een plaats delict.'

'Laat me u een hypothetische vraag stellen, rechercheur. Denkt u dat iemand die zorgvuldig een moord heeft gepland en vervolgens heeft gepleegd, een paar bebloede schoenen in een niet afgesloten garage zou achterlaten? En dat nadat ze de tijd en de moeite heeft genomen om zich van het moordwapen te ontdoen?'

Freeman maakte bezwaar tegen de suggestieve aard van de vraag en het feit dat die onbewezen elementen bevatte. Het maakte me niet uit. De vraag was niet eens voor Longstreth bedoeld. Die mocht de jury beantwoorden.

'Edelachtbare, ik trek de vraag terug,' zei ik. 'En ik heb verder geen vragen voor deze getuige.'

Ik liep weg bij de lessenaar en ging achter onze tafel zitten. Ik liet mijn blik over de jurybanken gaan en keek de juryleden een voor een aan. Uiteindelijk bleef mijn blik rusten op Furlong op stoel drie van de voorste rij. Hij keek mij ook aan en wendde zijn blik niet af. Ik beschouwde dat als een goed teken.

36

Herb Dahl kwam alleen. Cisco liet hem binnen en bracht hem naar mijn kantoor, waar ik op hem wachtte. Bullocks zat links van me en we hadden voor Dahl een stoel recht tegenover mijn bureau neergezet. Cisco bleef staan, wat we zo hadden afgesproken. Hij zou onrustig en gespannen door het kantoor ijsberen. Ik wilde dat Dahl zich niet op zijn gemak voelde, dat elk verkeerd woord de toorn van de grote man in het strakke, zwarte T-shirt kon wekken.

Ik bood Dahl geen koffie, frisdrank of water aan. Ik zag af van algemeenheden en deed geen poging onze gespannen relatie te verbeteren. Ik kwam meteen ter zake.

'Wat we hier gaan doen, Herb, is vaststellen wat jij precies hebt gedaan, wat je connectie met Louis Opparizio is geweest en wat we daaraan gaan doen. Voor zover ik weet hoef ik nergens naartoe tot morgenochtend negen uur, dus we hebben de hele nacht de tijd, als het nodig is.'

'Voordat we beginnen wil ik weten wat de deal is als ik meewerk,' zei Dahl.

'Zoals ik je tijdens de lunch al heb gezegd is de deal dat jij uit de gevangenis blijft. In ruil daarvoor vertel je me alles wat je weet. Verder doe ik geen beloften.'

'Ik ga nergens een getuigenis over afleggen. Dit is puur informatief. Ik heb trouwens iets beters voor je dan een getuigenis.'

'We zullen zien. Maar laten we bij het begin beginnen. Je zei vanmiddag dat je opdracht had gekregen om aan te pappen met Lisa Trammel. Begin daar maar.'

Dahl knikte maar was het er niet mee eens.

'Ik denk dat we eerder moeten beginnen. Dit gaat terug tot begin vorig jaar.'

Ik hield mijn beide handen op.

'Wat je wilt. We hebben de hele nacht de tijd.'

Dahl begon te vertellen, een lang verhaal over een film, *Blood Racer*, waarvan hij een jaar daarvoor de productie had gedaan. Een hartverwarmende familiefilm over een meisje dat een paard krijgt, Chester. Aan de binnenkant van de onderlip van het paard vindt ze een getatoeëerd nummer waaruit blijkt dat Chester ooit een volbloed renpaard was, dat jaren daarvoor bij een brand in een stal om het leven gekomen zou zijn.

'Dus zij en haar pa gaan op onderzoek uit en...'

'Hoor eens,' onderbrak ik hem. 'Dat klinkt allemaal leuk en aardig, maar kunnen we het over Louis Opparizio hebben? Ik heb wel de hele nacht de tijd, maar ik zou toch graag ter zake komen.'

'Maar hier draait het om. Deze film. Het was al die tijd de bedoeling geweest dat het een lowbudgetfilm zou worden, maar ik heb iets met paarden. Mijn hele leven al. En ik dacht echt dat we deze film buiten de rekken konden houden.'

'De rekken?'

'Al die troep die rechtstreeks op dvd verschijnt. Ik dacht dat het verhaal een ruwe diamant was en dat we, als we het goed aanpakten, in de grote bioscopen konden gaan draaien. Maar dan moest de kwaliteit omhoog en daar heb je geld voor nodig.'

Het draaide altijd weer om geld.

'Dus toen heb je geld geleend?'

'Ja, ik heb geld geleend en heb het in het project gestopt. Stom, ik weet het. En dat was boven op het geld dat een investeerder er al in het begin in had gestopt. De regisseur was een of andere perfectionist uit Spanje. De man sprak nauwelijks een woord Engels, maar we waren toch met hem in zee gegaan. Totdat bleek dat hij van elke scène de ene take na de andere nam... dertig takes voor een onbenullige flutscène in een snackbar! Kortom, we waren algauw door ons geld heen en ik had nog minstens een kwart miljoen nodig om de film af te maken. Ik heb naar nieuwe investeerders gezocht, maar niemand had er trek in. Maar ik hield echt van deze film. Voor mij was het die kleine film die het misschien helemaal zou maken, begrijp je?'

'En toen ben je op straat geld gaan lenen,' zei Cisco vanachter Dahls stoel.

Dahl draaide zich om, keek naar hem op en knikte.

'Ja, van iemand die ik ken. Zo'n jongen met een kromme neus.'

'Hoe heet hij?' vroeg ik.

'We hebben zijn naam niet echt nodig,' zei Dahl.

'Ja, die hebben we wel nodig. Hoe heet hij?'

'Danny Greene.'

'Ik dacht dat je zei...'

'Ja, dat weet ik. Hij hoort bij dezelfde club, maar hij heet Greene... Kan ik er wat aan doen? Dat is Greene met een "e" aan het eind.'

Ik keek naar Cisco. Hij zou dit moeten checken.

'Oké, dus je pakte een kwart miljoen aan van Danny Greene, en wat gebeurde er toen?'

Dahl stak zijn handen op in een gebaar van frustratie.

'De eerste tijd niks. Ik maakte de film af maar raakte hem nergens kwijt. Ik stond verdomme op elke filmbeurs in heel Noord-Amerika, maar niemand wilde hem hebben. Ik ging ermee naar de American Film Market, huurde een peperdure suite in de Loews in Santa Monica en ik verkocht hem alleen aan Spanje. Het enige land dat geïnteresseerd was, omdat die verdomde regisseur daarvandaan kwam, natuurlijk.'

'Daar was Danny Greene zeker niet blij mee, hè?'

'Nee, dat kun je wel zeggen. Ik bedoel, ik was bij met mijn aflossingen, maar de termijn was een half jaar en hij wilde geld zien. Ik kon niet alles terugbetalen. Ik gaf hem het Spaanse geld, maar het meeste daarvan moest nog binnenkomen. Ze moesten de film nasynchroniseren en al die shit, en het zou zeker tot het eind van het jaar duren voordat die eindelijk in de bioscopen kwam en ik geld zou zien. Dus ik zat serieus in de problemen.'

'En toen?'

'Nou, op een dag komt Danny naar me toe. Hij staat ineens voor de deur en ik denk: die komt mijn poten breken. Maar in plaats daarvan zegt hij dat ik iets voor ze moet doen. Het is een klus voor de langere termijn, en als ik het doe zullen ze mijn lening opnieuw bezien en kan er zelfs een flinke hap uit het resterende bedrag worden gehaald. Dus ik zit daar en denk: man, je hebt geen keus. Moet ik Danny Greene soms nee verkopen? Mooi niet, zo werkt het niet.'

'Dus je zei ja.'

'Ja, ik zei ja.'

'En waar bestond die klus uit?'

'Ik moest aanpappen met de mensen die tegen al die onteigeningen protesteerden. Die club die FLAG wordt genoemd. Hij wilde dat ik me erin werkte. Nou, dat heb ik gedaan, en zo heb ik Lisa leren kennen. Zij was de grootste oproerkraaier van allemaal.'

Het klonk bizar, maar ik kon niet anders dan erin meegaan.

'Werd je ook verteld waarom?'

'Nee, niet echt. Alleen dat er iemand was die nogal paranoïde was en die wilde weten wat ze allemaal uitspookte. Hij was bezig met een of andere deal en wilde niet dat deze mensen roet in het eten zouden gooien. Dus als Lisa een demonstratie of zoiets had gepland, moest ik aan Danny doorgeven waar en wanneer die zou plaatsvinden en wie het doelwit was, dat soort dingen.'

Het verhaal begon te klinken alsof het waar zou kunnen zijn. Ik dacht meteen aan de LeMure-deal. Opparizio was toen bezig ALOFT aan deze investeringsmaatschappij te verkopen. Het vereiste een behoedzame aanpak om de potentiële dreigingen uit de weg te gaan en de deal in februari met succes af te ronden. Lisa Trammel zou hier een rol in kunnen spelen. Negatieve publiciteit zou de verkoop kunnen verhinderen. Aandeelhouders willen alleen 'schone' overnamen.

'Oké, wat nog meer?'

'Niet veel meer. Ik hoefde alleen informatie te verzamelen. Ik papte aan met Lisa maar toen, na een maand, werd ze ineens gearresteerd op verdenking van moord. Danny kwam weer naar me toe. Ik had verwacht dat hij zou zeggen dat onze deal van tafel was omdat Lisa nu in de cel zat. Maar hij zei dat hij wilde dat ik de borg betaalde en haar eruit haalde. Hij had een zak met tweehonderdduizend dollar bij zich en gaf die aan mij. Daarna, toen ze weer op vrije voeten was, moest ik hetzelfde blijven doen, maar dan bij jullie. Ik moest het kamp van de verdediging zien binnen te dringen, kijken wat er gaande was en dat aan hem rapporteren.'

Ik keek naar Cisco. Zijn broeierige afwezigheid was niet langer een act. We wisten allebei dat Dahl misschien het topje van de ijsberg was waarmee we de zaak van het OM tot zinken konden brengen. We wisten ook dat we met Lisa Trammel een cliënt in huis hadden die, hoewel af en toe onuitstaanbaar, hoogstwaarschijnlijk onschuldig was.

En als ze onschuldig was...

'Wanneer verschijnt Opparizio op het toneel?' vroeg ik.

'Nou, dat doet hij niet echt... of niet in directe zin in ieder geval. Maar elke keer als ik Danny bel, wil hij weten of jullie iets over Opparizio hebben gezegd. "Wat hebben ze over Opparizio?" vraagt hij elke keer. Waardoor ik denk: misschien is híj wel degene voor wie ik werk, begrijp je?'

Ik reageerde niet meteen. Ik zat wat te draaien in mijn stoel en dacht na over wat ik had gehoord.

'Weet je wat ik niet begrijp en wat er in je verhaal ontbreekt, Dahl?' vroeg Cisco.

'Nou?'

'Het deel dat jij Mick in elkaar laat rammen door die twee stukken gajus. Dat ben je vergeten, klootzak.'

'Ja, hoe zit dat?' vroeg ik.

Dahl stak zijn handen op in een gebaar van overgave.

'Hé, dat hadden zij me opgedragen. Zij hebben die twee gasten naar me toe gestuurd.'

'Maar waarom moest ik in elkaar geslagen worden? Wat voor zin had dat?'

'Het heeft je tijdelijk uit de roulatie gehaald, waar of niet? Zij wilden Lisa voor deze zaak laten opdraaien en ze kregen de indruk dat jij een te goede advocaat was. Daarom wilden ze je even afremmen.'

Dahl vermeed oogcontact door een denkbeeldig stofje van zijn broekspijp te vegen. Wat mij op het idee bracht dat hij misschien niet de waarheid sprak over de reden van het pak slaag dat ik had gekregen. Het was de eerste valse noot in zijn bekentenis van die avond. Ik sloot niet uit dat Dahl het pak slaag misschien zelf had gefinancierd, dat híj degene was die me een lesje wilde leren.

Ik keek eerst Bullocks en toen Cisco aan. Ondanks mijn twijfel over Dahls laatste antwoord besefte ik dat ons hier een kans werd geboden. Ik wist wat Dahls volgende aanbod zou zijn. Hij zou zichzelf als dubbelspion aanbieden. Hij kon Opparizio namens ons foute informatie voeren.

Ik moest hierover nadenken. Het was helemaal niet zo moeilijk om Dahl misleidende informatie aan Danny Greene te laten doorgeven. Maar het was ook een heel riskante manoeuvre, om over de ethische aspecten nog maar te zwijgen.

Ik stond op en wenkte Cisco.

'Jullie blijven zitten waar je zit. Ik moet even met mijn collega overleggen.'

We liepen het kantoor uit naar de receptie; ik deed de deur achter ons dicht en we gingen bij Lorna's bureau staan.

'Weet je wat dit betekent?' vroeg ik Cisco.

'Ja, dat we deze klotezaak gaan winnen.'

Ik trok de middelste la van Lorna's bureau open en pakte het stapeltje afhaalmenu's van restaurantjes en pizzeria's in de buurt.

'Nee, ik heb het nu over die twee gasten in het clubhuis. Misschien hebben zíj Bondurant vermoord en hebben wij het verprutst met ons toneelstukje in die achterkamer.'

'Daar ben ik niet zo zeker van, baas.'

'Het hangt ervan af wat jouw twee maten met ze hebben gedaan.'

'Precies wat ik ze heb opgedragen, ze hebben ze ergens afgezet. Ze hebben me naderhand verteld dat ze naar een of andere kroeg in de binnenstad gebracht wilden worden. Dat is alles. Echt, Mick.'

'Toch hadden we het beter niet kunnen doen.'

Met de menu's in de hand liep ik naar de deur van mijn kantoor. Cisco had nog een vraag.

'Geloof je Dahl?'

Ik keek om voordat ik de deur opende.

'Tot op zekere hoogte.'

Ik liep mijn kantoor in en gooide de menu's op het bureau. Ik ging weer zitten en keek Dahl aan. Hij was voor geen cent te vertrouwen. En toch was ik van plan met hem in zee te gaan.

'We moeten het niet doen,' zei Bullocks.

Ik keek haar aan.

'Wat moeten we niet doen?'

'Hem gebruiken om foute informatie naar Opparizio door te sluizen. We moeten hem in de getuigenbank zetten en hem dit hele verhaal aan de jury laten vertellen.'

Dahl sprong onmiddellijk op.

'Ik getuig niet! Wie is die griet en hoe kan ze verdomme zeggen dat ik...'

Ik stak mijn handen op om hem te kalmeren.

'Nee, je getuigt niet,' zei ik. 'Al zou ik het willen, dan kreeg ik je nog niet in de getuigenbank. Want er is geen directe connectie tussen jou en Opparizio. Heb je de man überhaupt wel eens ontmoet?'

'Nee.'

'Heb je hem eerder gezien?'

'Ja, in de rechtszaal.'

'Daarvoor, bedoel ik.'

'Nee, ik had nog nooit van hem gehoord totdat Danny over hem begon.'

Ik keek Bullocks aan en schudde mijn hoofd.

'Ze zijn veel te slim om een directe link prijs te geven. De rechter laat hem niet eens in de buurt van de getuigenbank komen.'

'En Danny Greene? We kunnen hém laten getuigen.'

'En wat gebruiken we als drukmiddel om hem zover te krijgen? Die beroept zich al op het zwijgrecht als we hem om zijn naam vragen. Nee, we kunnen maar één ding doen.'

Ik had meer protesten van Bullocks verwacht, maar ze zei niets. Ik keek Dahl weer aan. Ik haatte de man uit de grond van mijn hart en vertrouwde hem net zomin als de echtheid van zijn haar. Maar dat weerhield me er niet van de volgende stap te zetten.

'Dahl, hoe verloopt je contact met Danny Greene?'

'Ik bel hem meestal om een uur of tien.'

'Elke avond?'

'Ja, zo is het tenminste vanaf het begin van het proces gegaan. Hij wil altijd het laatste nieuws horen. Meestal krijg ik hem direct aan de lijn, of anders belt hij me kort daarna terug.'

'Oké, we pauzeren even en bestellen iets te eten. Vanavond bel je hem hier.'

'Wat moet ik tegen hem zeggen?'

'Dat gaan we tussen nu en tien uur bedenken. Maar het zal er in grote lijnen op neerkomen dat je Danny Greene vertelt dat Opparizio niks te vrezen heeft als hij in de getuigenbank gaat staan. Je zegt tegen hem dat we niks hebben, dat we bluffen en dat de kust veilig is.'

37

Donderdag zou de dag zijn waarop voor het OM alle instrumenten van het orkest tezamen de grote finale zouden inzetten. Sinds maandagochtend had Andrea Freeman haar zaak zorgvuldig uiteengezet en had ze weinig moeite gehad met de variabelen en de onbekenden – de geluksschoten die ik had gelost en de onverwachte introductie van de federale targetbrief – in een strategische opbouw die steeds meer aan vaart had gewonnen en onstuitbaar op deze dag had aangestuurd. Donderdag was wetenschapsdag, de dag waarop alle elementen van het bewijs en de getuigenissen zouden worden samengebonden door middel van de onbreekbare banden van de exacte wetenschap.

Het was een goede strategie, ware het niet dat ik me had voorgenomen die vandaag op zijn kop te zetten. Als jurist heb je in een rechtszaal altijd drie dingen waarmee je rekening moet houden: de bekenden, de bekende onbekenden, en de onbekende onbekenden. Of je nu achter de tafel van het OM of die van de verdediging zit, het is de taak van een jurist om de eerste twee te beheersen en altijd voorbereid te zijn op de derde. Ik was op deze donderdag van plan om een van de onbekende onbekenden in de strijd te werpen. Ik had Andrea Freemans strategie van kilometers afstand zien aankomen. Maar zij zou de mijne pas zien als ze al met één voet in het drijfzand stond en ik haar grote finale tot zwijgen zou brengen.

Haar eerste getuige was dr. Joachim Gutierrez, de assistent-patholoog-anatoom die de autopsie op Mitchell Bondurants stoffelijk overschot had verricht. Door middel van een morbide diapresentatie, waartegen ik half-slachtig en zonder succes bezwaar maakte, nam de arts de jury mee op een *Magical Mystery Tour* langs het lijk van het slachtoffer, waarbij elke bloeduitstorting, schaafwond en afgebroken tand in beeld werd gebracht. Natuurlijk besteedde hij het merendeel van de tijd aan het vertonen en beschrijven van de schade die was aangericht door de drie slagen met het moordwapen. Hij wees aan wat de eerste slag was geweest en legde uit waarom die dodelijk was geweest. Hij noemde de overige twee slagen, toegebracht toen het slachtoffer al op zijn buik op de grond lag, een typisch geval van overkill en zei dat de ervaring hem had geleerd dat overkill meestal wees op een emotionele context van de daad. De drie brute slagen maakten duidelijk dat de dader een persoonlijke rancune jegens het slachtoffer koesterde. Ik had bezwaar kunnen maken, zowel tegen de vraag als tegen het antwoord, maar ze sloten mooi aan bij een vraag die ik later zelf wilde stellen.

'Dokter,' zei Freeman op een zeker moment, 'u hebt het over drie brute slagen boven op het hoofd, alle drie binnen een cirkel met een doorsnede van amper tien centimeter. Hoe kunt u zeggen welke slag het eerst is toegebracht en welke van de drie de dodelijke slag was?'

'Dat is een nauwkeurig en tegelijkertijd redelijk simpel proces. Slagen op de schedel creëren twee breukpatronen. De onmiddellijke en ernstigste schade ontstaat in het contactgebied van het wapen en de schedel, waar een verzonken botfractuur ontstaat, wat een moeilijke manier is om te zeggen dat er een indruk of deuk in de schedel wordt gemaakt.'

'Een deuk?'

'Ja, ziet u, al het menselijk bot heeft een zekere elasticiteit. Met verwondingen als deze – een krachtige, traumatische impact – wordt het schedelbot samengeperst in de vorm van het contactoppervlak van het slagwapen en gebeuren er twee dingen. In de buitenlaag van de schedel krijg je parallelle breuklijnen – deze worden gelaagde fracturen genoemd – en daaronder de verzonken fractuur, ofwel de deuk. Aan de binnenkant van de schedel veroorzaakt deze deuk een fractuur die de piramidesplinter wordt genoemd. Deze splinter dringt door het hersenvlies, dat de hersenen beschermt, en wordt in de hersenen gedrukt. Vaak, en zoals in dit geval is geconstateerd, breekt de splinter af en wordt die als het ware als een kogel in het hersenweefsel geschoten. Wat het onmiddellijk uitvallen van de hersenfuncties en de dood tot gevolg heeft.'

'Als een kogel, zegt u. Dus de drie slagen op het hoofd van het slachtoffer waren zo hard dat ze voor het slachtoffer hetzelfde effect hadden als drie pistoolschoten in het hoofd?'

'Ja, dat is juist. Maar er was maar een van deze splinters voor nodig om een eind aan zijn leven te maken. De eerste.'

'Wat me terugbrengt bij mijn oorspronkelijke vraag. Hoe kunt u vaststellen welke slag de eerste was?'

'Mag ik dat demonstreren?'

De rechter vond het goed dat Gutierrez een schematische afbeelding van een schedel op de twee beeldschermen liet zien. Het was een bovenaanzicht, met drie cirkeltjes die aangaven waar de hamer de schedel had geraakt. Die waren in het blauw getekend. De overige fracturen waren in rood weergegeven.

'Om bij een meervoudig trauma de volgorde van de slagen vast te stellen, kijken we naar de secundaire fracturen. Dat zijn de rode lijnen die u ziet. Ik noemde ze zojuist parallelle of gelaagde fracturen omdat ze, zoals ik eerder zei, stapsgewijs weglopen van het punt van impact. Breuken of barsten als deze kunnen een heel eind doorlopen in het bot, en u kunt zien dat ze bij dit slachtoffer doorlopen tot aan het pariëtale slaapbeen. Maar dit soort breuken eindigt altijd wanneer ze een bestaande breuk kruisen. Dan wordt de voortplantingsenergie van de breuk geabsorbeerd door de bestaande breuk. Door nu de schedel van het slachtoffer te bestuderen en alle lijntjes van de gelaagde breuken te volgen, is het mogelijk om vast te stellen welke het eerst zijn ontstaan. Vervolgens kunnen deze breuklijntjes worden teruggeleid naar het inslagpunt en kunnen we zo de volgorde van de slagen vaststellen.'

In de schematische afbeelding op de beeldschermen waren de cijfers 1, 2 en 3 al ingevuld in de cirkeltjes, waarmee de volgorde van de hamerslagen op Mitchell Bondurants hoofd was aangegeven. De eerste slag, die dodelijk was, was precies boven op het hoofd geweest.

Freeman bleef erop doorgaan en leek van plan de getuigenis over de hele ochtend uit te smeren, totdat ze uiteindelijk een punt bereikte waarop haar vragen te gedetailleerd werden, ze zich begon te herhalen of zelfs vragen stelde die niet ter zake doende waren. Twee keer spoorde de rechter haar aan door te gaan naar het volgende punt van de getuigenis. En ik begon te vermoeden dat ze probeerde tijd te rekken. Dat ze bezig was haar getuige de hele ochtend in de getuigenbank te houden omdat haar volgende getuige misschien nog niet beschikbaar was, of omdat die zich misschien wel had teruggetrokken.

Maar als Freeman zich inderdaad ergens zorgen om maakte, liet ze dat niet merken. Ze bleef zich op Gutierrez concentreren, loodste hem vakkundig door zijn getuigenis heen en eindigde uiteraard met wat het belangrijkste was: het linken van de Craftsman-hamer die in de struik was gevonden met de drie wonden op de schedel van het slachtoffer.

Om dit te doen werd er gebruikgemaakt van hulpmiddelen. Na de autopsie op Bondurant had Gutierrez een gipsmodel van de schedel van het slachtoffer laten maken. Hij had ook een serie foto's en prints van de schedel gemaakt waarop de inslagwonden op ware grootte waren afgebeeld.

Tezamen met de hamer die als bewijsstuk was gepresenteerd en die uit de plastic zak was gehaald, begon Gutierrez aan een demonstratie die aantoonde dat het ronde slagoppervlak perfect paste bij de vorm van de inslagwonden in de schedel. Boven in de hamerkop zat een inkeping, die gebruikt kon worden om er een spijker in te klemmen. Deze inkeping was duidelijk te herkennen in de wonden in de schedel. Alle stukjes van de OM-puzzel pasten perfect in elkaar. Freeman straalde toen ze dit belangrijke bewijs sluitend aan de jury kon laten zien.

'Dokter, kunt u de jury zonder voorbehoud zeggen dat dit stuk gereedschap de fatale verwondingen in de schedel van het slachtoffer kan hebben veroorzaakt?'

'Ja, dat kan ik.'

'U beseft wel dat deze hamer niet uniek is?'

'Natuurlijk. Ik beweer niet dat het deze specifieke hamer is die de verwondingen heeft veroorzaakt. Maar wel dat het óf deze hamer is geweest, óf een soortgelijke hamer uit dezelfde serie. Specifieker kan ik niet zijn.'

'Dank u, dokter. Laten we het nu hebben over de inkeping in de hamerkop. Wat kunt u ons vertellen over de plaats ervan in relatie met de vorm van de wonden?'

Gutierrez hield de hamer omhoog en wees de inkeping aan.

'De inkeping, of het geultje, zit aan de bovenkant van de hamerkop. Het is gemagnetiseerd. Je kunt er een spijker in leggen, de hamerkop houdt die vast en je kunt de spijker in hout of ander materiaal slaan zonder hem vast te houden. Omdat we weten dat het geultje aan de bovenkant zit, kunnen we aan de verwondingen zien vanuit welke richting de slagen zijn toegebracht.'

'En vanuit welke richting was dat?'

'Van achter het slachtoffer. De dader bevond zich achter het slachtoffer.'

'Dus het is mogelijk dat hij zijn belager niet heeft zien aankomen.'

'Dat is juist.'

'Dank u, dokter Gutierrez. Ik heb op dit moment verder geen vragen voor u.'

De rechter droeg de getuige over aan mij en toen ik Freeman passeerde op weg naar de lessenaar, keek ze me aan met een blik alsof ze wilde zeggen: laat maar eens zien wat je kunt, prutser.

Dat was ik van plan. Ik legde mijn blocnote op de lessenaar, trok de knoop van mijn das iets strakker, draaide mijn manchetten recht en keek de getuige aan. Voordat ik straks weer ging zitten, moest hij van mij zijn.

'Uw collega's van de Pathologische Dienst noemen u dr. Guts, is dat niet zo, meneer?'

Het was een mooie vraag om hem minder zelfverzekerd te maken. Hij zou zich gaan afvragen welke *inside information* ik hem misschien nog meer voor de voeten kon werpen.

'Eh... ja, soms. Informeel, zou je kunnen zeggen.'

'Waarom is dat, dokter?'

Freeman maakte bezwaar, zei dat de vraag irrelevant was en de rechter ging erop in.

'Kunt u me vertellen wat het verband is met de reden dat we hier vandaag zijn, meneer Haller?'

'Edelachtbare, als u het antwoord toestaat, denk ik dat dr. Gutierrez ons zal vertellen dat zijn expertise in de pathologie niet op het gebied van gereedschappen en hoofdwonden ligt.'

Perry dacht even na en knikte toen.

'De getuige mag de vraag beantwoorden.'

Ik richtte mijn aandacht weer op Gutierrez.

'Dokter, geeft u antwoord op mijn vraag, alstublieft. Waarom wordt u dr. Guts genoemd?'

'Omdat, zoals u al zei, mijn specialisme het identificeren van ziekten in het darmtraject – de *guts* – is en omdat het op mijn naam lijkt, vooral wanneer je die verkeerd uitspreekt.'

'Dank u, dokter. En kunt u ons vertellen hoeveel keer eerder u een geval hebt gehad waarin u het verband tussen een hamer en de hoofdwonden van een slachtoffer hebt aangetoond?'

'Dit is de eerste keer.'

Ik knikte om dat punt te onderstrepen.

'Dus u bent eigenlijk een groentje wanneer het op moorden met een hamer aankomt.'

'Dat is juist, maar mijn vergelijking is zorgvuldig en bekwaam geweest. Mijn conclusies zijn juist.'

Ik speelde in op zijn superioriteitscomplex. Ik ben arts, dus ik heb altijd gelijk.

'Hebt u er in het verleden wel eens naast gezeten toen u tijdens een proces als getuige optrad?'

'Iedereen maakt fouten. Dat zal ik ook wel eens hebben gedaan.'

'Zoals in de Stoneridge-zaak?'

Freeman maakte meteen bezwaar, zoals ik had verwacht. Ze vroeg om overleg en de rechter wenkte ons naar zich toe. Ik wist dat mijn poging hier zou eindigen, maar ik had mijn boodschap aan de jury overgebracht. Uit het weinige wat zonet was gezegd konden ze opmaken dat Gutierrez op een zeker moment in het verleden had getuigd en daarbij in de fout was gegaan. Voor mij was dat genoeg.

'Edelachtbare, we weten allebei waar de raadsman op uit is en afgezien van het feit dat het niets met onze zaak te maken heeft, is het onderzoek van de Stoneridge-zaak nog niet afgerond en zijn er nog geen conclusies geformuleerd. Dus hoe kan...?'

'Ik trek de vraag terug.'

Ze keek me aan met onverhulde vijandigheid in haar ogen.

'Geen probleem,' zei ik. 'Ik heb nog meer vragen.'

'O, zolang de jury de vraag maar hoort maakt het u niet uit wat het antwoord is. Edelachtbare, ik verzoek om een instructie voor de raadsman, want wat hij doet is gewoon niet juist.'

'Laat dat maar aan mij over. Ga allebei terug naar uw plaats. En meneer Haller? Pas op uw tellen.'

'Dank u, edelachtbare.'

De rechter droeg de jury op de laatste vraag te negeren en herinnerde hen eraan dat het niet eerlijk zou zijn andere zaken dan het bewijs en de getuigenissen te laten meespelen in hun uiteindelijke oordeel. Toen hij daarna tegen mij zei dat ik moest doorgaan, sloeg ik een nieuwe weg in.

'Dokter, laten we het hebben over de fatale hoofdwond en er wat gedetailleerder op ingaan. U noemde het een verzonken fractuur, nietwaar?'

'Nee, een verzonken bótfractuur, om precies te zijn.'

Ik vond het altijd heerlijk om door getuigen verbeterd te worden.

'Goed dan, de indruk of deuk als gevolg van de slag op het hoofd, hebt u die gemeten?'

'Gemeten op welke manier?'

'Wat dacht u van de diepte? Hebt u die gemeten?'

'Ja, dat heb ik gedaan. Mag ik mijn aantekeningen raadplegen?'

'Maar natuurlijk, dokter.'

Gutierrez zocht het op in het autopsierapport.

'Ja, we hebben de fatale inslagwond I-A genoemd. En inderdaad, ik heb de diepte ervan opgemeten. Wilt u de cijfers horen?'

'Dat wordt mijn volgende vraag. Maar vertelt u ons alstublieft eerst, dokter, hóé hebt u die metingen gedaan?'

'Ik heb de wond in vier kwarten verdeeld en de metingen, met de klok mee, zijn gedaan op drie, zes, negen en twaalf uur. Met twaalf uur als de bovenrand van het slagoppervlak, met de inkeping van het geultje.'

'En wat vertelden deze metingen u?'

'Dat de verschillen gering waren. Minder dan tweeënhalve millimeter tussen de vier punten. De gemiddelde diepte was zeven millimeter.'

Hij keek op van zijn aantekeningen. Ik schreef de cijfers op, ook al kende ik ze allang uit het autopsierapport. Ik keek vanuit mijn ooghoek naar de jurybanken en zag een paar mensen meeschrijven. Een goed teken.

'Welnu, dokter, ik stel vast dat dit deel van uw werk niet aan bod is gekomen in het verhoor dat mevrouw Freeman u afnam. Wat betekenden deze metingen voor u met betrekking tot de inslaghoek van het wapen?'

Gutierrez haalde zijn schouders op. Hij wierp een vluchtige blik in de richting van Freeman en begreep haar boodschap. Wees voorzichtig.

'Er valt niet veel te concluderen uit deze cijfers.'

'O nee? Zou het feit dat de indruk van het slagoppervlak in het bot – de deuk, zoals u het noemt – op alle vier de punten vrijwel gelijk is er niet op duiden dat de hamer het slachtoffer recht boven op het hoofd heeft geraakt?'

Gutierrez bleef naar zijn aantekeningen kijken. Hij was wetenschapper. Ik had hem een wetenschappelijke vraag gesteld en hij wist hoe hij die moest beantwoorden. Maar hij wist ook dat hij op de een of andere manier een mijnenveld in werd gelokt. Hij wist niet hoe of waarom, alleen dat de openbaar aanklager, vijf meter van hem vandaan, nerveus begon te worden.

'Dokter? Wilt u de vraag nog een keer horen?'

'Nee, dat is niet nodig. U moet niet vergeten dat in de wetenschap een millimeter meer of minder een heel verschil kan betekenen.'

'Wilt u daarmee zeggen dat de hamer meneer Bondurant níét boven op het hoofd heeft geraakt, meneer?'

'Nee, dat zeg ik niet!' zei hij op geïrriteerde toon. 'Ik zeg alleen dat het in de wetenschap niet allemaal zo klip-en-klaar is als de mensen denken. Ja, het heeft er de schijn van dat de hamer het slachtoffer vol boven op het hoofd heeft geraakt, als u dat wilt horen.'

'Dank u, dokter. En als u nu naar de gemeten wonddiepten van de slagen twee en drie kijkt, zijn die minder gelijkwaardig, is dat niet zo?'

'Ja, dat is juist. In deze beide wonden lopen de verschillen op tot drie millimeter per segment.'

Nu had ik hem in de tang. Het ging goed. Ik deed een stap achteruit van de lessenaar en slenterde naar links, tot halverwege de open ruimte tussen de lessenaar en de jurytribune. Ik stak mijn handen in mijn zakken en nam de houding aan van iemand vol zelfvertrouwen.

'En dus, dokter, hebben we de fatale slag die het slachtoffer vol en recht op het hoofd heeft geraakt. Plus nog twee die hem anders hebben geraakt. Waardoor is dit verschil ontstaan?'

'Door de stand van het hoofd. De eerste slag heeft alle hersenfuncties binnen een seconde stopgezet. De schaafwonden en andere verwondingen van het lichaam – de afgebroken tand, bijvoorbeeld – wijzen erop dat het slachtoffer vanuit staande positie dood is neergevallen. Het heeft er de schijn van dat de slagen twee en drie zijn toegebracht toen hij al op de grond lag.'

'U zegt dat de andere verwondingen erop wijzen dat het slachtoffer vanuit staande positie dood is neergevallen. Waarom bent u ervan overtuigd dat het slachtoffer rechtop stond toen hij door iemand achter hem werd aangevallen?'

'De schaafwonden op beide knieën wijzen daarop.'

'Dus hij kan niet geknield hebben gezeten toen hij werd aangevallen?'

'Dat lijkt me onwaarschijnlijk. De schaafwonden op de knieën weerspreken dat.'

'En gehurkt, als de catcher bij het honkbal?'

'Ook dat lijkt me onwaarschijnlijk wanneer we de schade aan de knieën in aanmerking nemen. Diepe schaafwonden en een breuk in de linkerpatella. De knieschijf, zoals die meestal wordt genoemd.'

'Dus u twijfelt er niet aan dat het slachtoffer rechtop stond toen hij de fatale klap op zijn hoofd kreeg?'

'Nee, absoluut niet.'

Het was misschien wel het belangrijkste antwoord dat ik tot nu toe in het proces op mijn vragen had gekregen, maar ik ging door alsof het de gewoonste zaak van de wereld was.

'Dank u, dokter. Maar laten we nog even teruggaan naar de schedel. Hoe sterk, zou u zeggen, is de schedel op de plek waar het slachtoffer de fatale klap op het hoofd kreeg?'

'Dat hangt af van de leeftijd van het slachtoffer. De schedelwand neemt in dikte toe naarmate we ouder worden.'

'Ons slachtoffer is Mitchell Bondurant, dokter. Hoe dik was zijn schedel? Hebt u de dikte gemeten?'

'Ja, dat heb ik gedaan. Die was acht millimeter dik op de plek waar hij werd geraakt.'

'En hebt u tests of studie gedaan naar de vraag hoeveel kracht ervoor nodig is om in een dergelijk geval met een hamer een dodelijke klap uit te delen?'

'Nee, dat heb ik niet gedaan.'

'Weet u of er studies over dit onderwerp bestaan?'

'Ja, die bestaan. Maar de conclusies zijn erg breed. Zelf ben ik van mening dat elk geval uniek is. Je kunt niet op algemene studies afgaan.'

'Is het dan niet alom bekend dat de drempelwaarde van druk benodigd voor het veroorzaken van een verzonken fractuur tachtig kilo per vierkante centimeter is?'

Freeman stond op en maakte bezwaar. Ze zei dat de vraag buiten het expertisegebied van dr. Gutierrez als getuige viel.

'Meneer Haller heeft de getuige al aan het begin van zijn kruisverhoor laten vertellen dat de ziekten van het maagdarmkanaal zijn specialisme zijn, niet de elasticiteit en veerkracht van menselijk bot.'

Ze kon dit punt onmogelijk winnen en had voor de minste van twee kwaden gekozen: haar getuige laten vallen in plaats van mij te laten doorgaan met vragen stellen waarop hij het antwoord niet wist.

'Toegewezen,' zei de rechter. 'Laten we doorgaan, meneer Haller. Stel uw volgende vraag.'

'Ja, edelachtbare.'

Ik sloeg een paar bladzijden van mijn blocnote om en deed alsof ik las. Het gaf me een paar seconden tijd om na te denken over mijn volgende zet. Toen draaide ik mijn hoofd om en keek naar de klok aan de muur achter in de rechtszaal. Het was kwart voor twaalf. Als ik de jury iets wilde meegeven om tijdens de lunch over na te denken, moest ik dat nu doen.

'Dokter,' zei ik, 'hebt u de lichaamslengte van het slachtoffer gemeten?'

Gutierrez raadpleegde zijn aantekeningen.

'Op het moment van zijn dood was meneer Bondurant één meter drieëntachtig lang.'

'Dus de kruin van zijn hoofd bevond zich één meter drieëntachtig boven de grond, mogen we dat zo zeggen, dokter?'

'Ja.'

'En meneer Bondurant had schoenen aan, dus dat maakte hem nog iets groter. Is dat correct?'

'Ja, daar kunnen we twee à drie centimeter bij optellen voor de hakken van zijn schoenen.'

'Oké, als de lengte van het slachtoffer ons bekend is en we weten dat de fatale slag hem recht boven op het hoofd heeft getroffen, wat vertelt dat ons dan over de aanvalshoek?'

'Ik weet niet precies wat u met aanvalshoek bedoelt.'

'Weet u dat zeker, dokter? Ik heb het over het slagoppervlak van de hamer in relatie met de bovenkant van de schedel.'

'Maar dat is onmogelijk te zeggen, want we weten niet in welke houding het slachtoffer stond, of hij misschien probeerde weg te duiken voor de slag, of hoe de situatie was toen hij werd geraakt.'

Gutierrez beëindigde zijn antwoord met een hoofdknikje, alsof hij trots was op de manier waarop hij zich had verweerd.

'Maar dokter, hebt u in uw verklaring aan mevrouw Freeman niet gezegd dat het u duidelijk was dat meneer Bondurant in een verrassingsaanval was geslagen door iemand die achter hem stond?'

'Ja, dat heb ik gezegd.'

'Is dat dan niet in tegenspraak met wat u zojuist zei over wegduiken voor de aanval? Welke van de twee is het, dokter?'

Gutierrez, in de hoek gedreven, reageerde zoals de meeste in de hoek gedreven mannen reageren. Met arrogantie.

'Ik zeg dat we niet precies weten wat er in die parkeergarage is gebeurd, in welke houding het slachtoffer stond of hoe de stand van het hoofd was toen het door de dodelijke klap werd geraakt. Hiernaar raden en erover speculeren is gekkenwerk.'

'Dus u vindt het gekkenwerk als we proberen te begrijpen wat er in die garage is gebeurd?'

'Nee! Dat heb ik niet gezegd. U verdraait mijn woorden.'

Freeman moest iets doen. Ze stond op, maakte bezwaar en zei dat ik de getuige intimideerde. Dat was niet zo en de rechter vond dat evenmin, maar de korte onderbreking volstond voor Gutierrez om zich te herstellen en zijn kalme, superieure houding weer aan te nemen. Ik besloot het verhoor af te ronden. Ik had dr. Guts vooral gebruikt als aangever voor mijn eigen getuige-deskundige, die ik zou oproepen wanneer de verdediging aan de beurt was. Ik meende dat ik bijna was waar ik wilde zijn.

'Dokter, bent u het met me eens dat als we konden vaststellen wat de houding van het slachtoffer was en hoe de stand van de schedel was op het moment van die eerste, fatale slag, we inzicht zouden hebben in de aanvalshoek en de baan die het moordwapen heeft afgelegd?'

Gutierrez dacht langer na over de vraag dan het mij had gekost om die te stellen, maar uiteindelijk en met tegenzin, knikte hij.

'Ja, dat zou ons enig inzicht verschaffen. Maar het is onmogelijk om...'

'Dank u, dokter. Mijn volgende vraag is deze: als we al deze dingen wisten – de houding, de stand van de schedel, de hoek van het slagoppervlak van het wapen – zouden we dan niet een redelijke schatting kunnen maken van de lengte van de dader?'

'Dat slaat nergens op. We kúnnen al die dingen niet weten.'

Hij stak van frustratie zijn beide handen op en keek opzij naar de rechter alsof hij diens hulp wilde. Die kreeg hij niet.

'Dokter, u geeft geen antwoord op mijn vraag. Ik zal hem nog eens stellen. Als al deze factoren ons bekend zouden zijn, kunnen we dan een schatting maken van de lengte van de dader?'

Hij liet zijn handen zakken in een gebaar van: ik geef het op.

'Ja, natuurlijk, natuurlijk kunnen we dat. Maar we kénnen al deze factoren niet.'

'"We", dokter? Bedoelt u niet dat ú deze factoren niet kent, omdat u die niet hebt onderzocht?'

'Nee, ik...'

'Bedoelt u niet dat u deze factoren niet wílde kennen omdat ze zouden aantonen dat het voor de beklaagde, met haar lengte van één meter achtenvijftig, fysiek onmogelijk is om...'

'Bezwaar!'

'... een man de hersens in te slaan die een kwart meter groter is dan zij?'

Het was maar goed dat er in de rechtszalen van Californië geen rechtershamers meer werden gebruikt. Anders had Perry dwars door het hout van zijn rechterstafel geslagen.

'Toegewezen! Bezwaar toegewezen!'

Ik pakte mijn blocnote en sloeg in een overdreven gebaar van ergernis en beslistheid de omgevouwen bladzijden terug.

'Ik heb verder geen vragen voor...'

'Meneer Haller,' blafte de rechter, 'ik heb u al diverse keren gewaarschuwd voor de shows die u voor de jury opvoert. Beschouw dit als mijn laatste waarschuwing. De eerstvolgende keer zal het consequenties hebben.'

'Ik heb het begrepen, edelachtbare. Dank u.'

'De jury wordt opgedragen de laatste woordenwisseling tussen de raadsman en de getuige te negeren. Die wordt uit het verslag geschrapt.'

Ik ging zitten en durfde niet meteen naar de jury te kijken. Maar dat gaf niet, want ik voelde de vibraties. Alle ogen waren op mij gericht. Ik had ze mee.

Niet allemaal, maar genoeg.

38

Ik gebruikte de lunchpauze om Lisa Trammel te vertellen wat ze tijdens de middagzitting kon verwachten. Herb Dahl was er niet bij; die hadden we op pad gestuurd voor een zogenaamd klusje, zodat ik alleen kon zijn met mijn cliënt. Ik legde haar zo goed mogelijk uit wat de risico's waren van wat ik van plan was met de zaak van het OM, en de mogelijke gevolgen ervan als de verdediging straks aan de beurt was. Ze vond het griezelig, maar ze had vertrouwen in me en dat is alles wat je van een cliënt kunt verlangen. De waarheid? Nee. Maar vertrouwen? Ja.

Zodra de zitting was geopend riep Freeman dr. Henrietta Stanley naar de getuigenbank. Ze stelde zich voor als leidinggevend bioloog van het Los Angeles Regional Crime Laboratory gevestigd in de universiteit van Californië, Cal State L.A. Ik vermoedde dat zij de laatste getuige van het OM was en dat haar getuigenis twee punten van betekenis bevatte. Ze zou bevestigen dat het DNA van het bloed op de gevonden hamer perfect overeenkwam met dat van Mitchell Bondurants bloed en dat het bloed op Lisa Trammels tuinschoen eveneens overeenkwam met dat van het slachtoffer.

Het wetenschappelijke bewijs zou de zaak van het OM rond maken, met het bloed als het verband tussen alle afzonderlijke delen. Alleen was ik van plan het OM van die kans te beroven.

'Dokter Stanley,' begon Freeman, 'u hebt in het onderzoek naar de dood van Mitchell Bondurant zelf de DNA-analyse gedaan, of u had de supervisie. Is dat juist?'

'Ik had de supervisie en ik heb één analyse, uitgevoerd door een extern lab, bevestigd. De overige analyses heb ik zelf gedaan. Maar ik moet erbij vermelden dat ik op het lab twee assistenten heb, die onder mijn supervisie een groot deel van het werk gedaan hebben.'

'Op een zeker moment tijdens het onderzoek is u gevraagd het DNA van een klein bloedmonster van een hamersteel te vergelijken met dat van het bloed van het slachtoffer, nietwaar?'

'Ja. We hebben daar een extern lab voor ingeschakeld omdat de tijd een belangrijke rol speelde. Ik had de supervisie over het proces en heb de bevindingen later bevestigd.'

'Edelachtbare?'

Ik was opgestaan vanachter de tafel van de verdediging. De rechter keek me geërgerd aan omdat ik Freemans verhoor nu al onderbrak.

'Wat is er, meneer Haller?'

'Om het hof tijd te besparen, en de jury een ellenlange uitleg van DNA-analyse en matches, schikt de verdediging zich.'

'Schikt zich waarnaar, meneer Haller?'

'Naar de getuigenverklaring dat het bloed op de hamer van Mitchell Bondurant afkomstig is.'

De rechter was opeens een en al aandacht. Het idee om het proces een uur of meer voorwaarts te stuwen stond hem, na een korte aarzeling, wel aan.

'Zoals u wenst, meneer Haller, maar dan bent u straks, als de verdediging haar zaak uiteenzet, niet meer in de gelegenheid die verklaring aan te vechten. Dat beseft u toch, hè?'

'Ja, dat besef ik, edelachtbare. Het zal niet nodig zijn de verklaring aan te vechten.'

'En uw cliënt maakt geen bezwaar tegen deze tactiek?'

Ik draaide me half om naar Lisa Trammel en gebaarde naar haar.

'Mijn cliënt is geheel op de hoogte van deze tactiek en stemt ermee in. Ze is ook bereid dit voor het rechtbankverslag te verklaren, als u het haar zelf wilt vragen.'

'Dat lijkt me niet nodig. Hoe staat het OM hier tegenover?'

Freeman keek argwanend toe, alsof ze een valkuil vermoedde.

'Edelachtbare,' zei ze, 'ik wil duidelijk van de beklaagde horen dat ze ervan op de hoogte is dat het bloed op de hamer inderdaad van Mitchell Bondurant is. En ik wil een verklaring van afstand op grond van inadequate verdediging.'

'Een verklaring van afstand lijkt me niet nodig,' zei Perry. 'Maar ik wil zelf van de beklaagde horen of ze hiermee akkoord gaat.'

Vervolgens stelde hij Lisa de vragen om haar te laten bevestigen dat ze wist wat ze deed.

Nadat Freeman had gezegd dat ze hier tevreden mee was, reed Perry zijn stoel naar de zijkant om de jury toe te spreken.

'Dames en heren, de getuige zou u een uitvoerige, wetenschappelijke uitleg geven van het bepalen en analyseren van DNA, wat u uiteindelijk zou brengen bij de laboratoriumtests die zouden aantonen dat het bloed op de hamersteel afkomstig is van ons slachtoffer, Mitchell Bondurant. Door te schikken zegt de verdediging akkoord te gaan met deze bevindingen, en verklaart daarmee deze niet te zullen aanvechten. Wat u rest is de verklaring dat het bloed op de steel van de hamer, gevonden in een struik niet zo ver van het bankgebouw, inderdaad afkomstig is van het slachtoffer, Mitchell Bondurant. Dat is nu een bewezen feit, en ik zal het voor u op schrift laten zetten voordat u straks aan uw juryberaad begint.'

Hij knikte nog een keer, reed terug naar zijn plek en zei tegen Freeman dat ze moest doorgaan. Freeman, compleet uit haar ritme gebracht door mijn onverwachte zet, verzocht de rechter om een ogenblikje geduld om zich te heroriënteren en te kijken waar ze opnieuw moest beginnen met haar verhoor. Uiteindelijk keek ze op naar haar getuige.

'Goed dan, dr. Stanley, het bloed op de hamer was niet het enige bloedmonster dat u in deze zaak hebt geanalyseerd, is het wel?'

'Nee. We hebben ook een tweede bloedmonster ontvangen, genomen van een schoen gevonden tijdens een huiszoeking bij de beklaagde. In de garage, als ik het goed heb. We hebben het als volgt geanalyseerd...'

'Edelachtbare,' zei ik terwijl ik weer opstond, 'de verdediging wenst zich nogmaals te schikken.'

Deze keer viel er een doodse stilte in de rechtszaal. Het gefluister op de publieke tribune verstomde, de parketwacht, die zachtjes in zijn telefoon had staan praten, keek op en de vingers van de rechtbanknotulist bleven roerloos boven de toetsen van haar apparaat hangen. Absolute stilte.

De rechter had zijn handen gevouwen en zijn kin rustte erop. Hij bleef lange tijd zo zitten voordat hij zijn handen van elkaar losmaakte en gebruikte om Freeman en mij naar zich toe te wenken.

'Hier komen, allebei.'

Freeman en ik deden wat ons was opgedragen en bleven naast elkaar voor de rechtersstoel staan. De rechter sprak op fluistertoon.

'Meneer Haller, uw reputatie is u vooruitgesneld toen bekend werd dat u in mijn rechtszaal de verdediging van deze zaak zou voeren. Ik heb uit meer dan een bron vernomen dat u een verdraaid begaafd jurist en een onvermoeibaar strafpleiter bent. Toch moet ik u nu vragen of u wel weet wat u doet. U wilt zich schikken naar de verklaring van het OM dat het bloed op de schoen van uw cliënt afkomstig is van het slachtoffer. Weet u dat zeker, meneer Haller?'

Ik knikte verontschuldigend, alsof ik toegaf dat hij terecht zijn vraagtekens bij mijn tactiek zette.

'Edelachtbare, we hebben de bloedanalyse zelf ook laten doen en we kregen dezelfde uitslag. De wetenschap liegt niet en de verdediging is niet van plan het hof of de jury voor te liegen. Als een proces ten doel heeft de waarheid aan het licht te brengen, moet dat ook gebeuren. De verdediging schikt zich. We zullen in een later stadium bewijzen dat het bloed door derden op de schoen is aangebracht. Dat is namelijk de echte waarheid, niet of het al dan niet zijn bloed is. Wij erkennen dat het dat is en we zijn klaar om door te gaan.'

'Edelachtbare, mag ik iets zeggen?' vroeg Freeman.

'Ga uw gang, mevrouw Freeman.'

'Het OM maakt bezwaar tegen de schikking.'

Eindelijk had ze het door. De rechter keek haar onthutst aan.

'Dat begrijp ik niet, mevrouw Freeman. U hebt uw zin gekregen. Het bloed van het slachtoffer zit op de schoen van de beklaagde.'

'Edelachtbare, dr. Stanley is mijn laatste getuige. De raadsman probeert de zaak van het OM te ondergraven door me te beroven van de mogelijkheid het bewijs te presenteren zoals ik het wens te presenteren. De verklaring van deze getuige kan funest zijn voor de verdediging. De raadsman wil alleen schikken om de impact op de jury af te zwakken. Maar een schikking vereist het akkoord van beide partijen. Ik heb de fout gemaakt dat ik akkoord ben gegaan met die van de hamer, maar dat ben ik deze keer niet van plan. Niet in het geval van de schoen. Het OM vecht de schikking aan.'

De rechter was niet bijzonder onder de indruk. Hij zag een mogelijkheid het proces met minstens een halve dag te bekorten en was niet van plan zich die te laten ontnemen.

'Raadsvrouw, u weet dat het hof uw bezwaar kan afwijzen wegens ineffectieve procesvoering. Ik zou dat liever niet doen.'

'Het spijt me, edelachtbare, het OM houdt vast aan zijn bezwaar.'

'Dan wijs ik dat af. U kunt nu beiden naar uw plaats gaan.'

En zo gebeurde het. Net als met de hamer sprak de rechter de jury toe en beloofde hij dat ze voor het juryberaad een schriftelijke bevestiging van de schikking zou krijgen. Ik had de grote finale van het OM met succes tot zwijgen gebracht. In plaats van haar zaak te eindigen met tromgeroffel, kletterende bekkens en bewijs dat schreeuwde: ZIJ HEEFT HET GEDAAN! ZIJ HEEFT HET GEDAAN!, ging die nu als een nachtkaars uit. Freeman was woedend. Ze wist hoe belangrijk de slotakkoorden waren in de geleidelijke opbouw van een zaak. Je luistert nu eenmaal niet meer dan tien minuten naar Ravels *Boléro* om het geluid twee minuten voor het einde uit te zetten.

En ik had door mijn actie niet alleen haar zaak schade berokkend, ik had van haar laatste en belangrijkste getuige indirect de eerste getuige van de verdediging gemaakt. Door te schikken had ik de indruk gewekt dat de uitkomsten van het DNA-onderzoek de eerste bouwstenen van míjn zaak waren. En Freeman kon er niets aan doen. Ze had haar hele zaak uiteengezet en had verder niets meer. Nadat ze Stanley uit de getuigenbank had laten gaan, ging ze achter haar tafel zitten, nam haar aantekeningen door en overwoog waarschijnlijk of ze Kurlen of Longstreth nog een keer moest oproepen als getuige om de bewijsvoering door een van hen te laten afronden. Maar dat was niet zonder risico. Hun eerdere verhoor had ze met hen gerepeteerd. Daar had ze nu niet de kans voor gekregen.

'Mevrouw Freeman?' vroeg de rechter uiteindelijk. 'Hebt u nog meer getuigen?'

Freeman keek naar de jurybanken. Ze moest wel geloven dat ze haar veroordeling binnen had. Dus wat maakte het uit dat ze het bewijs niet had kunnen presenteren op de manier waarop zij het had gewild? Het bewijs was er en het stond in de boeken. Het bloed van het slachtoffer op de hamer en op de schoen van de beklaagde. Dat moest genoeg zijn. Ze had haar veroordeling in haar zak.

Langzaam stond ze op, met haar blik nog steeds op de jury gericht. Toen draaide ze zich om naar de rechter en richtte het woord tot hem.

'Edelachtbare, het OM staakt de bewijsvoering.'

Het was een plechtig moment en opnieuw werd het doodstil in de rechtszaal, een stilte die bijna een volle minuut duurde.

'Goed dan,' zei de rechter ten slotte. 'Ik denk niet dat iemand had verwacht dat we zo vroeg klaar zouden zijn. Meneer Haller, bent u klaar en bereid om de zaak van de verdediging aan ons voor te leggen?'

Ik ging staan.

'Ja, edelachtbare, de verdediging is er klaar voor.'

De rechter knikte. Hij leek nog steeds wat aangeslagen door mijn beslissing om het bloed van het slachtoffer op de schoen van de gedaagde te erkennen en als feit te accepteren.

'Dan stel ik voor dat we vandaag maar eens vroeg gaan lunchen,' zei hij. 'Als we straks terugkomen, mag de verdediging haar zaak uiteenzetten.'

Deel vier

De vijfde getuige

39

Mijn tactiek in de eindfase van de bewijsvoering van het OM was misschien verrassend geweest, de eerste stap van de verdediging in haar eigen bewijsvoering was dat zeker ook, en de twijfels van sommige waarnemers over de competentie van de verdediging werden weer een fractie verder afgezwakt. Toen iedereen na de middagpauze zijn plaats had ingenomen, liep ik naar de lessenaar en met een houding van 'wat kan mij het schelen?' zette ik opnieuw de zaak op zijn kop.

'De verdediging roept de beklaagde, Lisa Trammel, op.'

De rechter moest om stilte vragen toen mijn cliënt opstond en naar de getuigenbank liep. Dat ze überhaupt werd opgeroepen was al schokkend genoeg, en er ging een golf van gefluister en gemompel door de rechtszaal. Als algemene regel gold dat strafpleiters hun cliënten niet graag als getuige oproepen. De risico's van deze tactiek waren groter dan de winst die kon worden behaald. Je wist nooit helemaal zeker wat je cliënt zou zeggen omdat je nooit voor de volle honderd procent kon geloven wat ze je had verteld. En gepakt worden op ook maar een enkele leugen terwijl je onder ede stond, ten overstaan van twaalf mensen die moesten beslissen over je schuld of onschuld, was een regelrechte ramp.

Maar deze keer en in dit geval was het anders. Lisa Trammel had nooit afgeweken van haar bewering dat ze onschuldig was. Geen enkel belastend bewijs had haar ooit aan het weifelen gebracht. En ze was nooit geïnteresseerd geweest in een deal, hoe gunstig die misschien ook was. Hierdoor – en gezien de ontwikkelingen in de Herb Dahl/Louis Opparizio-link– was ik haar anders gaan zien dan aan het begin van het proces. Ze had erop gestaan dat ze de kans zou krijgen om de jury te vertellen dat ze onschuldig was, en ik was de afgelopen avond tot het besef gekomen dat ik haar die kans moest geven zodra er de ruimte voor was. Dus werd zij mijn eerste getuige.

De beklaagde legde de eed af met een flauwe glimlach om haar mond. Die zou door sommigen als misplaatst kunnen worden gezien. Dus zodra ze zat en haar naam had gezegd, vroeg ik haar ernaar.

'Lisa, zo-even, toen je de eed aflegde, zag ik je een beetje glimlachen. Waarom deed je dat?'

'O, nou, u weet wel, van de zenuwen. En van opluchting.'

'Opluchting?'

'Ja, opluchting. Omdat ik eindelijk de kans krijg om mĳn kant van het verhaal te vertellen. Om de waarheid te vertellen.'

Dat begon goed. Ik nam haar snel mee door de lijst van standaardvragen over wie ze was, wat voor werk ze deed en hoe de status van haar huwelijk was, en tot slot vroeg ik haar naar haar status van huiseigenaar.

'Kende je het slachtoffer van deze afschuwelijke misdaad, Mitchell Bondurant?'

'Hem kennen, nee. Maar ik wist wie hij was.'

'Wat bedoel je daarmee?'

'Nou, ongeveer een jaar geleden, toen ik met mijn hypotheek in de problemen begon te komen, heb ik hem wel eens gezien. Ik ben een paar keer naar de bank geweest om mijn probleem aan hem voor te leggen. Ze lieten me nooit met hem praten, maar ik kon hem wel in zijn kantoor zien zitten. De wand van zijn kantoor was helemaal van glas, wat natuurlijk absurd was. Je mocht wel naar hem kijken, maar niet met hem praten.'

Ik keek opzij naar de jury. Ik zag geen meelevende hoofdknikjes, maar ik vond het antwoord en het beeld dat mijn cliënt schetste heel goed. De bankier die zich achter een glazen wand verschanste terwijl het gepeupel en de gedupeerden op afstand werden gehouden.

'Heb je hem wel eens ergens anders gezien?'

'Ja, op de ochtend van de moord. In de koffieshop waar ik ook was. Hij stond twee plaatsen achter me in de rij bij de counter. Daarom raakte ik in de war toen ik met die politiemensen sprak. Ze vroegen me naar meneer Bondurant en die had ik die ochtend gezien. Ik wist niet dat hij dood was. Ik besefte ook niet dat ik werd verdacht van een moord waarvan ik niet eens wist dat die was gepleegd.'

Tot nu toe ging het goed. Ze reageerde zoals we hadden afgesproken en hadden gerepeteerd, en ze sprak steeds met respect en zelfs met enig meedeleven over het slachtoffer.

'Heb je meneer Bondurant die ochtend gesproken?'

'Nee. Ik was bang dat hij zou denken dat ik hem stalkte of zoiets, en dat hij me weer voor de rechter zou dagen. U had me trouwens gewaarschuwd dat ik bij hem en de andere mensen van de bank uit de buurt moest blijven. Dus heb ik snel mijn koffie afgerekend en ben weggegaan.'

'Lisa, heb jij meneer Bondurant vermoord?'

'Nee! Natuurlijk niet!'

'Heb je hem van achteren beslopen met een hamer uit je garage in de hand en hem zo hard op zijn hoofd geslagen dat hij al dood was voordat hij de grond raakte?'

'Nee, dat heb ik niet gedaan!'

'En heb je hem nog twee keer op zijn hoofd geslagen toen hij al op de grond lag?'

'Nee!'

Ik deed alsof ik mijn aantekeningen raadpleegde om een pauze te laten vallen. Ik wilde dat Lisa's ontkenningen nog even door de rechtszaal en de hoofden van de juryleden bleven nagalmen.

'Lisa, je hebt nogal wat bekendheid verworven door de onteigening van je huis aan te vechten, is het niet?'

'Dat is nooit mijn bedoeling geweest. Ik wilde gewoon mijn huis houden, voor mezelf en mijn zoontje. Ik heb gedaan wat ik vond dat ik moest doen. Dat heeft meer aandacht getrokken dan ik had verwacht.'

'Aandacht waar de bank niet blij mee was, hè?'

Freeman maakte bezwaar, stelde dat ik Trammel een vraag stelde waarop ze het antwoord niet kon weten. De rechter gaf haar gelijk en zei dat ik moest doorgaan met mijn volgende vraag.

'Er kwam een moment waarop de bank een eind probeerde te maken aan je protesten en andere activiteiten. Is dat juist?'

'Ja, ze daagden me voor de rechter en lieten een straatverbod tegen me uitvaardigen. Toen mocht ik niet meer voor de bank protesteren. Dus ben ik dat voor het stadhuis gaan doen.'

'En kreeg je steun van andere mensen?'

'Ja. Ik was een website begonnen en honderden mensen – voor het merendeel mensen zoals ik, die hun huis dreigden kwijt te raken – meldden zich aan.'

'Maar jij kreeg veel publieke aandacht als de aanvoerder van de groep, is dat niet zo?'

'Ja, ik denk het. Maar het is nooit mijn bedoeling geweest om de aandacht op mezelf te vestigen. Ik wilde juist de aandacht vestigen op wat zíj aan het doen waren, de fraude waaraan zij zich schuldig maakten wanneer ze mensen hun koophuizen en koopflats en alles afnamen.'

'Hoeveel keer, voor zover je weet, ben je in het tv-nieuws geweest en heb je in de krant gestaan?'

'Dat heb ik niet bijgehouden, maar ik ben ook een paar keer in het landelijke nieuws geweest, bij CNN en Fox.'

'Even iets anders, Lisa, ben je op de ochtend van de moord langs West-Land National in Sherman Oaks gelopen?'

'Nee.'

'Dus jij was het niet die daar op een half huizenblok afstand op de stoep liep?'

'Nee, dat was ik niet.'

'Dus de vrouw die heeft getuigd dat ze je heeft gezien, heeft gelogen terwijl ze onder ede stond?'

'Ik zou haar niet meteen een leugenaar willen noemen, maar ik was het niet. Misschien heeft ze zich vergist.'

'Dank je, Lisa.'

Ik keek naar mijn aantekeningen en veranderde van koers. Door de schijn te wekken dat ik mijn cliënt in het ongewisse liet door steeds van onderwerp te veranderen en onverwachte vragen te stellen, hield ik juist de jury in het ongewisse, en dat was wat ik wilde. Ik wilde niet dat ze vooruit gingen denken. Ik wilde hun onverdeelde aandacht terwijl ik hun het verhaal in stukjes opdiende en zelf de volgorde ervan bepaalde.

'Doe je de deur van je garage gewoonlijk op slot?'

'Ja, altijd.'

'Waarom doe je dat?'

'Nou, omdat die los van het huis staat. Je moet eerst naar buiten voordat je de garage in kunt. Daarom doe ik altijd de deur op slot. Er staat voor het merendeel rommel, maar sommige dingen zijn waardevol. Mijn man is altijd heel zuinig geweest op het gereedschap en er staat een tank met heliumgas, voor de ballonnen voor feestjes, en ik wil niet dat de oudere kinderen uit de buurt daarmee gaan rommelen. En, tja, ik heb een keer een krantenartikel gelezen over iemand die ook een vrijstaande garage had, net als de mijne, en die haar deur nooit op slot deed. Op een dag ging ze haar garage binnen en trof ze daar een man aan die iets wilde stelen. Die heeft haar toen verkracht. Daarom doe ik de deur altijd op slot.'

'Heb je enig idee waarom de deur niet op slot was toen de politie op de dag van de moord huiszoeking kwam doen?'

'Nee, ik doe hem altijd op slot.'

'Wanneer, vóór dit proces, heb je voor het laatst de hamer op zijn plek boven de werkbank in de garage zien hangen?'

'Ik kan me niet herinneren dat ik dat ding ooit heb gezien. Mijn man was degene die het gereedschap gebruikte. Ik ben niet erg handig met gereedschap.'

'En het tuingereedschap?'

'O, als dat ook gereedschap is, neem ik dat laatste terug. Ik doe al het werk in de tuin en dat zijn mijn gereedschappen.'

'Heb je enig idee hoe een minuscuul spatje bloed van meneer Bondurant op een van jouw tuinschoenen terechtgekomen kan zijn?'

Lisa staarde recht voor zich uit en er lag een verontruste uitdrukking op haar gezicht. Haar kin trilde licht toen ze antwoordde.

'Ik weet het echt niet. Ik kan het niet verklaren. Ik heb die schoenen al heel lang niet aangehad, en ik heb meneer Bondurant niet vermoord.'

Haar laatste woorden klonken bijna als een smeekbede. Er klonk wanhoop in door, alsof ze de waarheid sprak. Ik wachtte even in de hoop dat de juryleden het ook zouden opmerken.

Ik ging nog een half uur met haar door, voornamelijk over dezelfde thema's en haar ontkenningen. Vervolgens ging ik in op de details van haar ontmoeting met Bondurant in de koffieshop, die van de onteigening en de hoop die ze had het proces te winnen.

Haar getuigenis voor de verdediging had een drieledig doel. Ten eerste wilde ik haar ontkenningen en uitleg in het rechtbankverslag. Ten tweede wilde ik dat ze met haar persoonlijkheid de sympathie van de jury won en dat ze alles wat tijdens het proces werd besproken een menselijker gezicht gaf. En ten slotte wilde ik dat de jury zich ging afvragen of deze kleine en ogenschijnlijk kwetsbare vrouw werkelijk in staat was zich in een hinderlaag op te stellen en een volwassen man snoeihard met een hamer op zijn hoofd te slaan. Drie keer.

Tegen de tijd dat ik het einde van mijn verhoor begon te naderen had ik de indruk dat ik een heel eind was gekomen met het bereiken van deze drie doelen. Ik besloot af te ronden met een kleine finale die ik eerder had bedacht.

'Haatte je Mitchell Bondurant?' vroeg ik.

'Ik haatte wat hij en zijn bank mij en mensen als ik aandeden. Maar als persoon haatte ik hem niet. Ik kende hem niet eens.'

'Maar je huwelijk was op de klippen gelopen, je was je baan kwijtgeraakt en nu dreigde je ook nog je huis te verliezen. Wilde je niet van je afbijten tegen de krachten waarvan je geloofde dat die het op je hadden gemunt?'

'Ik beet al van me af. Ik protesteerde tegen wat me werd aangedaan. Ik had een advocaat in de arm genomen om de onteigening aan te vechten.

Ja, ik was boos. Maar niet gewelddadig. Ik ben geen gewelddadig mens. Ik ben onderwijzeres. Ik beet van me af, als u het zo wilt noemen, op de enige manier die ik kende. Door vreedzaam te protesteren tegen iets wat fout was. Heel erg fout.'

Ik keek naar de jury en meende dat ik een vrouw op de achterste rij een traantje zag wegpinken. Ik hoopte bij god dat het waar was. Ik wendde me weer tot mijn cliënt en zette de grote finale in.

'Ik vraag het je nog een laatste keer, Lisa. Heb jij Mitchell Bondurant vermoord?'

'Nee, dat heb ik niet gedaan.'

'Ben je met een hamer naar de parkeergarage van de bank gegaan en heb je hem daar de hersens ingeslagen?'

'Nee, ik ben daar niet geweest. Ik was het niet.'

'Hoe kan het dan dat de hamer uit jouw garage is gebruikt om hem te vermoorden?'

'Dat weet ik niet.'

'Hoe is het mogelijk dat zijn bloed op jouw schoen is gevonden?'

'Dat weet ik ook niet. Ik heb het niet gedaan. Iemand wil me hiervoor laten opdraaien!'

Ik wachtte even om mijn stem tot bedaren te laten komen voordat ik afrondde.

'Nog een laatste vraag, Lisa. Hoe lang ben je?'

Ze leek in verwarring gebracht, als een lappenpop die van de ene kant naar de andere wordt getrokken.

'Hoe bedoelt u?'

'Vertel ons gewoon hoe lang je bent.'

'Ik ben één meter achtenvijftig.'

'Dank je, Lisa. Ik heb verder geen vragen.'

Freeman had heel wat werk te verrichten. Maar Lisa Trammel bleek een degelijke getuige en de openbaar aanklager slaagde er niet in haar te breken. Ze probeerde een paar keer Lisa een tegenstrijdig antwoord te ontlokken, maar Lisa trapte er niet in. Nadat Freeman een half uur lang had geprobeerd een deur open te wrikken met een tandenstoker, begon ik te denken dat mijn cliënt er zonder kleerscheuren van af zou komen. Maar het is nooit goed om te denken dat je in veiligheid bent voordat je cliënt uit de getuigenbank is gestapt en weer naast je zit. Freeman had nog één troefkaart in haar mouw en op het laatste moment speelde ze die uit.

'Toen meneer Haller u zo-even vroeg of u deze misdaad had begaan, zei u dat u niet gewelddadig was. U zei dat u lerares was en geen gewelddadig mens. Weet u dat nog?'

'Ja, en dat is waar.'

'Maar is het ook niet waar dat u vier jaar geleden gedwongen was van school te veranderen en een cursus agressiebeheersing te doen nadat u een leerling met een driekantige liniaal had geslagen?'

Ik stond meteen op, maakte bezwaar en vroeg de rechter om overleg. De rechter wenkte ons naar zich toe.

'Edelachtbare,' fluisterde ik voordat Perry de kans kreeg iets te zeggen, 'ik ben tijdens de inzage van stukken niks tegengekomen over een driekantige liniaal. Waar komt die ineens vandaan?'

'Edelachtbare,' fluisterde Freeman voordat Perry kon reageren, 'dit is nieuwe informatie die we pas eind vorige week hebben binnengekregen. We moesten die eerst verifiëren.'

'Ach, kom op, zeg,' zei ik. 'U gaat toch niet beweren dat de gegevens over haar arbeidsverleden niet vanaf het eerste begin in jullie bezit zijn geweest? Verwacht u nu echt dat we dat geloven?'

'U mag geloven wat u wilt,' reageerde Freeman. 'We hebben het niet in de inzage van stukken opgenomen omdat we niet van plan waren er iets mee te doen, totdat uw cliënt zelf over haar geweldloze verleden begon. Dat maakt het tot een leugen en die mag worden aangevochten.'

Ik draaide me om naar de rechter.

'Edelachtbare, haar excuus gaat niet op. Ze heeft de regels van de inzage van stukken overtreden. De vraag hoort geschrapt te worden en deze lijn van het verhoor zou niet mogen worden doorgezet.'

'Edelachtbare, dat is...'

'De raadsman heeft gelijk, mevrouw Freeman. U kunt de vraag later gebruiken als tegenbewijs, mits u de bijbehorende getuigen kunt leveren, maar nu niet. Die had in de inzage van stukken opgenomen moeten worden.'

We keerden terug naar onze plaats. Nu zou ik Cisco op het incident moeten zetten, want Freeman zou er later zeker op terugkomen. Het ergerde me, want toen we de zaak kregen was het een van Cisco's eerste opdrachten geweest onze cliënt grondig door te lichten. Deze gebeurtenis was op de een of andere manier aan zijn aandacht ontsnapt.

De rechter droeg de jury op de vraag van de openbaar aanklager te negeren en zei tegen Freeman dat ze een andere koers van verhoren moest kiezen. Maar ik wist heel goed dat de jury de bel duidelijk had horen luiden. De vraag mocht dan uit het rechtbankverslag zijn geschrapt, hij was niet uit de hoofden van de juryleden verdwenen.

Freeman vervolgde haar kruisverhoor en probeerde Trammel nog een paar keer uit haar tent te lokken, maar het lukte haar niet om door het pantser van Trammels eerdere verklaringen te breken. Mijn cliënt kon op geen enkele manier worden afgebracht van haar verklaring dat ze op de ochtend van de moord níét in de buurt van WestLand National op straat had gelopen. Met uitzondering van de driekantige liniaal was het eigenlijk verdomd goed gegaan, omdat we de jury een duidelijke indruk van de strijdlust van de verdediging hadden gegeven. We hadden laten zien dat we er keihard voor zouden knokken.

De openbaar aanklager bracht ons bij de klok van vijf uur, wat haar de kans gaf om die avond nog iets te vinden waarmee ze Trammel de volgende ochtend om de oren kon slaan. De rechter schorste de zitting en iedereen mocht naar huis. Behalve ik. Ik ging terug naar kantoor. Er was nog meer dan genoeg werk te doen.

Voordat ik opstond vanachter onze tafel boog ik me naar mijn cliënt en gaf haar er nijdig fluisterend van langs.

'Je wordt bedankt dat je me niks over die liniaal hebt gezegd. Wat weet ik nog meer niet?'

'Niks. Het was dom van me.'

'Wat? Dat je een kind met een liniaal hebt geslagen, of dat je het niet hebt verteld?'

'Het was vier jaar geleden en hij had het verdiend. Dat is het enige wat ik erover zeg.'

'Die beslissing is niet aan jou. Freeman kan erop terugkomen, dus ik zou maar gauw gaan nadenken over wat je dan tegen haar gaat zeggen.'

Er verscheen een bezorgde uitdrukking op haar gezicht.

'Hoe kan ze dat dan doen? De rechter heeft gezegd dat de jury moest vergeten dat ze erover was begonnen.'

'Ze mocht er niet op doorgaan in het kruisverhoor, maar ze bedenkt vast wel een manier om er later op terug te komen. Voor de tweede ronde gelden andere regels. Dus je kunt me er maar beter alles over vertellen, plus al het andere wat ik behoor te weten en wat je me nog niet hebt verteld.'

Ze keek over mijn schouder en ik wist dat ze naar Herb Dahl zocht. Ze had geen idee wat Dahl me allemaal had verteld en dat hij nu als dubbelspion optrad.

'Dahl is hier niet, Lisa,' zei ik. 'Vertel op, wat behoor ik nog meer te weten?'

Toen ik terugkwam op kantoor trof ik Cisco op de receptie, waar hij met zijn handen in zijn zakken stond te kletsen met Lorna, die achter de balie zat.

'Wat is er aan de hand?' vroeg ik nijdig. 'Ik dacht dat jij Shami van het vliegveld zou halen.'

'Ik heb Bullocks naar het vliegveld gestuurd,' zei Cisco. 'Zij haalt haar af en ze zijn al onderweg hiernaartoe.'

'Bullocks had hier moeten blijven om zich voor te bereiden op haar getuigenis, die waarschijnlijk morgen aan de beurt komt. Jij bent de onderzoeksmedewerker, dus jij had naar het vliegveld moeten gaan. Misschien kunnen ze de dummy niet dragen.'

'Relax, baas, dat is al geregeld. Ze redden zich prima samen. Bullocks belde net vanuit de auto. Dus hou je hoofd koel en wij doen de rest.'

Ik keek hem recht aan. Het kon me niet schelen dat hij vijftien centimeter groter en veertig kilo spierweefsel zwaarder was dan ik. Ik had het gehad. Ik had tot nu toe vrijwel alles alleen gedaan en had er schoon genoeg van.

'Jij wilt dat ik relax? Dat ik mijn hoofd koel hou? Krijg wat, Cisco. We zijn net met de zaak van de verdediging begonnen en het probleem is dat we geen verdediging hébben. Het enige wat ik heb is een hoop praatjes en een dummy. Het probleem is dat als jij verdomme niet snel je handen uit je zakken haalt en iets voor me vindt, ík daar straks sta als de dummy. Dus vertel mij niet dat ik mijn hoofd koel moet houden, oké? Ik ben verdomme degene die elke dag voor de jury staat.'

Eerst barstte Lorna in lachen uit en Cisco volgde algauw.

'O, vinden jullie dit grappig?' riep ik woedend. 'Dit is niet om te lachen. Hoe komen jullie verdomme op het idee dat dit grappig is?'

'Sorry, baas, maar je bent zo komisch als je je opwindt... en dan die opmerking over die dummy.'

Lorna had het niet meer. Ik nam me voor haar na het proces te ontslaan. Wat? Ik zou ze allebei ontslaan. Dat zou pas grappig zijn.

'Hoor eens, baas,' zei Cisco, die merkte dat ik de humor van de situatie niet inzag, 'ga nu maar naar je kantoor, laat je in je mooie bureaustoel zakken en doe je das af. Ik zal mijn spullen pakken en je laten zien waar ik mee bezig ben. Ik ben de hele dag in Sacramento geweest en het schiet niet erg op, maar toch begin ik in de buurt te komen.'

'Sacramento? Het forensisch lab?'

'Nee, overheidsgegevens. Bureaucraten, Mickey. Daarom duurt het allemaal zo lang. Maar maak je geen zorgen. Jij doet jouw werk en ik doe het mijne.'

'Het is nogal lastig om mijn werk te doen als ik moet wachten tot jij het jouwe hebt gedaan.'

Ik liep naar mijn kantoor. Ik keek Lorna boos aan toen ik langs haar bureau kwam. Met als enig resultaat dat ze weer in de lach schoot.

40

Ik was niet uitgenodigd en werd niet verwacht. Maar ik had mijn dochter al een week niet gezien – we hadden ons pannenkoekenavondje op woensdag tijdelijk moeten schrappen vanwege het proces – en aangezien mijn laatste ontmoeting met Maggie niet echt positief was verlopen, had ik de sterke behoefte om langs te gaan bij hun huis in Sherman Oaks. Maggie deed open met gefronste wenkbrauwen, want ze had me natuurlijk al door het spionnetje gezien.

'Een slechte avond voor onverwacht bezoek, Haller.'

'Nou, ik wilde alleen maar even bij Hayley gaan zitten, als je het goed vindt.'

'Zij is degene die de slechte avond heeft.'

Ze deed een stap opzij om me binnen te laten.

'O ja?' zei ik. 'Wat is er loos?'

'Ze heeft een berg huiswerk en wil niet gestoord worden, ook niet door mij.'

Ik keek vanuit de hal de woonkamer in, maar ik zag mijn dochter nergens.

'Ze is boven, met de deur dicht. Ik wens je veel succes. Ik ben in de keuken.'

Ze liet me daar staan en ik keek langs de trap omhoog. De klim naar Hayleys kamer kreeg opeens een onheilspellend karakter. Mijn dochter was aan het puberen en had last van alle stemmingswisselingen die daarbij hoorden. Je wist nooit wat je kon verwachten.

Desondanks liep ik de trap op en mijn behoedzame klopje op haar kamerdeur werd beantwoord met: 'Wat?'

'Ik ben het, je vader. Mag ik binnenkomen?'

'Papa, ik heb massa's huiswerk.'

'Dus ik mag niet binnenkomen?'

'Als je dat wilt.'

Ik opende de deur en ging naar binnen. Ze lag in bed, met de dekens over zich heen, te midden van ringbanden, boeken en een laptop.

'En je kunt me niet zoenen. Ik heb puistjescrème op mijn gezicht.'

Ik ging naast het bed staan en boog me naar haar toe. Het lukte me haar een kus boven op haar hoofd te geven voordat ze me kon afweren.

'Hoeveel moet je nog?'

'Dat zeg ik net, massa's.'

Haar wiskundeboek lag geopend en omgekeerd op de deken, zodat ze wist op welke bladzijde ze was gebleven. Ik pakte het op om te zien waar de les over ging.

'Niet dichtslaan!'

Totale paniek in haar stem, alsof de wereld op het punt stond te vergaan.

'Maak je geen zorgen. Ik blader al veertig jaar in boeken.'

Voor zover ik kon zien ging de les over vergelijkingen met twee onbekenden, x en y, waar ik niets van begreep. Ze leerden haar dingen die mij boven de pet gingen. Het was jammer dat ze ze waarschijnlijk nooit zou gebruiken.

'Jeetje, ik zou je niet eens kúnnen helpen, zelfs al zou ik het willen.'

'Ik weet het, mama ook niet. Ik sta er op deze wereld helemaal alleen voor.'

'Doen we dat niet allemaal?'

Het viel me op dat ze me nog niet één keer had aangekeken sinds ik de kamer was binnengekomen. Dat maakte me somber.

'Nou, ik kwam alleen maar even gedag zeggen. Ik zal je nu met rust laten.'

'Dag. Ik hou van je.'

Nog steeds geen oogcontact.

'Welterusten voor straks.'

Ik deed de deur achter me dicht, liep de trap af en ging naar de keuken. De andere vrouw die in staat was mijn humeur te beïnvloeden met haar buien zat op een kruk aan de eetbar. Voor haar lag een geopend dossier en ernaast stond een glas rode wijn.

Zij keek tenminste wel op. Ze glimlachte niet, maar alleen oogcontact kon in dit huis al als een soort overwinning worden beschouwd. Ze ging door met lezen.

'Wat ben je aan het doen?'

'O, alleen even inlezen. Ik heb morgen een hoorzitting met een zware jongen en ik heb er nog niet echt naar gekeken sinds hij is voorgeleid.'

De gebruikelijke gang van zaken in het rechtssysteem. Ze bood me geen glas wijn aan omdat ze wist dat ik niet dronk. Ik ging tegenover haar staan, bij het aanrecht, en leunde ertegenaan.

'Ik ga een gooi doen naar de post van procureur-generaal, denk ik.'

Haar hoofd schoot omhoog en ze keek me aan.

'Wat?'

'Niks. Ik probeer alleen van iemand in dit huis wat aandacht te krijgen.'

'Sorry, maar we hebben het druk vanavond. Ik moet ook verder met mijn werk.'

'Ja, nou, dan ga ik maar. Je vriendin Andy is waarschijnlijk ook bezig de messen te slijpen.'

'Dat zal best. We zouden na het werk wat gaan drinken, maar ze heeft afgezegd. Wat heb je haar geflikt, Haller?'

'Ach, ik heb haar een beetje gekortwiekt toen ze haar zaak wilde afronden en we hadden meteen een aanvaring toen ik aan de mijne begon. Ze zit nu vast iets te bedenken om me terug te pakken.'

'Dat zal best.'

Ze richtte haar aandacht weer op het dossier. Stilzwijgend werd me te verstaan gegeven dat ik kon gaan. Eerst mijn dochter en nu de ex-vrouw van wie ik nog steeds hield. Maar ik was niet van plan met stille trom te vertrekken.

'En hoe zit het met ons?' vroeg ik.

'Hoe bedoel je?'

'Met jou en mij. De laatste keer, die avond bij Dan Tana's, liep het niet echt goed af.'

Ze sloot het dossier, schoof het opzij en keek me aan. Eindelijk.

'Je hebt van die avonden. Het heeft verder niks veranderd.'

Ik maakte me los van het aanrecht, liep naar de eetbar en steunde erop op mijn ellebogen. We keken elkaar in de ogen.

'Maar als er niks is veranderd, hoe staan we er dan voor? Wat gaan we doen?'

Ze haalde haar schouders op.

'Ik wil het opnieuw proberen. Ik hou nog steeds van je, Mag. Dat weet je.'

'Ik weet ook dat het de eerste keer niet heeft gewerkt. Wij zijn van die mensen die hun werk mee naar huis nemen. Dat loopt spaak.'

'Ik begin te denken dat mijn cliënt onschuldig is, dat iemand haar voor de moord wil laten opdraaien en dat het me, ondanks alles wat ik weet, misschien toch niet zal lukken haar vrij te krijgen. Hoe kan ik dat níét mee naar huis nemen?'

'Als het je zo dwarszit, moet je misschien echt een gooi naar de post van procureur-generaal doen. De functie is vacant, dat weet je.'

'Ja, nou, misschien doe ik dat wel.'

'Haller de PG.'

'Yep.'

Ik bleef nog een paar minuten rondhangen, maar ik wist dat ik met Maggie niet verder zou komen. Ze had het vermogen je buiten te sluiten en je te laten voelen dat ze dat deed.

Ik zei dat ik ervandoor ging. Ze stoof niet naar de voordeur om me tegen te houden. Maar ze zei wel iets wat me een goed gevoel gaf.

'Geef het nog wat tijd, Michael.'

Ik bleef staan en draaide me om.

'Wat bedoel je?'

'Niet wat maar wie. Hayley... en mij.'

Ik knikte en zei dat ik dat zou doen.

Op weg naar huis probeerde ik mezelf op te fleuren met wat ik die dag in de rechtszaal had bereikt. Ik begon zelfs na te denken over mijn volgende getuige, die ik na Lisa had gepland. Maar er was nog een enorme hoeveelheid werk te doen en het had geen zin om te ver vooruit te denken. Je begon met wat de nieuwe werkdag je bracht en daarmee ging je aan de slag.

Ik nam Beverly Glen tot boven aan de heuvel, sloeg rechts af en reed via Mulholland richting Laurel Canyon. Ten noorden en ten zuiden van me strekte Los Angeles zich uit als een zee van lichtjes. Ik had geen muziek aan, alle raampjes waren open en ik liet de koele avondlucht in mijn eenzame botten trekken.

41

Alles wat ik de dag daarvoor had gewonnen ging die vrijdagochtend, toen Andrea Freeman haar kruisverhoor van Lisa Trammel voortzette, in amper twintig minuten verloren. Als je midden in een proces door het OM onderuit wordt gehaald, is dat nooit leuk, maar het hoort bij het spel dus in die zin is het aanvaardbaar. Het is een van de onbekende onbekenden. Maar als je door je eigen cliënt onderuit wordt gehaald, is dat het ergste wat je kan overkomen. De persoon die je verdedigt mag nooit een van de onbekende onbekenden zijn.

Trammel had haar plaats in de getuigenbank ingenomen toen Freeman naar de lessenaar liep met een dik pak papieren met omgekrulde hoeken, waar een enkel roze Post-it-velletje tussenuit stak. Ik zag de stapel als een attribuut, bedoeld om me af te leiden, en schonk er verder geen aandacht aan. Freeman begon met wat ik 'lokvragen' noem. Ze zijn bedoeld om de antwoorden van de getuige in het rechtbankverslag te laten vastleggen en later aan te tonen dat ze had gelogen. Ik wist dat er ergens een val opdoemde, maar niet waar het net zou vallen.

'U hebt gisteren verklaard dat u Mitchell Bondurant niet kende, nietwaar?'

'Ja, dat klopt.'

'U hebt hem nooit ontmoet?'

'Nooit.'

'U hebt hem nooit gesproken?'

'Nooit.'

'Maar u hebt wel geprobeerd een afspraak met hem te maken om hem te spreken?'

'Ja. Ik ben twee keer naar de bank gegaan en heb geprobeerd hem te spreken te krijgen over mijn huis, maar hij wilde me niet ontvangen.'

'Weet u nog wanneer u dat hebt gedaan?'

'Vorig jaar. Maar de precieze data kan ik me niet herinneren.'

Daarna leek Freeman van koers te veranderen, maar ik wist dat het allemaal deel uitmaakte van een zorgvuldig geconstrueerd plan.

Ze stelde Trammel een reeks quasi-onschuldige vragen over de FLAG en de doelstelling van de organisatie. Veel ervan was al aangeroerd tijdens mijn eerste verhoor. Ik kon nog steeds niet ontdekken wat ze van plan was. Ik keek naar de stapel papieren met het felroze Post-it-velletje dat ertussenuit stak en geloofde niet langer dat het om een attribuut ging. Maggie had me de afgelopen avond verteld dat Freeman had overgewerkt. Ik begreep nu waarom. Ze had blijkbaar iets gevonden. Ik boog me over onze tafel in de richting van de getuigenbank, alsof ik er sneller achter zou komen wanneer ik me dichter bij de bron bevond.

'En u hebt een website die u gebruikt om de activiteiten van FLAG te ondersteunen, nietwaar?' vroeg Freeman.

'Ja,' antwoordde Trammel. 'California Foreclosure Fighters dot com.'

'En u bent ook op Facebook, is het niet?'

'Ja.'

Aan de timide, behoedzame manier waarop mijn cliënt dit ene woord uitsprak wist ik opeens waar de val was gezet. Het was voor het eerst dat ik hoorde dat Lisa op Facebook actief was.

'Voor degenen in de jury die het misschien niet weten, mevrouw Trammel, wat is Facebook precies?'

Ik ging rechtop op mijn stoel zitten en haalde tegelijkertijd mijn telefoon uit mijn zak. Snel schreef ik een sms aan Bullocks: LAAT AL HET ANDERE WACHTEN EN CHECK LISA'S FACEBOOK-PAGINA. KIJK WAT JE TE WETEN KUNT KOMEN.

'Nou, Facebook is een sociale netwerksite waarmee ik contact kan houden met de mensen die FLAG steunen. Ik plaats er updates over de stand van zaken. Waar we elkaar zullen ontmoeten of waar we een protestmars gaan houden, dat soort dingen. Mensen kunnen hun account zo instellen dat ze automatisch worden gewaarschuwd, op hun telefoon of hun computer, wanneer ik er een nieuw bericht op zet. Het is een heel handig middel voor het organiseren van dingen.'

'En u kunt die berichten ook met uw mobiele telefoon op uw Facebook-pagina plaatsen, nietwaar?'

'Ja, dat kan.'

'En de digitale locatie waar u uw berichten plaatst, heet uw "prikbord". Klopt dat?'

'Ja.'

'En u hebt uw prikbord ook wel eens gebruikt voor andere berichten dan alleen aankondigingen van protestbijeenkomsten. Klopt dat ook?'

'Ja, soms.'

'U hebt daar regelmatig updates geplaatst met betrekking tot uw eigen onteigeningszaak, nietwaar?'

'Ja, ik wilde een persoonlijk verslag van een onteigening geven.'

'Gebruikte u Facebook ook om de pers op de hoogte te houden van uw activiteiten?'

'Ja, dat ook.'

'Maar om die informatie te kunnen ontvangen moest iemand zich eerst als vriend bij u aanmelden, is dat juist?'

'Ja, zo werkt het. Mensen die vriend willen worden, moeten me eerst een verzoek sturen en als ik dat verzoek accepteer, hebben ze toegang tot mijn prikbord.'

'Hoeveel vrienden hebt u?'

Ik wist niet precies welke kant dit op ging, maar wel dat ik onraad rook. Ik stond op, maakte bezwaar en zei tegen de rechter dat we verzeild waren geraakt in een soort visexpeditie zonder specifiek doel of relevantie. Freeman beloofde dat de relevantie snel duidelijk zou worden en Perry liet haar verdergaan.

'U mag de vraag beantwoorden,' zei hij tegen Trammel.

'Eh, ik denk... nou, toen ik het de laatste keer nakeek, had ik er meer dan duizend.'

'Wanneer hebt u zich aangesloten bij Facebook?'

'Vorig jaar. Ik denk dat het in juli of augustus was, toen ik de formulieren voor FLAG opstuurde en de website ben begonnen. Ik heb dat toen allemaal tegelijk gedaan.'

'Laten we dit even heel duidelijk stellen. Voor zover het de website betreft kan iedereen met een computer en een internetaansluiting die bezoeken. Is dat correct?'

'Ja.'

'Maar uw Facebook-pagina is iets meer privé en persoonlijk. Om die te kunnen bezoeken moet men eerst door u als vriend worden geaccepteerd. Klopt dat?'

'Ja, maar ik accepteerde iedereen die zich aanmeldde. Ik kende al die mensen niet, want het waren er veel te veel. Ik ging er gewoon van uit dat ze goede dingen hadden gehoord over wat ik deed, en dat ze geïnteresseerd waren. Ik heb niemand geweigerd. Zo ben ik in nog geen jaar tijd aan meer dan duizend vrienden gekomen.'

'Oké, en sinds u een account op Facebook hebt, hebt u regelmatig berichten op uw prikbord geplaatst. Is dat juist?

'Ja, regelmatig.'

'Ook berichten over dit proces, nietwaar?'

'Ja, maar alleen mijn mening over hoe het ging.'

Ik begon het steeds warmer te krijgen. Het leek wel of mijn pak van plastic was en dat het mijn lichaamswarmte vasthield. Ik wilde niets liever dan mijn das een stukje lostrekken, maar als de juryleden dat zagen tijdens dit verhoor, zou het een rampzalige indruk wekken.

'Welnu, kan iedereen naar uw Facebook-account gaan en een bericht onder uw naam plaatsen?'

'Nee, alleen ik. Mensen kunnen reageren en hun eigen berichten plaatsen, maar niet onder mijn naam.'

'Hoeveel berichten hebt u sinds de afgelopen zomer op uw prikbord geplaatst?'

'Ik heb geen idee. Veel.'

Freeman pakte de stapel papier met het roze Post-it-velletje en hield die op.

'Zou u me geloven als ik zei dat u meer dan twaalfhonderd berichten op uw prikbord hebt geplaatst?'

'Ik weet het echt niet.'

'Nou, ik wel. En ik heb ze hier allemaal bij me. Edelachtbare, mag ik de getuige deze papieren laten zien?'

Voordat de rechter kon antwoorden vroeg ik om overleg. Perry wenkte ons naar zich toe. Freeman bracht de stapel papieren mee.

'Edelachtbare, wat gebeurt er nu weer?' vroeg ik. 'Ik maak hetzelfde bezwaar als gisteren, namelijk dat het OM doelbewust de regels van de inzage van stukken aan zijn laars lapt. Er is nooit een woord over Facebook gezegd en nu wil ze opeens twaalfhonderd berichten als bewijs introduceren? Kom nou, edelachtbare, dat kan toch niet?'

'Het is niet in de inzage van stukken opgenomen omdat het bestaan van dit Facebook-account ons tot gisteravond niet bekend was.'

'Edelachtbare, als u dat gelooft, heb ik een stuk land ten westen van Malibu dat ik u graag wil verkopen.'

'Edelachtbare, ons kantoor is gistermiddag in het bezit gekomen van de prints met alle berichten die de beklaagde op haar Facebook-pagina heeft gezet. Ik werd geattendeerd op een reeks berichten van afgelopen september, die relevant zijn voor deze zaak en voor de getuigenis van de beklaagde. Als u me toestaat door te gaan, zal het straks allemaal duidelijk worden, zelfs voor de raadsman.'

'"In het bezit gekomen?"' zei ik. 'Wat mag dat dan wel betekenen?

Edelachtbare, je moet als vriend geaccepteerd zijn om de berichten op het prikbord van mijn cliënt te kunnen lezen. Als de overheid zich schuldig heeft gemaakt aan frauduleuze trucjes...'

'De berichten zijn ons ter hand gesteld door iemand van de pers die een Facebook-vriend van de beklaagde is,' onderbrak Freeman me. 'Er is geen sprake van trucjes. Maar wie hij is doet hier niet ter zake. *Res ipsa loquitur*... het document spreekt voor zich, edelachtbare, en ik ben ervan overtuigd dat de beklaagde in staat is de strekking van haar eigen Facebook-berichten aan de jury te verklaren. De raadsman probeert alleen te voorkomen dat de jury iets te zien krijgt waarvan hij weet dat het bewijst dat zijn cliënt...'

'Edelachtbare, ik weet niet eens waar ze het over heeft! Ik hoor in dit kruisverhoor voor het eerst van het bestaan van een Facebook-pagina. De manier van doen van de openbaar aanklager...'

'Goed dan, mevrouw Freeman,' onderbrak Perry me. 'Geef haar de documenten, maar kom snel ter zake.'

'Dank u, edelachtbare.'

Toen ik ging zitten voelde ik mijn telefoon trillen in mijn broekzak. Ik haalde het toestel tevoorschijn en las de sms onder de tafel, buiten het zicht van de rechter. De sms was van Bullocks, die alleen schreef dat ze toegang had tot Lisa's prikbord en bezig was met wat ik haar had opgedragen. Met één vinger sms'te ik terug dat ze de berichten van september moest checken en ik stopte het toestel weer in mijn zak.

Freeman gaf de prints aan Trammel en liet haar aan de hand van de meest recente berichten bevestigen dat ze afkomstig waren van haar Facebook-prikbord.

'Dank u, mevrouw Trammel. Wilt u nu doorbladeren naar de pagina die ik met de Post-it heb gemarkeerd?'

Met tegenzin deed Lisa wat haar was gevraagd.

'U zult zien dat ik drie berichten van 7 september jongstleden met geel heb gemarkeerd. Wilt u het eerste van die drie berichten aan de jury voorlezen, met de tijdsaanduiding erbij?'

'Eh, dertien uur zesenveertig. Ik ben op weg naar WestLand om met Bondurant te praten. Deze keer laat ik me niet wegsturen.'

'Dank u. U sprak de naam Bondurant zonet op de gewone manier uit, maar in uw bericht is die anders gespeld, is het niet?'

'Ja.'

'Hoe is die in uw bericht gespeld?'

'B-O-N-D-U-R-U-N-D.'

'Bondurund. Het viel me op dat zijn naam in al uw berichten over hem op die manier is gespeld. Was dat een vergissing, of hebt u dat expres gedaan?'

'Hij probeerde me mijn huis af te nemen.'

'Wilt u de vraag alstublieft beantwoorden?'

'Ja, dat heb ik expres gedaan. Ik heb hem Bondurund genoemd omdat hij geen goed mens is.'

Ik voelde het zweet prikken onder mijn haar. De verborgen Lisa kon elk moment tevoorschijn komen.

'Kunt u nu het volgende gemarkeerde bericht voorlezen? Met de tijdsaanduiding, alstublieft.'

'Veertien uur achttien. Ze weigeren me bij hem te brengen. Zo oneerlijk.'

'En het derde bericht, met de tijd erbij?'

'Veertien uur eenentwintig. Heb zijn parkeerplek gevonden. Ik wacht hem op in de garage.'

De stilte in de rechtszaal was oorverdovend.

'Mevrouw Trammel, hebt u op 7 september van het afgelopen jaar Mitchell Bondurant opgewacht in de parkeergarage van WestLand National?'

'Ja, maar niet zo lang. Ik kwam tot de conclusie dat het zinloos was en dat hij pas aan het eind van de dag zou vertrekken. Dus ben ik weggegaan.'

'Bent u op de dag van de moord teruggegaan naar die parkeergarage en hebt u hem daar opgewacht?'

'Nee, dat heb ik niet gedaan! Ik ben er niet geweest.'

'U had hem in de koffieshop gezien, werd weer woedend en wist waar hij zou zijn, nietwaar? U bent naar de parkeergarage gegaan, hebt hem opgewacht en toen...'

'Bezwaar!' riep ik.

'... hebt u hem met de hamer de hersens ingeslagen, waar of niet?'

'Nee! Nee! Nee!' riep Trammel. 'Ik heb het niet gedaan!'

Ze barstte in tranen uit, jankte als een in het nauw gedreven dier.

'Edelachtbare, ik maak bezwaar! Ze intimideert de...'

Perry leek op te schrikken uit een soort trance terwijl hij Trammel zat gade te slaan.

'Toegewezen!'

Freeman stopte abrupt. Het werd weer stil in de rechtszaal, afgezien van het snikken van mijn cliënt. De parketwacht kwam naar de getuigenbank met een doos tissues en even later hield Lisa op met huilen.

'Dank u, edelachtbare,' zei Freeman ten slotte. 'Ik heb verder geen vragen.'

Ik vroeg de rechter om een vroege ochtendpauze zodat mijn cliënt even kon bijkomen en ik kon besluiten of ik een tweede ronde wilde. De rechter ging akkoord, waarschijnlijk omdat hij met me te doen had.

Lisa's tranen zeiden echter niets over het feit dat Freeman haar val op een meesterlijke wijze had gezet. Maar alles was nog niet verloren. Het mooie van een valstrikverdediging is dat vrijwel elk stukje van de belastende bewijzen en getuigenissen – ook al komen ze van je eigen cliënt – te gebruiken is voor het samenstellen van die verdediging.

Toen de jury was vertrokken liep ik naar de getuigenbank om mijn cliënt te troosten. Ik trok een paar tissues uit de doos en gaf die aan haar. Ze pakte ze aan en droogde haar tranen. Ik legde mijn hand op de microfoon om te voorkomen dat iedereen in de rechtszaal hoorde wat we zeiden en deed mijn uiterste best om kalm te blijven.

'Lisa, waarom hoor ik verdomme nu pas van dat Facebook-account? Heb je enig idee hoeveel schade dit aan je zaak kan toebrengen?'

'Ik dacht dat je het wist. Jennifer staat in mijn vriendenlijst.'

'Wat? Mijn Jennifer?'

'Ja.'

Erg leuk als zowel je jongste medewerker als je cliënt meer weet dan jij.

'Maar die berichten van september dan? Je wist toch wel hoe belastend die konden zijn?'

'Het spijt me. Ik was ze totaal vergeten. Het is ook al zo lang geleden.'

Ze zag eruit alsof er een nieuwe huilbui naderde. Ik probeerde die te voorkomen.

'Nou, we hebben geluk gehad. Misschien kunnen we het zelfs wel in ons voordeel gebruiken.'

Ze haalde de prop tissues van haar ogen en keek me aan.

'O ja?'

'Misschien. Maar eerst moet ik naar buiten om Bullocks te bellen.'

'Wie is Bullocks?'

'Sorry, zo noemen wij Jennifer. Jij blijft hier en probeert weer een beetje tot jezelf te komen.'

'Moet ik nog meer vragen beantwoorden?'

'Ja. Ik ga een tweede ronde doen.'

'Mag ik even naar het toilet om mijn make-up te fatsoeneren?'

'Dat lijkt me een goed idee. Maar doe het snel.'

Eenmaal op de gang belde ik Bullocks op kantoor.

'Heb je die berichten van 7 september gezien?' vroeg ik bij wijze van begroeting.

'Ja, zonet. Als Freeman...'

'Dat heeft ze al gedaan.'

'Shit.'

'Ja, nou, ik ben er niet blij mee, maar misschien is er een uitweg. Lisa zei dat jij een van haar Facebook-vrienden bent?'

'Ja, sorry. Ik wist dat ze dat account had. Maar het is nooit bij me opgekomen om terug te gaan en de oudere berichten op haar prikbord te bekijken.'

'Daar hebben we het later wel over. Wat ik nu wil weten is of je toegang tot haar vriendenlijst hebt.'

'Ik heb hem nu op mijn beeldscherm.'

'Oké, om te beginnen wil ik dat je die lijst met namen print, die aan Lorna geeft en haar door Rojas hiernaartoe laat brengen. Nu meteen. Ten tweede wil ik dat Cisco en jij met die namen aan de slag gaan en uitzoeken wie al die mensen zijn.'

'Allemaal? Het zijn er meer dan duizend.'

'Desnoods wel, ja. Ik zoek een verband met Opparizio.'

'Opparizio? Waarom zou hij...?'

'Omdat Trammel een bedreiging voor hem was, net zoals ze dat voor de bank was. Ze verzette zich openlijk tegen de fraude bij de onteigeningen. Fraude die werd gepleegd door Opparizio's kantoor. We weten van Herb Dahl dat ze Opparizio's aandacht had getrokken. Het is heel goed mogelijk dat iemand van zijn kantoor met behulp van haar Facebook-berichten haar doen en laten volgde. Lisa heeft zonet verklaard dat ze iedereen accepteerde die zich als vriend aanmeldde. Misschien hebben we geluk en komen we een naam tegen die we herkennen.'

Het bleef even stil en toen verwoordde Bullocks wat ik zelf had bedacht.

'Door haar op Facebook te volgen wisten ze precies wat ze deed.'

'En ze kunnen hebben geweten dat ze Bondurant die ene keer in de parkeergarage heeft opgewacht.'

'En misschien hebben ze rondom die informatie de moord geconstrueerd.'

'Bullocks, ik zeg het niet graag, maar je begint te denken als een echte strafpleiter.'

'We gaan ermee aan de slag.'

Ik hoorde de vastberadenheid in haar stem.

'Mooi, maar print eerst die lijst en zorg ervoor dat ik hem krijg. Over een kwartier begin ik met mijn kruisverhoor. Zeg tegen Lorna dat ze in de rechtszaal gewoon naar me toe kan komen. En als Cisco of jij iets vindt, sms je de naam meteen naar mij.'

'Komt voor elkaar.'

42

Freeman gloeide nog steeds van trots na haar ochtendzege toen ik in de rechtszaal weer op mijn plaats ging zitten. Ze kwam naar me toe, leunde met haar heup tegen de tafel van de verdediging en sloeg haar armen over elkaar.

'Haller, vertel me alsjeblieft dat het theater van je was dat je niet van die Facebook-pagina wist.'

'Sorry, daar kan ik niks over zeggen.'

'Oef, zo te horen heeft er iemand behoefte aan een cliënt die géén dingen voor hem verzwijgt... of een nieuwe onderzoeksmedewerker die ze boven water weet te halen.'

Ik negeerde het geplaag, wilde dat ze ermee ophield en terugging naar haar eigen tafel. Ik bladerde in mijn blocnote en deed alsof ik iets opzocht.

'Het was een geschenk uit de hemel toen ik gisteravond de prints kreeg en die berichten las.'

'Je bent vast erg ingenomen met jezelf. Welke derderangs klotereporter heeft ze aan je gegeven?'

'Dat zou je wel willen weten, hè?'

'Dat kom ik ook te weten. De eerste de beste die een exclusief artikel van het OM cadeau krijgt, zal de man zijn die ik zoek. Die krijgt de rest van zijn leven alleen nog "geen commentaar" van me te horen.'

Ze grinnikte. Mijn dreigement maakte weinig indruk. Zij had de berichten aan de jury kunnen overbrengen en de rest deed er niet toe. Uiteindelijk keek ik naar haar op en kneep mijn ogen tot spleetjes.

'Je begrijpt het nog steeds niet, hè?'

'Ik begrijp wat niet? Dat de jury nu weet dat je cliënt eerder op de plaats delict is geweest? Dat is bewezen dat ze wist waar ze hem moest vinden? Nou, dat begrijp ik heel goed.'

Ik wendde mijn blik af en schudde mijn hoofd.

'Je zult het wel merken. Als je me nu wilt excuseren?'

Ik stond op en liep naar de getuigenbank. Lisa Trammel was terug van haar bezoek aan de damestoiletten. Ze had de make-up van haar ogen bijgewerkt. Toen ze begon te praten, legde ik mijn hand weer op de microfoon.

'Wat zit je daar nou met die bitch te praten?' zei ze. 'Met dat afschuwelijke mens.'

Enigszins verbaasd door haar plotselinge woede keek ik om naar Freeman, die weer achter haar tafel was gaan zitten.

'Ze is geen afschuwelijk mens en geen bitch, oké? Ze doet gewoon...'

'Ja, dat is ze wel. Wat weet jij daar nou van?'

Ik boog me naar haar toe en temperde mijn stem.

'O, en jij wel? Hoor eens, Lisa, ga nu niet opstandig doen. We hebben nog minstens een half uur verhoor te gaan. Laten we dat afwerken zonder de jury iets van je afkeer te laten merken, oké?'

'Ik weet niet waar jullie het over hadden, maar het is buitengewoon pijnlijk voor me.'

'Nou, dat spijt me dan zeer. Ik probeer je te verdedigen en het helpt me niet bepaald als ik van de openbaar aanklager tijdens haar kruisverhoor moet horen dat je een Facebook-pagina hebt.'

'Ik heb je gezegd dat het me spijt. En je medewerkster wist ervan.'

'Ja, nou, ik niet.'

'Hoor eens, je zei zonet dat je dit misschien in ons voordeel kon keren. Hoe dan?'

'Heel simpel. Als iemand je voor de moord wil laten opdraaien, was deze informatie van je Facebook-pagina een verdomd goed vertrekpunt.'

Over geschenken uit de hemel gesproken. Ze keek op en begon bijna te blozen van opluchting toen ze begreep welke tactiek ik van plan was toe te passen. Van de woede die haar gezicht een minuut geleden had getekend, was niets meer te bespeuren. En het was op dat moment dat de rechter de rechtszaal binnenkwam en van plan leek meteen door te gaan. Ik knikte naar mijn cliënt en liep terug naar de tafel van de verdediging terwijl de rechter de parketwacht opdracht gaf de jury binnen te brengen.

Toen iedereen op zijn plaats zat, vroeg de rechter of ik een tweede vragenronde wilde. Ik veerde op van mijn stoel alsof ik tien jaar op deze kans had gewacht. Ik werd meteen terechtgewezen. Een felle pijnscheut trok als een bliksemschicht door mijn bovenlijf. Mijn ribben mochten dan genezen zijn, elke onverhoedse beweging werd onmiddellijk afgestraft.

Ik wilde net naar de lessenaar lopen toen de deur van de rechtszaal openging en Lorna binnenkwam. De timing was perfect. Met een dossiermap in de ene hand en een motorhelm in de andere haastte ze zich door het middenpad naar het hekje.

'Edelachtbare, mag ik even een paar woorden met mijn medewerker wisselen?'

'Als u maar opschiet.'

Ik liep naar het hekje en Lorna gaf me de map.

'Dit is de lijst van al haar Facebook-vrienden, maar toen ik wegging hadden Dennis en Jennifer nog geen connectie met je weet wel wie gevonden.'

Het was vreemd om Cisco en Bullocks bij hun echte naam genoemd te horen. Ik keek naar de motorhelm.

'Ben je op Cisco's motor hiernaartoe gereden?' fluisterde ik.

'Je had haast en ik wist dat ik hem hier voor de deur kon neerzetten.'

'Waar is Rojas?'

'Geen idee. Hij nam zijn telefoon niet op.'

'Fraai is dat. Hoor eens, je laat Cisco's motor hier staan en loopt terug naar kantoor. Ik wil niet dat jij op die zelfmoordraket rijdt.'

'Ik ben niet meer met je getrouwd. Ik ben Cisco's vrouw.'

Terwijl ze het zei keek ik over haar schouder en zag Maggie McPherson op de tribune zitten. Ik vroeg me af of ze hier voor mij of voor Freeman was.

'Luister,' zei ik. 'Dit heeft niks te maken met...'

'Meneer Haller?' klonk de stem van de rechter achter me. 'We wachten op u.'

'Ja, edelachtbare,' zei ik hardop zonder me om te draaien. En op fluistertoon tegen Lorna: 'Ga lopen.'

Ik ging achter de lessenaar staan en sloeg de map open. Die bevatte niets anders dan een lijst met namen – meer dan duizend, in twee kolommen per pagina – maar ik keek ernaar alsof ik zojuist de Heilige Graal had gevonden.

'Goed, Lisa, laten we het nog eens over je Facebook-pagina hebben. Je hebt eerder verklaard dat je meer dan duizend vrienden hebt. Ken je al die mensen persoonlijk?'

'Nee, niet allemaal. Omdat zo veel mensen me van FLAG kennen, ging ik ervan uit dat ze zich als vriend hadden aangemeld om die zaak te steunen. Dus heb ik gewoon iedereen geaccepteerd.'

'Dus de berichten op jouw prikbord zijn toegankelijk voor een aanzienlijk aantal mensen die, hoewel ze je Facebook-vrienden zijn, in feite volslagen onbekenden voor je zijn. Is dat juist?'

'Ja, dat is juist.'

Ik voelde mijn telefoon trillen in mijn broekzak.

'Dus ieder van deze onbekenden die geïnteresseerd zou zijn in jouw doen en laten, in het heden of het verleden, zou naar jouw Facebook-pagina kunnen gaan en de berichten op je prikbord kunnen lezen. Klopt dat?'

'Ja, dat klopt.'

'Iemand zou bijvoorbeeld al je oude berichten kunnen doornemen en kunnen lezen dat je vorig jaar september in de parkeergarage van West-Land National bent blijven rondhangen om Mitchell Bondurant op te wachten. Is dat mogelijk?'

'Ja, dat kan.'

Met de lessenaar als schild haalde ik mijn telefoon uit mijn broekzak en schoof hem op het werkblad. Terwijl ik met mijn ene hand de namenlijst doorbladerde, gebruikte ik de andere om de zojuist ontvangen sms te openen. Die was van Bullocks.

BLZ 3, RECHTERKOLOM, 5E VAN ONDEREN: DON DRISCOLL
WE HEBBEN EEN DONALD DRISCOLL ALS EX-ALOFT IN DE IT-DATABASE
WE ZIJN ERMEE BEZIG

Bingo. Nu had ik iets waarmee ik de bal het stadion uit kon slaan.

'Edelachtbare, ik wil dit document graag aan de getuige laten zien. Het is een geprinte namenlijst van Lisa Trammels vrienden op Facebook.'

Freeman, die haar overwinning van eerder die ochtend in gevaar zag komen, maakte bezwaar, maar de rechter wees het af zonder dat ik iets hoefde te doen, en stelde dat Freeman deze deur zelf had geopend. Ik gaf de lijst aan mijn cliënt en liep terug naar de lessenaar.

'Wil je naar bladzijde drie van de lijst gaan en de vijfde naam van onderen in de rechterkolom voorlezen, alsjeblieft?'

Opnieuw maakte Freeman bezwaar, met als argument dat de lijst nog niet was geverifieerd. De rechter stelde voor dat ze dit in haar kruisverhoor zou aanvechten, als ze dacht dat ik nepbewijs probeerde in te brengen. Ik zei tegen Lisa dat ze de naam mocht voorlezen.

'Don Driscoll.'

'Dank je. Komt die naam je bekend voor?'

'Nee, niet echt.'

'Maar hij is een van je Facebook-vrienden.'

'Dat weet ik, maar zoals ik net al zei ken ik al die mensen niet persoonlijk. Het zijn er gewoon te veel.'

'Nou, kun je je dan misschien herinneren of Don Driscoll ooit contact met je heeft opgenomen, of dat hij zich bekend heeft gemaakt als medewerker van een bureau dat zich ALOFT noemt?'

Freeman maakte weer bezwaar en vroeg om overleg. De rechter gebaarde dat we mochten komen.

'Edelachtbare, wat moet dit voorstellen? De raadsman kan niet zomaar met namen gaan lopen smijten. Ik wil bewijs zien dat het hier niet om een willekeurige naam gaat.'

Perry knikte bedachtzaam.

'Daar ben ik het mee eens, meneer Haller.'

Mijn telefoon lag nog op de lessenaar. Als er updates van Bullocks waren binnengekomen, konden die me nu niet helpen.

'Edelachtbare, we kunnen naar de raadkamer gaan en daar mijn onderzoeksmedewerker bellen, als u wilt. Maar ik zou het hof willen vragen me op dit punt enige ruimte te gunnen. Het OM is vanochtend opeens deze Facebook-weg ingeslagen en ik probeer daarop te reageren. We kunnen de zaak ophouden totdat ik het bewijs kan overleggen, of we kunnen wachten tot ik Don Driscoll als getuige oproep, dan kan mevrouw Freeman hem zelf vragen of hij zomaar iemand is.'

'Bent u van plan hem op te roepen?'

'Ik denk dat ik geen andere keus heb nu het OM de oude Facebookberichten van mijn cliënt in de strijd heeft geworpen.'

'Goed dan, we wachten op de getuigenis van meneer Driscoll. Stel me niet teleur, meneer Haller. Kom me niet vertellen dat u van gedachten bent veranderd, want ik ben niet van plan daar genoegen mee te nemen.'

'Begrepen, edelachtbare.'

We gingen terug naar onze plaatsen en ik stelde Lisa de vraag opnieuw.

'Heeft Don Driscoll je ooit benaderd, op Facebook of ergens anders, en je verteld dat hij voor ALOFT werkte?'

'Nee, dat heeft hij niet gedaan.'

'Zegt de naam ALOFT je iets?'

'Ja, dat is het onteigeningsbureau dat voor banken als WestLand de papieren afwikkeling van de onteigeningen regelt.'

'Was dit bureau ook betrokken bij de onteigening van jouw huis?'

'Ja, absoluut.'

'ALOFT is een acroniem, nietwaar? Weet je ook waar die voor staat?'

'A. Louis Opparizio Financial Technologies. Zo heet het bureau voluit.'

'En wat zou het voor jou betekenen wanneer deze Don Driscoll, een van je vrienden op Facebook, bij ALOFT werkte?'

'Dat zou inhouden dat iemand van ALOFT al mijn berichten kon lezen.'

'Dus dan zou deze meneer Driscoll kunnen weten wat je allemaal hebt gedaan en wat je van plan was. Is dat correct?'

'Ja, dat is correct.'

'En hij zou ook toegang hebben gehad tot je berichten van vorig jaar september, waarin je schreef dat je meneer Bondurants parkeerplek in de garage van de bank had gevonden en van plan was hem daar op te wachten. Is dat correct?'

'Ja, dat is correct.'

'Dank je, Lisa. Ik heb verder geen vragen.'

Op de terugweg naar onze tafel wierp ik een blik in de richting van Freeman. Ze straalde niet meer. Ze keek recht voor zich uit. Toen ik op de tribune naar Maggie zocht, was ze er niet meer.

43

De middag was gereserveerd voor Shamiram Arslanian, mijn getuige-des-kundige uit New York. Ik had bij eerdere processen gebruik gemaakt van haar diensten, met succes, en was van plan dat nu weer te doen. Ze had doctoraals van Harvard, MIT en John Jay, was tegenwoordig hoofdonder-zoeker op die laatste universiteit en had een innemende, televisiegenieke persoonlijkheid. Bovendien straalde ze een integriteit uit die doorklonk in elk woord dat ze zei wanneer ze in de getuigenbank stond. Ze was de droom van elke strafpleiter. Ze werkte ongetwijfeld ook voor andere ju-risten, maar alleen wanneer ze geloofde in de wetenschappelijke kant en de strekking van haar getuigenis. En voor mij bood ze in deze zaak nog een extraatje, want ze was precies even groot als mijn cliënt.

Tijdens de lunchpauze had Arslanian een pop voor de jurytribune neer-gezet. Het was een mannenfiguur, exact één meter en zesentachtig centi-meter groot, wat overeenkwam met de lengte van Mitchell Bondurant met schoenen aan. De pop was gekleed in eenzelfde pak dat Bondurant op de ochtend van de moord aan had gehad, en had exact dezelfde schoenen aan. De pop beschikte bovendien over scharnierende ledematen die alle natuurlijke menselijke bewegingen mogelijk maakten.

Toen de zitting was heropend en mijn getuige haar plek had ingeno-men, nam ik ruim de tijd om haar aanzienlijke expertise en werkervaring met haar door te nemen. Ik wilde dat de juryleden begrepen wat deze vrouw allemaal in haar mars had en hen laten kennismaken met de ont-spannen en duidelijke manier waarop ze mijn vragen beantwoordde. Ik wilde ook dat ze begrepen dat ze zich met haar kennis en vaardigheden op een ander niveau bevond dan de forensische getuigen van het OM. Een veel hoger niveau.

Nadat dat beeld was geschetst, kwam ik ter zake en richtten we onze aandacht op de pop.

'Dr. Arslanian, ik heb u gevraagd u een oordeel te vormen over de fei-telijke aspecten van de moord op Mitchell Bondurant. Is dat waar?'

'Ja, dat hebt u gedaan.'

'En waar ik vooral in geïnteresseerd was, waren de fysieke aspecten van de moord, nietwaar?'

'Ja. U hebt me gevraagd te onderzoeken of het mogelijk is dat uw cliënt de moord heeft gepleegd op de manier die de politie heeft geschetst.'

'En wat was uw conclusie? Kan ze het zo hebben gedaan?'

'Nou, ja en nee. Ik heb vastgesteld dat ze de moord wel kan hebben gepleegd, maar niet op de manier waarop ze het volgens de politie zou hebben gedaan.'

'Kunt u uw conclusie toelichten?'

'Ik zou het liever demonstreren, met mijzelf in de rol van uw cliënt.'

'Hoe lang bent u, dr. Arslanian?'

'Op kousenvoeten één meter achtenvijftig, precies even lang als Lisa Trammel, zo is me verteld.'

'En heb ik u een hamer gestuurd, een kopie van de hamer die door de politie is gevonden en waarvan is vastgesteld dat die het moordwapen is?'

'Ja, dat hebt u gedaan. En ik heb hem meegebracht.'

Ze pakte de hamer van het blad van de getuigenbank en liet hem aan de jury zien.

'En hebt u van mij ook een paar foto's ontvangen van de tuinschoenen die in de niet afgesloten garage van de beklaagde zijn gevonden en waarop later het bloed van het slachtoffer is aangetroffen?'

'Ja, ook dat hebt u gedaan, en het is me gelukt om op internet precies dezelfde schoenen te kopen. Ik heb ze nu aan.'

Ze stak haar ene been uit de getuigenbank om de waterdichte schoen te laten zien. In de rechtszaal werd even beleefd gelachen. Ik vroeg de rechter of mijn getuige haar bevindingen mocht demonstreren en nadat hij een bezwaar van Freeman had afgewezen ging hij akkoord.

Arslanian kwam de getuigenbank uit met de hamer in haar hand en begon met haar demonstratie.

'De vraag die ik mezelf heb gesteld is de volgende: kan een vrouw met de lengte van de beklaagde, één meter achtenvijftig, net als ik, de fatale slag hebben toegebracht op de kruin van het hoofd van een man die met zijn schoenen aan één meter zesentachtig is? Nu biedt de steel van de hamer, die vijfentwintig centimeter lang is, wel wat extra lengte, maar is dat voldoende? Dat was de vraag die ik mezelf stelde.'

'Dokter, als ik u even mag onderbreken, kunt u ons iets meer vertellen over de pop die u hebt meegebracht en hoe u die hebt voorbereid voor uw getuigenis?'

'Natuurlijk. Dames en heren, dit is Manny, en ik gebruik hem vaak voor mijn getuigenissen tijdens processen en de tests in mijn lab op John Jay. Hij heeft alle gewrichten die een echt mens ook heeft, ik kan hem uit elkaar halen als ik dat wil, en het leukste is dat hij nooit aan mijn hoofd zeurt of zegt dat mijn spijkerbroek me dik maakt.'

Weer werd er even gelachen.

'Dank u, dokter,' zei ik snel, voordat de rechter haar kon opdragen het vooral serieus te houden. 'Als u nu wilt doorgaan met uw demonstratie?'

'Natuurlijk. Nou, wat ik heb gedaan is het volgende: ik heb het autopsie-rapport, de foto's en de tekeningen gebruikt om op de schedel van de pop de exacte plaats van de fatale klap aan te geven. Door de inkeping aan de bovenkant van het slagoppervlak weten we dat meneer Bondurant werd neergeslagen door iemand die achter hem stond. We weten ook, door de geringe diepteverschillen van de indrukwond in de schedel, dat het slag-oppervlak van de hamer hem recht boven op de schedel heeft geraakt. Dus door hem op deze manier te slaan...'

Ze klom op een verhoginkje dat naast Manny was neergezet, zwaaide de hamer naar het hoofd totdat die de kruin raakte, hield de hamer op zijn plek en maakt hem vast met twee banden onder de kin van de pop. Ze stapte van het verhoginkje en wees naar de hamer, waarvan de steel nu recht achteruit wees, parallel aan de vloer.

'Zoals u ziet gaat dit dus niet. Met deze schoenen aan ben ik één meter zestig, net zoals de beklaagde één meter zestig was, en bevindt de steel zich helemaal daar.'

Ze strekte haar arm en probeerde de hamersteel beet te pakken, wat haar bij lange na niet lukte.

'Wat dit ons laat zien, is dat de fatale slag niet door de beklaagde toege-bracht kan zijn wanneer het slachtoffer in deze houding stond... rechtop en recht voor zich uit kijkend. Maar welke andere houdingen zijn er mo-gelijk als we uitgaan van de gegevens die we hebben? We weten dat de aanval van achteren kwam, dus als het slachtoffer zich voorover had gebo-gen – omdat hij bijvoorbeeld zijn sleutels had laten vallen – ziet u dat ik hem nog steeds niet recht boven op het hoofd kan slaan omdat ik me niet met de hamer in mijn hand over zijn rug heen kan buigen.'

Terwijl ze het zei boog ze de pop vanuit de heupen naar voren en deed ze de beweging voor.

'Dat gaat dus niet. Twee dagen lang, tussen mijn colleges door, heb ik gezocht naar andere manieren om de pop boven op het hoofd te slaan, maar de enige manier die ik heb kunnen bedenken was dat het slachtoffer om de een of andere reden op zijn knieën of gehurkt zat, of dat hij stond en met zijn hoofd achterover naar het plafond keek.'

Ze greep de pop weer vast, zette hem rechtop en boog het hoofd achterover totdat de hamersteel omlaag wees. Ze pakte de steel vast en op deze manier leek het inderdaad mogelijk, maar de pop keek nu bijna recht omhoog.

'Volgens het autopsierapport zaten er diepe schaafwonden op beide knieën en zat er zelfs een breuk in een van de knieschijven. Deze worden beschreven als contactverwondingen ontstaan toen meneer Bondurant voorover op de grond viel nadat hij op het hoofd was geslagen. Hij is eerst op zijn knieën en daarna voorover gevallen, plat op zijn gezicht. We noemen dat een doodval. Gezien de aard van de verwondingen op beide knieën sluit ik uit dat hij geknield of gehurkt heeft gezeten. Dan blijft alleen deze mogelijkheid over.'

Ze wees naar het hoofd van de pop, tot het uiterste achterover gekanteld en met het gezicht omhoog gericht. Ik keek naar de jury. Iedereen zat aandachtig te kijken. Het leek wel biologieles op school.

'Oké, dokter, hebt u tijdens uw proeven het hoofd ook een stukje teruggebogen, zodat het nog maar licht omhoogkijkt, en een schatting gemaakt van hoe lang de echte dader van deze misdaad geweest moet zijn?'

Freeman sprong op en maakte met veel ophef bezwaar.

'Edelachtbare, dit is geen wetenschap maar een kermisattractie. Een en al rookgordijnen en spiegels. En nu vraagt hij haar een schatting te geven van de lengte van iemand die het gedaan zou kunnen hebben? Het is onmogelijk te zeggen in welke houding en met het hoofd in welke hoek het slachtoffer van deze gruwelijke misdaad...'

'Edelachtbare, de slotpleidooien zijn pas volgende week,' onderbrak ik haar. 'En als de openbaar aanklager bezwaar heeft, moet ze zich tot u richten in plaats van tot de jury in een poging die te beïnvloeden...'

'Genoeg,' zei de rechter. 'Ophouden, allebei. Meneer Haller, u hebt veel ruimte gekregen met deze getuige. Maar ik begon het met mevrouw Freeman eens te worden, althans, totdat ze op haar zeepkist klom. Bezwaar toegewezen.'

'Dank u, edelachtbare,' zei Freeman, quasi-uitgeput, alsof ze twee weken door de woestijn had gekropen.

Ik riep mezelf tot de orde, keek naar mijn getuige en haar pop, wierp een blik op mijn aantekeningen en knikte. Ik had eruit gehaald wat erin zat.

'Ik heb verder geen vragen,' zei ik.

Freeman had wel degelijk vragen, maar hoe ze ook probeerde Shami Arslanian haar verklaringen en conclusies te laten tegenspreken, de ervaren openbaar aanklager kreeg bij de doorgewinterde getuige geen poot aan de grond. Freemans kruisverhoor duurde bijna veertig minuten, maar het enige halve puntje dat ze wist te scoren was dat Arslanian toegaf dat ze onmogelijk konden weten wat zich tijdens de moord precies in die parkeergarage had afgespeeld. De rechter had al eerder die week aangekondigd dat de middagzitting op vrijdag vroeger zou eindigen vanwege een districtsbijeenkomst van rechters aan het eind van de middag, dus er was geen theepauze en we gingen door tot bijna vier uur voordat Perry het proces voor het weekend schorste. We hadden twee dagen vrij en ik had de indruk dat we op winst stonden. We hadden de zaak van het OM afgezwakt door het bewijs te ondergraven, hadden de week besloten met Lisa's ontkenning en haar bewering dat iemand probeerde haar voor de moord te laten opdraaien, en mijn getuige-deskundige had aangetoond dat het voor de beklaagde fysiek onmogelijk was om de moord te plegen. Tenzij het slachtoffer natuurlijk naar het plafond van de parkeergarage had gekeken toen ze hem de dodelijke klap gaf.

Ik geloofde dat mijn zaadjes van twijfel absoluut levensvatbaar waren. Ik was goedgehumeurd en toen ik mijn koffertje inpakte, bleef ik nog even dralen bij de tafel van de verdediging terwijl ik zogenaamd iets nakeek in een dossier. Ik had min of meer verwacht dat Freeman naar me toe zou komen om in een laatste wanhoopspoging te proberen me een schuldbekentenisdeal te verkopen.

Maar dat gebeurde niet. Toen ik opkeek van mijn zogenaamde bezigheden, was ze er niet meer.

Ik nam de lift naar de eerste. De rechters mochten dan al vertrokken zijn voor hun bijeenkomst over het verouderde rechtszaaldecorum, maar ik ging ervan uit dat de rest van het OM gewoon doorwerkte tot vijf uur. Ik vroeg bij de balie naar Maggie McPherson en mocht doorlopen. Ze deelde een kantoor met een andere assistent-procureur, maar die was gelukkig met vakantie. We waren alleen. Ik reed de stoel van de afwezige man achter zijn bureau vandaan en ging tegenover dat van Maggie zitten.

'Ik ben vandaag een paar keer in de rechtszaal geweest,' zei ze. 'Ik heb je met die dame van John Jay in de weer gezien. Goeie getuige.'

'Ja, dat is ze zeker. En ik heb jou ook gezien. Ik wist alleen niet voor wie je kwam... voor mij of voor Freeman.'

Ze glimlachte.

'Misschien wel voor mezelf. Ik kan nog steeds dingen van je leren, Haller.'

Nu glimlachte ik ook.

'Maggie McFurie? Iets leren? Van mij? Echt?'

'Nou...'

'Nee, je hoeft geen antwoord te geven.'

We lachten allebei.

'Ik vond het in ieder geval leuk dat je bent komen kijken,' zei ik. 'Wat gaan jij en Hay dit weekend doen?'

'Dat weet ik nog niet. We zijn thuis, denk ik. Jij moet zeker doorwerken?'

Ik knikte.

'We moeten iemand opsporen, vermoed ik. En maandag en dinsdag zijn de belangrijkste dagen van het proces. Maar misschien kunnen we een filmpje pakken of zoiets.'

'Best.'

Even zeiden we geen van tweeën iets. Ik had net een van mijn beste zittingsdagen ooit achter de rug en toch kwam er een droevig, verloren gevoel over me. Ik keek mijn ex-vrouw aan.

'We komen nooit meer bij elkaar terug, hè, Maggie?'

'Wat?'

'Het dringt nu pas tot me door. Jij wilt dat het blijft zoals het nu is. We zoeken elkaar op als een van ons er behoefte aan heeft, maar het wordt nooit meer zoals het was. Die kans geef je me niet meer, hè?'

'Waarom moeten we daar nu over praten, Michael? Je zit midden in een proces. Je hebt...'

'Ik zit midden in mijn leven, Mag. Ik zou zo graag willen dat jij en Hayley trots op me waren.'

Ze boog zich naar voren en strekte haar arm. Ze legde haar hand even tegen mijn wang en trok hem weer terug.

'Hayley is al trots op je, denk ik.'

'Ja? En jij?'

Ze glimlachte, maar op een wat bedroefde manier.

'Ik denk dat je naar huis moet gaan en dit, het proces en al het andere even moet laten rusten. Gun je geest wat rust. Ontspan je.'

Ik schudde mijn hoofd.

'Uitgesloten. Ik heb om vijf uur een afspraak met een informant.'

'Voor de Trammel-zaak? Wat voor informant?'

'Dat doet er niet toe, maar je probeert van onderwerp te veranderen.

Je zult het me nooit helemaal vergeven, hè? Dat zit niet in je, en misschien ben je daarom wel zo'n goede aanklager.'

'Nou, dat laatste valt nog te bezien. Voorlopig zit ik hier vast in Van Nuys en doe ik voornamelijk gewapende overvallen.'

'Dat is een beleidskwestie. Dat heeft niks met je vaardigheden en je toewijding te maken.'

'Dat maakt geen verschil, en ik heb nu geen tijd om erover te praten. Ik moet door tot vijf uur en jij moet naar je informant. Waarom bel je me morgen niet als je met Hayley naar de film wilt? Ik laat haar wel gaan, denk ik, dan kan ik in de tussentijd het huishouden en zo doen.'

Ik stond op. Ik wist wanneer ik tegen een verloren zaak aankeek.

'Oké, ik ga nu en bel je morgen. Maar ik hoop dat je met ons meegaat naar de film.'

'We zullen zien.'

'Oké.'

Ik nam de snelle weg naar beneden, via de trap. Ik liep het plein op en liep door, richting Sylmar en Victory. Algauw zag ik een motorfiets langs de stoeprand staan. Het was die van Cisco. Een klassieke Harley-Davidson Panhead uit '63, met een zwarte tank en een zwart achterspatbord. Ik grinnikte. Lorna, mijn tweede ex-vrouw, had gedaan wat ik haar had opgedragen. Dat was voor het eerst.

Ik zag dat Lorna hem niet op slot had gezet, blijkbaar in de veronderstelling dat de motor voor het gerechtshof en het aangrenzende politiebureau wel veilig stond. Ik haalde hem van de standaard, stuurde weg van de stoeprand en ging op weg naar Sylmar. Het moet een leuke aanblik geweest zijn, een man in een keurig Corneliani-pak die een Harley door de straat duwt, met een attachékoffertje aan het stuur.

Toen ik op kantoor terugkeerde was het pas half vijf, een half uur voordat Herb Dahl zich zou melden voor zijn briefing. Ik riep iedereen bijeen voor een teambespreking en probeerde me weer op de zaak te concentreren, vooral om het gesprek met Maggie uit mijn hoofd te zetten. Ik zei tegen Cisco waar ik zijn motor had neergezet en vroeg hoe ver ze waren met de lijst van Facebook-vrienden van onze cliënt.

'Maar eerst: waarom wist ik verdomme niks van haar Facebook-account?' vroeg ik.

'Dat is mijn schuld,' zei Aronson meteen. 'Zoals ik al zei wist ik ervan, en ik heb zelfs haar vriendenverzoek geaccepteerd. Ik besefte op dat moment alleen niet dat het belangrijk was.'

'Het is mij ook ontgaan,' zei Cisco. 'Ik stond ook op haar vriendenlijst.

Ik heb op haar account rondgekeken en heb niks gezien. Ik had beter moeten kijken.'

'Ja, ik ook,' voegde Lorna eraan toe.

Ik keek van de een naar de ander. Ze vormden een gesloten front.

'Fraai is dat,' zei ik. 'Dus het is ons alle vier ontgaan en onze cliënt vond het niet nodig het ons te vertellen. Nou, er zit niks anders op, we zijn allemaal ontslagen.'

Ik pauzeerde voor het effect.

'Maar hoe zit het met die naam die jullie hebben gevonden? Die Don Driscoll? Waar komt die vandaan, en weten we al wat meer over hem? Misschien heeft Freeman ons vanochtend zonder het te willen de sleutel van de zaak aangereikt. Wat weten we?'

Bullocks keek naar Cisco en gaf hem het woord.

'Zoals je weet,' zei hij, 'is ALOFT in februari overgenomen door het LeMure Fund, met Opparizio nog steeds aan het roer. Omdat LeMure een beursgenoteerd bedrijf is, heeft de hele deal plaatsgevonden onder toezicht van de Federale Handelscommissie, die op zijn beurt de aandeelhouders heeft ingelicht. Onder die informatie viel ook een lijst van personeelsleden die na de overname bij ALOFT zouden blijven werken. Ik heb die lijst hier, en die is van 15 december.'

'We zijn de namen gaan vergelijken met die van Lisa's vriendenlijst,' vervolgde Bullocks, 'en gelukkig zat Donald Driscoll in het begin van het alfabet. Dus kwamen we al snel bij hem uit.'

Ik knikte, was onder de indruk.

'En wie is Driscoll?'

'Volgens de gegevens van de handelscommissie is hij ingedeeld bij de afdeling Informatietechnologie,' zei Cisco. 'Dus ik dacht: wat kan het me schelen, ik bel IT van ALOFT en vraag naar Driscoll. Er werd me verteld dat Donald Driscoll daar wel heeft gewerkt, maar dat zijn contract in februari afliep en dat het niet was verlengd. Dus hij was vertrokken.'

'En nu zijn jullie hem aan het zoeken?' vroeg ik.

'Ja. Maar het is een veelvoorkomende naam, dus dat kost tijd. Zodra we iets hebben, ben je de eerste die het hoort.'

Namen in de privésector zoeken kostte altijd veel tijd. Als je niet van de politie was, kon je die niet zomaar even intypen en uit een van de vele databases van de overheid halen.

'Geef het niet op,' zei ik. 'Dit zou onze jackpot kunnen zijn.'

'Maak je geen zorgen, baas,' zei Cisco. 'Niemand hier geeft het op.'

44

Donald Driscoll, eenendertig jaar oud, ooit werkzaam bij ALOFT, woonde in het Belmont Shore-district van Long Beach. Op zondagochtend reden Cisco en ik ernaartoe om Driscoll een dagvaarding te brengen, in de hoop dat hij eerst tegen mij zou praten voordat ik hem op eigen risico in de getuigenbank zette.

Rojas was bereid zijn vrije dag op te offeren om zijn nalatigheden van de afgelopen tijd te compenseren. Hij reed de Lincoln, wij zaten achterin en Cisco praatte me bij over de uitkomsten van zijn laatste onderzoeken in de Bondurant-moordzaak. Er bestond geen twijfel over dat de verdediging haar zaak aardig sluitend had gekregen en dat Driscoll de getuige kon zijn die ons het bepalende zetje in de goede richting gaf.

'Weet je,' zei ik, 'als Driscoll meewerkt en zegt wat ik denk dat hij gaat zeggen, kunnen we de zaak winnen.'

'Dat is een grote "als",' antwoordde Cisco. 'En hoor eens, we moeten met deze jongen op alles voorbereid zijn. Hij zóú onze man kunnen zijn. Weet je hoe groot hij is? Eén meter negentig. Dat staat op zijn rijbewijs.'

Ik keek hem van opzij aan.

'Wat ik niet had mogen zien maar per ongeluk toch heb gezien,' zei hij.

'Ik wil niks over je illegale bezigheden horen, Cisco.'

'Ik zeg alleen dat ik het toevallig op zijn rijbewijs zag staan, meer niet.'

'Prima. Laat het daarbij. Maar hoe gaan we het aanpakken als we straks bij hem zijn? Ik dacht dat we gewoon met hem gingen praten.'

'Dat gaan we ook doen. Maar je moet toch voorzichtig zijn.'

'Ik ga wel achter jou staan.'

'Ja, van je vrienden moet je het hebben.'

'Precies. En trouwens, als ik je morgen als getuige oproep, zou ik graag willen dat je een shirt aan hebt, met een boord én mouwen. Maak jezelf presentabel, man. Ik begrijp niet dat Lorna die shit van je pikt.'

'Voorlopig doet ze dat al langer dan ze die van jou gepikt heeft.'

'Ja, dat is ook weer waar.'

Ik draaide me om en keek uit het raampje. Ik had twee ex-vrouwen die ook mijn twee beste vriendinnen waren. Maar verder dan dat ging het niet. Ik had ze gehad, maar had ze niet kunnen houden. Wat zei dat over mij? Ik droomde er nog steeds van dat Maggie, mijn dochter en ik ooit weer een gezin zouden vormen, maar de realiteit was dat dit waarschijnlijk nooit zou gebeuren.

'Alles oké, baas?'

Ik keek Cisco aan.

'Ja, hoezo?'

'Ik weet het niet. Je ziet er wat onzeker uit. Waarom laat je mij niet bij hem aanbellen en als hij bereid is te praten, geef ik je een seintje op je telefoon en kom jij binnen.'

'Nee, we doen het samen.'

'Jij bent de baas.'

'Ja, ik ben de baas.'

Maar ik voelde me de verliezende partij. Ik nam me op dat moment voor dat ik mijn leven zou veranderen en een manier zou vinden om met mezelf in het reine te komen. Meteen na het proces.

Belmont Shore had de uitstraling van een rustiek kustplaatsje, ook al was het deel van Long Beach. Driscoll woonde in een appartementengebouw van twee verdiepingen, in de bouwstijl van de jaren vijftig, zeeblauw met wit houtwerk, op Bayshore, vlak bij de pier.

Driscolls appartement was op de eerste verdieping, die een buitengalerij had. Nummer 24 was halverwege. Cisco klopte op de deur en deed een stap opzij, zodat ik daar alleen stond.

'Je maakt zeker een grapje?' zei ik.

Hij keek me alleen maar aan. Hij maakte geen grapje.

Ik deed ook een stap opzij. We wachtten, maar er werd niet opengedaan, en het was nog geen tien uur op zondagochtend. Cisco keek me aan en trok zijn wenkbrauwen op alsof hij vroeg: wat nu?

Ik gaf geen antwoord. Ik draaide me om en keek over de balustrade naar het parkeerterrein van het appartementengebouw. Er waren een paar lege plekken en ik zag dat die waren genummerd. Ik wees.

'We kunnen plek 24 opzoeken en kijken of zijn auto er staat.'

'Doe jij dat maar,' zei Cisco. 'Ik blijf hier.'

'Waarvoor?'

Er was daar verder niets. Een galerij, anderhalve meter breed, die voor de appartementen langs liep. Geen rommel, geen meubilair, geen fietsjes... alleen kaal beton.

'Ga nou maar.'

Ik liep de trap af. Nadat ik beneden bij drie auto's naar de witte nummers op de stoeprand had gekeken, zag ik dat de nummers van de parkeerplaatsen niet overeenkwamen met die van de appartementen. Er waren twaalf appartementen, de nummers 1 tot 6 op de begane grond en 21 tot 26 op de tweede woonlaag. Maar de parkeerplaatsen waren van 1 tot 16 genummerd. Als je ervan uitging dat elk appartement één parkeerplaats toegewezen had gekregen, welk idee werd versterkt door het feit dat er twee plaatsen voor bezoekers en twee voor gehandicapten waren, zou Driscoll nummer 10 moeten hebben.

Ik rekende dit nog eens na, zocht de bewuste parkeerplaats op en zag daar een ongeveer tien jaar oude BMW geparkeerd staan, toen ik Cisco vanaf de galerij mijn naam hoorde zeggen. Ik keek omhoog en zag dat hij me wenkte.

Toen ik weer boven was, stond hij bij de geopende deur van appartement 24 en gebaarde me binnen te komen.

'Hij lag nog te slapen, maar uiteindelijk deed hij open.'

Ik ging het appartement binnen en zag in de spaarzaam ingerichte woonkamer een onverzorgde man op de bank zitten. Zijn haar, aan de ene kant van zijn hoofd, stond recht omhoog. Hij had een deken om zijn schouders geslagen. Maar zelfs in deze toestand zag ik meteen dat hij gelijkenis vertoonde met de foto die Cisco van Donald Driscolls eigen Facebookpagina had gehaald.

'Dat liegt hij,' zei Driscoll. 'Ik heb hem niet binnengelaten. Hij heeft hier ingebroken.'

'Nee hoor, jij hebt me binnengelaten,' zei Cisco. 'Ik heb een getuige.'

Hij wees naar mij. De slaperige man volgde Cisco's vinger en zag me voor het eerst. Ik zag dat hij me herkende. Nu wist ik zeker dat het Driscoll was en dat er hier iets te halen viel.

'Hé, hoor eens, ik weet niet wat dit...'

'Ben jij Donald Driscoll?' vroeg ik.

'Dat gaat je geen reet aan, man. Jullie kunnen hier niet zomaar...'

'HÉ!' riep Cisco.

De man veerde op van schrik. Zelfs ik schrok van Cisco's onverwachte verhoormethode.

'Geef gewoon antwoord op de vraag,' vervolgde Cisco op kalmere toon. 'Ben jij Donald Driscoll?'

'Wie wil dat weten?'

'Je weet heel goed wie dat wil weten,' zei ik. 'Je herkende me zodra je me zag. En je weet ook waarom we hier zijn, nietwaar, Donald?'

Ik liep verder de woonkamer in en haalde de dagvaarding uit de zak van mijn windjack. Driscoll was lang, maar tenger van postuur en heel bleek, bloedeloos als een vampier, wat opmerkelijk was voor iemand die vlak bij het strand woonde. Ik liet het dubbelgevouwen document in zijn schoot vallen.

'Wat is dit?' vroeg hij, en hij veegde het van zijn bovenbenen zonder er naar te kijken.

'Dit is een dagvaarding, en je kunt die wel op de grond gooien of weigeren te lezen, maar dat maakt geen verschil. Je bent gedagvaard, Donald. Ik heb een getuige en ik treed op namens het gerechtshof. Als je morgenochtend om negen uur niet op het gerechtshof bent om te getuigen, zit je voor lunchtijd in de cel wegens minachting van het hof.'

Driscoll boog zich naar voren en raapte de dagvaarding van de vloer.

'Dat menen jullie toch niet, hè? Dit wordt mijn dood, verdomme.'

Ik keek Cisco aan. We waren absoluut op iets gestuit.

'Waar heb je het over?'

'Waar ik het over heb is dat ik niet kán getuigen! Als ik alleen al in de buurt van dat gerechtshof kom, vermoorden ze me. Waarschijnlijk houden ze dit huis nu al in de gaten.'

Ik keek Cisco nog eens aan en wendde me weer tot de man op de bank.

'Wie zal je vermoorden, Donald?'

'Dat zeg ik niet. Wie denk je zelf, verdomme?'

Hij zwiepte de dagvaarding naar me toe, die tegen mijn borst terechtkwam en naar de grond dwarrelde. Hij sprong op van de bank en deed een uitval naar de open deur. De deken viel van hem af en ik zag dat hij alleen een sportbroekje en een T-shirt aanhad. Voordat hij drie meter had afgelegd, ving Cisco hem op als een lijnverdediger. Driscoll klapte tegen de muur en gleed erlangs omlaag. Een ingelijste poster van een meisje op een surfplank viel naast hem op de vloer en de glasplaat brak.

Cisco hurkte kalm naast Driscoll neer, trok hem overeind en bracht hem terug naar de bank. Ik liep naar de voordeur en deed die dicht, voor het geval het rumoer de aandacht van nieuwsgierige buren zou trekken. Daarna kwam ik de woonkamer weer in.

'Je kunt er niet voor weglopen, Donald,' zei ik. 'Vertel ons wat je weet en wat je hebt gedaan, dan kunnen we je helpen.'

'Ja, me naar de andere wereld helpen, stelletje klootzakken. En volgens mij hebben jullie mijn schouder gebroken.'

Hij begon zijn arm in het rond te zwaaien als een pitcher die zich opwarmde voor de negende inning. Hij trok een pijnlijk gezicht.

'Hoe voelt het?' vroeg ik.

'Dat zeg ik, alsof hij gebroken is. Ik voelde iets verschuiven.'

'Dan kun je je arm niet ronddraaien,' zei Cisco.

Cisco's stem klonk dreigend, alsof het voor Driscoll consequenties zou hebben als de schouder werkelijk gebroken was. Toen ik het woord nam, klonk mijn stem kalm en uitnodigend.

'Wat weet je, Donald? Waarom zou jij zo'n gevaar voor Opparizio zijn?'

'Ik weet niks en ik heb die naam niet genoemd... dat doe jij.'

'Je moet iets goed begrijpen. Je hebt zonet een gerechtelijk bevel uitge-reikt gekregen. Je komt naar het gerechtshof en je getuigt, of je gaat de bak in totdat je van gedachten verandert. Maar denk eens na over het vol-gende, Donald. Als jij getuigt over wat je over ALOFT weet en wat je hebt gedaan, geniet je bescherming. Niemand zal je iets doen, want als ze dat wel doen, is het duidelijk uit welke hoek het komt. Dit is nu je beste optie.'

Hij schudde zijn hoofd.

'Het zou nú duidelijk zijn uit welke hoek het kwam. Maar hoe zit dat over tien jaar, als niemand zich nog iets van dat kloteproces herinnert en zij zich nog steeds achter al het geld van de wereld kunnen verstoppen?'

Daar had ik niet echt een antwoord op.

'Luister, ik heb een cliënt die een levenslange straf riskeert. Ze heeft een zoontje en ze proberen haar alles af te nemen. Ik ben niet van plan om...'

'Lul niet, man, waarschijnlijk heeft ze het gedaan. We hebben het hier over twee verschillende dingen. Ik kan haar niet helpen. Ik heb geen be-wijs. Ik heb niks. Dus laat me verdomme met rust, wil je? Want hoe zit het met míjn leven? Ik heb ook een leven, namelijk.'

Ik keek hem met een bedroefde blik aan en schudde mijn hoofd.

'Ik kan je niet met rust laten. Ik zet je morgen in de getuigenbank. Je kunt weigeren mijn vragen te beantwoorden. Je kunt je zelfs beroepen op het vijfde amendement, als je een misdaad hebt gepleegd. Maar je zult er zijn en zij zullen er ook zijn. Ze zullen weten dat ze een aanhoudend pro-bleem met je hebben. Je beste kans is alles te vertellen, Donald. Zeg het daar, dan ben je beschermd. Vijf jaar, tien jaar, ze zullen je niks kunnen doen, want alles is bekend.'

Driscoll staarde naar een asbak vol kleingeld op de salontafel, maar hij zag waarschijnlijk iets anders.

'Misschien kan ik maar beter een advocaat nemen,' zei hij.

Ik wierp een blik naar Cisco. Dat was precies wat ik níét wilde. Een getuige met een eigen advocaat was nooit goed voor de zaak.

'Best, als je een advocaat wilt, bel er maar een. Maar een advocaat zal aan de voortgang van het proces niks veranderen. Die dagvaarding is waterdicht, Donald. Een advocaat zal je duizend dollar in rekening brengen om die aan te vechten, maar dat zal hem niet lukken. Het enige wat je ermee bereikt is dat de rechter je kwalijk neemt dat je de voortgang van het proces hindert.'

Mijn telefoon trilde in mijn broekzak. Op zondagochtend, nog relatief vroeg, was dat opvallend. Ik haalde het toestel uit mijn zak en keek op het schermpje. Maggie McPherson.

'Denk na over wat ik net zei, Donald. Ik moet dit gesprek even aannemen, maar ik ben zo terug.'

Ik drukte op het groene knopje en liep de keuken in.

'Maggie? Alles oké?'

'Ja, waarom zou het niet oké zijn?'

'Nou ja, het is zondag, en nog zo vroeg. Slaapt Hayley nog?'

Zondag was de uitslaapdag van mijn dochter. Als ze niet werd gewekt, sliep ze rustig tot het begin van de middag door.

'Natuurlijk. Ik bel alleen omdat we gisteren niks van je hebben gehoord. Dus mag ik aannemen dat we vandaag naar de film gaan?'

'Eh...'

Ik herinnerde me de uitnodiging vaag van toen ik afgelopen vrijdag bij Maggie op kantoor was.

'Je hebt het druk.'

De 'toon' was in haar stem geslopen, het verwijtende 'met jou valt nooit iets af te spreken'.

'Op het ogenblik wel. Ik ben in Long Beach, in gesprek met een getuige.'

'Dus geen film? Moet ik dat tegen haar zeggen?'

Ik hoorde de stemmen van Cisco en Driscoll in de woonkamer, maar werd te zeer afgeleid om te kunnen verstaan wat er werd gezegd.

'Nee, Maggie, doe dat niet, wil je? Ik weet alleen niet hoe lang ik nog bezig ben. Laat me het hier afronden en dan bel ik je terug. Nog voor ze wakker is, oké?'

'Goed, we wachten op je.'

Voordat ik nog iets kon zeggen had ze de verbinding verbroken. Ik stak de telefoon in mijn zak en keek om me heen. De keuken zag eruit alsof die zelden werd gebruikt.

Ik liep terug naar de woonkamer. Driscoll zat nog steeds op de bank en

Cisco stond dicht genoeg bij hem om eventuele nieuwe ontspanningspogingen te onderscheppen.

'Donald zat me net te vertellen wat hij tijdens zijn getuigenis allemaal gaat zeggen,' zei Cisco.

'O ja? Hoe komt het dat je van gedachten bent veranderd, Donald?'

Ik liep langs Cisco zodat ik recht tegenover Driscoll stond. Hij keek naar me op, haalde zijn schouders op en knikte naar Cisco.

'Hij zei dat je nog nooit een getuige bent kwijtgeraakt en dat je, als het erop aankomt, mensen kent die andere mensen zonder problemen uit mijn buurt kunnen houden. Ik geloofde hem, min of meer.'

Ik knikte en moest weer even denken aan de zwarte kamer in het clubhuis van de Saints. Ik zette de gedachte snel uit mijn hoofd.

'Ja, nou, hij heeft gelijk,' zei ik. 'Dus je bent bereid mee te werken?'

'Ja. Ik zal je alles vertellen wat ik weet.'

'Mooi. Zullen we dan maar meteen beginnen?'

45

Aan het begin van het proces had Andrea Freeman met succes weten te voorkomen dat mijn jongste partner, Jennifer Aronson, de tweede stoel aan de tafel van de verdediging zou bezetten, omdat ze ook als getuige voor de verdediging optrad. Op maandagochtend echter, toen het voor Aronson tijd was om te getuigen, probeerde de openbaar aanklager ook haar getuigenis te voorkomen, met het argument dat die irrelevant was voor de aanklacht. Ik had niet kunnen voorkomen dat Freeman de eerste keer haar zin kreeg, maar nu had ik het gevoel dat de goden van het recht aan mijn kant stonden. Bovendien had ik nog iets van de rechter te goed aangezien hij in het begin van het proces twee dubieuze beslissingen in mijn nadeel had laten uitvallen.

'Edelachtbare,' zei ik, 'dit kan toch geen serieus bezwaar van de openbaar aanklager zijn? Het OM heeft het aan de jury als motief geschetst voor de vermeende misdaad van de beklaagde. Het slachtoffer was van plan mevrouw Trammel haar huis af te nemen. Ze was boos en gefrustreerd en daarom zou ze de moord hebben gepleegd. Dat is de zaak van het OM in een notendop. En nu maakt ze bezwaar tegen een getuige die ons de details van dat vermeende motief, de onteigening, kan leveren? Op grond van relevantie is dat in het beste geval eigenaardig en in het slechtste geval puur hypocriet te noemen.'

De rechter had weinig tijd nodig om tot een beslissing te komen.

'Het bezwaar tegen de getuige is afgewezen. Laat nu de jury binnenkomen.'

Toen de juryleden op hun plaats zaten en Aronson in de getuigenbank had plaatsgenomen, begon ik met mijn eerste getuigenverhoor en vroeg ik Aronson waarom zij de getuige-deskundige op het terrein van Lisa Trammels onteigening was.

'Mevrouw Aronson, u was als jurist niet de eindverantwoordelijke voor de onteigeningszaak van mevrouw Trammel, is het wel?'

'Nee, ik was tweede jurist, onder uw supervisie.'

Ik knikte.

'Maar in feite deed u al het werk waar mijn naam boven stond, klopt dat?'

'Ja, dat is juist.'

'Zo ziet het leven van een eerstejaars praktiserend jurist eruit?'

'Blijkbaar.'

We glimlachten naar elkaar. Vervolgens nam ik stap voor stap de onteigeningsprocedure met haar door. Ik zeg altijd dat je de dingen nooit te zeer moet versimpelen wanneer je tegenover een jury staat, maar wel dat je praat op een manier die voor iedereen begrijpelijk is. Van beurshandelaar tot voetbalmoeder, want je hebt te maken met twaalf geesten die alle door verschillende levenservaringen zijn gevormd. Je moet ze alle twaalf hetzelfde verhaal vertellen en daar krijg je maar één kans voor. Dat is waar het om draait. Twaalf geesten, één verhaal. Dan moet dat een verhaal zijn dat iedereen aanspreekt.

Nadat we hadden doorgenomen met welke financiële en juridische problemen mijn cliënt kampte, ging ik door met hoe het spel was gespeeld door WestLand en haar contractant ALOFT.

'Toen u het dossier van deze zaak van mij overnam, wat hebt u toen als eerste gedaan?'

'Nou, u had me geadviseerd er een gewoonte van te maken eerst alle gegevens en data te controleren. U zei dat we er in elke zaak zeker van moesten zijn dat de eiser recht van spreken heeft, met andere woorden: dat het instituut dat de onteigening eist, ook het recht heeft om dat te doen.'

'Maar lag het in deze zaak dan niet voor de hand welk instituut dat was, aangezien de Trammels al bijna vier jaar hun hypotheekaflossingen aan WestLand betaalden, totdat hun financiële problemen daar verandering in brachten?'

'Dat hoeft niet, want we wisten dat de hypotheekbusiness halverwege het decennium uit zijn voegen barstte. Er werden zo veel hypotheken afgesloten, in pakketten ondergebracht en doorverkocht dat de uiteindelijke eigendomsoverdracht in veel gevallen niet werd afgerond. Het maakte in deze zaak niet echt uit aan welke instantie de Trammels hun aflossingen betaalden, maar wel of hun hypotheekovereenkomst rechtsgeldig was.'

'Oké, en wat was uw conclusie toen u alle gegevens en data van de onteigening van de Trammels had bestudeerd?'

Freeman maakte weer bezwaar op grond van relevantie en weer werd het bezwaar afgewezen. Ik hoefde Aronson de vraag niet opnieuw te stellen.

'Tijdens het doornemen van de gegevens en de data stuitte ik op discrepanties en op indicaties van fraude.'

'Kunt u die indicaties voor ons beschrijven?'

'Ja. Er was onweerlegbaar bewijs dat de overdrachtspapieren waren vervalst, wat inhield dat WestLand op valse gronden tot onteigening was overgegaan.'

'Hebt u deze documenten meegebracht, mevrouw Aronson?'

'Ja, ik heb ze bij me, en ik heb er een Powerpoint-presentatie van gemaakt, die ik hier kan laten zien.'

'Ga uw gang.'

Aronson opende de laptop die voor haar stond en startte het programma. Toen de documenten op de twee grote beeldschermen verschenen, vroeg ik Aronson om nadere uitleg.

'Wat zien we hier, mevrouw Aronson?'

'Als ik vooraf even iets mag uitleggen... Lisa en Jeff Trammel kochten hun huis zes jaar geleden, nadat ze een hypotheek hadden afgesloten bij een makelaar die CityPro Home Loans heet. CityPro bracht hun hypotheek onder in een pakket met negenenvijftig andere hypotheken van ongeveer dezelfde waarde. Dit hele pakket werd opgekocht door WestLand. Het was toen aan WestLand om de afwikkeling van de juridische documenten van elk van deze huizen te doen. Maar dat is nooit gebeurd. In het geval van het huis van de Trammels heeft de overdracht van de hypotheek nooit plaatsgevonden.'

'Hoe weet u dat? Zien we die overdrachtsdocumenten hier dan niet voor ons?'

Ik kwam achter de lessenaar vandaan en gebaarde naar de beide beeldschermen.

Aronson vervolgde haar verklaring. 'Dit document ziet er inderdaad uit als een overdrachtsakte van de hypotheek, maar als we naar de laatste pagina doorbladeren...'

Ze sloeg een toets van de laptop enkele keren aan totdat de laatste pagina op de beeldschermen verscheen. Dit was de pagina voor de ondertekening, met de handtekeningen van de verantwoordelijke bankemployé en de notaris, met daaronder het door de staat vereiste zegel van de notaris.

'We zien hier twee dingen,' vervolgde Aronson. 'Voor de notariële bekrachtiging van de overdracht is de akte getekend op 6 maart 2007. Dat zal kort na de overname door WestLand van het pakket hypotheken van CityPro geweest zijn. De verantwoordelijke bankemployee voor de ondertekening is Michelle Monet. We zijn er tot nu toe niet in geslaagd een Michelle Monet te vinden die bij WestLand werkt, of heeft gewerkt, niet op het hoofdkantoor, noch op een van de bijkantoren of waar dan ook. Het tweede betreft het notariszegel dat, zoals we hier duidelijk kunnen zien, tot eind 2014 rechtsgeldig is.'

Ze hield op met praten, zoals we hadden afgesproken, alsof het iedereen duidelijk moest zijn wat er aan het zegel niet klopte. Ik zei ook niets, deed alsof ik op meer wachtte.

'Goed dan, wat is er mis die vervaldatum van eind 2014?'

'In de staat Californië wordt een notarisvergunning verstrekt voor de tijdsduur van vijf jaar. Dat zou betekenen dat dit zegel in 2009 verstrekt is, maar de datum op deze notariële akte is 6 maart 2007. En dit notariszegel was in 2007 nog niet verstrekt. Dit houdt in dat er valsheid in geschrifte is gepleegd bij de overdracht van de Trammel-hypotheek aan WestLand National.'

Ik ging weer achter de lessenaar staan om mijn aantekeningen te raadplegen en de jury de tijd te geven om Aronsons verklaring op zich in te laten werken. Ik wierp een vluchtige blik naar de jurybanken en zag dat diverse leden nog steeds naar de beeldschermen zaten te staren. Dit ging goed.

'Wat dacht u toen u deze fraude had ontdekt?'

'Dat we WestLands claim om het huis van de Trammels te onteigenen konden aanvechten. WestLand was niet de rechtmatige eigenaar van de hypotheek. Dat was CityPro nog steeds.'

'Hebt u Lisa Trammel van deze ontdekking op de hoogte gesteld?'

'Ja. Op 7 december van het afgelopen jaar hadden we een cliëntenbespreking waarbij Lisa, uzelf en ik aanwezig waren. Er is haar toen verteld dat we duidelijk en overtuigend bewijs van fraude in de onteigeningsprocedure hadden gevonden. We hebben haar ook verteld dat we dit bewijs zouden gebruiken als onderhandelingsinstrument om tot een goede oplossing van haar probleem te komen.'

'Hoe reageerde ze hierop?'

Freeman maakte bezwaar, zei dat ik een vraag stelde waarop alleen een antwoord van horen zeggen mogelijk was. Ik bestreed dit door te stellen dat het me was toegestaan om een beeld te schetsen van de gemoedstoestand van de beklaagde ten tijde van de moord. De rechter was het daarmee eens en Aronson mocht de vraag beantwoorden.

'Ze was heel blij en positief. De geruststelling dat ze niet binnen afzienbare tijd haar huis uit hoefde, was voor haar als een voortijdig kerstcadeau, zei ze.'

'Dank u. Kwam er daarna een moment dat u uit mijn naam een brief aan WestLand National schreef?'

'Ja, ik schreef een brief, uit uw naam, waarin ik onze bevindingen van de frauduleuze handelingen uiteenzette. De brief was gericht aan Mitchell Bondurant.'

'En wat was het doel van deze brief?'

'Die maakte deel uit van de onderhandelingen die we namens Lisa Trammel voerden. Het idee was dat we meneer Bondurant informeerden over wat ALOFT uit naam van de bank deed. We meenden dat als meneer Bondurant zich zorgen zou gaan maken over de positie van de bank in deze, dit gunstig zou zijn voor de onderhandelingspositie van onze cliënt.'

'Toen u die brief uit mijn naam schreef, wist u toen, of was het de bedoeling, dat meneer Bondurant die zou doorsturen naar Louis Opparizio van ALOFT?'

'Nee, dat wist ik niet.'

'Dank u, mevrouw Aronson. Ik heb verder geen vragen.'

De rechter schorste de zitting voor de ochtendpauze en Aronson kwam aan de tafel van de verdediging zitten toen Lisa en Herb Dahl naar de gang waren gegaan om hun benen te strekken.

'Eindelijk mag ik hier zitten,' zei ze.

'Maak je geen zorgen, na vandaag is dit je vaste plek. Je hebt het geweldig gedaan, Bullocks. Maar het moeilijkste komt nóg.'

Ik keek naar Freeman, die achter haar tafel was blijven zitten om tijdens de pauze de strategie van haar kruisverhoor te vervolmaken.

'Hou in gedachten dat je de tijd mag nemen voor je antwoord geeft. Als ze lastige vragen stelt, haal je een keer diep adem, je blijft kalm en geeft antwoord alsof je de vraag had verwacht.'

Aronson keek me aan alsof ze zich afvroeg of ik het echt meende. *De waarheid, bedoel je?*

Ik knikte.

'Ik heb alle vertrouwen in je.'

Na de pauze ging Freeman achter de lessenaar staan en sloeg haar dossier met aantekeningen en vragen open. Het was vooral voor de show. Ze deed wat ze kon, maar het is altijd lastig om een jurist te verhoren, zelfs als die onervaren is. Bijna een uur lang probeerde ze gaten te schieten in Aronsons eerste getuigenis, maar het wilde maar niet lukken.

Uiteindelijk sloeg ze een andere weg in en werd ze sarcastisch. Een duidelijk teken dat ze zich machteloos voelde.

'Na die opgetogen bespreking met uw dolgelukkige cliënt, vlak voor

Kerstmis, wanneer was de eerstvolgende keer dat u haar hebt gezien?'

Aronson moest lang nadenken voordat ze antwoord gaf.

'Dat moet na haar arrestatie geweest zijn.'

'O, en telefonisch contact? Wanneer hebt u haar, na die bespreking, aan de telefoon gehad?'

'Ik ben er redelijk zeker van dat ze meneer Haller een aantal keren heeft gebeld, maar ik heb haar pas weer na haar arrestatie gesproken.'

'Dus tijdens de hele periode tussen die bespreking en de moord had u geen idee hoe de gemoedstoestand van uw cliënt was?'

Zoals afgesproken nam mijn jonge partner de tijd voordat ze antwoord gaf.

'Als ze van mening was veranderd over de zaak en hoe die verliep, denk ik dat ik dat zeker gehoord zou hebben, of van haarzelf, of via meneer Haller. Maar dat is niet gebeurd.'

'Sorry, maar ik vraag niet wat u denkt. Ik vraag u wat u weet. Wilde u deze jury vertellen dat u, alleen op grond van die cliëntenbespreking in december, weet in welke gemoedstoestand uw cliënt een volle maand later verkeerde?'

'Nee, dat beweer ik niet.'

'Dus u kunt ons vanaf die plek ook niet vertellen in welke gemoedstoestand Lisa Trammel op de ochtend van de moord verkeerde, is het wel?'

'Ik kan u alleen vertellen wat ik tijdens onze cliëntenbespreking heb ervaren.'

'En kunt u ons vertellen wat ze dacht toen ze Mitchell Bondurant, de man die haar haar huis probeerde af te nemen, die ochtend in de koffieshop zag?'

'Nee, dat kan ik niet.'

Freeman boog het hoofd, keek naar haar aantekeningen en leek te aarzelen. Ik wist waarom. Het was een lastige beslissing die ze moest nemen. Ze wist dat ze zonet een paar solide punten bij de jury had gescoord en moest nu beslissen of ze zou proberen er nog iets meer van te maken, of dat ze haar kruisverhoor met een mooi slotakkoord zou laten eindigen.

Ze besloot uiteindelijk dat het genoeg was geweest en sloot het dossier.

'Ik heb verder geen vragen, edelachtbare.'

Cisco was hierna aan de beurt, maar de rechter schorste de zitting voor een vroege lunch. Ik nam mijn team mee naar Jerry's Famous Deli in Studio City. Lorna zat al te wachten in een box naast de deur naar de bowlingbaan die achter het restaurant gelegen was. Ik nam naast Jennifer en tegenover Lorna en Cisco plaats.

'En, hoe ging het vanochtend?' vroeg Lorna.

'Wel goed, denk ik,' antwoordde ik. 'Freeman heeft een paar puntjes gescoord in haar kruisverhoor, maar ik denk dat we er met voorsprong uit zijn gekomen. Jennifer heeft het heel goed gedaan.'

Ik wist niet of het iemand opviel, maar ik had besloten haar niet langer Bullocks te noemen. Ik vond dat ze die bijnaam met haar optreden in de getuigenbank was ontgroeid. Ze was niet langer het groene advocaatje dat net van de rechtenfaculteit kwam. Ze had keihard voor de zaak gewerkt, zowel in als buiten de rechtszaal.

'En nu mag ze bij me aan tafel zitten,' voegde ik eraan toe.

Lorna juichte en klapte in haar handen.

'Maar nu is het Cisco's beurt om te getuigen,' zei Aronson, zichtbaar opgelaten door alle aandacht die ze kreeg.

'Dat valt nog te bezien,' zei ik. 'Ik denk dat ik beter eerst Driscoll kan oproepen.'

'Hoe dat zo?' vroeg Aronson.

'Omdat ik het hof en het OM vanochtend in de raadkamer heb verteld over zijn bestaan en het feit dat ik hem aan mijn getuigenlijst heb toegevoegd. Freeman maakte bezwaar, maar zij was degene die over Facebook was begonnen, dus de rechter vond het fair als ik Driscoll opriep. Maar ik denk dat hoe eerder ik dat doe, hoe minder tijd Freeman heeft om zich daarop voor te bereiden. Als ik bij het oorspronkelijke plan blijf en Cisco oproep, zal Freeman haar uiterste best doen om hem de rest van de dag in de getuigenbank te houden terwijl haar onderzoekers Driscoll doorlichten.'

Lorna knikte. Alleen zij leek mijn redenering te begrijpen, maar voor mij was dat voldoende.

'Shit, dus ik heb me voor niks opgedoft,' mopperde Cisco.

Dat was zo. Mijn onderzoeksmedewerker was gekleed in een lichtblauw shirt, met een boord en lange mouwen, dat eruitzag alsof alle naden zouden knappen zodra hij zijn spieren spande. Ik had het al eerder gezien. Het was zijn getuigenshirt.

Ik sloeg geen acht op zijn gemopper.

'Over Driscoll gesproken, waar is hij nu, Cisco?'

'Mijn jongens hebben hem vanochtend opgehaald en het laatste wat ik heb gehoord is dat ze in de club een potje aan het poolen zijn.'

Ik staarde mijn onderzoeksmedewerker aan.

'Ze geven hem toch niks te drinken, hè?'

'Natuurlijk niet.'

'Net waar ik behoefte aan heb, een dronken getuige in de bank.'

'Maak je geen zorgen. Geen alcohol, heb ik gezegd.'

'Oké, bel je jongens en zeg dat ze hem voor één uur bij het gerechtshof afleveren. Hij is mijn eerstvolgende getuige.'

Het was in het restaurant te rumoerig om te bellen. Cisco schoof de box uit en liep naar de deur terwijl hij zijn telefoon uit zijn broekzak haalde. We keken hem na.

'Weet je,' zei Aronson, 'hij ziet er goed uit in een normaal shirt.'

'O ja?' zei Lorna. 'Ik vind het maar niks, die mouwen.'

46

Ik herkende Donald Driscoll bijna niet in zijn pak en met zijn gekamde haar. Cisco had hem naar de getuigenkamer naast de rechtszaal gebracht. Toen ik binnenkwam zat hij aan tafel en keek met angstige ogen op.

'Hoe was het in het clubhuis van de Saints?' vroeg ik.

'Ik was liever ergens anders naartoe gegaan,' zei hij.

Ik knikte alsof ik met hen te doen had.

'Ben je er klaar voor?'

'Nee, maar ik ben er.'

'Oké. Over een paar minuten komt Cisco je halen en brengt hij je naar de rechtszaal.'

'Jullie doen maar.'

'Hoor eens, ik weet dat het je niet aanstaat, maar je doet het juiste.'

'Dat heb je goed gezien... dat het me niet aanstaat.'

Ik wist niet wat ik daarop moest zeggen.

'Oké, dan zie ik je straks.'

Ik liep de getuigenkamer uit en gebaarde naar Cisco, die verderop in de gang met zijn twee maten van de Saints stond te praten. Ik wees naar de deur van de rechtszaal en hij knikte. Ik liep de rechtszaal in en trof Jennifer Aronson en Lisa Trammel achter de tafel van de verdediging. Ik ging zitten, maar voordat ik tegen een van beiden iets kon zeggen kwam de rechter binnen en nam hij plaats in zijn rechtersstoel. Hij liet de jury binnenbrengen en even later was de zitting geopend. Ik riep Donald Driscoll als getuige op. Nadat hij de eed had afgelegd, kwam ik meteen ter zake.

'Meneer Driscoll, wat doet u voor werk?'

'Ik ben it'er.'

'Waar staat it voor?'

'Informatietechnologie. Dat betekent dat ik met computers en internet werk. Ik zoek naar de beste manier om de nieuwste technologieën toe te passen bij het inwinnen van informatie voor of over cliënten, opdrachtgevers of wie ook.'

'En u was werkzaam voor ALOFT, klopt dat?'

'Ja, ik heb er tien maanden gewerkt, tot begin dit jaar.'

'In de IT?'

'Ja.'

'Wat deed u precies in de IT voor ALOFT?'

'Ik had diverse taken. Dit soort bureaus is erg afhankelijk van computers. Ze hebben veel werknemers en een grote behoefte om via internet informatie in te winnen.'

'En u hielp die werknemers daarbij?'

'Ja.'

'Goed. Kent u de beklaagde, Lisa Trammel?'

'Ik heb haar nooit ontmoet. Maar ik weet wie ze is.'

'Door dit proces?'

'Ja, maar ook al van daarvoor.'

'Van voor het proces. Hoe dat zo?'

'Een van mijn taken bij ALOFT was een oogje op Lisa Trammel te houden.'

'Waarom?'

'Ik weet niet waarom. Het was me opgedragen, dus deed ik het.'

'Wie had u opgedragen een oogje op Lisa Trammel te houden?'

'Meneer Borden, mijn supervisor.'

'Moest u van hem een oogje op meer mensen houden?'

'Ja, op een heel stel mensen.'

'Hoeveel mensen waren dat?'

'Een stuk of tien.'

'En wie waren die mensen?'

'Andere demonstranten, net als Trammel. En een paar employés van banken waar we zaken mee deden.'

'Zoals wie?'

'Zoals de man die is vermoord, meneer Bondurant.'

Ik bleef even naar mijn aantekeningen kijken om dit te laten doordringen tot de jury.

'En een oogje op deze mensen houden, wat hield dat in?'

'Ik moest op internet zoeken naar alle informatie die ik over hen kon vinden.'

'Heeft meneer Borden u ooit verteld waarom u dat moest doen?'

'Ik heb het hem een keer gevraagd en toen zei hij dat meneer Opparizio die informatie wilde hebben.'

'Dan hebben we het over Louis Opparizio, de oprichter en president-directeur van ALOFT?'

'Ja.'

'Had meneer Borden u speciale instructies met betrekking tot Lisa Trammel gegeven?'

'Nee, ik moest gewoon kijken wat er over haar te vinden was.'

'En wanneer kreeg u die opdracht?'

'Vorig jaar. Ik ben in april bij ALOFT begonnen, en het zal een paar maanden daarna geweest zijn.'

'Kan het in juli of augustus geweest zijn?'

'Ja, omstreeks die tijd.'

'En de informatie die u vond gaf u aan meneer Borden?'

'Ja, dat klopt.'

'Kwam er een moment dat u ontdekte dat Lisa Trammel op Facebook een pagina had?'

'Ja, dat was een van de eerste dingen die ik heb gecheckt.'

'Hebt u zich op Facebook als vriend van haar aangemeld?'

'Ja.'

'En dat stelde u in de gelegenheid om haar berichten over de FLAG-beweging en de onteigening van haar huis te lezen, nietwaar?'

'Ja.'

'Hebt u dit specifieke feit aan uw supervisor doorgegeven?'

'Ik heb hem verteld dat ze op Facebook zat, dat ze vrij actief was en dat het me een goede plek leek om haar doen en laten en haar plannen met FLAG te volgen.'

'Hoe reageerde hij daarop?'

'Hij zei dat ik dat moest doen en dat ik hem eens per week per e-mail een samenvatting van haar bezigheden moest sturen. Dus dat heb ik gedaan.'

'Toen u zich bij Lisa Trammel als vriend aanmeldde, hebt u dat toen onder uw eigen naam gedaan?'

'Ja, want ik had zelf al een Facebook-account. Dus ik heb geen dekmantel gebruikt. Ik bedoel, waarschijnlijk wist ze niet eens wie ik was.'

'Wat voor soort nieuws mailde u aan meneer Borden?'

'O, u weet wel, als haar groep ergens een demonstratie ging houden, dan gaf ik hun de datum en de tijd door, dat soort dingen.'

'U zei "hun". Bedoelt u dat er meer mensen dan alleen meneer Borden waren die uw rapporten lazen?'

'Nee, maar ik wist dat hij ze doorstuurde naar meneer Opparizio, want ik ontving zo nu en dan e-mails van meneer O over de rapporten die ik aan meneer Borden stuurde. Dus ik wist dat hij ze las.'

'Hebt u zich bij al deze dingen, dit rondsnuffelen voor Borden en Opparizio, schuldig gemaakt aan illegale praktijken?'

'Nee, meneer.'

'En hebt u in een van uw wekelijkse samenvattingen over Lisa Trammels doen en laten melding gemaakt van de keer dat ze naar de parkeergarage van WestLand National was gegaan en op Mitchell Bondurant had gewacht om hem te spreken te krijgen?'

'Ja, dat heb ik gedaan. WestLand was een van de grootste klanten van het bureau en ik dacht dat meneer Bondurant misschien behoorde te weten dat deze vrouw hem daar had opgewacht – als hij dat al niet wist.'

'Dus toen hebt u meneer Borden verteld dat Lisa Trammel de parkeerplek van meneer Bondurant had gevonden en daar op hem had gewacht?'

'Ja.'

'Heeft hij u bedankt voor die informatie?'

'Ja.'

'En dat staat allemaal in die e-mails?'

'Ja.'

'Hebt u een kopie bewaard van de e-mail die u aan meneer Borden hebt gestuurd?'

'Ja, dat heb ik gedaan.'

'Waarom hebt u dat gedaan?'

'Het is een gewoonte van me om kopieën te bewaren, met name als het om correspondentie met belangrijke personen gaat.'

'Hebt u de kopie van die e-mail vandaag toevallig meegebracht?'

'Ja, die heb ik bij me.'

Freeman maakte bezwaar en verzocht om overleg. Bij de rechtersstoel beargumenteerde ze met succes dat een kopie van een oude e-mail onmogelijk als toelaatbaar bewijs kon worden gezien. De rechter gaf haar gelijk, verbood me de e-mail als bewijs in te brengen en zei dat ik het met Driscolls mondelinge verklaring moest doen.

Terwijl ik terugliep naar de lessenaar concludeerde ik dat ik de jury duidelijk had gemaakt dat Borden wist dat Trammel eerder in die parkeergarage was geweest en dat Borden een ondergeschikte van Opparizio was. Alle elementen voor een valstrik waren aanwezig. De openbaar aanklager moest ze nu doen geloven dat Lisa's eerste komst in de garage een verkenning was voor de moord die ze later zou plegen. Ik hoefde alleen te benadrukken dat wie het ook was die Trammel voor de moord wilde laten opdraaien, dankzij Facebook over alle benodigde informatie had kunnen beschikken.

Dus ging ik door.

'Meneer Driscoll, u zei dat Mitchell Bondurant een van de personen was over wie u informatie moest inwinnen, is dat juist?'

'Ja.'

'Wat voor informatie hebt u over hem gevonden?'

'Voornamelijk dingen over zijn privévastgoed. Welke panden hij in eigendom had, wanneer hij ze had gekocht en voor hoeveel. Wie de hypotheek had verstrekt. Dat soort dingen.'

'Dus u hebt meneer Borden een financiële snapshot van hem gegeven.'

'Dat is juist.'

'Bent u op onvolkomenheden gestuit met betrekking tot meneer Bondurant en zijn vastgoed?'

'Ja, diverse. Hij had overal schulden.'

'En al deze informatie ging naar Borden?'

'Ja, dat klopt.'

Ik besloot het hierbij te laten wat betreft Bondurant. Ik wilde de jury niet te ver weg leiden van de hoofdlijn van Driscolls getuigenis: dat ALOFT Lisa Trammel had geschaduwd en dat ze over alle informatie beschikten om haar voor de moord te laten opdraaien. Driscoll had een nuttige getuigenis afgelegd en ik wilde die met een harde dreun afronden.

'Meneer Driscoll, wanneer hebt u uw werkzaamheden bij ALOFT beëindigd?'

'Op 1 februari.'

'Was dat uit vrije wil, of bent u ontslagen?'

'Ik had zelf opgezegd, en vervolgens ben ik ontslagen.'

'Waarom hebt u opgezegd?'

'Omdat meneer Bondurant in de parkeergarage was vermoord en ik niet wist of de vrouw die ze hadden gearresteerd, Lisa Trammel, het had gedaan, of dat er iets anders gaande was. Ik kwam meneer Opparizio tegen in de lift, de dag daarna, toen iedereen op kantoor het nieuws had gehoord. We gingen naar boven, maar toen we bij mijn verdieping kwamen, hield hij me tegen toen de anderen uitstapten. We gingen samen verder omhoog, naar zíjn verdieping, en hij zei pas iets toen de deuren opengingen. Hij zei: "En jij houdt verdomme je kop dicht, begrepen?" Toen stapte hij uit en gingen de deuren weer dicht.'

'Dat waren zijn exacte woorden? "Jij houdt verdomme je kop dicht"?'

'Ja.'

'Meer zei hij niet?'

'Nee.'

'En dat bracht u ertoe uw baan op te zeggen?'

'Ja. Een uur later heb ik mijn ontslag ingediend, met een opzegtermijn van twee weken. Maar amper tien minuten nadat ik dat had gedaan kwam meneer Borden naar mijn werkplek en zei dat ik kon vertrekken. Ik was op staande voet ontslagen. Hij had een lege doos bij zich, waar ik mijn persoonlijke eigendommen in kon doen, en iemand van de beveiliging om toe te zien terwijl ik ze inpakte. Daarna werd ik naar de uitgang geëscorteerd.'

'Hebben ze u nog een financiële compensatie gegeven?'

'Voordat ik naar buiten ging gaf meneer Borden me een envelop. Er zat een cheque met een jaar salaris in.'

'Dat was heel royaal, om u een jaarsalaris te geven, gezien het feit dat u er nog geen jaar had gewerkt en in principe zelf had opgezegd, vindt u niet?'

Freeman maakte bezwaar wegens irrelevantie en het werd toegekend.

'Ik heb verder geen vragen voor deze getuige.'

Freeman nam mijn plaats in, kwam naar de lessenaar met haar vertrouwde dossier en sloeg het open. Ik had Driscoll pas die ochtend op mijn getuigenlijst gezet, maar zijn naam was al gevallen tijdens de getuigenis van afgelopen vrijdag. Ik was ervan overtuigd dat ze hem meteen had laten doorlichten. Ik zou nu te weten komen in hoeverre ze daarin was geslaagd.

'Meneer Driscoll, u hebt geen universitaire graad, hè?'

'Eh, nee.'

'Maar u hebt wel aan UCLA gestudeerd, toch?'

'Ja.'

'Waarom bent u niet afgestudeerd?'

Ik stond op en maakte bezwaar, stelde dat haar vragen irrelevant waren in het licht van Driscolls directe getuigenis aan mij. Maar de rechter zei dat ik deze deur zelf had geopend door de getuige te vragen naar zijn expertise en ervaring in de IT. Hij zei dat Driscoll de vraag mocht beantwoorden.

'Ik ben niet afgestudeerd omdat ik van de universiteit ben gestuurd.'

'Wegens wat?'

'Oplichting. Ik had de computer van een docent gehackt en het examen gedownload de avond voordat het moest worden afgelegd.'

Driscoll zei het op bijna verveelde toon. Alsof hij had geweten dat dit aan bod zou komen. Ik wist dat het deel uitmaakte van zijn achtergrond. Ik had tegen hem gezegd dat als het ter sprake kwam hij maar één ding kon doen: volstrekt eerlijk zijn. Anders zou hij de rampen over zichzelf afroepen.

'Dus u bent een oplichter en een dief, is dat juist?'

'Dat wás ik, maar dat was meer dan tien jaar geleden. Ik speel niet meer vals. Daar is geen reden meer voor.'

'O nee? En hoe zit het met stelen?'

'Daarvoor geldt hetzelfde. Ik steel niet meer.'

'Nee? Is het dan niet waar dat uw arbeidsovereenkomst bij ALOFT zo abrupt werd beëindigd toen aan het licht kwam dat u systematisch van het bedrijf had gestolen?'

'Dat is een leugen. Ik heb zelf mijn ontslag ingediend en toen hebben zij me eruit gegooid.'

'Bent ú niet degene die nu liegt?'

'Nee, ik spreek de waarheid. Denkt u soms dat ik wat ik hier zeg uit mijn duim zuig?'

Driscoll wierp een wanhopige blik in mijn richting en ik wenste dat hij dat niet had gedaan. Die kon worden gezien als een blijk van verstandhouding tussen ons beiden. Driscoll was nu op zichzelf aangewezen. Ik kon niets meer voor hem doen.

'Dat denk ik inderdaad, meneer Driscoll,' zei Freeman. 'Is het immers niet zo dat u er een lucratief handeltje op nahield in de periode dat u bij ALOFT werkte?'

'Nee.'

Driscoll schudde demonstratief zijn hoofd om zijn ontkenning kracht bij te zetten. Ik wist dat hij nu loog en dat ik diep in de problemen zat. De handdruk, dacht ik. Het jaarsalaris. Ze geven mensen bij hun ontslag heus geen jaarsalaris mee als ze van het bedrijf hebben gestolen. Noem het jaarsalaris!

'Gebruikte u ALOFT dan niet als dekmantel om peperdure software te bestellen, de beveiligingscodes aan te passen en illegale kopieën via internet te verkopen?'

'Dat is niet waar. Ik wist dat dit zou gebeuren als ik zou vertellen wat ik wist.'

Deze keer deed hij iets wat veel erger was dan alleen naar me kijken. Hij wees naar me.

'Ik heb het je gezegd. Ik heb je gewaarschuwd dat deze mensen zich niet...'

'Meneer Driscoll!' riep de rechter met barse stem. 'U beantwoordt alleen de vraag die de openbaar aanklager u stelt. U gaat niet in gesprek met de raadsman of met wie ook.'

Freeman, die de situatie ten volle wilde benutten, ging voor de doodsteek.

'Edelachtbare, mag ik de getuige een document laten zien?'

'Dat mag u. Meldt u het aan als bewijs?'

'Ja, edelachtbare. Bewijsstuk nummer negen van het OM.'

Ze had voor iedereen een kopie laten maken. Ik boog me naar Aronson om met haar mee te lezen. Het was een kopie van een intern onderzoeksrapport van ALOFT.

'Wist je hiervan?' fluisterde Aronson.

'Nee, natuurlijk niet,' fluisterde ik terug.

Ik ging weer rechtop zitten en concentreerde me op het kruisverhoor. Ik had absoluut geen behoefte aan de verwijtende blik van een eerstejaars jurist vanwege de kolossale fout die ik had gemaakt.

'Wat is dit voor een document, meneer Driscoll?' vroeg Freeman.

'Dat zou ik niet weten,' antwoordde de getuige. 'Ik zie het voor het eerst.'

'Het is een intern onderzoeksrapport van ALOFT, nietwaar?'

'Als u dat zegt.'

'Welke datum staat erop?'

'De datum is I februari.'

'Dat was uw laatste werkdag bij ALOFT. Is dat correct?'

'Ja. Ik had die ochtend mijn ontslag ingediend, met een opzegtermijn van twee weken, met als gevolg dat ze mijn inlogcode hebben geblokkeerd en me op straat hebben gezet.'

'Met goede reden.'

'Zonder reden. Waarom denkt u dat ze me bij de deur een vette cheque hebben gegeven? Ik wist dingen en zij probeerden me de mond te snoeren.'

Freeman keek naar de rechter.

'Edelachtbare, wilt u de getuige opdragen zich te beperken tot het beantwoorden van mijn vragen en die niet zelf te stellen?'

Perry knikte.

'De getuige mag alleen de hem gestelde vragen beantwoorden.'

Het maakte niet uit, dacht ik. Hij had het gezegd.

'Meneer Driscoll, kunt u voor ons de met geel gemarkeerde alinea van het rapport voorlezen, alstublieft?'

Ik maakte bezwaar, zei dat het rapport nog niet als bewijs was toegelaten. De rechter wees het bezwaar af, vond het goed dat eruit werd voorgelezen en dat hij later over de rechtsgeldigheid zou beslissen.

Driscoll las de alinea voor zichzelf en schudde zijn hoofd.

'Hardop, meneer Driscoll,' spoorde de rechter hem aan.

'Maar dit zijn klinkklare leugens. Dit is wat ze doen met...'

'Meneer Driscoll,' zei de rechter met een lichte dreiging in zijn stem, 'lees die alinea voor, hardop, alstublieft.'

Driscoll aarzelde nog even maar begon toen voor te lezen.

'"Genoemde werknemer heeft bekend dat hij op rekening van het bureau softwarepakketten heeft besteld en vervolgens heeft geretourneerd nadat hij het door kopierecht beschermde materiaal had gekopieerd. Genoemde werknemer heeft bekend dat hij illegale kopieën van deze software via internet heeft verkocht en dat hij de computers van het bureau heeft gebruikt voor het vervaardigen van de kopieën. Genoemde werknemer heeft bekend hiermee meer dan honderdduizend dollar...'

Opeens frommelde Driscoll het document met beide handen in elkaar, maakte er een prop van en smeet die van zich af.

Recht op mij af.

'Dit is jouw schuld!' riep hij, en hij richtte zijn wijsvinger op me. 'Ik had een prima leven totdat jij opeens opdook!'

Opnieuw had rechter Perry een rechtershamer kunnen gebruiken. Hij riep om orde en droeg de jury op naar de jurykamer te gaan. Ze haastten zich de rechtszaal uit alsof Driscoll hen persoonlijk op de hielen zat. Zodra de deur dicht was wenkte de rechter de parketwacht naar zich toe.

'Jimmy, breng de getuige naar de cel terwijl de rechtslieden en ik overleg plegen in de raadkamer.'

Hij stond op van de rechtersstoel en was door de achterdeur verdwenen voordat ik kon protesteren tegen de manier waarop mijn getuige werd behandeld.

Freeman ging hem achterna en ik maakte een omweg langs de getuigenbank.

'Doe gewoon wat ze zeggen. Je mag er zo weer uit.'

'Verdomde leugenaar die je bent,' zei hij, en zijn ogen fonkelden van woede. 'Jij zei dat me niks kon gebeuren, en moet je zien! Nu denkt de hele verdomde wereld dat ik een softwaredief ben. Hoe moet ik ooit nog aan werk komen?'

'Nou, als ik had geweten dat je in illegale software handelde, had ik je niet laten getuigen.'

'Val dood, Haller. Je mag hopen dat het hiermee afgelopen is, want als ik nog moet terugkomen zal ik ze eens een stel leugens over jóú vertellen.'

De parketwacht nam hem mee naar de deur die naar het cellencomplex naast de rechtszaal leidde. Toen hij weg was keek ik om en zag Aronson bij de tafel van de verdediging staan. Haar gezichtsuitdrukking sprak boekdelen. Al haar goede werk van vanochtend was waarschijnlijk voor niets geweest.

'Meneer Haller?' zei de rechtbanknotulist vanuit haar hokje. 'De rechter wacht op u.'

'Ja,' zei ik. 'Ik kom eraan.'

Ik liep naar de deur.

47

Four Green Fields was altijd uitgestorven op maandagavond. Het was een bar die werd gefrequenteerd door de juridische gemeenschap, en het duurde meestal tot halverwege de week voordat advocaten behoefte aan alcohol kregen om de last van hun geweten te verlichten. We hadden de tafeltjes voor het kiezen, maar we gingen aan de bar zitten, met Aronson tussen Cisco en mij in.

We bestelden een biertje, een Cosmopolitan en een wodka-tonic met limoen zonder wodka. Nog aangeslagen door het Donald Driscoll-fiasco had ik een extra teambespreking belegd om over de komende dinsdag te praten. En omdat ik vond dat mijn twee medewerkers wel een drankje hadden verdiend.

Er was een basketbalwedstrijd op tv, maar ik nam niet eens de moeite om te kijken wie er speelden en wat de stand was. Het kon me niet schelen, want in gedachten was ik nog steeds bij de Driscoll-ramp. Zijn getuigenis was ontaard in geschreeuw en vingerwijzen. In de raadkamer had de rechter een toespraakje voor de jury opgesteld met de mededeling dat het om en de verdediging waren overeengekomen om af te zien van verder verhoor van deze getuige. Driscoll was pure tijdverspilling geweest. In zijn eerste getuigenis was wel degelijk aangetoond dat Opparizio de hand kon hebben gehad in de voortijdige dood van Mitchell Bondurant. Maar Driscolls geloofwaardigheid was tijdens het kruisverhoor ondermijnd, en zijn agressieve gedrag en uitval tegen mij hadden het er niet beter op gemaakt. Bovendien hield de rechter mij verantwoordelijk voor de ophef en dat zou op de lange duur in het nadeel van de verdediging kunnen zijn.

'Wat doen we nu?' vroeg Aronson na een eerste nipje van haar Cosmo.

'We blijven knokken, dat doen we. We hadden een foute getuige en hebben geblunderd. Elk proces heeft wel zo'n moment.'

Ik wees naar de tv.

'Hou je van football, Jennifer?'

Ik wist dat ze aan de universiteit van Santa Barbara had gestudeerd voordat ze naar Southwestern ging. Niet dat een van beide op het gebied van college football veel voorstelde.

'Dat is basketbal, geen football.'

'Ja, dat weet ik, maar hóú je van football?'

'Ik ben fan van de Raiders.'

'Ik wist het!' zei Cisco. 'Een vrouw naar mijn hart.'

'Kijk,' zei ik, 'als strafpleiter ben je net als een lijnverdediger. Je weet dat je van tijd tot tijd tegen de grond zult gaan. Dat hoort er nu eenmaal bij. Nou, als dat gebeurt dan sta je weer op, je klopt het gras van je kleren, je vergeet wat er is gebeurd en gaat weer voor de bal. Wij hebben ze vandaag een *touchdown* gegund – dat heb ík gedaan – maar de wedstrijd is nog niet voorbij, Jennifer. Nog lang niet.'

'Oké, maar wat gaan we nu doen?'

'We gaan gewoon door met wat we van plan waren. We richten onze pijlen op Opparizio. Op hem komt het aan. Ik moet hem tot het uiterste drijven. Ik denk dat Cisco me genoeg vuurkracht heeft gegeven om dat te kunnen doen, en hopelijk vermoedt hij niks omdat we hem door Dahl hebben laten vertellen dat zijn getuigenis een fluitje van een cent zal zijn. Als we reëel zijn, denk ik dat we op dit moment gelijk staan, ook na de ramp met Driscoll. Of we staan gelijk, of het om staat een paar puntjes voor. Daar moet ik morgen verandering in brengen. Als dat me niet lukt, verliezen we de zaak.'

Een zware stilte daalde op ons neer, totdat Aronson weer een vraag stelde.

'Maar hoe zit het nu met Driscoll, Mickey?'

'Wat is er met hem? We zijn klaar met Driscoll.'

'Ja, maar geloof je wat ze zeiden over die software? Of denk je dat Opparizio's mensen hem een kunstje hebben geflikt? Dat het gelogen was dat hij die illegale software verkocht. Want de hele wereld gelooft dat nu.'

'Ik weet het niet. Freeman heeft het slim gespeeld. Ze heeft het gekoppeld aan iets wat hij niet wilde of kon ontkennen... dat hij dat examen heeft gepikt. En dat heeft ze mooi laten samenvallen. Trouwens, het maakt niet uit wat ik geloof. Het gaat erom wat de jury gelooft.'

'Dat ben ik niet met je eens. Ik denk dat het altijd uitmaakt wat je gelooft.'

Ik knikte.

'Misschien heb je daar wel gelijk in, Jennifer.'

Ik nam een slok van mijn laffe drankje. Aronson sloeg weer een andere richting in.

'Hoe komt het dat je me niet meer Bullocks noemt?'

Ik keek haar aan, keek weer naar mijn glas en haalde mijn schouders op.

'Omdat je het vandaag zo goed hebt gedaan. Het is alsof je opeens volwassen bent geworden en dat het niet meer gepast is om je bij een bijnaam te noemen.'

Ik keek langs haar heen en wees met mijn duim naar Cisco.

'Maar hij? Als je Wojciechowski heet ben je levenslang tot een bijnaam veroordeeld. Híj komt er nooit meer van af.'

We lachten alle drie en de spanning leek iets af te nemen. Ik wist dat alcohol me daarmee zou kunnen helpen, maar ik dronk al twee jaar niet meer en ik voelde me sterk. Ik was niet van plan er nu aan toe te geven.

'Wat heb je Dahl vandaag voor informatie meegegeven?' vroeg Cisco.

Ik haalde mijn schouders weer op.

'Dat de verdediging in paniek is nu we met Driscoll onze beste kans in rook hebben zien opgaan nadat Freeman hem in mootjes heeft gehakt. Plus het gebruikelijke, dat we niks over hebben en dat we met zijn getuigenis nog geen deuk in een pakje boter zullen slaan. Dahl zou me bellen nadat hij zijn contact had gesproken.'

Cisco knikte. Ik ging door op deze weg.

'Ik denk dat we met Opparizio een eind aan de zaak kunnen maken. Als ik voor de jury in stelling kan brengen wat Cisco voor me heeft gevonden, in mijn vragen en zijn antwoorden, en ik drijf hem tot het uiterste, denk ik dat we er morgen al een eind aan kunnen breien, en dan hoef jij, Cisco, niet meer te getuigen.'

Aronson fronste haar wenkbrauwen alsof ze er niet van overtuigd was of dat een goede zet zou zijn.

'Mooi,' zei Cisco. 'Dus ik hoef morgen dit apenpakje niet meer aan?'

Hij stak zijn vinger achter de boord van zijn shirt alsof het van schuurpapier was.

'Ja, dat moet je wel aan, voor het geval dat. Je hebt toch nog wel zo'n shirt?'

'Nou... nee. Maar ik zal het vanavond wassen.'

'Meen je dat? Heb je maar één...?'

Cisco floot zachtjes en knikte naar de deur achter me. Ik wilde me net omdraaien toen Maggie McPherson op de vrije kruk naast me kwam zitten.

'Dus hier ben je.'

'Maggie McFurie.'

Ze wees naar mijn glas.

'Dat is toch niet wat ik denk dat het is?'

'Maak je geen zorgen. Het is pure tonic.'

'Mooi.'

Ze bestelde een echte wodka-tonic bij Randy, de barkeeper, al was het maar om het me in te wrijven.

'Dus je zit je zorgen te verdrinken zonder dronken te worden. Ik heb gehoord dat het een goede dag voor de goede kant was.'

Waarmee ze het OM bedoelde. Zoals altijd.

'Misschien. Heb je op maandagavond een oppas laten komen?'

'Nee, ze bood zelf aan vanavond te komen. Ik maak er maar gebruik van zolang het kan, want ze heeft nu een vriendje, dus ik denk dat ik mijn avondjes uit op vrijdag en zaterdag voortaan wel kan vergeten.'

'Oké, dus ze is er vanavond, en dan ga je alleen naar een bar?'

'Misschien was ik wel op zoek naar jou, Haller. Is dat ooit bij je opgekomen?'

Ik draaide me een kwartslag, zodat ik met mijn rug naar Aronson zat en Maggie recht kon aankijken.

'Echt?'

'Wie weet? Ik dacht dat je misschien behoefte had aan gezelschap. Je beantwoordt je mobiele telefoon niet.'

'Vergeten. Die staat nog steeds uit sinds de zitting van vanmiddag.'

Ik haalde het toestel uit mijn zak en zette het aan. Geen wonder dat ik nog niets van Herb Dahl had gehoord.

'Zullen we naar jouw huis gaan?' vroeg ze.

Ik bleef haar lange tijd aankijken voordat ik antwoordde.

'Het wordt morgen de belangrijkste dag van het proces. Ik moet...'

'En ik moet voor twaalf uur thuis zijn.'

Ik haalde diep adem, wat eindigde in een soort zucht. Ik boog me naar haar toe totdat mijn slaap de hare raakte, als twee degens die worden gekruist voordat de partij begint.

'Ik kan zo niet doorgaan,' fluisterde ik in haar oor. 'We zullen iets moeten veranderen, of er een punt achter zetten.'

Ze legde haar hand op mijn borst en duwde me achteruit. Het beangstigde me, het beeld van hoe mijn leven eruit zou zien als zij er niet meer in voorkwam. Ik had meteen spijt van mijn ultimatum, want ik wist dat als ik haar tot een keuze dwong, ze vast en zeker voor het laatste zou kiezen.

'Wat zou je ervan zeggen als we ons vanavond alleen met vanavond bezighielden, Haller?'

'Oké,' zei ik, zo snel dat we er allebei om moesten lachen.

Ik was ontsnapt aan de kogel die ik zelf had afgevuurd. Voorlopig althans.

'Maar ik zal toch nog wat werk moeten doen.'

'Nou, dat zien we straks wel.'

Ze stak haar hand uit naar haar glas maar pakte per ongeluk het mijne. Of misschien was het niet per ongeluk. Ze nam een slokje en trok een vies gezicht.

'Dat smaakt naar niks zonder wodka. Hoe kun je zoiets drinken?'

'Dat weet ik niet. Was dat een soort test?'

'Nee, gewoon een vergissing.'

'Ja, ja.'

Ze nam een slok uit haar eigen glas. Ik draaide me half om en keek naar Cisco en Aronson. Ze zaten naar elkaar toe gebogen, waren druk in gesprek en hadden geen enkele aandacht voor me. Ik keerde me weer naar Maggie.

'Trouw nog een keer met me, Maggie. Ik ben van plan mijn hele leven te veranderen, na dit proces.'

'Dat heb ik je eerder horen zeggen. Met name dat tweede deel.'

'Ja, maar deze keer gaat het echt gebeuren. Het gebeurt nu al.'

'Wil je meteen een antwoord hebben? Is het een eenmalig aanbod of mag ik er even over nadenken?'

'Goed dan, twee minuten. Ik ga naar de wc en als ik terugkom wil ik het weten.'

We lachten weer. Ik boog me naar haar toe, kuste haar en drukte mijn gezicht in haar haar.

'Ik kan niet geloven dat ik ooit iets met een andere vrouw zou willen,' fluisterde ik in haar oor.

Ze draaide haar hoofd om, kuste me in mijn hals en trok zich toen terug.

'Ik haat openlijk vertoon van genegenheid, zeker in bars. Dat lijkt zo goedkoop.'

'Sorry.'

'Kom, laten we gaan.'

Ze liet zich van de barkruk glijden. Nam nog een laatste slokje uit haar glas toen ze stond. Ik haalde mijn geld tevoorschijn en legde genoeg op de bar voor alle drankjes, inclusief een fooi voor de barkeeper. Daarna zei ik tegen Cisco en Aronson dat ik wegging.

'Ik dacht dat we het nog over Opparizio zouden hebben,' protesteerde Aronson.

Ik zag dat Cisco even haar arm aanraakte alsof hij wilde zeggen: niet nu. Dat waardeerde ik.

'Zal ik jullie eens iets zeggen?' zei ik. 'Het is een lange dag geweest. Soms is nergens aan denken de beste manier om je op iets voor te bereiden. Ik ben morgenochtend vroeg op kantoor. Kom maar bij me langs als je het nodig vindt. En anders zie ik jullie om negen uur in de rechtszaal.'

We namen afscheid en ik liep met mijn ex-vrouw naar buiten.

'Laat je je auto hier staan?' vroeg ik.

'Nee, veel te riskant als ik straks na het eten en een portie seks met jou terugkom om hem op te halen. Dan wil ik naar binnen voor een laatste drankje en blijft het daar misschien niet bij. Ik moet op tijd thuis zijn voor de oppas, en ik moet morgen ook gewoon werken.'

'Zie je het zo, wat we gaan doen? Eten, een portie seks en op tijd naar huis?'

Ze had me flink te grazen kunnen nemen door te zeggen dat ik zeurde zoals vrouwen altijd over mannen klaagden. Maar dat deed ze niet.

'Nee,' zei ze. 'Als je het wilt weten, ik zie dit als de beste avond van de hele week.'

Ik legde mijn hand in haar nek terwijl we naar onze auto's liepen. Daar hield ze van, wist ik. Ook al was het openlijk vertoon van genegenheid.

48

Je voelde de spanning met elke stap stijgen toen Louis Opparizio op dinsdagochtend naar de getuigenbank liep. Hij was gekleed in een lichtbruin pak en een lichtblauw overhemd met een donkerrode das. Hij zag er gedistingeerd uit, op een manier waar geld en macht uit sprak. En zijn minachtende blik liet er geen twijfel over bestaan hoe hij mij zag. Hij was mijn getuige, maar verder moest hij niets van me hebben. Vanaf het begin van het proces had ik iemand anders dan mijn cliënt als schuldige aangewezen. Ik had mijn pijlen gericht op Opparizio en die zat hier nu voor me. Dit was de hoofdact van het festival, de grote publiekstrekker van het proces, zowel voor de pers als voor de belangstellenden.

Ik was van plan heel beleefd te beginnen, maar zou dat niet lang blijven doen. Ik had maar één doel, en het vonnis hing af van of ik dat zou bereiken of niet. Ik moest deze getuige tot het uiterste drijven. Hij was hier omdat hij zichzelf klem had gezet met zijn arrogantie en zijn ijdelheid. Hij had afgezien van juridische bijstand, had geweigerd zich achter het vijfde amendement te verschuilen en was de uitdaging van het man-tegen-mangevecht met mij, in een afgeladen zaal, aangegaan. Het was mijn taak ervoor te zorgen dat hij spijt kreeg van die beslissing. Het was mijn taak hem zover te krijgen dat hij zich ten overstaan van de jury alsnog op het vijfde amendement beriep. Als hij dat deed, ging Lisa Trammel vrijuit. Er bestaat geen sterkere gerede twijfel dan die van de alternatieve dader die je vanaf het begin van het proces op het oog hebt gehad, die zich verschuilt achter het vijfde amendement en weigert je vragen te beantwoorden omdat hij zichzelf daarmee beschuldigt. Welk rechtschapen jurylid kan na zo'n gerede twijfel nog schuldig stemmen?

'Goedemorgen, meneer Opparizio. Hoe maakt u het?'
'Ik zou liever ergens anders zijn. En hoe maakt u het?'
Ik glimlachte. Strijdlustig vanaf het eerste begin.
'Dat zal ik u over een paar uur laten weten,' antwoordde ik. 'Fijn dat u

hier vandaag wilt zijn. Ik bespeurde een licht noordoostelijk accent. Komt u oorspronkelijk niet uit Los Angeles?'

'Ik ben eenenvijftig jaar geleden in Brooklyn geboren. Ik ben hiernaartoe gekomen om rechten te studeren en ben nooit meer weggegaan.'

'Uw naam en die van uw bureau zijn gedurende het proces al diverse keren gevallen. Uw bureau schijnt het leeuwendeel van de onteigeningszaken in deze regio te doen. Ik was...'

'Edelachtbare?' vroeg Freeman vanachter haar tafel. 'Komt er nog een vraag?'

Perry keek haar kant op en bleef haar aankijken.

'Is dat een bezwaar, mevrouw Freeman?'

Ze besefte nu pas dat ze niet was opgestaan. De rechter had ons tijdens de instructies voor het proces gezegd dat we moesten gaan staan als we bezwaar wilden maken. Snel stond ze op.

'Ja, edelachtbare.'

'Stel uw vraag, meneer Haller.'

'Dat was ik van plan, edelachtbare. Meneer Opparizio, kunt u ons in uw eigen woorden vertellen wat ALOFT zoal doet?'

Opparizio schraapte zijn keel en richtte zich tot de jury. Hij was een aalgladde, bekwame getuige. Ik zou mijn handen nog vol hebben aan hem.

'Met alle plezier. In principe is ALOFT een soort deurwaarderskantoor. Grote kredietverstrekkers zoals WestLand National schakelen ons in om de huisonteigening van het begin tot het eind af te handelen. Wij regelen alles, vanaf de eerste aanschrijving tot en met de afhandeling voor het gerechtshof, als het nodig is. Alles voor één totaalprijs. Niemand hoort graag over onteigeningszaken. We doen allemaal ons best om onze rekeningen te betalen en ons huis te behouden. Maar soms lukt dat niet en moet er tot onteigening worden overgegaan. Dan verschijnen wij op het toneel.'

'U zegt "soms lukt dat niet". Maar u hebt in de afgelopen paar jaar goede zaken gedaan, nietwaar?'

'Ons bureau heeft de afgelopen vier jaar een enorme groei doorgemaakt. De stijging begint nu pas weer wat af te vlakken.'

'U zei dat WestLand National een klant van u was. Maar WestLand was een heel belangrijke klant, correct?'

'Ja, en dat zijn ze nog steeds.'

'Hoeveel onteigeningen handelt u per jaar voor WestLand af?'

'Dat zou ik niet uit mijn hoofd durven zeggen. Maar met al hun vastgoed in het westen van de Verenigde Staten denk ik dat we per jaar zo'n tienduizend dossiers voor WestLand afhandelen.'

'Zou u me geloven als ik zei dat u de afgelopen vier jaar gemiddeld zestienduizend dossiers per jaar voor WestLand hebt afgehandeld? Dat staat in de jaarrapporten van de bank.'

Ik hield de rapporten op zodat iedereen ze kon zien.

'Ja, dat zou ik wel geloven. Jaarrapporten liegen niet.'

'Hoeveel rekent ALOFT voor een onteigening?'

'Voor woonhuizen rekenen we vijfentwintighonderd dollar en dat is inclusief alles, ook als we ervoor naar de rechter moeten.'

'Dus als we een rekensommetje maken, is alleen al WestLand goed voor zo'n veertig miljoen dollar per jaar. Is dat juist?'

'Als de cijfers die u daar hebt kloppen, lijkt me dat juist.'

'Dat maakt WestLand dus tot een heel belangrijke klant van ALOFT.'

'Ja, maar al onze klanten zijn belangrijk.'

'Dan zult u Mitchell Bondurant, het slachtoffer in deze zaak, redelijk goed hebben gekend, nietwaar?'

'Natuurlijk kende ik hem, en ik vind het vreselijk wat er met hem is gebeurd. Hij was een goed mens en een harde werker.'

'Uw medeleven wordt door ons allemaal zeer op prijs gesteld, daar ben ik van overtuigd. Maar ten tijde van zijn dood was u helemaal niet zo blij met meneer Bondurant, is dat niet zo?'

'Ik weet niet wat u bedoelt. We deden zaken met elkaar en hadden wel eens een meningsverschilletje, maar dat brengt de aard van het werk nu eenmaal met zich mee.'

'Nou, ik heb het niet over een meningsverschilletje of wat de aard van het werk met zich meebrengt. Ik heb het over een brief die meneer Bondurant u kort voor zijn dood heeft gestuurd en waarin hij dreigde de frauduleuze praktijken van uw bureau openbaar te maken. Een aangetekende brief, waarvoor is getekend door uw privésecretaresse. Hebt u die brief gelezen?'

'Ik heb hem vluchtig doorgenomen. In de brief werd me meegedeeld dat een van mijn honderdvijfentachtig werknemers zich niet aan de regels had gehouden. Het was niet meer dan een incidentje, en van dreigementen, zoals u zegt, was geen sprake. Ik heb degene die het dossier behandelde opgedragen de fout recht te zetten. Dat is alles, meneer Haller.'

Maar het was niet alles wat ík over de brief te zeggen had. Ik liet hem door Opparizio voorlezen aan de jury en het daaropvolgende half uur stelde ik hem talloze specifieke en ongemakkelijke vragen over de aantijgingen die in de brief werden gedaan. Vervolgens schakelde ik door naar de federale targetbrief en liet hem ook die aan de jury voorlezen. Maar opnieuw gaf Opparizio geen krimp en deed hij de targetbrief af als een slag in de lucht.

'Ik zou ze met open armen hebben verwelkomd,' zei hij. 'Maar weet u wat er gebeurde? Er kwam niemand. Tot nu toe heb ik geen woord vernomen van meneer Lattimore of agent Vasquez of welke andere federale agent ook. Omdat hun brief niets had opgeleverd. Ik ben niet op de vlucht geslagen, heb niet zitten zweten, heb geen moord en brand geschreeuwd en heb me niet achter een advocaat verscholen. Ik heb gezegd: ik weet dat jullie je werk moeten doen, dus kom maar hiernaartoe en licht ons door. De deur staat open en we hebben absoluut niets te verbergen.'

Het was een goed, ingestudeerd antwoord. Opparizio won deze eerste ronden duidelijk op punten. Maar dat vond ik niet erg, want ik bewaarde de hardste klappen voor later. Ik wilde dat hij zich zelfverzekerd voelde, dat hij dacht dat hij alles onder controle had. De dagelijkse info van Herb Dahl had hem ervan overtuigd dat hij niets te vrezen had. Hij meende dat ik niets anders had dan een paar wanhoopspogingen om een samenzwering aan te tonen, aantijgingen die hij zo van tafel kon vegen, zoals hij nu deed. Zijn zelfvertrouwen nam toe. Maar zodra hij te zelfverzekerd werd en zich veilig waande, zou ik een stap naar voren doen en de knock-out uitdelen. Dit gevecht zou geen vijftien ronden duren. Dat was uitgesloten.

'In de periode dat u deze brieven ontving, voerde u geheime onderhandelingen, is het niet?'

Opparizio aarzelde even, voor het eerst sinds ik mijn verhoor was begonnen.

'Ik voerde toentertijd inderdaad zakelijke besprekingen, zoals ik zo vaak doe. Ik zou het woord "geheim" niet willen gebruiken, vanwege de lading die dat heeft. Geheimzinnigheid is niet goed wanneer je in feite private zakelijke besprekingen voert.'

'Goed dan, u voerde private zakelijke besprekingen waarin werd onderhandeld over de verkoop van ALOFT aan een beursgenoteerd bedrijf. Is dat correct?'

'Ja, dat is zo.'

'Een investeringsbedrijf dat LeMure heet?'

'Ja, dat is juist.'

'Een deal die u een smak geld zou opleveren, nietwaar?'

Freeman stond op en vroeg om overleg. We vervoegden ons bij de rechter en Freeman zette in een verontwaardigd gefluister haar bezwaar uiteen.

'Hoe kan dit in hemelsnaam relevant zijn? Waar neemt meneer Haller ons mee naartoe? We zitten inmiddels in Wall Street en dit heeft niets te maken met Lisa Trammel en het bewijs van haar schuld.'

'Edelachtbare,' zei ik snel, voordat hij me de mond kon snoeren, 'de relevantie zal snel duidelijk worden. Mevrouw Freeman weet heel goed welke kant dit op gaat; ze wil alleen niet dat dit gebeurt. Maar het hof heeft me de ruimte gegeven om een verdediging rondom een alternatieve dader uiteen te zetten. Nou, dit is die verdediging, meneer de rechter. Dit is het moment waarop alles zal samenkomen, dus vraag ik het hof me dat toe te staan.'

Perry hoefde niet lang na te denken voordat hij antwoord gaf.

'Meneer Haller, u mag doorgaan, maar laat het niet te lang duren, oké?'

'Dank u, edelachtbare.'

We keerden terug naar onze plaatsen en ik besloot het tempo iets op te voeren.

'Meneer Opparizio, in januari, toen u midden in uw besprekingen met LeMure zat, wist u dat er voor u een hoop geld op het spel stond als de deal zou doorgaan, nietwaar?'

'Ik zou royaal worden beloond voor de jaren waarin ik het bureau tot bloei heb gebracht.'

'Maar als u een van uw grootste klanten zou kwijtraken – een klant die goed was voor veertig miljoen per jaar – zou de deal op losse schroeven komen te staan, nietwaar?'

'Er bestond geen gevaar dat we klanten zouden kwijtraken.'

'Mag ik uw aandacht dan nog even vestigen op de brief die meneer Bondurant u heeft gestuurd, meneer? Wilde u zeggen dat hij daarin niet dreigt de onteigeningszaken van WestLand door een ander te laten doen? Volgens mij hebt u de brief nog voor u liggen, als u die wilt nalezen.'

'Ik hoef de brief niet na te lezen. Er was geen sprake van een dreigement. Mitch stuurde me die brief en ik heb het probleem de wereld uit geholpen.'

'Net zoals u het probleem met Donald Driscoll de wereld uit hebt geholpen?'

'Bezwaar,' zei Freeman. 'De getuige wordt geprovoceerd.'

'Ik trek de vraag terug. Meneer Opparizio, u ontving deze brief toen u midden in uw besprekingen met LeMure zat. Is dat correct?'

'In de onderhandelingsfase, ja.'

'En op het moment dat u de brief van meneer Bondurant ontving, wist u dat hij zelf in de financiële problemen zat, nietwaar?'

'Ik wist niets van meneer Bondurants eigen financiële situatie af.'

'Hebt u meneer Bondurants financiële achtergrond – en die van de andere bankiers voor wie u werkt – dan niet door iemand van uw bureau laten doorlichten?'

'Nee, dat is bespottelijk. Wie dat heeft gezegd is een leugenaar.'

Het was nu het moment om te zien of Herb Dahl zijn werk als dubbelspion goed had gedaan.

'Toen meneer Bondurant u die brief stuurde, was hij toen op de hoogte van uw geheime onderhandelingen met LeMure?'

Opparizio had nu moeten antwoorden dat hij dat niet wist. Maar ik had Dahl teruggestuurd met de informatie dat de verdediging in de Trammelzaak niets had kunnen vinden over dit essentiële gegeven.

'Daar wist hij niets van,' zei Opparizio. 'Ik heb alle banken waar we voor werkten in het ongewisse gelaten zolang de onderhandelingen gaande waren.'

'Wie is hoofd Financiële Zaken van LeMure?'

Opparizio leek even van zijn stuk gebracht door de vraag en de plotselinge koerswijziging.

'Dat zal Syd Jenkins zijn. Sidney Jenkins.'

'En was hij de leider van het onderhandelingsteam inzake de LeMure-deal?'

Freeman maakte bezwaar en vroeg waar dit allemaal naartoe ging. Ik zei tegen de rechter dat dat snel duidelijk zou worden. Hij vond het goed dat ik doorging en zei tegen Opparizio dat hij de vraag moest beantwoorden.

'Ja, ik heb tijdens de onderhandelingen vooral met Syd Jenkins te maken gehad.'

Ik sloeg een dossier open, haalde er een document uit en vroeg de rechter toestemming om het aan de getuige te laten zien. Zoals verwacht maakte Freeman bezwaar en voerden we een verhitte discussie over de toelaatbaarheid van het document. Maar nadat Freeman de slag had gewonnen toen ze Driscoll wilde confronteren met het interne onderzoeksrapport van ALOFT, trok rechter Perry de stand nu gelijk door het document voorlopig toe te laten en er later over te beslissen.

Met toestemming van de rechter gaf ik het document aan de getuige.

'Meneer Opparizio, kunt u de jury vertellen wat dit voor een document is?'

'Dat weet ik niet precies.'

'Is dit niet een geprinte bladzijde van een digitale agenda?'

'Als u het zegt.'

'En welke naam staat er boven aan de bladzijde?'

'Mitchell Bondurant.'

'En wat is de datum op deze bladzijde?'

'De datum is 13 december.'

'Kunt u de afspraak van tien uur voor ons voorlezen?'

Freeman vroeg weer om overleg en opnieuw meldden we ons bij de rechter.

'Edelachtbare, Lisa Trammel is hier de gedaagde. Niet Louis Opparizio of Mitchell Bondurant. Dit is wat er gebeurt als iemand misbruik maakt van de vrijheid die het hof hem geeft. Ik maak bezwaar tegen dit hele verhoortraject. De raadsman voert ons steeds verder weg van de kwestie waarover de jury moet beslissen.'

'Edelachtbare,' zei ik. 'Nogmaals, dit gaat over de alternatieve dader. Dit is een bladzijde uit de digitale agenda van het slachtoffer, die bij de inzage van stukken aan ons is afgestaan. Het antwoord op deze vraag zal de jury duidelijk maken dat het slachtoffer in deze zaak bezig was op een subtiele manier druk uit te oefenen op de getuige. En dat is een motief voor moord.'

'Edelachtbare, dit is...'

'Zo is het genoeg, mevrouw Freeman. Ik sta het toe.'

We keerden terug naar onze plaatsen en de rechter gaf Opparizio opdracht de vraag te beantwoorden. Ik las hem nog een keer voor omwille van de jury.

'Welke vermelding staat er in meneer Bondurants agenda bij tien uur op 13 december?'

'Daar staat "Sidney Jenkins, LeMure".'

'Maakt u uit die afspraak niet op dat meneer Bondurant in december van vorig jaar op de hoogte was van de ALOFT-LeMure-deal?'

'Ik heb geen flauw idee wat er tijdens die afspraak is besproken en of die überhaupt heeft plaatsgevonden.'

'Welke reden kan het hoofd van de onderhandelingen over ALOFT anders hebben gehad om bij een van ALOFT's belangrijkste klanten langs te gaan?'

'Dat zult u aan meneer Jenkins moeten vragen.'

'Misschien doe ik dat wel.'

Tijdens de laatste reeks vragen was Opparizio's gezichtsuitdrukking grimmiger geworden. Herb Dahl had zijn werk goed gedaan. Ik ging door.

'Wanneer werd de deal van de overname van ALOFT door LeMure bezegeld?'

'Eind februari.'

'Voor welk bedrag werd het bureau verkocht?'

'Dat zeg ik liever niet.'

'LeMure is een beursgenoteerd bedrijf, meneer. Die informatie is openbaar. U kunt ons een hoop tijd besparen als u...'

'Zesennegentig miljoen dollar.'

'Waar u, als enige eigenaar, het merendeel van ontving, nietwaar?'

'Een aanzienlijk deel, ja.'

'En u hebt ook aandelen in LeMure?'

'Dat is juist.'

'Én u bent algemeen directeur van ALOFT gebleven, nietwaar?'

'Ja. Ik sta nog steeds aan het hoofd van het bureau. Ik heb nu alleen nieuwe bazen.'

Hij probeerde een glimlach, maar de meeste hardwerkende sloebers in de rechtszaal zagen er de humor niet van in, gezien de talloze miljoenen die de overname hem had opgeleverd.

'Dus u bent nog steeds nauw betrokken bij het dagelijkse functioneren van het bureau?'

'Ja, meneer, dat ben ik.'

'Meneer Opparizio, was uw persoonlijke aandeel in de verkoop van ALOFT eenenzestig miljoen dollar, zoals is vermeld in de *Wall Street Journal*?'

'Dat is niet zo.'

'O nee?'

'Mijn aandeel was dat waard, maar ik heb het niet in één keer uitgekeerd gekregen.'

'Krijgt u gespreide betalingen?'

'Zo zou je het kunnen noemen, maar ik zie echt niet in wat dit te maken zou kunnen hebben met wie Mitch Bondurant heeft vermoord, meneer Haller. Waarom ben ik hier eigenlijk? Ik heb niets te maken gehad met...'

'Edelachtbare?'

'Een momentje, meneer Opparizio,' zei de rechter.

Hij boog zich over de rechtersstoel en zweeg alsof hij een afweging maakte.

'We nemen nu onze ochtendpauze en de raadslieden gaan met me mee naar de raadkamer. De zitting is geschorst.'

Voor de zoveelste keer volgden we de rechter naar de raadkamer. Voor de zoveelste keer zou ik degene zijn die op het matje werd geroepen. Maar ik was zo boos op Perry dat ik in de aanval ging. Toen hij en Freeman gingen zitten, bleef ik staan.

'Edelachtbare, met alle respect, mijn directe verhoor begon net de goede kant op te gaan, maar door die vroege ochtendpauze is alles weer tenietgedaan.'

'Meneer Haller, dat kan wel zo zijn, maar die goede kant van u voert ons steeds verder weg van de zaak. Ik heb al heel wat water bij de wijn gedaan om u de gelegenheid te geven een verdediging met een alternatieve dader te voeren, maar ik begin het gevoel te krijgen dat ik in de boot ben genomen.'

'Edelachtbare, ik was vier vragen verwijderd van de afronding van mijn zaak en nu houdt u me tegen.'

'Dat hebt u aan uzelf te danken, raadsman. Ik kan in de rechtszaal niet blijven toekijken en dit eeuwig laten voortduren. Mevrouw Freeman heeft al een paar keer bezwaar gemaakt en nu begint uw getuige ook al bezwaar te maken. Ik zit daar voor gek. U bent aan het vissen. U hebt mij en de jury verteld dat u niet alleen zou bewijzen dat uw cliënt de misdaad niet heeft gepleegd, maar ook wie het wel heeft gedaan. Maar we zijn nu vijf getuigen van de verdediging verder en u bent nog steeds aan het vissen.'

'Edelachtbare, ik kan mijn oren niet geloven... luister nou, ik bén niet aan het vissen. Ik ben iets aan het aantonen. Bondurants dreigement zou die man eenenzestig miljoen kunnen kosten. Dat is glashelder, en ieder weldenkend mens kan dat zien. Als dat geen motief voor moord is, dan zou ik wel eens willen weten...'

'Motief is geen bewijs,' zei Freeman. 'Alleen een motief is niet genoeg, en het is inmiddels duidelijk dat u gewoon geen bewijs hébt. Deze hele uiteenzetting van de verdediging is een rookgordijn. Wat kunnen we nog meer verwachten? Gaan we iedereen die door Bondurant is onteigend als verdachte aanmerken?'

Ik richtte mijn wijsvinger op haar.

'Misschien is dat niet zo'n slecht idee. Maar de feiten zijn dat de zaak van de verdediging geen rookgordijn is en dat ik, als ik de kans krijg om de getuige nog even aan de tand te voelen, heel gauw met bewijs zal komen.'

'Ga zitten, meneer Haller, en hou een beetje uw fatsoen wanneer u me aanspreekt, alstublieft.'

'Ja, edelachtbare. Mijn excuses daarvoor.'

Ik ging zitten en wachtte terwijl Perry de situatie overdacht. Uiteindelijk nam hij het woord.

'Mevrouw Freeman, had u verder nog iets?'

'Ik denk dat het hof heel goed weet hoe het OM denkt over de ruimte die meneer Haller krijgt. Ik heb er al diverse keren voor gewaarschuwd, al vanaf het eerste begin, dat hij ons op een zijspoor zou manoeuvreren dat niets met deze zaak van doen heeft. We zijn dit punt allang gepasseerd en ik ben het eens met de inschatting dat het hof wordt gemanipuleerd en dat het voor gek zit.'

Ze was te ver gegaan. Ik zag de huid naast Perry's ogen aanspannen toen ze stelde dat hij voor gek had gezeten. Even was hij het met haar eens geweest, maar nu niet meer.

'Nou, dan wordt u hartelijk bedankt, mevrouw Freeman. Ik denk dat we nu maar moeten teruggaan, en ik ben van plan meneer Haller nog één laatste kans te geven om de eindjes aan elkaar te knopen. Begrijpt u goed wat ik daarmee bedoel, meneer Haller, met één laatste kans?'

'Ja, edelachtbare. Ik zal het kort houden.'

'Dat is u geraden, meneer, want het geduld van het hof is op. En nu gaan we terug naar de rechtszaal.'

Toen ik Aronson achter de tafel van de verdediging zag zitten, besefte ik pas dat ze niet met me was meegegaan naar de raadkamer. Ik ging naast haar zitten en keek haar met een zorgelijke blik aan.

'Waar is Lisa?'

'Op de gang met Dahl. Wat is er gebeurd?'

'Ik krijg nog één kans. Ik moet voortmaken en meteen voor de knock-out gaan.'

'Kun je dat?'

'We zullen zien. Ik moet even naar de wc voordat we weer gaan beginnen. Waarom ben je niet meegegaan naar de raadkamer?'

'Dat heeft niemand me gevraagd, en ik wist niet of ik zomaar achter je aan kon lopen.'

'De volgende keer ga je mee, oké?'

Gerechtshoven zijn zo ingedeeld dat alle partijen van elkaar worden gescheiden. De juryleden hebben hun eigen kantine en overlegruimte, en er zijn gangpaden en balustrades die de diverse partijen en de toeschouwers van elkaar scheiden. Maar in de toiletten is iedereen gelijk. Loop er een binnen en je weet nooit wie je tegenkomt. Ik ging het herentoilet binnen en stond opeens oog in oog met Opparizio, die bij de wastafel zijn handen stond te wassen. Hij stond licht voorovergebogen en zag me in de spiegel.

'Wel, wel, raadsman, heeft de rechter je op de vingers getikt?'

'Dat gaat u niets aan. Ik zoek wel een ander toilet.'

Ik wilde de deur opendoen en weggaan toen Opparizio zich omdraaide.

'Doe geen moeite. Ik ben hier klaar.'

Hij schudde de druppels van zijn handen, kwam naar de deur lopen en bleef vlak voor me staan.

'Je bent een minkukel, Haller,' zei hij. 'Je cliënt is een moordenares en jij hebt het lef in je donder om te proberen de schuld op mij te schuiven. Wat zie je als je jezelf in de spiegel bekijkt?'

Hij draaide zich om en wees naar de rij urinoirs.

'Daar hoor je thuis,' zei hij. 'In de pisbak.'

49

Het kwam allemaal aan op het komende half uur... of hooguit een uur. Ik zat achter de tafel van de verdediging, wachtte en ordende mijn gedachten. Iedereen zat al op zijn plek behalve de rechter, die in de raadkamer was gebleven, en Opparizio, die fluisterend overleg voerde met zijn twee advocaten, die gereserveerde plaatsen op de eerste rij van de publieke tribune hadden. Mijn cliënt boog zich naar me toe en fluisterde iets in mijn oor, heel zacht, zodat niet eens Aronson het kon horen.

'Je hebt meer, hè?'

'Sorry?'

'Je hebt toch meer, Mickey? Meer om hem te pakken?'

Zelfs zij wist dat het niet genoeg was wat ik voor de pauze in de strijd had geworpen.

'Voor de lunch zullen we het weten,' fluisterde ik terug. 'Dan drinken we champagne óf we huilen dikke tranen.'

De deur achter de rechtersstoel ging open en Perry kwam binnen. Nog voordat hij zat had hij de jury laten binnenroepen en de getuige in de getuigenbank laten plaatsnemen. Een minuut later stond ik weer achter de lessenaar, oog in oog met Opparizio. De confrontatie in de toiletten leek zijn zelfvertrouwen te hebben hersteld. Hij zat er ontspannen bij, alsof hij de wereld wilde tonen dat niemand hem iets kon maken. Ik besloot dat het geen zin had om langer te wachten. Het was tijd voor actie.

'Meneer Opparizio, om even terug te komen op ons gesprek van voor de pauze, u bent niet helemaal eerlijk geweest in uw getuigenis, is het wel?'

'Ik ben volstrekt eerlijk geweest en ik wijs de vraag af.'

'U hebt van het begin af aan gelogen, nietwaar, meneer? Door de griffier een valse naam te geven toen u de eed aflegde.'

'Mijn naam is eenendertig jaar geleden op legale wijze veranderd. Ik lieg niet en het heeft niets met deze zaak te maken.'

'Welke naam staat er op uw geboorteakte?'

Opparizio aarzelde even en ik meende te bespeuren dat hij begon te vermoeden welke kant dit op zou gaan.

'Mijn geboortenaam is Antonio Luigi Apparizio. Net zo gespeld als nu, maar dan met een A. Toen ik een jongen was, noemde iedereen me Lou of Louis, omdat er al zo veel Anthony's en Antonio's in onze buurt waren. Dus heb ik besloten Louis aan te houden. Ik heb mijn naam bij de Burgerlijke Stand laten veranderen in Anthony Louis Opparizio. Ik heb mijn naam veramerikaniseerd. Dat is alles.'

'Maar waarom hebt u de spelling van uw achternaam ook laten veranderen?'

'Omdat er toentertijd een bekende honkbalprof was die Luis Aparicio heette. Ik vond dat onze namen te veel op elkaar leken. Louis Apparizio en Luis Aparicio. Ik wilde geen naam die sprekend op die van een bekende sportman leek. Dus heb ik hem iets laten veranderen. Bent u nu tevreden, meneer Haller?'

De rechter vermaande Opparizio dat hij alleen vragen moest beantwoorden en ze niet moest stellen.

'Weet u wanneer Luis Aparicio zich heeft teruggetrokken uit het professionele honkbal?' vroeg ik.

Ik keek naar de rechter nadat ik de vraag had gesteld. Zijn geduld was al tot het uiterste beproefd, maar nu was het waarschijnlijk zo dun als het papier waarop mijn straf wegens minachting van het hof gedrukt zou staan.

'Nee, dat weet ik niet.'

'Verbaast het u als ik u vertel dat hij al acht jaar niet meer speelde toen u uw naam veranderde?'

'Nee, dat verbaast me niet.'

'Maar u verwacht wel dat de jury gelooft dat u uw naam hebt veranderd vanwege de gelijkenis met die van een honkballer die al zo lang niet meer actief was?'

Opparizio haalde zijn schouders op.

'Toch is het zo gegaan.'

'Is het niet zo dat u uw naam van Apparizio in Opparizio hebt veranderd omdat u een ambitieuze jonge man was en in ieder geval voor de buitenwereld een afstand tussen uzelf en uw familie wilde creëren?'

'Nee, dat is niet waar. Ik wilde gewoon een meer Amerikaans klinkende naam, ik heb niet geprobeerd me van wie dan ook te distantiëren.'

Ik zag Opparizio's blik even contact zoeken met die van zijn advocaten.

'U bent oorspronkelijk naar uw oom genoemd, is dat niet zo?' vroeg ik.

'Nee, dat is niet waar,' antwoordde Opparizio snel. 'Ik ben naar niemand genoemd.'

'U had een oom die Antonio Luigi Apparizio heette, dezelfde naam die op uw geboorteakte staat, en u wilt zeggen dat dit toeval was?'

Opparizio, die besefte dat hij een fout had gemaakt, probeerde die te herstellen, maar hij werkte zich alleen maar verder in de nesten.

'Mijn ouders hebben me nooit verteld naar wie ik ben genoemd, en of ik wel naar iemand ben genoemd.'

'En een scherpzinnig man als u heeft nooit zelf één en één bij elkaar opgeteld?'

'Ik heb er nooit over nagedacht. Toen ik eenentwintig was ben ik naar het westen gekomen en is er een afstand tussen mij en mijn familie ontstaan.'

'In geografische zin, bedoelt u?'

'In elke zin. Ik ben hier gebleven en ben een nieuw leven begonnen.'

'Uw vader en uw oom zaten in de georganiseerde misdaad, waar of niet?'

Freeman maakte onmiddellijk bezwaar en vroeg om overleg. Toen we tegenover de rechter stonden, deed ze geen enkele poging haar frustratie te verbergen.

'Edelachtbare, nu is het genoeg geweest. De raadsman is blijkbaar schaamteloos genoeg om de reputatie van zijn eigen getuigen door het slijk te halen, maar er moet nu echt een eind aan komen. Dit is een proces, edelachtbare, niet een potje diepzeevissen.'

'Edelachtbare, u hebt me opgedragen dat ik moest opschieten, en dat doe ik nu. Bovendien heb ik bewijs dat duidelijk zal aantonen dat ik niet aan het vissen ben.'

'O, en wat is dat bewijs, meneer Haller?'

Ik gaf de rechter het dikke, ingebonden rapport dat ik had meegebracht. Er staken Post-it-velletjes in diverse kleuren tussen de bladzijden uit.

'Dit is het rapport over de georganiseerde misdaad, voor het Congres, samengesteld door de procureur-generaal zelf. Het dateert uit 1986 en de PG destijds was Edwin Meese. Als u de bladzijde bij de gele Post-it opslaat, ziet u mijn bewijs met geel gemarkeerd.'

De rechter las de alinea en gaf het rapport aan Freeman, zodat zij het kon lezen. Voordat ze klaar was had hij zijn besluit al genomen.

'Stel uw vragen, meneer Haller, maar ik geef u nog tien minuten om alle stukjes in elkaar te passen. Als u dan niet klaar bent, zet ik er echt een punt achter.'

'Dank u, edelachtbare.'

Ik ging terug naar de lessenaar en stelde de vraag opnieuw, maar anders geformuleerd.

'Meneer Opparizio, wist u dat uw vader en uw oom lid waren van een misdaadorganisatie die bekendstond als de Gambino-familie?'

Opparizio had gezien dat ik het ingebonden rapport aan de rechter gaf. Hij wist dat ik iets had waarop mijn vraag gebaseerd was. Dus in plaats van het keihard te ontkennen koos hij voor een vaag antwoord.

'Zoals ik al zei heb ik mijn familie achtergelaten toen ik ging studeren. Ik weet niet wat ze daarna allemaal hebben gedaan. En van daarvoor is me nooit iets verteld.'

Het was tijd voor de harde aanpak, om Opparizio met de rug tegen de muur te zetten.

'Stond uw oom niet bekend als Anthony "de Aap" Apparizio vanwege zijn bikkelharde en gewelddadige reputatie?'

'Ik zou het niet weten.'

'En was uw oom geen vaderfiguur voor u in uw jeugd, omdat uw eigen vader in de gevangenis zat wegens afpersing?'

'Mijn oom heeft ons financieel gesteund, maar hij was geen vaderfiguur.'

'Toen u op eenentwintigjarige leeftijd naar het westen trok, deed u dat toen om u van uw familie te distantiëren, of om het zakenimperium van de familie naar de Westkust uit te breiden?'

'Dat is een leugen! Ik kwam hier rechten studeren. Ik had niks en ben met lege handen hiernaartoe gekomen. Zónder familieconnecties.'

'Kent u de term "slaper" zoals die wordt gebruikt in onderzoeken naar georganiseerde misdaad?'

'Ik weet niet waar u het over hebt.'

'Zou het u verbazen als u vernam dat de FBI vanaf het begin van de jaren tachtig aannam dat de maffia was begonnen zich in legitieme zaken te werken door de volgende generatie naar scholen en andere onderwijsinstituten te sturen zodat ze de eerste fundamenten konden leggen en zich in zaken konden dringen, en dat deze mensen slapers werden genoemd?'

'Ik ben een fatsoenlijk zakenman. Niemand heeft me ergens naartoe gestuurd en ik heb mijn eigen studie bekostigd met een bijbaantje bij een incassobureau.'

Ik knikte alsof ik dat antwoord had verwacht.

'Over incassobureaus gesproken, u bent eigenaar van diverse ondernemingen, is dat juist, meneer?'

'Ik begrijp de vraag niet.'

'Dan zal ik die anders stellen. Toen u ALOFT aan LeMure had verkocht, bleef u eigenaar van diverse andere ondernemingen die onder contract van ALOFT stonden, correct?'

Opparizio nam de tijd om na te denken over zijn antwoord. Hij wierp weer een vluchtige blik in de richting van zijn advocaten. Een blik die zei: haal me hieruit. Hij wist waar ik naartoe wilde en wist dat hij dat niet kon toestaan. Maar hij stond in de getuigenbank en er was voor hem nog maar één uitweg.

'Ik ben inderdaad eigenaar van of participant in diverse bedrijven. Stuk voor stuk legale bedrijven, brandschoon en volstrekt legitiem.'

Het was een goed antwoord, maar niet goed genoeg.

'Wat voor bedrijven zijn dat? Wat voor diensten leveren ze?'

'U noemde zonet een incassobureau, dat is er een van. Ik heb een uitzendbureau voor juridische medewerkers, een uitzendbureau voor kantoorpersoneel en een bedrijf in kantoorinrichtingen. En dan is er nog...'

'Een koeriersdienst?'

'Ik ben investeerder. Ik ben niet de enige eigenaar.'

'Laten we het over die koeriersdienst hebben. Ten eerste, hoe heet die?'

'Wing Nuts Courier Services.'

'En het hoofdkantoor is hier in Los Angeles?'

'Ja, met bijkantoren in zeven andere steden. We bestrijken heel Californië en Nevada.'

'Hoe groot is uw aandeel in Wing Nuts precies?'

'Ik ben een van de participanten. Ik geloof dat mijn aandeel veertig procent is.'

'En wie zijn de andere participanten?'

'Nou, dat zijn er diverse. En sommige ervan zijn geen mensen maar andere bedrijven.'

'Zoals AA-Best Consultants in Brooklyn, New York, dat in het handelsregister in Sacramento als een van de eigenaars van Wing Nuts staat vermeld?'

Opnieuw duurde het even voordat Opparizio antwoord gaf. Deze keer leek hij ten prooi aan duistere gedachten en moest de rechter hem aansporen.

'Ja, ik meen dat zij een van de investeerders zijn.'

'In het handelsregister van de staat New York staat vermeld dat het meerderheidsbelang van AA-Best berust bij ene Dominic Capelli. Kent u hem?'

'Nee, ik ken hem niet.'

'Wilt u beweren dat u een van uw eigen bedrijfspartners van Wing Nuts niet kent, meneer?'

'AA-Best heeft erin geïnvesteerd. Ik ook. Ik ken niet alle betrokken personen.'

Freeman stond op. Het werd een keer tijd. Ik had haar bezwaar al vier vragen eerder verwacht. Vol verwachting had ik op haar gewacht.

'Edelachtbare, gaat dit nog ergens naartoe?' vroeg ze.

'Dat begon ik me ook af te vragen,' zei Perry. 'Kunt u daar licht op werpen, meneer Haller?'

'Nog drie vragen, edelachtbare, en dan weet ik zeker dat de relevantie iedereen duidelijk zal zijn,' zei ik. 'Ik verzoek het hof vriendelijk me nog de ruimte voor drie vragen te geven.'

Ik had Opparizio de hele tijd recht aangekeken terwijl ik het zei. Ik had de boodschap aan hem overgebracht. Trek nu de stekker eruit, of de hele wereld zal je geheimen horen. LeMure zal ze horen. Je aandeelhouders zullen ze horen. Het OM zal ze horen. Iedereen.

'Goed dan, meneer Haller.'

'Dank u, edelachtbare.'

Ik boog mijn hoofd en keek naar mijn aantekeningen. Nu moest het gebeuren. Als ik Opparizio goed had ingeschat, was nu het moment aangebroken. Ik keek weer naar hem op.

'Meneer Opparizio, zou het u verbazen als u vernam dat Dominic Capelli, de partner die u beweert niet te kennen, bij de politie van New York geregistreerd staat...'

'Edelachtbare?'

Het was Opparizio die het zei. Hij had me onderbroken.

'Op advies van mijn rechtslieden en gebruikmakend van het recht om te zwijgen, het vijfde amendement mij verleend door de Amerikaanse grondwet en de staat Californië, heb ik, met alle respect voor het hof, besloten af te zien van het beantwoorden van verdere vragen.'

Daar was het dan.

Ik stond roerloos, maar dat was slechts schijn. De energie gierde krijsend door mijn lichaam. Ik was me nauwelijks bewust van het golvende gefluister dat door de rechtszaal ging. Toen hoorde ik achter me een krachtige stem.

'Edelachtbare, mag ik het hof toespreken, alstublieft?'

Ik keek om; het was Martin Zimmer, een van Opparizio's advocaten.

Onmiddellijk daarna hoorde ik Freemans stem, schril en hoog, die bezwaar maakte en om overleg vroeg.

Maar ik wist dat overleg deze keer niets zou uithalen. Perry wist dat ook.

'Meneer Zimmer, u mag weer gaan zitten. Ik schors de zitting voor de lunch en verwacht iedereen om één uur terug. De juryleden krijgen de opdracht de zaak niet met elkaar te bespreken en geen conclusies te trekken uit de getuigenis en het verzoek van deze getuige.'

Toen pas barstte het rumoer in de rechtszaal los en renden de persmensen op elkaar af om de laatste ontwikkeling met elkaar te bespreken. Zodra het laatste jurylid de rechtszaal had verlaten, liep ik naar de tafel van de verdediging en boog me naar Aronson om haar iets in het oor te fluisteren.

'Ik zou deze keer maar meekomen naar de raadkamer als ik jou was.'

Ze wilde me vragen wat ik bedoelde toen Perry het officieel maakte.

'Ik wil beide raadslieden in de raadkamer zien. Onmiddellijk. Meneer Opparizio, u blijft hier. U kunt overleg plegen met uw raadslieden, maar u gaat de rechtszaal niet uit.'

Na die woorden stond Perry op en liep naar achteren.

Ik ging hem achterna.

50

Ik was inmiddels vertrouwd geraakt met alle wanddecoraties, het meubilair en al het andere in de raadkamer. Maar ik vermoedde dat dit mijn laatste bezoek zou zijn, en waarschijnlijk het moeilijkste. Zodra we binnen waren, trok Perry zijn rechterskleed uit en gooide het achteloos over de kapstok in de hoek in plaats van het zorgvuldig op een knaapje te hangen zoals hij bij onze eerdere *in camera*-besprekingen had gedaan. Daarna plofte hij in zijn stoel en slaakte een diepe zucht. Hij leunde achterover en keek naar het plafond. Hij had een gekwelde uitdrukking op zijn gezicht, alsof hij zich meer zorgen maakte om wat zijn aanstaande besluit met zijn reputatie van jurist zou doen dan of er recht zou geschieden voor het slachtoffer van een moord.

'Meneer Haller,' zei hij op een toon alsof hij zich van een zware last wilde bevrijden.

'Ja, edelachtbare?'

De rechter wreef met zijn handen over zijn wangen.

'Vertel me alstublieft dat u dit niet al die tijd van plan bent geweest, dat u meneer Opparizio niet vanaf het eerste begin hebt willen dwingen ten overstaan van de jury een beroep op het vijfde amendement te doen.'

'Edelachtbare,' zei ik, 'ik heb er geen seconde rekening mee gehouden dat hij zich zou beroepen op het recht om te zwijgen. Na de zitting over de dagvaarding die we hebben gehad, had ik nooit verwacht dat hij dit zou doen. Ik heb hem wel onder druk gezet, natuurlijk, maar ik wilde gewoon antwoorden op mijn vragen.'

Freeman schudde haar hoofd.

'Edelachtbare, ik denk dat de raadsman het hof en ons rechtssysteem vanaf het begin van het proces met minachting heeft behandeld. Hij geeft nu niet eens antwoord op uw vraag. Hij zegt niet of hij het wel of niet van plan is geweest, edelachtbare. Hij zegt alleen dat hij geen idee had. Dat zijn twee verschillende dingen en het onderschrijft alleen maar dat de raadsman een sluwe vos is die vanaf het eerste begin heeft geprobeerd dit proces te saboteren. En dat is hem nu gelukt. Gedurende het hele proces is Opparizio zijn vijfde getuige geweest... een stroman die hij voor de jury kon zetten om hem onderuit te halen totdat hij zich op het zwijgrecht beriep. Dat was het plan, en als dat niet misbruik maken van onze rechtspraak is, dan weet ik het niet meer.'

Ik keek naar Aronson. Ze zag bleek en leek zelfs aangeslagen door Freemans statement.

'Edelachtbare,' zei ik doodkalm, 'ik kan mevrouw Freeman maar één antwoord geven. Bewijs het maar. Als ze ervan overtuigd is dat dit een of ander vuig meesterplan was, dan mag ze proberen dat te bewijzen. De waarheid is echter, en mijn jonge, idealistische partner hier kan dit bevestigen, dat we pas heel kort geleden op Opparizio's banden met de georganiseerde misdaad zijn gestuit. Mijn onderzoeksmedewerker is er letterlijk over gestruikeld toen hij alle bedrijven van meneer Opparizio checkte in de diverse handelsregisters. De politie en het OM hadden dit ook kunnen doen, maar die vonden het blijkbaar niet nodig, of ze hebben het over het hoofd gezien. Ik denk dat het ongenoegen van de raadsvrouw vooral daaruit voortkomt, niet uit de tactiek die ik voor mijn verdediging heb aangewend.'

De rechter, die nog steeds achterovergeleund naar het plafond zat te kijken, maakte een wuivend gebaar met zijn hand. Ik begreep niet wat hij daarmee bedoelde.

'Edelachtbare?'

Perry liet zijn stoel even heen en weer draaien, boog zich toen over zijn bureau en richtte het woord tot ons alle drie.

'En wat gaan we hieraan doen?'

Hij keek mij als eerste aan. Ik keek Aronson van opzij aan om te zien of zij misschien iets wist, maar ze durfde zich niet te verroeren. Ik wendde me weer tot de rechter.

'Ik denk niet dat we er veel aan kúnnen doen. De getuige beroept zich op zijn recht om te zwijgen. Dus die zegt niks meer. We kunnen ook niet doorgaan en hem per vraag laten beslissen of hij zich op het zwijgrecht wil beroepen. Kortom, hij is afgeschreven. Tijd voor de volgende getuige. Ik heb er nog één en dan ben ik ook klaar. Dan kan ik morgen mijn slotpleidooi houden.'

Freeman kon het niet langer opbrengen te blijven zitten. Ze stond op, liep naar het raam en begon in kleine rondjes te ijsberen.

'Dit is zó oneerlijk, en zó voorgekooktdoor meneer Haller. Hij krijgt in zijn eerste ronde de getuigenis die hij wil, vervolgens dwingt hij Opparizio zich te beroepen op zijn zwijgrecht en nu kan het OM hem geen kruisverhoor afnemen, kan het OM helemaal niets meer met deze getuige. Dat is toch niet eerlijk, edelachtbare?'

Perry gaf geen antwoord. Dat was ook niet nodig. Iedereen in de raadkamer wist dat de situatie unfair jegens het OM was. Freeman was niet meer in de gelegenheid Opparizio iets te vragen.

'Ik ga die hele getuigenis schrappen,' besliste Perry. 'Ik zal tegen de jury zeggen dat ze die buiten beschouwing moeten laten.'

'Maar er is inmiddels wel een knots van een bel geluid en dat kan niet meer ongedaan worden gemaakt,' zei Freeman. 'Dit is een ramp voor het OM, edelachtbare. Het is ronduit oneerlijk.'

Ik zei niets want Freeman had gelijk. De rechter kon tegen de juryleden zeggen dat ze alles moesten vergeten wat Opparizio had gezegd, maar daar was het allang te laat voor. De boodschap was overgebracht en zou in hun hoofd blijven rondspoken. Precies zoals ik dat had gewild.

'Helaas zie ik geen andere mogelijkheid,' zei Perry. 'Laten we nu eerst gaan lunchen, dan kan ik er nog even over nadenken. Ik stel voor dat jullie dat ook doen. Mocht een van jullie nog iets bedenken voor één uur, dan wil ik dat graag horen.'

Niemand zei iets. Ik kon nauwelijks geloven dat het zover was gekomen. Het eind van het proces was in zicht. En alles was gegaan zoals ik had gepland.

'Dat betekent dat jullie mogen vertrekken,' voegde Perry eraan toe. 'Ik zal tegen de parketwacht zeggen dat hij meneer Opparizio naar huis stuurt. Het zit er dik in dat de voltallige pers zich op de gang op hem stort. Dat zal hij u aanrekenen, meneer Haller. Dus ik stel voor dat u een beetje uit zijn buurt blijft zolang hij nog in het gerechtshof is.'

'Ja, edelachtbare.'

Perry pakte de telefoon om de parketwacht te bellen toen we naar de deur van de raadkamer liepen. In de gang naar de rechtszaal liep ik achter Freeman en ik had het verwacht toen ze zich naar me omdraaide en me met pure, verzengende woede in haar ogen aankeek.

'Nu weet ik het, Haller.'

'Nu weet je wat?'

'Waarom jij en Maggie nooit meer bij elkaar terug zullen komen.'

Dat bracht me even tot staan en Aronson, die achter me liep, botste tegen me op. Freeman draaide haar hoofd om en liep door.

'Die was onder de gordel, Mickey,' zei Aronson.

Ik keek Freeman na totdat ze de rechtszaal in liep.

'Nee,' zei ik. 'Dat is niet waar.'

51

Mijn laatste getuige was mijn trouwe onderzoeksmedewerker. Dennis 'Cisco' Wojciechowski nam plaats in de getuigenbank nadat de rechter de jury had meegedeeld dat de hele getuigenis van Louis Opparizio uit het rechtbankverslag was geschrapt. Cisco moest zijn achternaam twee keer spellen voor de rechtbanknotulist, maar dat was te verwachten. Hij had inderdaad hetzelfde shirt van de vorige dag aan, maar zonder jasje en zonder das. Door het neonlicht in de rechtszaal waren de zwarte getatoeëerde kettingen om zijn beide biceps duidelijk zichtbaar onder de strakgespannen lichtblauwe stof.

'Ik zal je alleen Dennis noemen, als je het goed vindt,' begon ik. 'Dat is voor de rechtbanknotulist ook wat prettiger.'

Er ging een beleefd gelach door de rechtszaal.

'Ik vind het best,' zei de getuige.

'Goed dan, jij doet voor mij al het onderzoekswerk voor rechtszaken. Klopt dat, Dennis?'

'Ja, dat is mijn taak.'

'En je hebt voor de verdediging uitgebreid onderzoek gedaan naar de moord op Mitchell Bondurant. Is dat correct?'

'Correct. Je zou kunnen zeggen dat ik mee liftte met het politieonderzoek, dat ik controleerde of zij iets over het hoofd hadden gezien of misschien fout hadden geïnterpreteerd.'

'En je deed dat werk met behulp van het onderzoeksmateriaal dat door het OM aan de verdediging beschikbaar was gesteld?'

'Ja, dat klopt.'

'Onder dat materiaal bevond zich een lijst met kentekennummers van auto's, nietwaar?'

'Ja, boven de ingang van de parkeergarage van WestLand National hangt een camera. De rechercheurs Kurlen en Longstreth hebben de beelden van die camera bekeken en hebben de kentekens genoteerd van alle auto's die de garage zijn binnengereden vanaf 's morgens zeven uur, toen de garage openging, tot negen uur, toen was vastgesteld dat meneer Bondurant om het leven was gebracht. Vervolgens hebben ze die kentekennummers door de politiecomputer gehaald om te zien of er autobezitters tussen zaten die een strafblad hadden, of die om een andere reden in aanmerking kwamen voor verder onderzoek.'

'En heeft er op grond van deze lijst verder onderzoek plaatsgevonden?'

'Volgens de onderzoeksrapporten niet.'

'Goed, Dennis, je zei zojuist dat je mee had gelift met hun onderzoek. Maar heb je de kentekennummers op die lijst ook zelf geverifieerd?'

'Ja, dat heb ik gedaan. Alle achtenzeventig nummers. Voor zover ik dat kon zonder de beschikking te hebben over politiecomputers.'

'En kwam je tot dezelfde conclusie als de rechercheurs Kurlen en Longstreth, of kwam je iets tegen wat je aandacht trok?'

'Ik kwam één auto tegen die volgens mij meer aandacht verdiende, dus daar ben ik op doorgegaan.'

Ik vroeg toestemming om de getuige een kopie van de lijst met de kentekennummers te geven. De rechter vond het goed. Cisco haalde zijn leesbril uit de borstzak van zijn shirt.

'Welk kentekennummer wilde je nader onderzoeken?'

'W-N-U-T-Z-9.'

'Waarom juist dat nummer?'

'Omdat we, toen ik deze lijst onder ogen kreeg, wat betreft het onderzoek allang andere wegen waren ingeslagen. Ik wist inmiddels dat Louis Opparizio voor een deel eigenaar was van een bedrijf dat Wing Nuts heette. Ik meende dat er mogelijk een connectie kon zijn met de auto die die kentekenplaat voerde.'

'En wat kwam je te weten?'

'Dat de auto inderdaad op naam stond van Wing Nuts, een koeriersdienst waarvan Louis Opparizio deels eigenaar was.'

'En nogmaals, waarom was dat extra aandacht waard?'

'Nou, ik had in dit geval het voordeel van de tijd. Kurlen en Longstreth hadden de lijst gemaakt op de dag van de moord. Ze waren toen nog niet bekend met alle nieuwe factoren en betrokken personen. Ik bekeek de lijst pas weken later. En ik wist inmiddels dat het slachtoffer, meneer Bondurant, een dreigbrief had gestuurd aan meneer Opparizio...'

Freeman maakte bezwaar tegen de term 'dreigbrief' en de rechter liet de eerste helft van het woord uit het rechtbankverslag schrappen. Daarna zei ik tegen Cisco dat hij kon doorgaan.

'Vanuit onze visie maakte die brief Opparizio tot iemand die onze aandacht verdiende en daarom heb ik veel achtergrondonderzoek naar hem gedaan. Ik bracht hem via Wing Nuts in verband met een zakelijke partner die Dominic Capelli heette. Capelli staat bij de politie van New York bekend als lid van een maffiafamilie die wordt geleid door ene Joey Giordano. Maar Capelli heeft meer banden met twijfelachtige...'

Freeman maakte weer bezwaar en de rechter kende het toe. Ik reageerde gespeeld verontwaardigd, deed alsof zowel de rechter als de openbaar aanklager de jury de waarheid probeerde te onthouden.

'Goed, laten we teruggaan naar de lijst en wat die te betekenen heeft. Wat vertelt de lijst ons over de auto van Wing Nuts?'

'Dat die om 8.05 uur de garage is binnengereden.'

'En hoe laat is hij weer vertrokken?'

'De camera boven de uitgang heeft hem om 8.50 uur vastgelegd.'

'Dus de auto is voor de moord de garage binnengereden en na de moord weer vertrokken. Zie ik dat goed?'

'Ja, dat klopt.'

'En de auto staat op naam van een bedrijf dat deels eigendom is van een man die directe banden met de georganiseerde misdaad heeft. Klopt dat ook?'

'Ja.'

'Oké, heb je onderzocht of de auto van Wing Nuts een legitieme, zakelijke reden had om in die parkeergarage te zijn?'

'Natuurlijk. Wing Nuts is immers een koeriersdienst. ALOFT maakte regelmatig gebruik van hun diensten om papieren bij WestLand National af te leveren. Maar wat ik merkwaardig vond was dat de auto om 8.05 arriveerde en om 8.50 weer vertrok terwijl de bank pas om negen uur opengaat.'

Ik bleef Cisco lange tijd aankijken. Mijn gevoel vertelde me dat ik alles had wat nodig was. Er zat nog wat vlees op het bot, maar soms is het beter om het bord van je af te schuiven. En soms is het nog beter om de jury met een groot vraagteken te laten zitten.

'Ik heb verder geen vragen,' zei ik.

Mijn directe verhoor was heel exact en heel compact geweest, uitsluitend gericht op de kentekennummers. Dit gaf Freeman weinig materiaal om mee te werken tijdens haar kruisverhoor. Niettemin wist ze een punt te scoren door Cisco en de jury eraan te herinneren dat de parkeergarage tien verdiepingen telde, waarvan er maar drie door WestLand National werden gebruikt. De koerier van Wing Nuts kon een andere bestemming hebben gehad dan de bank, wat de vroege aanwezigheid van de auto in de garage kon verklaren.

Ik twijfelde er geen moment aan dat als er ergens op schrift stond dat de koerier iets had afgeleverd bij een ander kantoor dan de bank, ze het afschrift – desnoods uit een hoge hoed getoverd door Opparizo's mensen – zou overleggen tijdens haar tweede getuigenronde.

Na een half uur gooide Freeman de handdoek in de ring en ging ze achter haar tafel zitten. Vervolgens vroeg de rechter me of ik nog meer getuigen wilde oproepen.

'Nee, edelachtbare,' zei ik. 'De verdediging staakt haar bewijsvoering.'

De rechter stuurde de juryleden voor de rest van de dag naar huis nadat hij had gezegd dat ze de volgende ochtend om negen uur in de jurykamer aanwezig moesten zijn. Toen ze waren vertrokken nam Perry de slotfase van het proces met ons door en vroeg hij Freeman en mij of we getuigen voor een tweede ronde hadden. Ik zei dat ik die niet had. Freeman antwoordde dat ze gebruik wilde maken van het recht om tot de volgende ochtend bedenktijd te nemen.

'Goed, dan houden we de ochtendzitting vrij voor de tweede ronde, als die er komt,' zei Perry. 'De slotpleidooien doen we meteen na de lunch en de spreektijd wordt voor beide partijen beperkt tot één uur. Met een beetje geluk en zonder verdere verrassingen kan de jury zich morgen om deze tijd gaan beraden.'

Perry verliet de rechtszaal en ik ging bij Trammel en Aronson achter de tafel van de verdediging zitten. Lisa strekte haar arm en legde haar hand op de mijne.

'Dat was briljant,' zei ze. 'De hele ochtend was briljant. Ik denk dat de juryleden het eindelijk ook doorhebben. Ik heb ze zitten observeren. Volgens mij weten ze nu ook wat de waarheid is.'

Ik keek Trammel enige tijd aan, keek toen naar Aronson, en zag twee heel verschillende gezichtsuitdrukkingen.

'Dank je, Lisa. We zullen het gauw genoeg weten.'

52

De volgende ochtend verraste Andrea Freeman me door me niet te verrassen. Ze stond op voor de rechter en meldde dat ze geen getuigen voor een tweede ronde had. Ze zei dat het OM zijn bewijsvoering staakte.

Dit gaf me meer ruimte dan ik had verwacht. Toen ik de rechtszaal binnenkwam was ik volledig voorbereid geweest op nog een laatste schermutseling. Een getuige die de aanwezigheid van de auto van Wing Nuts in de parkeergarage verklaarde, of Driscolls supervisor die diens getuigenis onderuithaalde, of misschien wel een getuige-deskundige op het gebied van onteigeningsrecht die Aronsons getuigenis tegensprak. Maar niets van dat alles. Freeman brak haar kamp op.

Ze hield het bij het bloed. Of ik haar nu van haar *Boléro*-finale had beroofd of niet, ze bleef vasthouden aan het enige onweerlegbare aspect van het hele proces: het bloed.

Rechter Perry schorste de zitting voor de rest van de ochtend zodat beide juristen zich konden voorbereiden op hun slotpleidooi en hij zich kon terugtrekken om zijn instructies voor de juryberaadslaging te formuleren.

Ik belde Rojas en zei dat hij me op Delano moest oppikken. Ik wilde niet terug naar kantoor. Daar werd ik te veel afgeleid. Ik zei Rojas dat hij maar een beetje moest rondrijden en legde mijn dossiers en aantekeningen uit op de achterbank van de Lincoln. Dit was de plek waar ik altijd mijn beste denkwerk had verricht, de ideale plek om me voor te bereiden.

Precies om één uur werd de zitting weer geopend. Net als bij al de andere aspecten van strafzaken, is het OM in het voordeel als het om de slotpleidooien gaat. Het OM heeft het eerste en het laatste woord. De verdediging mag het midden opvullen.

Ik kreeg algauw de indruk dat Freeman in haar slotpleidooi de standaardprocedure volgde. Bouw het huis op uit de feiten in de eerste ronde en werp pas in de tweede de emoties in de strijd.

Steen voor steen bouwde ze het bewijs tegen Lisa Trammel op, zonder ook maar iets over te slaan van wat sinds het begin van het proces aan bod was gekomen. Het werd een droog maar doorwrocht verhaal. Alles kwam aan de beurt: de middelen en het motief, het bloed dat alles samenbracht, de hamer, de schoen en het onweerlegbare DNA-bewijs.

'Ik heb u aan het begin van het proces gezegd dat het bloed het verhaal zou vertellen,' zei ze. 'En ik heb woord gehouden. U kunt al het andere in twijfel trekken, maar alleen het bewijs van het bloed verdient uw oordeel schuldig aan de ten laste gelegde misdaad. Ik ben ervan overtuigd dat u uw geweten zult laten spreken en dat u aldus zult oordelen.'

Ze ging zitten en nu was het mijn beurt. Ik ging in de open ruimte voor de jurytribune staan en richtte me op alle twaalf juryleden. Maar ik was niet alleen. Met goedvinden van de rechter stond Manny naast me. De trouwe metgezel van dr. Shamiram Arslanian stond rechtop, met de hamer nog steeds op het hoofd bevestigd en het hoofd achterover in de onnatuurlijke hoek die voor Lisa Trammel noodzakelijk was om hem de dodelijke klap te kunnen geven.

'Dames en heren van de jury,' begon ik. 'Ik heb goed nieuws voor u. Voor het eind van de middag zijn we hier allemaal weg en kunnen we ons normale leven weer oppakken. Ik wil mijn waardering uitspreken voor uw geduld en de aandacht die u gedurende het proces hebt getoond. En dat u hebt nagedacht over de bewijsvoering. Ik zal het kort houden, want ook ik wil zo snel mogelijk naar huis. Het wordt vandaag een gemakkelijke dag. En een korte. Wat wij gaan meemaken is een zogenaamd vijf-minutenvonnis. Een zaak waarin de gerede twijfel zo duidelijk is dat u ongetwijfeld in uw eerste stemronde al tot een unanieme beslissing zult komen.'

Vervolgens nam ik het bewijs van de verdediging nog eens door, en de tegenstrijdigheden en gaten in de zaak van het OM. Ik stelde de vragen die onbeantwoord waren gebleven. Waarom werd het koffertje geopend aangetroffen? Waarom duurde het zo lang voordat de hamer was gevonden? Waarom was Lisa Trammels garagedeur niet op slot en waarom zou iemand die de onteigening van haar huis met succes had aangevochten zich alsnog op Mitchell Bondurant willen wreken?

Wat me uiteindelijk bracht bij het hoogtepunt van mijn slotpleidooi... de pop.

'Alleen al de demonstratie van dr. Arslanian toont aan dat de bewijsvoering van het OM op onwaarheden berust. Zonder enig ander punt van de zaak van de verdediging in aanmerking te nemen, geeft Manny u de gerede twijfel. We weten door de verwondingen aan de knieën van het slachtoffer dat hij rechtop stond toen hem de fatale slag werd toegebracht. En als hij rechtop stond en als Lisa Trammel de dader is, kan hij alleen in deze houding hebben gestaan. Met het hoofd achterover en het gezicht naar het plafond gekeerd. Is dat mogelijk, moet u zichzelf afvragen. Is het waarschijnlijk? Waarom stond Mitchell Bondurant zo? Waar keek hij naar?'

Ik laste hier een pauze in, stak mijn hand in de zak van mijn jasje en nam een ontspannen, zelfverzekerde pose aan. Ik liet mijn blik langs de juryleden gaan. Alle ogen waren op de pop gericht. Uiteindelijk pakte ik de hamersteel vast en duwde die langzaam omhoog totdat het gezicht van de pop vooruit keek en de hamersteel recht achteruit stak, veel te hoog voor Lisa Trammel om hem vast te kunnen pakken.

'Het antwoord, dames en heren, is dat hij niet omhoog keek omdat Lisa Trammel dit niet heeft gedaan. Lisa Trammel was onderweg naar huis met een beker koffie terwijl iemand anders een einde maakte aan de dreiging die Mitchell Bondurant was geworden.'

Weer een pauze, om het te laten bezinken.

'Mitchell Bondurant had met zijn brief aan Louis Opparizio een slapend roofdier gewekt. Of hij het zo had bedoeld of niet, de brief betekende een dreiging voor wat het roofdier zijn kracht en onverzettelijkheid gaf: geld en macht. De brief bedreigde een deal die groter was dan Louis Opparizio en Mitchell Bondurant. Die bedreigde een hele handel, en daarom moest er iets aan worden gedaan.'

En er werd iets aan gedaan. Lisa Trammel werd tot zondebok gekozen. Ze was bij de daders van deze misdaad bekend, ze hadden haar gangen nagegaan en ze leek een geloofwaardig motief te hebben. Ze was de volmaakte zondebok. Niemand zou haar geloven als ze zei dat ze het niet had gedaan. Niemand zou verder denken. Er werd een plan bedacht en het werd efficiënt en zonder mededogen uitgevoerd. Mitchell Bondurant werd dood achtergelaten op de betonnen vloer van een parkeergarage, met zijn attachékoffertje geopend naast zich. De politie kwam en trapte er vierkant in.'

Ik schudde verbijsterd mijn hoofd, alsof al het onrecht van de wereld op mijn schouders rustte.

'De politie had oogkleppen op. Van die dingen die ze paarden opdoen om ze in hun baan te houden. De politie bleef ook in haar baan, een baan die rechtstreeks naar Lisa Trammel leidde. Verder wilden ze niets zien. Lisa Trammel, Lisa Trammel, Lisa Trammel. Maar ALOFT dan, en de tientallen miljoenen dollars die dankzij Mitchell Bondurant verloren dreigden te gaan? Nee, geen interesse. Lisa Trammel, Lisa Trammel, Lisa Trammel. De trein stond op het spoor en reed gewoon rechtdoor.'

Ik liet een pauze vallen en begon langzaam heen en weer te lopen voor de jurybanken. Voor het eerst keek ik om naar de rechtszaal. Die was afgeladen en achter de publieke tribune stonden zelfs een paar mensen. Ik zag Maggie McPherson daar staan, en naast haar stond mijn dochter. Ik aarzelde halverwege een stap maar herstelde me snel. Mijn hart gloeide toen ik me weer tot de jury richtte en mijn betoog afrondde.

'Maar ú hebt kunnen zien wat zij niet hebben gezien of niet wilden zien. U hebt kunnen zien dat ze op het verkeerde spoor zaten. Dat ze heel vernuftig zijn gemanipuleerd. U hebt de waarheid kunnen zien.'

Ik wees naar de pop.

'Het concrete bewijs klopt niet. Het indirecte bewijs klopt niet. De bewijsvoering van het om is een aanfluiting die het daglicht niet kan verdragen. De enige uitkomst die bij deze zaak past is gerede twijfel. Uw gezonde verstand weet dat dit zo is. Uw intuïtie weet dat dit zo is. Ik dring erop aan dat u Lisa Trammel haar vrijheid teruggeeft. Laat haar gaan. Dat is het enige juiste.'

Ik bedankte de jury, liep terug naar mijn plaats en klopte Manny in het voorbijgaan op de schouder. Zoals we hadden afgesproken legde Lisa Trammel haar hand op mijn onderarm zodra ik zat. Haar mond vormde de woorden 'dank je' en alle juryleden konden het zien.

Ik keek onder het tafelblad op mijn horloge en zag dat ik maar vijfentwintig minuten had gebruikt. Ik wilde net onderuit gaan zitten voor deel twee van het slotpleidooi van het om toen Freeman aan de rechter vroeg of ik de pop uit de rechtszaal kon verwijderen. De rechter gaf het aan me door en ik stond weer op.

Ik droeg de pop naar het hekje, waar ik werd opgewacht door Cisco, die op de publieke tribune had gezeten.

'Geef maar hier, baas,' fluisterde hij. 'Ik breng hem wel weg.'

'Bedankt.'

'Je hebt het goed gedaan.'

'Dank je.'

Freeman ging voor de jurybanken staan voor het tweede deel van haar betoog. Ze ging onmiddellijk in de aanval.

'Ik maak geen gebruik van attributen in een poging u te misleiden. Ook niet van samenzweringen of naamloze, onbekende daders. Ik beschik over het bewijs en de feiten die ruim boven gerede twijfel aantonen dat Lisa Trammel Mitchell Bondurant heeft vermoord.'

En zo ging het maar door. Freeman gebruikte al haar beschikbare tijd om de bewijsvoering van de verdediging onderuit te halen en de feiten en bewijzen van het OM in de jury te hameren. Het was een slotpleidooi van dertien in een dozijn. Alleen de feiten, of vermeende feiten, opgedreund zonder enige variatie. Het was niet slecht, maar ook niet bijzonder goed. Ik zag de aandacht van sommige juryleden af en toe verslappen, wat op twee manieren kon worden uitgelegd. Of ze geloofden haar niet, of ze geloofden haar wel en hoefden het niet voor de zoveelste keer te horen.

In een gestaag ritme werkte Freeman naar haar grote finale toe, het alom bekende einde waarin nog eens werd gehamerd op de kracht en wijsheid van het OM, om tot een juist oordeel te komen en op de enige juiste manier recht te spreken.

'De feiten in deze zaak zijn onweerlegbaar. De feiten liegen niet. Het bewijs toont duidelijk aan dat de beklaagde Mitchell Bondurant achter die pilaar in de parkeergarage heeft opgewacht. Het bewijs toont duidelijk aan dat de beklaagde hem heeft aangevallen toen hij uit zijn auto stapte. Het was zíjn bloed op haar hamer en zíjn bloed op haar schoen. Dat zijn de feiten, dames en heren. De onweerlegbare feiten. De bouwstenen van het bewijs. Bewijs dat boven gerede twijfel aantoont dat Lisa Trammel Mitchell Bondurant heeft vermoord. Dat ze hem van achteren heeft beslopen en hem met haar hamer op zijn hoofd heeft geslagen. Dat ze hem zelfs nog twee keer heeft geslagen toen hij al dood op de grond lag. We weten niet precies in welke houding hij en in welke houding zij stond. Zij is de enige die dat weet. Maar we weten dat zij het heeft gedaan. Al het bewijs in deze zaak wijst naar deze ene persoon.'

En natuurlijk kon Freeman het niet laten met haar vinger naar mijn cliënt te wijzen.

'Zij. Lisa Trammel. Zij heeft het gedaan en nu, na alle trucjes van haar advocaat, vraagt ze u haar vrij te spreken. Doe dat niet. Spreek recht voor Mitchell Bondurant. Acht de beklaagde schuldig aan deze misdaad. Dank u.'

Freeman ging zitten. Ik gaf haar slotpleidooi een zeven nadat ik het mijne – zelfzuchtig als ik ben – een negen had gegeven. Toch was een zesje meestal al genoeg om het OM de overwinning te bezorgen. De kaarten zijn meestal geschud in het voordeel van het OM en het kwam maar al te vaak voor dat het allerbeste werk van een strafpleiter gewoon niet goed genoeg was om iets in te brengen tegen de macht en kracht van het OM.

Rechter Perry richtte zich onmiddellijk tot de jury en las de leden hun instructies voor. Dit waren niet alleen de regels voor hun beraadslaging, maar ook specifieke instructies met betrekking tot de zaak. Hij besteedde daarbij veel aandacht aan Louis Opparizio en waarschuwde de juryleden nogmaals dat ze zijn getuigenis niet mochten laten meewegen tijdens hun overleg.

Hij was bijna net zo lang aan het woord als ik tijdens mijn slotpleidooi, maar uiteindelijk, om een paar minuten over drie, stuurde hij de twaalf juryleden naar de jurykamer om zich op hun taak te werpen. Toen ik ze nakeek terwijl ze naar de deur liepen, voelde ik me ontspannen en redelijk zelfverzekerd. Ik had de verdediging zo goed als ik kon gevoerd. Ik had de regels naar mijn hand gezet en de uiterste grenzen opgezocht. Ik had zelfs mezelf in gevaar gebracht. Niet alleen wat betreft de regels van de wet, maar met iets wat veel gevaarlijker was. Ik had geloofd in de mogelijkheid dat mijn cliënt onschuldig was.

Toen de deur naar de jurykamer werd gesloten, keek ik naar Lisa. Ik zag geen angst in haar ogen en opnieuw overtuigde ze me. Zij was al zeker van het vonnis. Op haar gezicht waren geen sporen van twijfel te zien.

'Wat denk je?' fluisterde Aronson in mijn oor.

'Ik denk dat we een fiftyfifty kans hebben, en dat is meer dan we meestal krijgen, zeker in een moordzaak. We zullen zien.'

De rechter schorste de zitting nadat hij bij de griffier had gecheckt of ze van iedereen een telefoonnummer hadden en hij erop had aangedrongen dat we dicht genoeg in de buurt van het gerechtshof bleven om binnen een kwartier terug te kunnen komen, mocht er een uitspraak zijn. Mijn kantoor bevond zich binnen die afstand, dus besloten we daarnaartoe te gaan. Ik was optimistisch en goedgeluimd en zei zelfs tegen Lisa dat ze Herb Dahl mocht meebrengen. Ik zou haar uiteindelijk moeten inlichten over het verraad van haar beschermengel, maar dat kon nog wel even wachten.

Zodra we de gang op kwamen, werden we ingesloten door de mensen van de pers, die Lisa, of mij, een uitspraak probeerden te ontlokken. Achter deze mensen, bij de muur, zag ik Maggie staan, en naast haar, op de bank, zat mijn dochter iets in haar telefoon in te toetsen. Ik zei tegen Aronson dat zij de pers moest afhandelen en probeerde me aan de menigte te ontworstelen.

'Ik?' vroeg Aronson.

'Ja. Je weet wat je moet zeggen. Zolang je er maar voor zorgt dat Lisa niks zegt. Niet totdat we een uitspraak hebben.'

Ik werkte me langs een paar reporters en liep naar Maggie en Hayley. Ik maakte een schijnbeweging en kuste mijn dochter op de wang voordat ze kon wegduiken.

'Pápa!'

Ik ging weer rechtop staan en keek Maggie aan. Er speelde een flauwe glimlach om haar mond.

'Heb je haar voor mij laten spijbelen?'

'Ik vond dat ze erbij moest zijn.'

Dat was voor haar een enorme concessie.

'Dank je,' zei ik. 'En, wat denk je?'

'Ik denk dat jij op de Zuidpool ijs kunt verkopen,' zei ze.

Ik glimlachte.

'Maar dat betekent nog niet dat je gaat winnen,' voegde ze eraan toe.

Ik fronste mijn wenkbrauwen.

'Je wordt bedankt.'

'Nou, wat had je dan verwacht? Ik ben openbaar aanklager. Ik hou er niet van als schuldige beklaagden vrijuit gaan.'

'Nou, dat is in dit geval geen probleem.'

'Je moet maar geloven wat je wilt geloven, neem ik aan.'

Ik glimlachte weer. Ik keek naar mijn dochter, die weer zat te sms'en, doof voor ons gesprek, zoals meestal.

'Heeft Freeman gisteren nog iets tegen je gezegd?'

'Over je truc met je vijfde getuige, bedoel je? Ja. Je speelt vals, Haller.'

'Het is geen eerlijk spel. Heeft ze je ook verteld wat ze daarna tegen me zei?'

'Nee. Wat zei ze?'

'Laat maar. Ze had het in ieder geval mis.'

Haar wenkbrauwen kropen naar elkaar toe. Ze was nieuwsgierig.

'Ik vertel het je later wel,' zei ik. 'We wandelen nu naar mijn kantoor om daar te wachten. Hebben jullie zin om mee te gaan?'

'Nee, Hayley en ik kunnen maar beter naar huis gaan. Ze heeft huiswerk te doen.'

Mijn telefoon trilde in mijn broekzak. Ik haalde hem tevoorschijn en keek.

GERECHTSHOF L.A. stond er op het schermpje.

Ik nam het gesprek aan. Het was de griffier van rechter Perry. Ik luisterde even en beëindigde het gesprek. Ik keek om me heen om te zien of Lisa Trammel er nog was.

'Wie was dat?' vroeg Maggie.

Ik keek haar aan.

'We hebben nu al een uitspraak. Een unanieme, binnen vijf minuten.'

Deel vijf

De hypocrisie van de onschuld

53

Ze kwamen in drommen, vanuit heel Zuid-Californië, gelokt door het sirenengezang van Facebook. Lisa Trammel had het tuinfeest de ochtend na de uitspraak aangekondigd en nu, op zaterdagmiddag, stonden ze tien rijen dik bij de twee bars om tegen betaling een drankje te halen. Ze hadden zich in rood, wit en blauw gekleed en zwaaiden met de *Stars and Stripes*. De strijd tegen woningonteigening, onder aanvoering van hun bijna tot martelaar verheven leider, was nu Amerikaanser dan ooit. Bij de deuren van het huis en op diverse plekken in de tuin stonden emmers voor donaties, voor Lisa's onkosten en om de strijd te kunnen voortzetten. FLAG-speldjes kostten een dollar, een goedkoop katoenen T-shirt tien dollar en als je samen met Lisa op de foto wilde, moest je minstens twintig dollar doneren.

Maar niemand klaagde. Onder vuur genomen door valse beschuldigingen was Lisa Trammel zonder een schrammetje uit de strijd gekomen en leek ze op het punt te staan om van activist tot icoon te worden verheven. En daar was ze niet ongelukkig mee. Het gerucht ging dat er gesprekken met Julia Roberts werden gevoerd om Lisa's rol in de film te vertolken.

Mijn team en ik zaten aan de picknicktafel in de achtertuin, onder een parasol. We waren vroeg gekomen en hadden die plek weten te bemachtigen. Cisco en Lorna dronken bier uit blik en Aronson en ik deden het met een flesje bronwater. De sfeer aan tafel was enigszins gespannen en ik begreep uit de flarden van gesprekken die ik opving dat dit iets te maken had met hoe lang Cisco afgelopen maandagavond nog met Aronson in Four Green Fields was blijven hangen nadat ik met Maggie McFurie was weggegaan.

'Jeetje, moet je al die mensen zien,' zei Lorna. 'Weten ze dan niet dat een uitspraak van niet schuldig niet betekent dat ze werkelijk onschuldig is?'

'Foei, Lorna,' zei ik. 'Zoiets zeg je niet, zeker niet als je het over je eigen cliënt hebt.'

'Dat weet ik.'

Ze fronste haar wenkbrauwen en schudde haar hoofd.

'Dus jij gelooft er niet in, Lorna?'

'Je wilt me toch niet vertellen dat jij er wel in gelooft?'

Ik was blij dat ik een zonnebril ophad. Ik wilde me hier liever niet over uitlaten. Ik haalde mijn schouders op alsof ik het niet wist, of dat het me niet uitmaakte.

Maar het maakte me wel uit. Je moet er zelf mee leven. De wetenschap dat er een goede kans was dat Lisa Trammel de uitspraak werkelijk verdiende, maakte een aanzienlijk verschil wanneer je jezelf in de spiegel bekeek.

'Nou, één ding kan ik jullie wel zeggen,' zei Lorna, 'onze telefoon heeft niet stilgestaan sinds de uitspraak. We zijn back in business, en niet zo weinig ook.'

Cisco knikte instemmend. Het was waar. Het leek wel alsof iedere beschuldigde crimineel in de stad me als zijn advocaat wilde. Dat zou fantastisch geweest zijn als ik op deze manier had willen doorgaan.

'Heb je gisteren op NASDAQ de slotkoers van LeMure gezien?' vroeg Cisco.

Ik keek hem verbaasd aan.

'Volg je Wall Street tegenwoordig?'

'Ik wilde alleen zien of de mensen er aandacht aan besteden, en blijkbaar doen ze dat. LeMure is in twee dagen tijd dertig punten gezakt. Mede dankzij een artikel in de *Wall Street Journal*, waarin het verband wordt gelegd tussen Opparizio en Joey Giordano en men zich afvraagt hoeveel van die eenenzestig miljoen er in de zakken van de maffia verdwijnt.'

'Waarschijnlijk alles,' zei Lorna.

'Maar hoe wist je het, Mickey?' vroeg Aronson.

'Hoe wist ik wat?'

'Dat Opparizio ertussenuit zou knijpen.'

Ik haalde mijn schouders weer op.

'Dat wist ik niet. Ik ging ervan uit dat als het gevaar bestond dat de connectie in een openbaar gerechtshof wereldkundig werd gemaakt, hij alles zou doen om dat te voorkomen. Hij had maar één keus. Het zwijgrecht.'

Aronson wekte niet de indruk dat het antwoord haar tevredenstelde. Ik draaide mijn hoofd om en liet mijn blik door de overvolle tuin gaan. Het zoontje en de zus van mijn cliënt zaten aan een andere tuintafel. Ze zagen eruit alsof ze zich verveelden en liever naar huis zouden gaan. Bij de kruidentuin had zich een grote groep kinderen verzameld. Midden in de kring stond een vrouw die snoep uit een zak uitdeelde. Ze had een rood-wit-blauwe hoge hoed op, zoals die van Uncle Sam.

'Moeten we nog lang blijven, baas?' vroeg Cisco.

'Je bent niet aan het werk,' zei ik. 'Ik vond dat we onze neus even moesten laten zien.'

'Ik wil blijven,' zei Lorna, waarschijnlijk alleen om hem te pesten. 'Misschien komen er nog Hollywood-sterren langs.'

Na een paar minuten kwam de hoofdattractie van de dag door de achterdeur naar buiten, gevolgd door een reporter en een cameraman. Ze kozen een plek met veel mensen op de achtergrond en Lisa Trammel gaf een kort interview. Ik nam niet de moeite om ernaar te luisteren. Ik had hetzelfde interview de afgelopen twee dagen al vaak genoeg gehoord en gezien.

Na het interview liet ze de persmensen staan, schudde een paar gasten de hand en poseerde enkele keren voor een foto. Uiteindelijk kwam ze onze kant op, na een tussenstop om even met haar hand door het haar van haar zoontje te woelen.

'Daar zijn jullie dan. Mijn helden. Hoe voelt mijn team zich vandaag?'

Ik forceerde een glimlach.

'Best, Lisa. En jij ziet er ook goed uit. Waar is Herb?'

Ze keek om zich heen alsof ze Dahl in de mensenmassa zocht.

'Dat weet ik niet. Hij zou komen.'

'Wat jammer nou,' zei Cisco. 'We misten hem al.'

Het sarcasme leek Lisa te ontgaan.

'Weet je, ik moet je straks nog even spreken, Mickey,' zei ze. 'Ik heb je advies nodig over welke ontbijtshow ik moet doen. *Good Morning America* of *Today*? Ze willen me volgende week allebei in hun programma, maar ik moet een van de twee kiezen, want ze willen geen van beide tweede keus zijn.'

Ik hield mijn hand op en maakte een gebaar alsof het antwoord niet uitmaakte.

'Ik heb geen idee. Daar kan Herb je beter mee helpen. Hij is de mediaman.'

Lisa keek om naar de groep kinderen en er verscheen een glimlach op haar gezicht.

'O, ik moet even iets voor die kinderen doen. Als jullie me willen excuseren?'

Ze liep weg en verdween uit het zicht om de hoek van het huis.

'Ze kan haar geluk niet op, hè?' zei Cisco.

'Zo zou ik me ook voelen,' zei Lorna.

Ik keek naar Aronson.

'Waarom ben je zo stil?'

Ze haalde haar schouders op.

'Ik weet het niet. Ik ben er niet meer zo zeker van of ik wel strafzaken wil doen. Ik zat te denken: als jij nou de cliënten neemt die de afgelopen dagen hebben gebeld, dan blijf ik de onteigeningen doen. Als je het niet erg vindt.'

Ik knikte.

'Ik denk dat ik weet hoe je je voelt. Je mag onteigeningen blijven doen zo lang je wilt. Het zullen er de komende tijd nog genoeg zijn, zeker als mensen als Opparizio ze blijven afhandelen. Maar wat je nu voelt, zal uiteindelijk verdwijnen. Geloof me, Bullocks, dat gebeurt echt.'

Ze reageerde er niet op dat ik haar weer bij haar bijnaam noemde, noch op het andere wat ik had gezegd. Ik liet mijn blik weer door de tuin gaan. Lisa was terug; ze had de tank met heliumgas uit de garage gereden. Ze zei tegen de kinderen dat ze om haar heen moesten gaan staan en begon de ballonnen met het gas te vullen. Een cameraman kwam dichterbij om het te filmen. Het was een perfect shot voor het nieuws van zes uur.

'Doet ze dat voor de kinderen of voor de camera?' vroeg Cisco.

'Wat denk je zelf?' antwoordde Lorna.

Lisa trok een blauwe ballon los van het mondstuk van de tank en knoopte er behendig een touwtje aan vast. Ze gaf de ballon aan een meisje van een jaar of zes, die het uiteinde van het touw in haar handje klemde en de ballon twee meter de lucht in zag schieten. Het meisje lachte en keek op naar haar nieuwe speeltje. En op dat moment wist ik waarom Mitchell Bondurant naar het plafond had gekeken toen Lisa hem met de hamer sloeg.

'Ze heeft het gedaan,' fluisterde ik ademloos.

Ik voelde de gloed van een miljoen tintelende zenuwuiteinden in mijn hoofd, hals en schouders.

'Wat zei je?' vroeg Aronson.

Ik keek haar aan, zonder iets te zeggen, en keek toen weer naar mijn cliënt. Ze vulde een tweede ballon met gas, knoopte er een touwtje aan en gaf het uiteinde aan een jongetje. Er gebeurde weer hetzelfde. Het jongetje hield het touwtje vast en keerde zijn blozende gezichtje naar de rode ballon. Een instinctieve, volkomen natuurlijke reactie. Dat je opkeek naar een ballon.

'O mijn god,' zei Aronson.

Zij had het ook bedacht.

'Dus zo heeft ze het gedaan.'

Cisco en Lorna keken nu ook.

'De ooggetuige zei dat ze een grote winkeltas bij zich had,' zei Aronson. 'Groot genoeg voor een hamer en blijkbaar ook voor één of twee ballonnen.'

Ik ging door op wat ze zei.

'Ze sluipt de garage binnen en laat de ballonnen op boven zijn parkeerplek. Misschien zat er wel een briefje aan het touwtje, zodat ze zeker wist dat de ballon zijn aandacht zou trekken.'

'Ja,' zei Cisco, 'met de tekst "hier heb je je laatste betaling".'

'Ze verstopt zich achter de pilaar en wacht af,' zei ik.

'En als Bondurant opkijkt naar de ballonnen tegen het plafond,' vervolgde Cisco, 'slaat ze hem *beng,* boven op zijn hoofd.'

Ik knikte.

'En die twee knallen waarvan iemand dacht dat het pistoolschoten waren maar die werden afgedaan als de knallende uitlaat van een auto, waren geen van beide,' zei ik. 'Ze heeft de ballonnen doorgeprikt voordat ze de garage uit sloop.'

Een loodzware stilte daalde neer over onze tafel. Totdat Lorna weer iets zei.

'Maar wacht eens even. Wil je zeggen dat ze het van het begin af aan zo heeft gepland? Dat ze wist dat als ze hem boven op zijn hoofd sloeg geen jury dat zou geloven?'

Ik schudde mijn hoofd.

'Nee, dat was gewoon geluk. Ze wilde alleen zijn aandacht trekken. Die ballonnen waren bedoeld om hem tot staan te brengen, zodat zij de kans had om hem te besluipen. De rest was gewoon stom geluk... iets waarmee een strafpleiter wel raad zou weten.'

Ik durfde mijn collega's niet aan te kijken. Ik bleef maar naar Lisa en haar ballonnen staren.

'En wij hebben haar hiermee geholpen.'

Het was een statement van Lorna. Geen vraag.

'En wat het nog erger maakt,' zei Aronson, 'is dat ze er niet opnieuw voor kan worden berecht.'

Alsof het zo was afgesproken keek Lisa onze kant op terwijl ze een witte ballon dichtbond. Ze gaf de ballon aan een van de kinderen.

En toen glimlachte ze naar me.

'Cisco, wat rekenen ze hier voor een biertje?'

'Vijf dollar per blikje. Pure afzetterij.'

'Mickey, niet doen,' zei Lorna. 'Het is het niet waard. Je was zo goed bezig.'

Ik maakte mijn blik los van mijn cliënt en keek Lorna aan.

'Goed bezig? Ik? Wil je beweren dat ik dit goed heb gedaan?'

Ik stond op, liep naar de tafel met drank en ging in de rij staan. Ik had verwacht dat Lorna me achterna zou komen, maar het was Aronson die naast me kwam staan. Ze boog zich naar me toe en praatte heel zacht.

'Hoor eens, wat krijgen we nu? Je hebt tegen mij gezegd dat ik mijn geweten erbuiten moest laten. Ga je me nu vertellen dat jij dat níét kunt?'

'Ik weet het niet,' fluisterde ik terug. 'Het enige wat ik weet is dat ze me heeft misbruikt. En zal ik je eens iets vertellen? Ze weet dat ik het weet. Ik zag het zonet aan de manier waarop ze naar me glimlachte. Ik zag het in haar ogen. Ze is er trots op. Ze heeft die gastank expres de tuin in gereden zodat ik zou weten...'

Ik schudde mijn hoofd.

'Ze heeft me vanaf de allereerste dag om haar vinger gewonden. Het maakte allemaal deel uit van haar plan. Elk stukje...'

Ik hield op met praten toen me iets te binnen schoot.

'Wat?' vroeg Aronson.

Ik bleef zwijgen terwijl ik de stukjes in elkaar probeerde te passen.

'Wat is er, Mickey?'

'Haar man was haar man niet eens.'

'Hoe bedoel je?'

'Die figuur die me belde en die bij mijn huis opdook. Waar is hij nu, op de grote betaaldag? Hij is hier niet omdat hij haar man niet was. Hij was gewoon een acteur in haar toneelstukje.'

'Waar is haar man dan wel?'

Dat was de grote vraag. Maar ik had er geen antwoord op. Ik had helemaal geen antwoorden meer.

'Ik ga naar huis.'

Ik stapte uit de rij en liep weg.

'Mickey, wat ga je doen?'

Ik gaf geen antwoord. Met grote passen liep ik het huis door en ging door de voordeur naar buiten. Omdat ik zo vroeg was gekomen, had ik een parkeerplek twee huizen verderop kunnen vinden. Ik was bijna bij de Lincoln toen ik achter me mijn naam hoorde roepen.

Het was Lisa. Ze was me achternagekomen.

'Mickey! Ga je al weg?'

'Ja, ik ga weg.'

'Waarom? Het feest begint net.'

Ze kwam aanlopen en bleef voor me staan.

'Ik ga weg omdat ik het weet, Lisa. Ik weet het.'

'En wat denk je te weten?'

'Dat je me hebt gebruikt, net zoals je iedereen hebt gebruikt. Zelfs Herb Dahl.'

'Ach, kom op, je bent advocaat. Je hebt nu meer werk dan ooit.'

Ze gaf het gewoon toe, alsof het niets voorstelde.

'En als ik dat werk niet wil? Als ik wil blijven geloven in iets wat waar en goed is?'

Ze gaf niet meteen antwoord. Ze begreep het niet.

'Stel je niet aan, Mickey. Word toch eens volwassen.'

Ik knikte. Dat was een goed advies.

'Wie was hij, Lisa?' vroeg ik.

'Wie was wie?'

'Die gast die je naar me toe hebt gestuurd, die zei dat hij je man was.'

Haar onderlip krulde omlaag in een minimaal, trots glimlachje.

'Het ga je goed, Mickey. Bedankt voor alles.'

Ze draaide zich om en begon terug te lopen naar haar huis. En ik stapte in mijn Lincoln en reed weg.

54

Ik zat op de achterbank van de Lincoln en we reden door de tunnel bij Third Street toen mijn telefoon zoemde. Ik zag op het schermpje dat het Maggie was. Ik zei tegen Rojas dat hij de muziek – een van mijn favoriete Clapton-songs – uit moest zetten.

'Heb je het gedaan?' was het eerste wat ze vroeg.

We kwamen net de tunnel uit en ik keek uit het raampje, het heldere daglicht in. Het paste bij hoe ik me voelde. Er waren drie weken verstreken sinds de uitspraak en hoe verder die achter me lag, hoe beter ik me voelde. Ik was nu op weg naar iets nieuws.

'Ja, ik heb het gedaan.'

'Wauw! Gefeliciteerd.'

'Het is de wildste gok die ik ooit heb gedaan. De concurrentie is groot en ik heb geen geld om campagne te voeren.'

'Maakt niet uit. Je hebt een naam in deze stad, een zekere integriteit die mensen aanspreekt en waardoor ze zich zullen laten leiden. Dat heb ik in ieder geval gedaan. Bovendien ben je een outsider. Outsiders winnen altijd. Dus maak jezelf niks wijs, dat geld komt heus wel.'

Ik wist niet zeker of integriteit en mijn persoon wel in dezelfde zin thuishoorden. Maar met de rest kon ik wel meegaan, en bovendien had ik Maggie McFurie in lange, lange tijd niet zo blij gehoord.

'Nou, we zullen zien,' zei ik. 'Maar zolang ik jouw stem heb, kan het me niet schelen hoeveel ik erbij krijg.'

'Dat is lief van je, Haller. Wat ga je nu doen?'

'Goeie vraag. Ik moet een bankrekening openen en ik moet een campagne...'

Mijn telefoon begon te piepen. Er kwam een tweede gesprek binnen. Ik keek op het schermpje maar zag geen nummer.

'Mag, een momentje, alsjeblieft, ik heb een wisselgesprek.'

'Ga je gang.'

Ik schakelde door.

'Met Michael Haller.'

'Jij hebt dit gedaan.'

Ik herkende de boze stem. Lisa Trammel.

'Wat heb ik gedaan?'

'De politie is hier. Ze zijn in mijn tuin aan het graven, zijn hem aan het zoeken. Jij hebt ze op me af gestuurd!'

Ik nam aan dat ze met 'hem' haar vermiste echtgenoot bedoelde, die nooit naar Mexico was gegaan. Haar stem had de bekende schrille klank die je hoorde als ze helemaal over haar toeren was.

'Lisa, ik...'

'Ik heb je hier nodig. Ik heb een advocaat nodig. Ze gaan me arresteren!'

'Lisa, ik ben je advocaat niet meer. Ik kan wel iemand aanbevelen...'

'Nee! Je mag me niet laten barsten. Niet nu!'

'Lisa, je beschuldigt me er net van dat ik de politie op je af heb gestuurd. En nu wil je dat ik je vertegenwoordig?'

'Ik heb je nodig, Mickey. Alsjeblieft.'

Ze begon te huilen, het langgerekte gesnik dat ik al zo veel keren eerder had gehoord.

'Zoek maar iemand anders, Lisa. Ik heb het gehad met je. Met een beetje geluk word ik zelfs je openbaar aanklager.'

'Waar heb je het over?'

'Ik heb mijn bul ingeleverd. Ik ga voor de post van procureur-generaal.'

'Ik begrijp het niet.'

'Ik ga een nieuw leven beginnen. Ik heb er schoon genoeg van om mensen als jij te verdedigen.'

Er kwam niet meteen een reactie, maar ik hoorde haar wel ademhalen. Toen ze uiteindelijk iets zei, had haar stem een lege, emotieloze klank.

'Ik had tegen Herb moeten zeggen dat ze je moesten afmaken. Je zou het verdiend hebben.'

Nu was ik degene die niet meteen reageerde. Ik wist waar ze het over had. De gebroeders Mack. Dahl had tegen me gelogen toen hij zei dat Opparizio de opdracht voor het pak slaag had gegeven. Maar dat had niet in de rest van het verhaal gepast. Dit scenario paste er wel in. Het was Lisa geweest die me had laten aftuigen. Ze was bereid geweest haar eigen advocaat half te laten vermoorden als ze daarmee de aandacht in een andere richting kon sturen om zichzelf uit de problemen te redden. Als het ertoe zou leiden dat ik in andere mogelijkheden ging geloven.

Toen ik mijn stem ten slotte had teruggevonden sprak ik mijn laatste woorden tegen haar.

'Vaarwel, Lisa. En veel succes.'

Ik haalde diep adem en schakelde terug naar mijn ex-vrouw.

'Sorry... het was een cliënt. Een voormalige cliënt.'

'Alles oké met je?'

Ik liet mijn hoofd tegen het zijraampje rusten. Rojas was net naar Alvarado afgeslagen en reed in de richting van de 101.

'Ja. Zullen we vanavond ergens naartoe gaan om mijn campagne te bespreken?'

'Weet je, toen ik net zat te wachten kreeg ik een ander idee. Waarom kom je vanavond niet hiernaartoe? Dan eten we met Hayley en praten we als zij haar huiswerk doet.'

'Dus iemand moet eerst een gooi naar de post van PG doen om bij jou uitgenodigd te worden?'

'Daag me niet uit, Haller.'

'Dat zal ik niet doen. Hoe laat?'

'Zes uur.'

'Oké. Tot straks.'

Ik verbrak de verbinding en bleef door het raampje naar buiten staren.

'Meneer Haller?' vroeg Rojas. 'Gaat u een gooi naar de post van PG doen?'

'Ja. Heb je daar problemen mee, Rojas?'

'Nee, baas. Maar hebt u dan nog een chauffeur nodig?'

'Absoluut, Rojas. Jouw baan komt niet in gevaar.'

Ik belde naar kantoor en kreeg Lorna aan de lijn.

'Waar is iedereen?'

'Hier. Jennifer gebruikt jouw kantoor om met een nieuwe cliënt te praten. Een onteigening. En Dennis zit iets op de computer te doen. Waar ben je geweest?'

'In de stad. Maar ik ben nu onderweg naar kantoor. Zorg ervoor dat er niemand weggaat. Ik moet iets met jullie bespreken.'

'Oké, ik zal het doorgeven.'

'Mooi. Ik zie jullie over een half uur.'

Ik klapte mijn telefoon dicht. We reden de oprit van de 101 op. Alle zes rijbanen waren vergeven van blik en metaal, dat zich in een gestaag maar traag tempo voortbewoog. Maar ik zou het niet anders hebben gewild. Dit was mijn stad en dit was de manier waarop je je hier verplaatste. Op Rojas' bevel zwenkte de zwarte Lincoln naar links, voegde zich in het verkeer en gingen we op weg naar mijn nieuwe bestemming.

Dankbetuiging

De auteur wil graag de volgende mensen bedanken voor hun hulp tijdens het schrijven van dit boek: Asya Muchnick, Bill Massey, Terrill Lee Lankford, Jane Davis en Heather Rizzo. Speciale dank ook aan Susanna Brougham, Tracy Roe, Daniel Daly, Roger Mills, Jay Stein, Rick Jackson, Tim Marcia, Mike Roche, Greg Stout, John Houghton, Dennis Wojciechowski, Charles Hounchell en – natuurlijk – Linda Connelly.

Dit boek is een fictief werk. Alle fouten in feiten, geografie en juridische termen en procedures zijn geheel voor rekening van de auteur.